लेखकीय

हर महिला जिसे मैं जानती हूं, अपने मन में एक छिपी चाहत रखती है कि वह किस तरह कम-से-कम खर्च में सुंदर दिखे। यही नहीं अक्सर महिलाएं यह भी महसूस करती हैं कि उनकी खूबसूरती उनका मूड प्रदर्शित करती है, क्योंकि कभी चेहरे पर अचानक उग आए मुंहासे तंग करते हैं, तो कभी झड़ते बाल परेशानी का सबब बनते हैं। आपके चेहरे के रंग का निखार दिनोंदिन बढ़े, त्वचा बेदाग और स्वस्थ दिखे, मुंहासों से छुटकारा मिले, झुर्रियों का डर न रहे, इसके लिए मैंने कुदरत के जड़ी-बूटियों से भरे अपार खजाने का सहारा लेकर **'2500 हर्बल ब्यूटी टिप्स'** पुस्तक तैयार की है, जो आपको अनुपम सौंदर्य से भर देगी।

महिलाएं अपने सौंदर्य को निखारने के लिए अंधाधुंध सौंदर्य प्रसाधनों का प्रयोग करती हैं। प्रायः ये प्रसाधन विभिन्न रसायनों से तैयार किए जाते हैं जो अन्ततः मानव शरीर के लिए घातक सिद्ध होते हैं। महिलाएं आज यह तथ्य भली-भांति समझने लगी हैं कि आधुनिक सौंदर्य प्रसाधन के अत्यधिक प्रयोग से उनका स्वास्थ्य संकटपूर्ण स्थिति तक पहुंच गया है। एक दोष के उपचार के लिए इस्तेमाल होने वाली ऐलोपैथिक मेडीसिन से दूसरा नया दोष पैदा होना आम बात हो गई है। भारतीय जड़ी-बूटियों से निर्मित उत्पादों की, जिनमें सौंदर्य प्रसाधन भी शामिल हैं, विदेशों को निर्यात दर प्रतिवर्ष बढ़ रही है। हर्बल उत्पादों के प्रति बढ़ते विदेशी आकर्षण को देखते हुए भारतीय उद्योग भी जागरूक हुए हैं। ऐसे अनेक सौंदर्य सामग्री उत्पादक, जो पहले पाश्चात्य रासायनिक पद्धति के आधार पर ब्यूटी प्रोडक्ट्स बना रहे थे, अब हर्बल प्रोडक्ट्स बनाने में जुट गए हैं। तुलसी, अश्वगधा, शतावरी, ब्राह्मी, नर-ब्राह्मी, पुनर्नवा, गिलोय, घीग्वार, बबूल, चन्दन, समुद्र फेन, फिटकरी, हल्दी, सैंधा नमक, आंवला, मेहंदी, मेथी, आक, जैसी गुणकारी जड़ी-बूटियों से बढ़िया सौंदर्य प्रसाधन तैयार हो रहे हैं तथा विश्व-भर में सुंदरियों के मध्य लोकप्रियता पा रहे हैं।

इस पुस्तक में मैंने 2500 से भी अधिक कुछ ऐसे आसान टिप्स दिए हैं जिनके प्रयोग द्वारा आप अपने सौंदर्य में निखार तो ला ही सकती हैं, साथ-ही-साथ उसे लंबे समय तक बनाए भी रख सकती हैं। हर्बल जड़ी-बूटियों से त्वचा पर कोई साइड इफैक्ट नहीं होता है जबकि अन्य सौंदर्य प्रसाधन त्वचा को बहुत हानि पहुंचाते हैं। ये हर्बल सौंदर्य प्रसाधन बहुत ही सस्ते और घर पर ही आसानी से बनाए जा सकते हैं। पुस्तक को त्वचा सौंदर्य, श्रृंगार सौंदर्य, केश सौंदर्य, सौंदर्य समस्याएं,

स्वास्थ्य सौंदर्य, संपूर्ण सौंदर्य हेतु व्यायाम और आकर्षक व्यक्तित्व नामक विभिन्न खंडों में विभाजित किया गया है। विभिन्न मौसमों में त्वचा की देखभाल, हाथ-पैर, नाखून, गर्दन, गले तथा पीठ को आकर्षक और सुंदर बनाने के आसान उपायों के साथ-साथ घरेलू उबटन से सौंदर्य निखारने और विभिन्न व्यायामों द्वारा देहयष्टि को आकर्षक बनाने के प्रभावी टिप्स भी पुस्तक में विस्तारपूर्वक दिए गए हैं। पुस्तक में विषयवस्तु को प्रभावी बनाने के लिए कुछ फोटोग्राफ्स भी दिए गए हैं। जिन स्रोतों से ये फोटोग्राफ्स उपलब्ध हुए हैं उनके प्रति मैं हृदय से आभारी हूं। पुस्तक को लिखने में मेरी स्वयं की लेखन-रुचि और अपनों की प्रेरणा तो उत्तरदायी रही ही है, साथ ही श्रीमती अनीता गौड़ जी का भी विशेष सहयोग मुझे मिला है, जिसके लिए मैं उनका अत्यंत आभार प्रकट करती हूं। सौंदर्य के विषय में यूं तो कुछ-न-कुछ जानकारी हर महिला को अवश्य ही होती है, किंतु सौंदर्य की देखभाल के बारे में ज्यादा जानकारी कुछ ही महिलाओं को होती है। इस प्रकार की जानकारी शहरी महिलाओं को ही अधिक होती है, जबकि कस्बों व ग्रामीण परिवेश में रहने वाली महिलाएं सौंदर्य संबंधी जानकारी से प्रायः अंजान ही रहती हैं। पुस्तक को लिखने का मेरा एकमात्र उद्देश्य यही है कि हर उम्र और हर वर्ग की महिलाओं को जो न केवल शहरों में रहती हैं, अपितु गांवों तथा कस्बों में रहती हैं, सौंदर्य के विभिन्न पहलुओं की जानकारी मिल सके तथा वे भी सौंदर्य के सही पैमाने को जान सकें।

प्रस्तुत पुस्तक के अलावा 'राजा पॉकेट बुक्स' में मेरी तीन पुस्तकें और प्रकाशित हो चुकी हैं, जो निम्न हैं—

'प्रसव ज्ञान और शिशु पालन' में प्रसूति संबंधी प्रचलित विभिन्न समस्याओं के बारे में वैज्ञानिक ढंग से विवेचन किया गया है। प्रसवकाल को कुछ लोग अज्ञानवश एक रोग के समान समझने लगते हैं, जबकि यह एक प्राकृतिक प्रदत्त प्रक्रिया है, अतः इससे भय करना अनुचित है।

'बेबी हेल्थ केयर' में शिशु के अनवरत विकास और उज्ज्वल भविष्य को ध्यान में रखते हुए शिशु से संबंधित लगभग सभी समस्याओं और शंकाओं का पूर्ण समाधान प्रस्तुत करने का प्रयास किया गया है।

'बच्चों के 7000 भाग्यशाली नाम' में बच्चों के 7000 से भी अधिक सुंदर, आधुनिक व मनभावन नामों का उनके अर्थों सहित समावेश किया है, साथ ही बच्चों के स्वास्थ्य सम्बंधी आवश्यक जानकारी व टीकाकरण प्रणाली को भी बहुत ही सहज ढंग से समझाया गया है।

मुझे आशा ही नहीं अपितु पूर्ण विश्वास है कि प्रबुद्ध पाठक-पाठिकाओं के लिए ये पुस्तकें रुचिकर होने के साथ-साथ अत्यंत उपयोगी सिद्ध होंगी।

—आशु गुप्ता

विषय-सूची

त्वचा सौंदर्य

श्रृंगार सौंदर्य

केश सौंदर्य

त्वचा सौंदर्य

7

त्वचा के प्रकार

महिलाएं अपने सौंदर्य के प्रति काफी सतर्क रहती हैं और अपनी खूबसूरती को बढ़ाने के लिए नित नए-नए सौंदर्य प्रसाधन इस्तेमाल करती रहती हैं। अब सभी सौंदर्य प्रसाधन सभी स्त्रियों पर समान रूप से सही प्रभाव डालें, यह जरूरी नहीं होता क्योंकि सभी स्त्रियों या पुरुषों की त्वचा एक जैसी नहीं होती, बल्कि सभी की

अपनी त्वचा की प्रकृति पहचानिए

त्वचा अलग-अलग प्रकार की होती है। यदि एक बार यह जानकारी हो जाए कि आपकी त्वचा का 'प्रकार' क्या है तो उसी के अनुरूप आप सौंदर्य प्रसाधनों का इस्तेमाल करके अपनी त्वचा की देख-भाल कर सकते हैं तथा अपनी सुंदरता में चार चांद लगा सकते हैं।

त्वचा के चार प्रकार

1. सामान्य त्वचा

ऐसी त्वचा बहुत कम लोगों की होती है। यह त्वचा चमकदार, साफ, आकर्षक होती है। न इसमें तेल अधिक होता है, न ही यह रूखी होती है। मौसम का कुछ-कुछ असर इस त्वचा पर जरूर होता है। ऐसे में फेस पैक लगाकर त्वचा की देखभाल करें। सर्दियों में अगर त्वचा रूखी लगे तो जो फेस पैक रूखी त्वचा के लिए होते हैं, उन्हें अपनाएं और यदि त्वचा गर्मियों में तैलीय लग रही है तो तैलीय त्वचा वाले फेस पैक लगाएं।

त्वचा संबंधी देखभाल के लिए सर्वप्रथम त्वचा की प्रकृति पहचानना जरूरी होता है। सामान्य त्वचा की पहचान का तरीका यह है कि प्रातःकाल उठकर चेहरे पर टिश्यू पेपर से दबाव दें। पेपर में यदि न ज्यादा तेल, न खुश्की दिखाई दे तो यह सामान्य त्वचा है।

2. तैलीय त्वचा

जब मांसपेशियां अधिक तेल पैदा करती हैं, तब हमारी त्वचा तैलीय होती है। इस प्रकार की त्वचा पर हमेशा तेल की परत नजर आती है, चेहरा ऐसे चमकता है मानो कोल्डक्रीम लगा रखी हो। इस प्रकार की त्वचा पर झुर्रियां नहीं पड़तीं। ऐसी त्वचा वाले स्त्री-पुरुष जल्दी बूढ़े नहीं लगते। इस प्रकार की त्वचा की देखभाल न की जाए तो त्वचा के अनेक रोग हो जाते हैं, जैसे मुंहासे, खुले रोमछिद्र और झाइयां इत्यादि। ऐसी त्वचा वालों को दिन में चार-पांच बार मुंह धोना चाहिए। चेहरे का तेल कम करने के लिए चंदन का पैक लगाना चाहिए। इस त्वचा को छाछ से धोने पर निखार आता है।

तैलीय त्वचा की एक सामान्य पहचान यह है कि इस त्वचा पर मुंहासों की अधिकता बहुत होती है। टिश्यू पेपर से पोंछने पर पेपर पर बहुत चिकनाहट आ जाती है। तैलीय त्वचा हमेशा चमकती-सी दिखाई देती है।

3. मिश्रित त्वचा

जैसा कि नाम से ही पता चल रहा है कि इस त्वचा में सभी प्रकार की त्वचा का मिश्रण होता है। इस प्रकार की त्वचा में माथे, नाक और ठोड़ी पर अंग्रेजी के 'T' अक्षर की तरह तेल होता है। गाल रूखे-रूखे होते हैं। इस प्रकार की त्वचा को दिन

9

में 2-3 बार पानी से धोएं, गालों पर अच्छी कोल्ड क्रीम लगाएं, फिर जिस तरह त्वचा लगे उसी तरह फेस पैक लगाएं।

इस प्रकार की त्वचा की पहचान यह है कि टिश्यू पेपर को चेहरे पर हल्का-सा टच करने पर कहीं चिकनाहट दिखाई देगी व कहीं खुश्की।

4. रूखी त्वचा

इस तरह की त्वचा वाली स्त्रियां मुंहासे, झाइयों व खुले रोम-छिद्रों से बची रहती हैं। इस तरह की त्वचा पर मेकअप काफी देर तक टिका रहता है, परंतु इस त्वचा में अपनी कोई चमक नहीं होती। इस पर झुर्रियां उम्र से पहले आ जाती हैं। अगर इस त्वचा का ध्यान न रखा जाए तो इस पर सफेद चकते हो जाते हैं व त्वचा खराब हो जाती है। ऐसी त्वचा वालों को स्क्रबर का प्रयोग कभी नहीं करना चाहिए। रात को कोल्ड क्रीम से मालिश करनी चाहिए। अंडे के पीले भाग में 2 बूंद जैतून का तेल डालकर हफ्ते में एक बार फेस पैक लगाएं। मॉइस्चराइजर का प्रयोग अधिक करें।

रूखी त्वचा को जब टिश्यू पेपर से पोंछा जाता है तो पेपर में प्रायः रूखापन व लकीरें-सी दिखाई देती हैं। रूखी त्वचा वालों का चेहरा प्रायः खिंचा-खिंचा-सा रहता है।

उपरोक्त प्रयोग के अतिरिक्त भी अपनी त्वचा के प्रकार को जानने के लिए निम्नलिखित तरीके प्रयोग में लाए जा सकते हैं।

- सर्वप्रथम अपना सिर पीछे की ओर थोड़ा-सा झुकाकर आइने में देखें ताकि बालों के आगे आने से रोम छिद्रों को देखने में कोई भी रुकावट न हो। (मिल्क से पहले) प्रातः अपनी त्वचा पर निगाह डालें और देखें कि आपकी त्वचा कैसी है।

- आंखों के नीचे के भाग से जबड़ों के किनारे तक अगर आपकी त्वचा में लकीरें दिखाई देती हैं और त्वचा कसी हुई दिखाई देती है तथा रोम छिद्र नजर नहीं आते तो इसका आशय है कि आपकी त्वचा 'रूखी' है।

- अपने होंठों को चुंबन की मुद्रा में मोड़ें। यदि आपके मुंह के आस-पास गालों पर आड़ी लकीरें दिखाई देती हैं और होंठों को सामान्य स्थिति में लाने पर वे गायब हो जाती हैं तो इसका मतलब है कि आपकी त्वचा में पानी की कमी है यानी वह नमी रहित है, लेकिन यह भी जरूरी नहीं कि उसमें तेल की कमी हो। यदि आपके रोमछिद्र दिखाई देते हैं और आपकी त्वचा की

रंगत संतरे के छिलके के रंग की है तो अपना चेहरा धोएं और दो-तीन मिनट तक इंतजार करें, अब आप अपनी त्वचा आईने पर दबाएं। यदि आपको धब्बा दिखाई दे तो आपकी त्वचा तैलीय है।

● रूखे गालों और तैलीय टी जोन (माथे और नाक के बीच का भाग) के बीच क्रॉस की तरह लकीरें बनने का मतलब है कि आपकी त्वचा मिश्रित प्रकार की है।

इस प्रकार अपनी सुविधानुसार किसी भी प्रयोग को आजमाकर अपनी त्वचा के बारे में सही राय बनाई जा सकती है। अपनी त्वचा के बारे में जानकर एवं उसके अनुरूप मेकअप करके न केवल अपनी सुंदरता का लोहा मनवाया जा सकता है, अपितु अपनी कुशलता और काबिलियत से लोगों को दांतों तले उंगली दबाने पर विवश भी किया जा सकता है।

त्वचा पर मौसम का प्रभाव

प्रत्येक मौसम में त्वचा की अलग-अलग तरह से देखभाल करनी पड़ती है। त्वचा पर ऋतु का बहुत अधिक प्रभाव पड़ता है। सर्दियों में यह खुश्क हो सकती है तो गर्मियों में इसका तेल बह सकता है। इसलिए अपनी त्वचा की प्रकृति को जानकर अग्रलिखित टिप्स के अनुसार उसकी उचित देख-रेख करें।

मौसम का हमारी त्वचा पर विशेष प्रभाव पड़ता है

12

- सामान्य त्वचा वाले स्त्री-पुरुषों को गर्मियों में हमेशा अपना चेहरा बेबी सोप और ठंडे पानी से धोना चाहिए।
- गर्मी के मौसम में तैलीय त्वचा और भी चिपचिपी हो जाती है अतः इन दिनों, अर्थात गर्मी के मौसम में किसी 'औषधियुक्त साबुन' का प्रयोग करना चाहिए और मेकअप करने से पहले आइस पैक लगाना चाहिए।
- रूखी त्वचा गर्मी के दिनों में खिंची-खिंची-सी लगती है, अतः इन दिनों त्वचा पर कोई भी हल्का-सा मॉइस्चराइजर लगाएं।
- सर्दियों में रूखी त्वचा पर लकीरें-सी पड़ जाती हैं अतः इन दिनों नीबू का रस, ग्लिसरीन और गुलाब जल को बराबर मात्रा में लेकर शरीर के खुले भाग पर सुबह-शाम नित्य लगाएं। इससे त्वचा बेदाग भी रहेगी और कांतिमय होकर त्वचा का फटना भी रुक जाएगा।
- चंदन के तेल में नारियल का तेल बराबर मात्रा में मिलाकर त्वचा पर लगाएं, दस मिनट बाद कुनकुने पानी से धो लें। खुश्क त्वचा में होने वाली खुश्की से राहत मिलेगी।
- गुलाबी ठंडक में शरीर पर, खास-तौर से रूखी त्वचा पर नीबू, हल्दी व मलाई को रगड़ने से जहां एक ओर त्वचा में नमी आती है, वहीं त्वचा स्निग्ध भी हो जाती है।
- त्वचा की खुश्की दूर करने के लिए गुलाब जल और जैतून का तेल बराबर मात्रा में लेकर उसमें थोड़ा-सा कच्चा दूध मिला लें। इसे त्वचा पर हल्के हाथों से मलें। दस मिनट बाद कुनकुने पानी से स्नान कर लें।
- रूखी त्वचा होने पर सर्दियों में प्रतिदिन प्रातः स्नान के पश्चात बेबी ऑयल प्रयोग में लाएं।
- सर्दियों में रूखी त्वचा पर संतरे के छिलके रगड़ने से न केवल शरीर में एक नई आभा आती है, अपितु शरीर में कसावट भी आती है।
- रूखी त्वचा के लिए सर्दियों में सबसे कारगर उपाय है, धूप में प्रतिदिन जैतून के तेल या बादाम रोगन से मालिश करें एवं कुनकुने पानी से स्नान करें।
- सर्दियों में तैलीय त्वचा के लिए विशेष प्रकार की देखभाल की आवश्यकता नहीं होती, फिर भी इन दिनों यदि चेहरे पर रात को गाजर व टमाटर का रस निकालकर चेहरे पर लगाया जाए तो चेहरे की अतिरिक्त चिकनाई खत्म होगी।
- सर्दियों में तैलीय त्वचा पर ऑयल-फ्री मॉइस्चराइजर लगाएं।

- प्रातःकाल उठकर नहाने से आधा घंटा पूर्व धूप में बैठकर खाली हाथों से पूरे शरीर की मालिश करें। इससे शरीर का अतिरिक्त तेल निकल जाएगा और धीरे-धीरे प्राकृतिक रूप से ही चिकनाहट बनी रह जाएगी।
- सर्दियों में सामान्य त्वचा की विशेष देखभाल की आवश्यकता होती है। इसके लिए बादामयुक्त मॉइस्चराइजर का प्रयोग करें।
- सामान्य त्वचा पर नीबू का प्रयोग भी अति लाभदायक सिद्ध होता है।
- सर्दियों में भरपूर हरी सब्जी, फल, दूध, मेवों का भरपूर सेवन त्वचा का पोषण करता है एवं उसे आभायुक्त बनाता है।
- सर्दियों के मौसम में गाजर व पालक का जितना ज्यादा हो सके उतना उपयोग करें।
- सर्दियों में सामान्य त्वचा के लिए बेसन, हल्दी, नीबू का रस व कच्चे दूध का पेस्ट बनाकर उसे त्वचा पर रगड़ना चाहिए और बाद में कुनकुने पानी से स्नान करना चाहिए।
- गर्मियों के मौसम में त्वचा को धूप के संपर्क से बचाना चाहिए क्योंकि किसी भी प्रकार की त्वचा के लिए धूप की तेज किरणें अत्यंत नुकसानदायक होती हैं जो कम उम्र में ही वृद्ध सदृश बना देती हैं।
- गर्मियों में रूखी त्वचा के लिए चेहरे पर दस मिनट लगाया गया शहद बहुत असरदार होता है।
- नहाते समय चेहरे व संपूर्ण शरीर में नमी बनाए रखने के लिए चार बूंद कोई भी खुशबू वाला हल्का तेल डालें। इससे त्वचा में दिन-भर नमी और ताजगी बनी रहेगी।
- रूखी त्वचा वालों को इन दिनों बेबी मॉइस्चराइजर को प्रयोग में लाना बेहतर होता है।
- गर्मियों में त्वचा पर लगाने के लिए ग्लिसरीन, नीबू, गुलाबजल को सम भाग में लेकर एक शीशी में मिलाकर रख लें। प्रतिदिन सुबह-शाम पूरी त्वचा पर लगाएं।
- रूखी त्वचा चूंकि बेजान-सी लगती है, अतः इन दिनों भरपूर रूप से फलों एवं जूस का सेवन करना चाहिए और सलाद भी भरपूर मात्रा में लेना चाहिए।
- त्वचा में सिकुड़न उत्पन्न न हो, इसके लिए स्नान करने से एक घंटा पूर्व माल्ट सिरका व बादाम का तेल मिलाकर शरीर पर लगाएं।

- गर्मियों के मौसम में तैलीय त्वचा और भी तैलीय हो जाती है, क्योंकि इन दिनों तैलीय ग्रंथियां अधिक खिंची-खिंची-सी हो जाती हैं। अतः जिनकी त्वचा तैलीय हो, वे दिन में कम-से-कम चार बार किसी एंटीसेप्टिक साबुन से अपना चेहरा अवश्य धोएं।
- गर्मियों में तरल पेय पदार्थों का प्रयोग अधिक करना चाहिए।
- गर्मियों में तैलीय त्वचा में पसीना अधिक आता है, अतः सुबह-शाम नियमित रूप से ठंडे पानी से स्नान करें, बगलों में किसी अच्छे डिओडरेंट का प्रयोग करें तथा पूरे शरीर पर व टांगों के पीछे खुशबूदार पाउडर लगाएं। इससे दिन-भर ताजगी भी बनी रहेगी और पसीने की गंध से भी निजात मिलेगी।

तैलीय त्वचा में पसीना अधिक आता है

- तैलीय त्वचा वालों को धूप में निकलने से पहले सनस्क्रीन लोशन अवश्य लगाना चाहिए।

- त्वचा तैलीय हो और उस पर मुंहासे न हों तो यह एक असंभव-सी बात है, अतः मुंहासों से छुटकारा पाने के लिए बेसन, हल्दी, लाल चंदन का बारीक पाउडर सम भाग एवं सूखे संतरे व नीबू के छिलकों का बारीक पाउडर एक शीशी में बराबर मात्रा में मिलाकर रखें तथा मुल्तानी मिट्टी का बारीक चूर्ण भी मिलाएं। अब प्रतिदिन नहाते समय इस उबटन में गुलाब जल मिलाकर सुबह-शाम चेहरे पर दस मिनट लगाकर ठंडे पानी से चेहरा धो लें। एक माह में चेहरा बेदाग हो जाएगा। यह नुस्खा आजमाया हुआ सफल परिणाम वाला है।

- गर्मियों में शरीर में से अधिक तेल निकलने के कारण शरीर में जगह-जगह छोटे-छोटे दाने हो जाते हैं, अतः इसके लिए नहाते समय नहाने के पानी में या तो नीम की पत्तियां डालकर नहाएं या किसी एंटीसेप्टिक औषधियुक्त साबुन का प्रयोग करें।

- गर्मियों में शरीर पर बारीक लाल दाने हो जाते हैं तथा उनमें खुजली भी होती है, अतः गर्मी के दिनों में मुल्तानी मिट्टी से नहाना चाहिए। इससे न केवल बारीक दानों में राहत मिलेगी, अपितु दिन-भर शीतलता का अहसास भी होगा।

- गर्मियों में सामान्य त्वचा के लिए एक कारगर उपाय है कि आप प्रातःकाल अपना बिस्तर छोड़ें तथा अपने चेहरे की सूखे हाथों से मालिश करें।

- सामान्य त्वचा में चूंकि चिकनाहट और शुष्कता दोनों ही पाई जाती हैं, अतः गर्मियों में सामान्य त्वचा के लिए 'एलोवेरा' का पैक लाभदायक होता है।

- सामान्य त्वचा पर यदि संतरे के छिलके रगड़कर स्नान किया जाए तो बेहतर परिणाम मिल सकते हैं।

- रात्रि को सोते समय यदि क्लींजिंग मिल्क या कच्चे दूध से चेहरा साफ किया जाए तो त्वचा कांतिमय लगेगी।

- त्वचा चाहे कैसी भी हो, गर्मियों में यदि पानी भरपूर मात्रा में पिया जाए तो त्वचा सदा खिली-खिली रहेगी।

- गर्मियों के मौसम में प्रातःकाल खाली पेट यदि एक गिलास ठंडा पानी दो नीबू निचोड़कर पिया जाए तो दिन-भर ताजगी बनी रहती है।

इन उपायों को करने से किसी भी मौसम के आने-जाने का त्वचा पर कोई फर्क नहीं पड़ेगा और हर मौसम में आपकी त्वचा एकदम खिली-खिली रहेगी।

खाद्य पदार्थ और आपकी त्वचा

सही आहार त्वचा को केवल सौंदर्य ही प्रदान नहीं करता, बल्कि शरीर को वे पौष्टिक तत्त्व भी प्रदान करता है, जो त्वचा पर पड़ने वाली दरारें, कट आदि को ठीक करके नई कोशिकाओं का पुनर्निर्माण करते हैं, त्वचा के विकारों को अंदर से ठीक करते हैं तथा शरीर की नमी को बरकरार रखते हैं। साथ ही बैक्टीरिया एवं टॉक्सिन आदि को शरीर से पसीने द्वारा बाहर निकालकर त्वचा को स्वस्थ बनाए रखते हैं। स्वस्थ त्वचा प्राप्त हो जाना ही काफी नहीं है बल्कि स्वस्थ त्वचा की बेहतर सुरक्षा भी जरूरी है। त्वचा को स्वास्थ्य अंदर से मिलता है। ऊपरी ट्रीटमेंट त्वचा की अंदरूनी सतह तक पूर्ण रूप से लाभ पहुंचाने में कामयाब नहीं हो पाता, लेकिन सही आहार लाभ पहुंचाने में सक्षम होता है। खासकर मुहांसे, एक्ने आदि समस्याओं में। अंदर से उभरने वाली बीमारियों में सही भोजन कभी-कभी राम बाण का काम करता है। अतः संतुलित भोजन यानि स्किन डाइट लें और खूबसूरती को स्थायी रूप दें।

➲ **पत्तों वाली हरी सब्जियां** : ये सब्जियां एक्ने के उपचार के लिए काफी गुणकारी हैं।

- हरी सब्जियां जैसे—मेथी, पालक, चौलाई, सहजन की पत्तियों में एंटीऑक्सीडेंट प्रचुर मात्रा में पाया जाता है, साथ ही ये आयरन का भी अच्छा स्रोत हैं।
- विटामिन 'सी' से भरपूर यह सब्जियां आंखों के नीचे डार्क सर्कल को भी खत्म करती हैं।
- हरी सब्जियों में जिंक भी होता है और जिंक एक्ने विकार को दूर करने में लाभदायक होता है।

➲ **पानी** : पानी त्वचा की नमी को बरकरार रखता है और उसे मॉइस्चराइज्ड बनाए रखता है।

- निस्तेज या डल स्किन को स्वस्थ व कोमल बनाए रखने के लिए पानी की भूमिका अत्यंत महत्त्वपूर्ण है।
- नमी के कारण झुर्रियां भी जल्दी नहीं उतरतीं।

- बाहर से त्वचा को कितनी भी नमी प्रदान करें, खास लाभ तभी होगा जब उसे अंदर से नमी मिलेगी। अतः दिन में कम-से-कम 8-10 गिलास पानी पीना आवश्यक है।

➲ **वेजीटेबल ऑयल** : वसा त्वचा के कड़वेपन को दूर कर उसे स्निग्धता प्रदान करती है। त्वचा विशेषज्ञों की राय में ज्यादा सूखी त्वचा की पपड़ी-सी उतरती दिखे तो इसका सीधा अर्थ समझना चाहिए कि त्वचा में अच्छी वसा जैसे पॉली एवं मीनीअन सेचुरेटेड ऑयल जो तिल, सरसों, मूंगफली के तेल या ऑलिव ऑयल में मिलता है, पर्याप्त मात्रा में नहीं है। इन खाद्य पदार्थों को अपनी डाइट में शामिल करें, फर्क नजर आने लगेगा।

- भोजन में लिया गया थोड़ा-सा तेल त्वचा का कड़वापन दूर करके त्वचा को स्निग्धता एवं कांति प्रदान करता है।

➲ **टमाटर** : यह त्वचा को कमनीयता अर्थात लचीलापन प्रदान करता है।

- त्वचा विशेषज्ञों के अनुसार पके टमाटरों में काफी मात्रा में एंटीऑक्सीडेंट एवं विटामिन 'ए' व 'सी' पाए जाते हैं, साथ ही कैंसर जैसे रोग से सुरक्षा प्रदान करने वाले केमिकल तत्त्व भी होते हैं।
- इसमें निहित विटामिन त्वचा के लचीलेपन को बरकरार रखने में सहायक होते हैं तथा चोट, मोच आदि से त्वचा को सुरक्षा भी प्रदान करते हैं। विटामिन 'ए' संक्रमण करते हुए एक्ने जैसे त्वचा रोगों को उभरने नहीं देता और अन्य विकारों में भी लाभदायक है।
- ये एंटीऑक्सीडेंट आमतौर पर लाल, हरे, नारंगी तथा पीले फल और सब्जियों में उपलब्ध होते हैं।

➲ **बेरी (सरसफल)** : यह एंटी एजिंग गुणों से भरपूर रसदार फल है।

- मुट्ठी-भर जामुन या स्ट्राबेरी तथा 2-3 आंवले में हमारे शरीर की दैनिक जरूरत यानि हमारे शरीर के कोलैजन (एक प्रकार का प्रोटीन) के पुनर्निर्माण के लिए पर्याप्त विटामिन 'सी' एवं एंटीऑक्सीडेंट प्राप्त हो जाते हैं। इनके सेवन से झुर्रियां जल्दी से नहीं पड़तीं।

➲ **सार्डीन** : यह एक प्रकार की समुद्री मछली है। त्वचा विशेषज्ञों के अनुसार हफ्ते में तीन दिन मछली खाना त्वचा के लिए लाभदायक है।

- यदि आप मछली नहीं खाना चाहते हैं, तो विकल्प के तौर पर फिश ऑयल का इस्तेमाल किया जा सकता है।

- भोजन में अलसी का तेल या सूखे मेवे शामिल करें।
- फिश तथा मेवे खाने से जो जिंक प्राप्त होता है वह एक्ने जैसे विकारों को उभरने से रोकता है और कोशिकाओं के विकास में सहायक होता है।

➲ **सोयाबीन :** किसी भी रूप में लिया गया सोयाबीन त्वचा के लिए अत्यंत लाभकारी है, क्योंकि इसमें प्रचुर मात्रा में विटामिन 'ई' पाया जाता है।
- विटामिन 'ई' नई कोशिकाओं के विकास में महत्त्वपूर्ण भूमिका निभाता है तथा त्वचा की नमी बरकरार रखता है। अतः कम-से-कम हफ्ते में तीन बार आधा कप सोया किसी भी रूप में लेना त्वचा का सौंदर्य निखारने में सहायक व गुणकारी है।

➲ **गाजर :** गाजर का सबसे बड़ा गुण है उसमें निहित बीटा कैरोटिन। यह गाजर में काफी मात्रा में पाया जाता है और शरीर में जाकर यह शरीर द्वारा विटामिन 'ए' में परिवर्तित हो जाता है।
- विटामिन 'ए' त्वचा को स्निग्धता प्रदान करता है, त्वचा पर पपड़ी नहीं पड़ने देता।
- बीटा कैरोटिन ऑरेंज श्रेणी के फल तथा सब्जियों, जैसे पपीता, अखरोट, कद्दू, आम एवं शकरकंद में पर्याप्त मात्रा में उपलब्ध है।

➲ **ओटमील :** यह फाइबर फिल्टर का काम करता है।
- विषाक्त तत्त्वों का शरीर से बाहर निकलना आसान बनाता है।
- इसमें विटामिन 'बी' होता है, जो नई कोशिकाओं के विकास में सहायक होता है।

➲ **तरबूज :** रंगीन रसीला फल तरबूज कैरोटीन मिश्रण जैसे लाइकोपीन से भरपूर है। यह शरीर में मौजूद कोलैजन में होने वाली हानि से सुरक्षा कर त्वचा को झुर्रियों से बचाता है।
- स्वस्थ कांतियुक्त त्वचा के लिए प्रतिदिन थोड़ा-सा तरबूज खाना लाभदायक है।
- तरबूज का हल्का लाल हिस्सा (हरे छिलके के बाद वाला हिस्सा) भी बीटा कैरोटिन का अच्छा स्रोत है, जो शरीर द्वारा विटामिन में परिवर्तित हो जाता है।

➲ **शहद :** शहद प्राकृतिक मॉइस्चराइजर है, अतः चेहरे पर लगाने से यह चेहरे की नमी को बरकरार रखता है।

- शहद को यदि नियमित रूप से त्वचा पर लगाया जाए तो झुर्रियों को यह महत्त्वपूर्ण औषधि दूर रखती है।

➲ **बादाम :** त्वचा की रंगत को निखारने के लिए बादाम उपयोगी माना जाता है।

- बादाम को गर्म पानी में भिगो दें। जब भीग जाए तब छिलका उतारकर खूब सुखा लें और पीस लें। इसे जार में भरकर रख दें। रोजाना थोड़े-से दूध में एक चम्मच बादाम पाउडर मिलाकर पेस्ट बना लें। चेहरे पर उबटन की तरह लगाएं और हल्के हाथ से मलकर छुड़ाएं।
- इसका आप बादाम फेसपैक बनाने में भी इस्तेमाल कर सकते हैं।

➲ **मेथीदाना :** मेथीदाना में आयरन, विटामिन 'सी' तथा कैल्शियम पाया जाता है, जो स्वास्थ्य की दृष्टि से बहुत लाभप्रद है। यह बालों की देखभाल और पोषण के लिए भी उपयोगी है।

- जब भी बाल धोएं तो एक घंटा पहले पानी में थोड़ा मेथीदाना भिगो दें, जब दाने अच्छी तरह भीग जाएं तब हाथ से मसल लें और छानकर पानी अलग कर लें। उस पानी से बाल धोएं। ऐसा करने से बाल स्वस्थ व चमकदार होंगे।

➲ **नीबू :** यह एक कुदरती क्लींजर है, इसमें विटामिन 'सी' प्रचुर मात्रा में पाया जाता है।

- यह तैलीय त्वचा के लिए एक एस्ट्रिंजेंट के रूप में काम करता है।
- इससे त्वचा की रंगत निखरती है।
- इसके अलावा यह स्किन टॉनिक के रूप में भी काम आता है।

➲ **एलोवेरा :** यह मृत कोशिकाओं को सजीव बनाने और शुष्क त्वचा की नमी लौटाने का काम करता है।

- त्वचा की जलन दूर करने के लिए इसका उपयोग किया जाता है।

➲ **सी साल्ट :** दांतों को सफेद चमकदार बनाने में लाभकारी है।

- नेचुरल प्रॉडक्ट्स में स्क्रब के रूप में प्रयुक्त होता है।
- माउथ फ्रेशनर का काम करता है।

➲ **दही :** दही को त्वचा पर लगाने से त्वचा की कुदरती नमी बनी रहती है।

- इसे बालों में लगाने से रूसी भी आसानी से खत्म होती है।
- इसका सेवन एवं बाह्य प्रयोग, दोनों त्वचा को कांतिमय बनाते हैं।

➲ **पत्ता गोभी :** इसमें विटामिन और खनिज लवण प्रचुर मात्रा में होते हैं।

- पत्ता गोभी को पर्याप्त पानी में उबाल लें, फिर पानी को ठंडा करके उसी पानी से चेहरे को धोएं। आप चाहें तो इस पानी को किसी बोतल में भरकर भी रख सकते हैं।
- इस पानी से दिन में दो बार चेहरा साफ करने से चेहरे पर चमक आ जाती है।

➲ **हल्दी :** यह जीवाणुरोधी है और त्वचा को कांतिमय बनाने में भी लाभकारी है।

- हल्दी पाउडर में थोड़ी मात्रा में ऑलिव ऑयल या नारियल का तेल मिलाकर चेहरे पर मसाज करने से त्वचा में निखार आ जाता है।

➲ **आलू :** आलू में स्टार्च बहुत होता है। इसमें आयरन, विटामिन 'बी' और सोडियम भी पाया जाता है।

- कच्चे आलू को पीसकर हाथ-पैरों पर मलने से झुर्रियां नहीं पड़तीं।

➲ **अंडा :** अंडा त्वचा का पोषण करता है।

- अंडा त्वचा में कसाव लाता है।
- बालों के लिए अंडा अच्छा कंडीशनर होता है।

➲ **खीरा :** खीरा दाग-धब्बों को दूर करता है।

- सांवली त्वचा पर लगाने से रंग साफ करता है, यह हर्बल ब्लीच है।
- चेहरे पर लगाने से झुर्रियां खत्म करता है।

➲ **संतरा :** संतरे के छिलकों को सुखाकर उनका पाउडर बनाकर त्वचा पर लगाने से त्वचा पर आई कालिमा से छुटकारा मिलता है।

- संतरे के रस के सेवन एवं छिलके को त्वचा पर लगाने से चेहरे की रंगत खिलती है।

अवांछित बाल और आपकी त्वचा

प्रत्येक स्त्री-पुरुष के शरीर की संपूर्ण त्वचा में बाल होते हैं। सभी का पूरा शरीर बारीक रोओं से ढका रहता है। कहीं पर ये रोएं महीन होते हैं, कहीं पर कड़े। कई बार ये कड़े रोएं बालों में परिवर्तित होने लगते हैं। इन्हीं बालों को हम अवांछित बाल या अनचाहे बाल कह सकते हैं। यह बाल देखने में तो बुरे लगते ही हैं, स्वास्थ्य की दृष्टि से भी इनको निकालना ठीक रहता है। अवांछित बालों को हटाने के लिए अनेक विधियां हैं, जैसे थ्रेडिंग, प्लकिंग, वैक्सिंग, प्यूमिक स्टोन, हेयर रिमूवर क्रीम, लोशन, रेजर आदि।

कोमल त्वचा के लिए अवांछित बालों से निजात पाना जरूरी

अवांछित बालों को हटाने के कुछ उपाय

- यदि आपके हाथ-पैरों के बाल मुलायम हैं तो वैक्सिंग सबसे अच्छा उपाय है, इससे धीरे-धीरे बालों का उगना कम हो जाएगा।
- वैक्सिंग करने से पहले क्लींजिंग मिल्क या कच्चे दूध से त्वचा को पोंछ लें।
- वैक्सिंग करने के लिए साफ धुले चाकू द्वारा गर्म वैक्स त्वचा पर बालों की उपज वाली दिशा में लगाकर उस पर पतले कपड़े की पट्टी रखकर दबाएं ताकि वह त्वचा के साथ चिपक जाए। अब पट्टी को जड़ की विपरीत दिशा में खींच लें। बाल पट्टी पर चिपक जाएंगे।
- बाजार से अच्छे ब्रांड का ही वैक्स लें। वैक्स के डिब्बे को गर्म पानी से भरे बर्तन में रखकर ही पिघलाया जाता है।
- वैक्सिंग यदि सर्दियों में करनी हो तो धूप में बैठकर करें और गर्मी में करें तो ए.सी. या पंखे के नीचे बैठकर करें।
- वैक्सिंग के बाद त्वचा कसी हुई-सी लगती है, अतः त्वचा पर लैनोलीन युक्त क्रीम अथवा स्किन टॉनिक द्वारा हल्की मालिश करें।
- यदि आपके चेहरे पर बाल बहुत हैं तो आप फेस स्क्रब का इस्तेमाल कर सकती हैं। फेस स्क्रब बाजार में भी उपलब्ध हो जाते हैं। आप घर पर भी फेस स्क्रब बना सकते हैं।
- यदि आपके चेहरे पर काले बाल बहुत दिखाई देते हैं तो आप ब्लीचिंग द्वारा उन्हें सुनहरा कर सकती हैं। इससे चेहरा भद्दा भी नहीं लगेगा। ब्लीचिंग चाहे चेहरे पर हो या हाथ-पैरों पर, ब्लीच करने के 24 घंटे तक आप धूप के संपर्क में कदापि न आएं।
- आज-कल एक आधुनिक पद्धति भी प्रचलित है, इलेक्ट्रोलाइसिस। इसके द्वारा भी अवांछित बालों से छुटकारा पाया जा सकता है। इस विधि से उपचार किसी कुशल ब्यूटीशियन से ही करवाएं।
- वैक्सिंग के बाद एंटीसेप्टिक लोशन या क्रीम अवश्य लगाएं।
- कई बार वैक्सिंग के बाद, गंदा कपड़ा काम में लेने की वजह से त्वचा पर दाने निकल आते हैं। यदि 24 घंटे बाद भी ये दाने न जाएं तो तुरंत डॉक्टर को दिखाएं।
- आटे और बेसन में नीबू की कुछ बूंदें मिलाकर उससे हाथ-पैरों की मालिश करें। नए उगने वाले बाल, कोमल व हल्के रहेंगे। खीरे का रस भी ब्लीच का काम करता है।

23

- घर में वैक्स तैयार करने के लिए 250 ग्राम चीनी में तीन नीबू का रस या दो चम्मच सिरका डालकर पिघला लें। आपका घरेलू वैक्स तैयार है।
- पांच चम्मच शहद में एक चम्मच नीबू का रस हल्की आंच पर लगभग 30 मिनट पकाएं। इसे आंच से उतारकर थोड़ी-सी ग्लिसरीन मिलाकर ठंडा होने दें। आपका वैक्स तैयार है।
- घरेलू वैक्स की एक विधि और भी है कि आठ भाग चीनी की चाशनी बनाकर उसमें एक नीबू का रस, एक भाग सरसों का तेल और दो भाग पानी मिलाकर हल्की आंच पर लगभग आधे से पौन घंटे तक पकाएं। जब घोल कत्थई रंग का होने लगे तो आंच से उतारकर ग्लिसरीन मिलाकर ठंडा होने दें।
- चूंकि घरेलू वैक्स पूर्ण रूप से सुरक्षित होता है, इसलिए इसका कोई भी साइड इफैक्ट नहीं होता। वैक्सिंग के बाद गर्म पानी से हाथ-पैर अच्छी तरह धो लें। बादाम/जैतून का तेल लगा लें।
- यदि आप वैक्सिंग न करना चाहें तो ब्यूटी पार्लर में जाकर थ्रेडिंग से भी बाल हटवाए जा सकते हैं।
- बगलों के बाल निकालने के लिए रेजर के अलावा वैक्सिंग सबसे अच्छा तरीका है। इससे बालों के बढ़ने की संभावना कम हो जाती है। वैक्सिंग से त्वचा रूखी हो जाए व सूज जाए तो नारियल के तेल को हल्का गर्म करके लगाएं।
- यदि आपके होंठों के ऊपर ज्यादा बाल हैं तो थ्रेडिंग से नियमित बाल निकलवा लें।
- लिप और लोअर लिप के बालों को हटाने के लिए बेसन, सरसों का तेल, चुटकी-भर हल्दी व कच्चा दूध मिलाकर उबटन की तरह लगाया जाए तो बाल निकल जाएंगे व उगने वाले बाल हल्के रंग के होंगे।
- बेसन में आधा चम्मच हल्दी और सरसों का तेल मिलाकर गाढ़ा पेस्ट बनाएं। सूखने पर हल्के हाथ से रगड़ दें। फिर कुनकुने पानी से नहा लें। नियमित प्रयोग से बाल कम हो जाएंगे।

अवांछित बालों को हटाकर त्वचा साफ-सुथरी निखरी-निखरी-सी लगती है। गर्मियों में एलर्जी या दाने होने का भय भी नहीं रहता।

त्वचा का रख-रखाव और वैज्ञानिक उपचार

खुद को और भी खूबसूरत बनाने के लिए आपको अपने अंदर की दमक और खूबसूरती को बाहर लाना होगा। इसके लिए अपनी त्वचा के अंदर जाकर बाहरी त्वचा पर चिपकी गंदगी और तेल को साफ करना जरूरी है।

हमारी त्वचा में निरंतर नई कोशिकाएं उत्पन्न होती रहती हैं और पुरानी निकल जाती हैं। इन्हीं मृत कोशिकाओं की सफाई यदि त्वचा से नहीं की जाती तो ये रोमछिद्रों को बंद कर देती हैं। परिणामस्वरूप त्वचा पर ब्लैक हैड्स और दूसरे दाग-धब्बे दिखाई देने लगते हैं। इससे त्वचा सांवली और मुरझाई हुई लगती है। इसके उपचार इस प्रकार हैं—

एक्सफोलिएशन

- एक्सफोलिएशन त्वचा की मृत कोशिकाओं की सफाई का तरीका है, ताकि आपकी त्वचा अंदर से साफ व कोमल नजर आए और रक्त का संचार भी सुचारु हो जाए।
- मृत कोशिकाओं के हटने के बाद ही कोई भी मॉइस्चराइजर या क्रीम नई त्वचा में आसानी से प्रवेश कर पाती है।
- एक्सफोलिएट करने से पहले अपनी त्वचा को किसी साबुन से अच्छी तरह धो लें, ताकि क्रीम या कुछ अन्य पदार्थ त्वचा से चिपके न रह जाएं।
- स्क्रब करने के दौरान त्वचा को हल्का गीला अवश्य करें, क्योंकि सूखी त्वचा पर स्क्रब करने से त्वचा को नुकसान पहुंचता है।
- चेहरे से मृत त्वचा हटाने के लिए सर्कुलर मूवमेंट्स का प्रयोग करें।
- स्क्रब के बाद चेहरे पर मॉइस्चराइजर लगाएं।
- एक्सफोलिएशन का सबसे आसान उपाय है कि चेहरे को स्वच्छ जल और खुरदरे टेक्स्चर वाले स्पंज से धीरे-धीरे साफ करें, लेकिन कुछ और भी तरीके हैं, जिनके जरिए आप अपने चेहरे की मृत त्वचा की सफाई कर सकते हैं।

25

- स्क्रब करने के बाद चेहरा नल के पानी से ही धोएं और अच्छी तरह सुखा लें।
- एक्सफोलिएशन के लिए एल्कोहल बेस्ड एस्ट्रिंजेंड भी बाजार में उपलब्ध हैं, जो मृत कोशिका को हटाते हैं।
- 1960 के दशक में यूरोपियन वैज्ञानिकों ने एक्सफोलिएशन की एक अनूठी तकनीक निकाली थी, जिसमें चीनी का इस्तेमाल किया जाता था। इसमें ब्राउन शुगर, शहद और तिल का तेल मिलाकर चेहरे पर रगड़ा जाता था। इससे चेहरे को जवां और स्वस्थ लुक मिलता था।
- चेहरे को साफ करने और मुलायम बनाने के लिए मड बाथ और थर्मल रैप का इस्तेमाल भी काफी समय से किया जा रहा है।
- घरेलू स्क्रब का भी उपयोग करके हम मुलायम और रेशमी त्वचा पाते हैं। इन घरेलू स्क्रबों का उल्लेख पुस्तक के अगले अध्यायों में किया गया है।

डिटॉक्स

दिन-भर की दौड़-धूप के बाद ज्यादा काम के कारण आपका ऊर्जा स्तर शून्य हो जाता है। इस स्थिति से बचने के लिए डिटॉक्स अपनाएं। डिटॉक्स शरीर की सफाई की नई प्रक्रिया है, जिसके जरिए शरीर की सफाई तो होती ही है, साथ ही दिमाग भी तरोताजा हो जाता है।

- रात को सोने से पहले अपनी त्वचा पर हल्के हाथों से ब्रश चलाएं। ध्यान रखें कि त्वचा सूखी होनी चाहिए।
- हमेशा नहाने से पहले स्किन पर ब्रश करें, इससे लिम्फेटिक सिस्टम सुचारु रहता है और रक्त में मौजूद जहरीले तत्त्व भी निकल जाते हैं।
- ब्रश की शुरुआत अपने पैरों से करें। पंजे, एड़ी और फिर पैर के आगे और पीछे की तरफ लंबाई में ब्रश चलाएं।
- ब्रश चलाने का सही तरीका होता है नीचे से ऊपर की तरफ।
- पैरों के बाद अपने नितंबों पर अच्छी तरह से ब्रश चलाएं। ब्रश नीचे से ऊपर की तरफ ही चलाएं।
- अब हाथों और बांहों से ब्रश को ऊपर की तरफ चलाते हुए बगलों की तरफ आएं।
- फिर कंधे और छाती से नीचे की तरफ ब्रश चलाएं।
- गर्दन के पीछे वाले हिस्से में नीचे की तरफ ब्रश चलाएं।

- पेट पर ब्रश चलाने का सही तरीका यह है कि ब्रश को धीरे-धीरे क्लॉकवाइज यानि घड़ी की सुई की तरह गोल-गोल चलाएं।
- अब दो बूंद रोजमेरी के तेल मिले हुए पानी से नहाएं।
- इसके आधे घंटे के बाद ठंडे पानी से नहाएं।

आज की महिला अपने रंग-रूप और प्रेजेंटेशन को लेकर बहुत सजग हो गई है, अब वह आंखें मूंदकर कुछ भी सौंदर्य प्रसाधन लगाने में विश्वास नहीं रखती। जैसे-जैसे स्त्री की उम्र बढ़ती जाती है वह मानसिक तनाव में आती-जाती है और बढ़ती उम्र को रोकना चाहती है। इसी का तोड़ है नाइट्रोजन फेशियल। 30-32 की उम्र के बाद नाइट्रोजन फेशियल त्वचा में दोबारा युवावस्था के जैसा निखार ले आता है। त्वचा कांतिमय और चमकदार बन जाती है। इसी तरह गोल्ड और सिल्वर फेशियल भी महिलाओं की बढ़ती उम्र को छिपाते हैं।

❑ **नाइट्रोजन फेशियल :** नाइट्रोजन सेल्यूलर टिश्यू का एक महत्त्वपूर्ण हिस्सा है। टिश्यू को जिंदा रखने के लिए सब्जियों और दालों से नाइट्रोजन प्राप्त होता है। सब्जियां और दालें नाइट्रोजन मिट्टी से ग्रहण करते हैं। यह फेशियल झुर्रियों को रोकने में काफी सफल माना गया है। इस फेशियल में सर्वप्रथम—

- क्लींजर से चेहरे और गरदन को साफ किया जाता है, बल्कि बेहतर रिजल्ट्स के लिए ओजोन किरणों का प्रयोग किया जाता है।
- नाइट्रोजन युक्त पील ऑफ पैक द्वारा त्वचा की मृत कोशिकाएं निकाली जाती हैं। यह बढ़ती हुई उम्र की त्वचा के लिए बेहद लाभकारी है। इससे त्वचा शुष्क नहीं होती। इस पील ऑफ पैक को 15 मिनट लगाने के पश्चात ऊपर से नीचे की ओर निकाल दिया जाता है।
- अब त्वचा के पोरों को नरम करने के लिए 2-3 मिनट तक हल्की स्टीम देकर क्रीम से मालिश की जाती है, यह क्रीम भी नाइट्रोजन युक्त होती है। मालिश हल्के हाथों से धीरे-धीरे करने पर लाभ मिलता है।
- 15 मिनट की मालिश के बाद बिना हटाए लगभग दस मिनट तक हल्के दबाव के साथ गर्म तौलिये को चेहरे पर रखकर भाप दी जाती है।
- चेहरा साफ करके नाइट्रोजनयुक्त पैक लगाया जाता है।
- 10 मिनट बाद ठंडे पानी से पैक को धोने पर कांतियुक्त त्वचा प्राप्त होती है।

वैसे बढ़ती उम्र की महिलाओं को कई बार अपनी त्वचा की जानकारी नहीं

होती कि उनकी त्वचा किस प्रकार की है और उनकी त्वचा की क्या जरूरत है। रूखी त्वचा, तैलीय त्वचा या फिर सामान्य त्वचा ही क्यों न हो, इन सभी का जरूरत के अनुसार वैज्ञानिक तरीकों से इलाज किया जा सकता है। कॉस्मेटिक टेक्नीक्स और थैरेपीज की मदद से त्वचा की अच्छी देखभाल की जा सकती है। त्वचा संबंधी उपचार की निम्न पद्धतियां अपनाकर भी त्वचा का बेहतर रख-रखाव किया जा सकता है—

- **एंटीपॉल्यूशन ट्रीटमेंट :** प्रदूषण के बढ़ने से हमारी त्वचा की कोशिकाओं में ऑक्सीजन की कमी हो जाती है। इससे त्वचा को नुकसान पहुंचता है। इस ट्रीटमेंट से त्वचा में ऑक्सीजन की मात्रा को सही अनुपात में शामिल किया जा सकता है।
- **एंजाइम थैरेपी :** एंजाइम प्राकृतिक उद्दीपक होते हैं, जो त्वचा में कसावट बनाए रखते हैं। इस थैरेपी से त्वचा को फिट रखने में काफी मदद मिलती है।
- **ऑयल थैरेपी :** इसमें पूरी बॉडी और चेहरे की तेल से मालिश की जाती है। इसके लिए खास तरह के तेल का इस्तेमाल किया जाता है, जोकि विभिन्न प्रकार के फूलों, जड़ों, पत्तियों और छालों से मिलकर बनता है। गुलाब का तेल बनाने के लिए करोड़ों फूलों का इस्तेमाल किया जाता है तथा नरायल बनाने के लिए हजारों की संख्या में संतरे के छिलकों का इस्तेमाल किया जाता है। इससे त्वचा में रक्त संचार बढ़ता है और साथ ही त्वचा में कसावट भी आती है।
- **कॉलेजेन थैरेपी :** कॉलेजेन त्वचा में टिश्यू को जोड़ने में मदद करता है। साथ ही यह नमी को त्वचा की ऊपरी परत में सप्लाई करता है।
- **आयनोटोफोरेसिस :** ऑयल त्वचा से विषैले तत्त्वों को खत्म करता है और साथ ही त्वचा में चमक लाने में मदद करता है। रोम छिद्रों को खोलता है और फैट टिश्यू को हटाता है।
- **द हाई फ्रिक्वेंसी मशीन फॉर एक्ने ट्रीटमेंट :** इसके द्वारा एक्ने ट्रीटमेंट किया जाता है। यह त्वचा को विषाणुओं से बचाने में सहायता करता है, ताकि त्वचा को स्वस्थ व चमकदार बनाए रखा जा सके।
- **थरमॉडेन :** इसमें क्रीम और सीरम की सहायता से त्वचा को चमक प्रदान की जाती है और रोम छिद्रों को खोलने के लिए इसका इस्तेमाल किया जाता है।

- **एलेस्टीन फॉर ड्राय एंड मैच्योर स्किन** : ये कॉलेजेन को नमी बनाए रखने में मदद करते हैं। ये दोनों मिलकर त्वचा को सुरक्षा परत प्रदान करते हैं।
- **न्यूमोपेटर एंड वैक्सप्रे** : वैक्यूमिनीजेशन त्वचा से ब्लैकहैड और अन्य हानिकारक चीजों को हटाता है। रक्त संचार बढ़ाने में भी यह काफी मददगार सिद्ध हुआ है।
- इनके अलावा आइसोमेट्रिक, लिम्फेटिक ड्रेंज एंड डिटोक्सिफाइन ट्रीटमेंट और माइक्रोबायोलिफ्टिंग से भी त्वचा संबंधी उपचार किए जाते हैं। इन सभी वैज्ञानिक तरीकों से त्वचा को एक नया रूप प्रदान करने में काफी सहायता मिलती है।
- चेहरे पर लकीरें और झुर्रियां हमें अपनी बढ़ती उम्र का अहसास कराने में सबसे ज्यादा असर छोड़ती हैं। ज्यादातर लोग इसे कुदरत का नियम समझकर स्वीकार कर लेते हैं, लेकिन शायद आपमें से बहुत कम लोग ही जानते होंगे कि चेहरे पर आई उम्र की लकीरों को कई बार हम अपनी लापरवाही से भी न्यौता दे देते हैं।
- सोते समय तकिया मोड़कर या फिर दो तकिए लेने की आदत से हमारी गर्दन पर धीरे-धीरे स्थायी लकीरें पड़ने लगती हैं जो सुंदरता को बिगाड़ती हैं, अतः ऐसा करने से बचें।
- कुछ महिलाओं और लड़कियों की बोलते समय अजीबोगरीब हाव-भाव बनाने की आदत होती है। उन्हें यह गलतफहमी होती है कि इससे वे सुंदर लग रही हैं, लेकिन इससे चेहरे पर पर्मानेंट रेखाएं पड़ जाती हैं, इसलिए ऐसी आदत को न अपनाएं।
- सोचते हुए आंखों पर प्रेशर न डालें। इससे आंखों के आसपास पंखे जैसी रेखाएं यानि क्रो फीट्स पड़ जाती हैं। इसी तरह माथे पर भी बल डालकर बात करने से बचना चाहिए।
- सोचते समय, टी.वी. देखते समय गालों पर हाथ रखने की आदत बुरी है। ऐसा करके आप अपने चेहरे के ऊतकों को हानि पहुंचाते हैं। इससे चेहरे पर झुर्रियां जल्दी आने का खतरा बना रहता है।
- बालों में कलर करते समय बालों की जड़ों को बचाना चाहिए, क्योंकि जड़ों के लिए यह रंग हानिकारक है। अतः इससे बचने के लिए कलर करने के बाद बालों में दही या अंडे का पैक लगाएं और तेल से मालिश करना न भूलें।

- मुंह धोने के बाद जोर से तौलिया रगड़ने से भी ऊतक टूटते हैं।
- क्रीम लगाते समय हाथों का घुमाव ऊपर की तरफ रखें। इससे चेहरे के ऊतक अपनी जगह पर आ जाते हैं।
- पार्लर में फेशियल करवाने जाएं तो सभी काम निबटाकर जाएं और दिमाग में किसी तरह की टेंशन न रखें। टेंशन में फेशियल का इफेक्ट नहीं आ पाता।

लेजर ट्रीटमेंट

अनचाहे बालों और निशानों को हटाने में लेजर कॉस्मेटिक ट्रीटमेंट बहुत उपयोगी है।

- स्थायी तौर पर अनचाहे बालों को हटवाना, मुंहासे, तिल और चोट के निशान हटवाना, चश्मा हटवाना और सफेद कुष्ठ व लाल चकते रिमूव करना लेजर की प्रमुख उपलब्धियां हैं।
- इसके लिए कुछ सिटिंग्स लेनी पड़ती हैं जिन्हें क्वालीफाइड स्किन और आई स्पेशलिस्ट्स ही अंजाम देते हैं।
- परमानेंट हेयर रिमूवल के लिए मीडियोस्टार हाई पॉवर डायोड लेजर का इस्तेमाल किया जाता है, जिसके लिए 2 से 6 सिटिंग्स लेनी पड़ती हैं।
- एडवांस रूट के जरिए मुहांसों और चोट के निशान स्थायी तौर पर हटा दिए जाते हैं, जो एक सिटिंग में हो जाता है।

चेहरे की झुर्रियों को दूर करने वाले सहज सरल प्रयोग

- सुबह जल्दी उठकर सैर करने अवश्य जाएं। सुबह की ताजा हवा त्वचा की कोशिकाओं को भी नया जीवन देती है।
- दिन में कम-से-कम आठ-दस गिलास पानी अवश्य पिएं। इससे कब्ज नहीं होता।
- चाय-कॉफी का सेवन ज्यादा न करें। मिर्च-मसालों से भरपूर भोजन व खटाई का प्रयोग भी कम-से-कम करें।
- मुंह में हवा भरकर गालों को फुलाएं। फिर नाक से सांस छोड़ें। दिन में तीन-चार बार यह प्रयोग अवश्य करें।
- हमेशा प्रसन्न रहें। निराशा और गुस्से से बचें। निराशा व गुस्से की स्थिति में हमारे शरीर में कई हार्मोन्स का रिसाव होता है, जो त्वचा के लिए नुकसानदायक होते हैं।

30

- वातानुकूलित उपकरण त्वचा की नमी को कम करने के मुख्य कारण होते हैं। इनके प्रयोग से वायु में ऑक्सीजन का स्तर कम होने से झुर्रियां पड़ती हैं।

- मेकअप हमेशा हल्का करें, ताकि त्वचा के रोमछिद्र बंद न हों और आप त्वचा रोगों से बच सकें। मेकअप के लिए हमेशा अच्छी कंपनी के फेसवाश, क्लींजर, टोनर, मॉइस्चराइजर आदि का ही प्रयोग करें।

- जब भी मालिश करें तो ठोड़ी के दोनों तरफ से अपने दोनों अंगूठों से हल्का दबाव डालते हुए ऊपर की ओर गोलाकार अंदाज में मालिश करें। इसके बाद भौंहों से लेकर माथे तक तथा कनपटियों के पीछे और गले के मांस को भी नीचे की ओर से ऊपर की ओर अंगूठों से रगड़ते हुए मालिश करें। मालिश के लिए रोगन बादाम शीरीन या जैतून के तेल का प्रयोग करें। चेहरे की मालिश हमेशा नीचे से ऊपर की ओर करनी चाहिए।

- अपनी त्वचा को धूप से बचाने की भरसक कोशिश करें। यदि धूप में बाहर निकलना जरूरी हो तो छतरी लगाकर निकलें या फिर सनस्क्रीन लोशन या क्रीम का प्रयोग करें। दरअसल सूर्य से निकलने वाली अल्ट्रा वायलेट किरणें त्वचा को नुकसान पहुंचाती हैं और झुर्रियां जल्दी पड़ने लगती हैं।

- रात को ज्यादा न जागें। रोज भरपूर नींद लें।

झुर्रियों से बचाने वाले कुछ लेप

- एक मुट्ठी चारोली या चिरौंजी रात को कच्चे दूध में भिगो दें। सुबह उसे बारीक पीस लें और चेहरे पर लगाएं। जब लेप सूख जाए तो चेहरे को धो लें।

- तुलसी, नीम और बेल के पन्द्रह-पन्द्रह ताजे पत्ते लेकर उन्हें खलबट्टे में डालें। फिर दो-तीन चम्मच दही भी डालकर अच्छी तरह पतली चटनी जैसा पीसें। इसके बाद चेहरे पर लगाएं।

- आधा चम्मच शहद लेकर धीमी आंच पर गुनगुना कर लें। फिर इसमें केले का एक-चौथाई टुकड़ा मिलाकर अच्छी तरह मसलें। दो-तीन बूंद बादाम रोगन मिलाकर चेहरे व आंखों के चारों तरफ लगाएं। पांच-सात मिनट बाद गीली रुई से पोंछ लें।

- कच्चा दूध चार चम्मच की मात्रा में लें, इसमें एक चम्मच पिसा हुआ नमक मिलाकर सोने से पूर्व चेहरे पर लगाएं। सुबह चेहरा पानी से धो लें।
- मौसमी के छिलके को बादाम की गिरियों के साथ पीसकर दूध की मलाई के साथ मिलाकर चेहरे पर उबटन की तरह मलने से त्वचा की कोमलता बनी रहती है व झुर्रियां नहीं पड़तीं।
- मौसमी के रस में रात-भर उड़द की बगैर छिलके वाली दाल भिगोकर रख दें। सुबह दाल को पीसकर उसमें चुटकी-भर हल्दी पाउडर मिलाकर उबटन बना लें और चेहरे पर लगाएं।
- मसूर की बगैर छिलके वाली पिसी हुई दाल दो चम्मच लेकर उसमें दो बूंद रोगन बादाम शीरीन, एक छोटा चम्मच दूध और आधे नीबू का रस मिलाकर अच्छी तरह पेस्ट बनाकर चेहरे पर लगाएं।
- चेहरे पर असमय पड़ने वाली झुर्रियों को दूर करने के लिए बादाम के तेल की रोज मालिश करें।
- दूध की मलाई एक चम्मच की मात्रा में लें, उसमें पांच बूंद बादाम का तेल मिलाएं। रुई के फोहे में भिगोकर क्लींजिंग मिल्क की तरह इस्तेमाल करें।
- गुलाब जल व खीरा या ककड़ी का रस दो बड़े चम्मच, एक छोटी चम्मच ग्लिसरीन और मिल्क पाउडर दो छोटे चम्मच की मात्रा में लेकर इन चारों चीजों को अच्छी तरह मथ लें, फिर चेहरे पर लगाएं।
- एक बड़ी चम्मच मुल्तानी मिट्टी और एक बड़ी चम्मच संतरे के छिलकों के चूर्ण में एक छोटी चम्मच गुलाब जल व उतनी ही मात्रा में बादाम का तेल मिलाकर उबटन बनाकर चेहरे पर लगाएं।
- अंडे की जर्दी में एक चम्मच बादाम का तेल और कुछ बूंदें गुलाब जल की मिलाकर मिश्रण बना लें। फिर इसे चेहरे पर लगाएं। करीब आधे घंटे तक लगाएं, फिर गुनगुने पानी से धोएं।
- चन्दन का पाउडर आधा चम्मच, मुल्तानी मिट्टी एक बड़ी चम्मच, एक बड़ी चम्मच अंडे की सफेदी, एक बड़ी चम्मच शहद और एक चम्मच गाढ़ा दूध लेकर अच्छी तरह मथ लें और चेहरे पर लगाएं।
- दो चम्मच दूध और एक बड़ा चम्मच बेसन लेकर उसमें आधा नीबू निचोड़ लें और फिर अच्छी तरह मथकर चेहरे पर लगाएं।

- एक सेब को पानी में थोड़ा-सा पकाकर मसल लें। छिलके फेंक दें। अब सेब के गूदे में थोड़ा शहद और मलाई मिलाकर लगाएं।
- एक चम्मच अरंडी के तेल में पांच-छः बूंद शहद की मिलाकर चेहरे पर लगाने से जल्दी झुर्रियां नहीं पड़तीं।
- रात को सोने से पूर्व त्वचा की क्रीम द्वारा सफाई अवश्य करें। इसे कुछ देर तक मलें, फिर गीली रुई से पोंछ दें। गीली रुई का प्रयोग नमी में वृद्धि करेगा।
- त्वचा को सदैव मॉइस्चराइजर द्वारा ढककर सुरक्षित रखें। मॉइस्चराइजर सूर्य की किरणों के दुष्प्रभाव को कम करने वाला अवश्य होना चाहिए।
- एक चम्मच बादाम पाउडर, ¼ चम्मच लौंग पाउडर, ¼ चम्मच जायफल पाउडर को गुलाब जल में मिलाकर पेस्ट बनाएं। इसे हफ्ते में दो बार लगाएं। इससे झुर्रियों से बचाव भी होगा और चेहरे को नई रंगत भी मिलेगी।

ब्लीच

ब्लीच का प्रयोग त्वचा के अनचाहे बालों को आपकी त्वचा के रंग के साथ मिला देता है।

साथ ही त्वचा साफ व चमकदार भी हो जाती है। ब्लीच को उपयोग करने के निम्न टिप्स हैं—

- चेहरे या शरीर का वह हिस्सा, जहां ब्लीच करनी है उसे पानी से धोकर सुखाएं।
- ब्लीच क्रीम के दो पूरे भरे चम्मच निकालकर ट्रे या डिश में रखें। इस क्रीम पर दो चुटकी (पाउडर की उतनी मात्रा, जो अंगूठे और तर्जनी के बीच आ सके) एक्टिवेटर डालें। जरूरत के मुताबिक कम या ज्यादा मिश्रण के लिए यही अनुपात लें। क्रीम और एक्टिवेटर को कम-से-कम दो मिनट तक अच्छी तरह मिलाएं।
- स्पेंट्यूला या उंगली की सहायता से इस मिश्रण को ब्लीच किए जाने वाले हिस्सों पर लगाएं। यह भी ध्यान रखें कि ब्लीच किए जाने वाले बालों का कोई हिस्सा छूट न जाए।
- इसे भौंहों तथा आंखों के आसपास न लगाएं।
- मिश्रण को 15 मिनट तक लगा रहने दें। सांवली त्वचा के लिए केवल दस मिनट तक ही रहने दें।

- त्वचा के अनचाहे बाल त्वचा के रंग में रंग जाएंगे। दस मिनट तक रखने के बाद इसे स्पंज या गीले तौलिए से पोंछ दें तथा ठंडे पानी से धो लें।
- ब्लीच पहली बार इस्तेमाल करने से पहले पैक टेस्ट कर लें। इसके लिए उपरोक्त निर्देशानुसार कम मात्रा में मिश्रण बनाएं और उसे हाथ पर लगाकर देख लें। यदि तेज जलन, छाले व सूजन आदि हो जाएं तो इसका मतलब है कि आपको इस उत्पाद से एलर्जी है। यदि जलन व छाले न हों तो इसका इस्तेमाल किया ज्ञा सकता है।
- ब्लीच का प्रयोग माथे, चेहरे, हाथ व टांगों के अनचाहे बालों को रंगने के लिए किया जा सकता है। मगर आंखों व भौंहों को इससे बचाकर रखें।
- ब्लीच करने के 4 घंटे बाद तक साबुन का प्रयोग न करें।
- ब्लीच धूप से जली व प्रभावित त्वचा को सामान्य कर उसे उजला बनाती है।
- ब्लीच बालों को हटाती नहीं है, बल्कि उन्हें ब्लीच करती है, यानि बालों को आपकी त्वचा के रंग में ढालती है।
- ब्लीच से आपकी त्वचा साफ व चमकदार बनती है।

फेशियल

फेशियल से चेहरे की मालिश होती है। यह रक्त संचार तेज करता है। फेशियल के बाद चेहरे पर स्वस्थ चमक आ जाती है। इससे रोमछिद्रों में जमी हुई गंदगी निकल जाती है तथा रोमछिद्र के मुख संकुचित हो जाते हैं। फेशियल शारीरिक व मानसिक तनाव को भी कम करता है।

फेशियल 25 वर्ष की आयु के बाद ही शुरू करवाना चाहिए। फेशियल करने से पहले अपनी त्वचा के बारे में जानना बहुत जरूरी है। यदि रूखी व कांतिहीन त्वचा हो तो यह माह में दो बार जरूरी होता है, जबकि यदि त्वचा खुश्क हो तो माह में एक बार ही फेशियल काफी होता है। जिनकी आयु अधिक हो गई हो, उन्हें सप्ताह में एक बार फेशियल अवश्य करवाना चाहिए।

जिनके मुंह पर मुंहासे निकले हुए हों या एलर्जी हो, तब इसका प्रयोग नहीं करना चाहिए। यह आवश्यकतानुसार एक या दो बार किया जा सकता है।

फेशियल स्वयं घर पर भी किया जा सकता है। इसके लिए ब्यूटीपार्लर जाने की आवश्यकता नहीं है। फेशियल के लिए अग्रलिखित सामग्री होना जरूरी है—क्रीम, क्लींजिंग क्रीम, फेसपैक, बर्फ, रुई, छोटे तौलिए, मॉइस्चराइजर, गुलाबजल।

इस सामग्री से सिर्फ आधे घंटे में फेशियल हो जाएगा। फेशियल स्वयं इस प्रकार करें।

- सर्वप्रथम चेहरे से बाल हटाकर पीछे की तरफ बांध लें।
- अब क्लींजर द्वारा चेहरे को साफ करें ताकि त्वचा पर से शृंगार प्रसाधनों अथवा धूल के कण साफ हो जाएं। चेहरे को साबुन के पानी से भी धोया जा सकता है। चेहरे के साथ-साथ गर्दन की भी सफाई करें।
- कॉटन-वूल पैड की मदद से चेहरे व गर्दन पर फ्रेशनर का प्रयोग करें जिससे क्लींजर का आखिरी अंश भी साफ हो जाए।
- माथे, गाल, ठुड्ढी व गर्दन पर हल्की-सी मॉइस्चराइजिंग क्रीम बिंदियों की तरह लगाकर, गर्दन से ऊपर की ओर मालिश करते हुए पूरे चेहरे में रमा दें।
- अब स्वच्छ व कुनकुने पानी से चेहरा धोकर, साफ तौलिए से थपथपाकर पोंछ लें।

- अब अपनी त्वचा के अनुसार फेस पैक बनाकर चेहरे व गले पर लगा लें, लेकिन आंख व उसके आस-पास की मुलायम जगह छोड़ दें। कॉटन वूल पैड गुलाब जल में भिगोकर दोनों आंखों पर रख दें।
- अब बिना बोले चुपचाप सीधे लेट जाएं। लगभग 20-25 मिनट तक पैक लगा रहने दें।
- अब चेहरे को सूखने के बाद, यदि गर्मी हो तो ठंडे पानी से व सर्दी हो तो कुनकुने पानी से धो लें।
- चेहरे व गर्दन को तौलिए से थपथपाकर सुखा लें एवं मॉइस्चराइजर लगा लें।

इस प्रकार घर बैठे-बैठे फेशियल तो हो ही जाएगा, साथ-ही-साथ चेहरे पर नूरानी आभा भी खिल जाएगी।

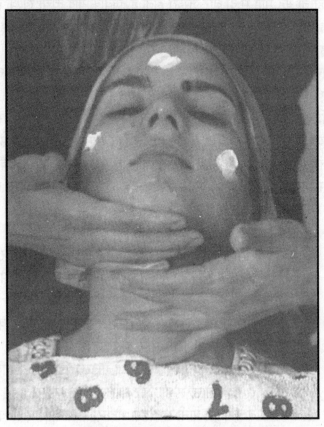

फेशियल से चेहरा निखरा-निखरा रहता है

फेशियल में सावधानियां

- फेशियल ठंडे व साफ पानी से किया जाना चाहिए। साधारण पानी में कई बार सल्फर जैसे रासायनिक तत्त्व होते हैं, जिससे त्वचा की बाहरी पर्त को नुकसान पहुंचता है और धीरे-धीरे त्वचा की चमक खत्म हो जाती है।

- फेशियल करते समय लय का ध्यान रखना जरूरी है। अगर फेशियल में लय नहीं है तो कराने वाला थक जाएगा। फेशियल के बाद आपको आराम नहीं मिलेगा और आंखों के नीचे काले घेरे दिखाई देंगे।

- फेशियल शांत कमरे में व कम रोशनी में होना चाहिए।

- एक निश्चित तापमान का होना जरूरी है।

- फेशियल के समय ढीले कपड़े या गाउन पहना हुआ होना चाहिए और लेटकर आराम की मुद्रा होनी चाहिए।

- फेशियल करवाते समय इस बात का खास ख्याल रखना चाहिए कि कमरा ज्यादा गर्म न हो, क्योंकि ज्यादा गर्म हाथ होने से फेशियल करवाने वाले की त्वचा का प्राकृतिक तेल बाहर आने लगता है। इससे त्वचा पर ज्यादा दबाव पड़ता है और त्वचा रूखी पड़ जाती है।

- फेशियल में मसाज के बाद पैक दिया जाता है, अगर काफी ग्लो चाहिए तो सूखी सब्जियों व फलों का पैक लगाना चाहिए।

- आजकल फेशियल कई तरह के हैं। यह आपकी त्वचा पर निर्भर करता है कि आप कौन-सा फेशियल लें।

- मसाज के दौरान कंधों पर मसाज देते हुए बांहों के ऊपर वाले हिस्से तक ले जाएं जिसे टेंशन आउट स्ट्रोक कहते हैं।

- फेशियल के साथ पैरों पर मसाज देने से इसका असर दुगना हो जाता है, क्योंकि पैरों की नसें आपके पूरे शरीर से जुड़ी हैं।

- चेहरे पर अलग-अलग स्टेप्स करने से चेहरे पर चढ़ा अनावश्यक मांस भी कम होता है।

- फेशियल 20 दिन में एक बार अवश्य ले लेना चाहिए। अगर उम्र छोटी है तो क्लीनिंग ले लेनी चाहिए।

- यंग स्किन पर ज्यादा मसाज न करें।

त्वचा के मास्क

चेहरे और शरीर पर मास्क का उपयोग करना। सौन्दर्य संबंधी उपचार की बहुत प्राचीन विधि है। त्वचा और बालों का सौन्दर्य और स्वास्थ्य बनाए रखने के लिए विभिन्न प्राकृतिक और जैव पदार्थों के प्रयोग संबंधी उदाहरणों से इतिहास भरा पड़ा है। मास्क का सकारात्मक प्रभाव सामने आता है।

मास्क न सिर्फ रक्त संचार दुरुस्त करता है, बल्कि टोनिंग कर त्वचा का लचीलापन बनाए रखता है। इसके अलावा वे मास्क जो प्राकृतिक पदार्थों से बनाए

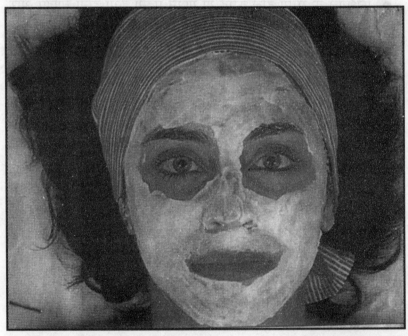

जाते हैं, उसके गुणों का प्रभाव भी पड़ता है। समय के साथ-साथ सौन्दर्य संबंधी ये उपचार न सिर्फ अस्तित्व में हैं, बल्कि इनमें अपेक्षाकृत सुधार भी आया है। यह सुधार क्रमशः इनकी पहचान और महत्ता के ज्ञान के साथ-साथ आया है। वास्तव में आधुनिक महिलाओं के पास इनके रूप में ज्ञान का बड़ा भण्डार मौजूद है। वे अपनी त्वचा और बालों की आवश्यकता को समझती हैं और उसी के आधार पर

इनसे जुड़ी समस्याओं का उपचार करती हैं। यहां तक कि इस ज्ञान के बलबूते पर घरेलू सौंदर्योपचार में भी सक्षम् है। ऐसे में उनकी मदद के लिए अलग-अलग पदार्थों से अलग-अलग किस्म की त्वचा और उनकी समस्याओं को दूर किया जा सकता है।

तैलीय त्वचा के लिए मास्क

तैलीय त्वचा पर महत्त्वपूर्ण प्रभाव डालने वाले पदार्थ हैं—अण्डे की सफेदी, शहद, रसदार फल, पपीते का गूदा आदि। एक अण्डे की सफेदी में चम्मच-भर शहद अच्छी तरह मिला लें।

इस मिश्रण को गले व चेहरे पर गाढ़ा-गाढ़ा लगा लें। सात से दस मिनट तक लगा रहने दें, फिर पानी से धो डालें।

- एक चम्मच यीस्ट, एक चम्मच चीनी और आधा कप गर्म दूध का मिश्रण तैयार कर लें। इसे ढककर गर्म स्थान पर रख दें। इसमें जब फेन आ जाए, तब मास्क के तौर पर प्रयोग करें।
- दो टेबल स्पून पपीते के गूदे में 10 बूंद नीबू का रस मिला लें। बीस मिनट तक रहने दें फिर अच्छी तरह धो डालें।
- मटर को छांव में सुखा लें। जब बिल्कुल सूख जाए, तब उसे पीसकर पॉउडर बनाकर शीशे के जार में रख लें। थोड़े से पॉउडर में गुलाब जल मिलाकर पेस्ट बना लें और चेहरे पर लगाएं।
- नारंगी, संतरा, तरबूज, पपीते के गूदे का रस निकालकर फेस मास्क की तरह उपयोग करें। इससे बहुत राहत पहुंचती है। यह त्वचा के बंद रोमछिद्र खोलता है व रक्त संचार दुरुस्त करता है।

शुष्क त्वचा के लिए मास्क

गर्म पानी में आधा घंटे तक अजवायन भीगने दें। तत्पश्चात इसे ठंडा होने पर छान कर पानी अलग कर लें। इस पानी से चेहरे को धोएं।

- झुर्रियों को कम करने और उन पर रोक लगाने के लिए अण्डे की सफेदी और मलाई से तैयार फेस मास्क का प्रयोग करें। बादाम के तेल और शहद की कुछ बूंदें अण्डे की सफेदी में डालकर अच्छी तरह फेंटें। इसमें एक टेबल स्पून दही मिलाकर चेहरे पर गाढ़ा-गाढ़ा लगाएं। दस मिनट बाद पानी से धो डालें।

समस्याग्रस्त त्वचा के लिए मास्क

- एक टेबल स्पून जैतून के तेल में दो टेबल स्पून ताजी क्रीम मिला लें। चेहरे पर इस मिश्रण को दस मिनट लगा रहने दें। फिर गर्म पानी से भीगी रुई के फाहों से पोंछ डालें।
- एक टेबल स्पून शहद में संतरे के रस की 15 बूंदे, एक टेबल स्पून केलोलिन पॉउडर, एक टेबल स्पून गुलाब जल अच्छी तरह से मिलाकर चेहरे पर लगाएं। दस मिनट बाद चेहरे को धो डालें।
- एक टेबल स्पून जई का आटा, बादाम या जैतून का तेल व ताजी क्रीम का मिश्रण तैयार करें, फिर चेहरे पर लगाएं व दस मिनट तक लगा रहने दें। सूखने पर धो डालें।

मास्क के रूप में तमाम जड़ी-बूटियों को भी विशेष उपचार के तहत इस्तेमाल में लाया जाता है। जैसे—

हनी-एप्रीकॉट पील ऑफ पैक : शहद के मॉश्चराइजिंग प्रभाव और खूबानी के कसाव लाने के गुणों से तैयार यह पैक चेहरे के अनचाहे बालों को हटाने में प्रभावी भूमिका निभाता है। एक निश्चित समय तक लगातार प्रयोग से यह न सिर्फ अनचाहे बालों की वृध्दि पर रोक लगाता है, बल्कि उन्हें साफ भी कर देता है। इस पैक को पारदर्शी झिल्ली के तौर पर चेहरे पर लगाया जाता है।

सूखने पर इसे जब निकाला जाता है, तब अनचाहे बाल या रोएं जो जड़ से कमजोर होते हैं बाहर आ जाते हैं। इसी के साथ-साथ ये त्वचा को पोषण देकर, उसमें कसाव और ताजगी भी लाता है।

सी बीड मास्क : समुद्री जड़ी-बूटियां त्वचा के लिए संजीवनी का कार्य करती हैं। त्वचा को नरम-मुलायम व जवान बनाए रखती हैं। वास्तव में यह सी बीड मास्क त्वचा में नए जीवन का संचार करता है। खासकर आंखों के आसपास की त्वचा के कोमल ऊतकों में। इस मास्क से त्वचा को बहुमूल्य खनिज लवण भी प्राप्त होते हैं। ये झुर्रियों पर रोक लगाकर रक्त संचार भी ठीक रखता है। शुष्क और मृतप्राय त्वचा पर इसका ज्यादा प्रभाव पड़ता है।

प्रोटीन पैक : यह एक विशेष प्रकार का उपचार है, जिसमें प्राकृतिक प्रोटीन और चंदन का प्रयोग होता है। यह न सिर्फ त्वचा को मुलायम बनाकर उसमें कसाव लाता है, बल्कि उसकी गहराई तक सफाई भी करता है। यह त्वचा को पोषण देता है और नए जीवन का संचार कर नई कोशिकाओं के विकास में मदद करता है।

एक्ने पैक : तैलीय, खुरदरी और कील मुंहासों वाली त्वचा को विशेष उपचार

की दरकार होती है। इस पैक में यूकेलिप्टस, लौंग और चंदन सत्त भी मौजूद रहता है। इन सब पदार्थों में एण्टीसैप्टिक गुण विद्यमान हैं, जो उपचार के साथ-साथ संक्रमण फैलने से रोकते हैं।

अन्य मास्क : कई स्त्रियों की त्वचा सुन्दर, कोमल और चिकनी होती है, परन्तु त्वचा का रंग सांवला होता है। अति गोरा रंग तो प्रकृति की देन है, किन्तु त्वचा के सांवलेपन को कुछ प्रयत्नों द्वारा कम किया जा सकता है।

निम्न घरेलू नुस्खों के प्रयोग से त्वचा गोरी तथा निखरी हुई बनाई जा सकती है।

- पुराने समय में विवाह से पांच दिन पहले वर तथा वधू को उबटन लगाने की रस्म पूरी की जाती थी। आधुनिकता के चक्कर में हम उसके महत्त्व को भूल गए हैं। बेसन व चोकर को दूध में घोलकर थोड़ा गाढ़ा-सा लेप बना लें। सवेरे व सायं मुंह, गर्दन और त्वचा पर इसका लेप करें। रंग साफ होना शुरू हो जाएगा।
- थोड़ा सिरका व पानी समभाग में मिलाकर गर्म कर लें। फिर रुई से चेहरे पर लगाएं। कुछ देर बाद चेहरा धो डालें। प्रतिदिन ऐसा करने से रंग में निखार आएगा।
- नीबू के रस में थोड़ा कच्चा दूध मिलाकर चेहरे पर मलें या नीबू के छिलके को चेहरे पर रगड़ें। ऐसा करने से आपका रंग निखरने लगेगा।
- पके हुए खीरे का रस व नीबू के रस को मिलाएं फिर उसमें थोड़ी-सी हल्दी मिलाकर प्रतिदिन चेहरे पर मलें। चेहरा साफ तथा रंग गोरा होने लगेगा।
- दो चम्मच गेहूं का आटा, 4 बूंद सरसों का तेल, चुटकी-भर हल्दी, थोड़ी-सी मलाई मिलाकर मिश्रण बना लें। इस मिश्रण को चेहरे पर नियमित रूप से लगाते रहे। इसके प्रयोग से रंग का सांवलापन धीरे-धीरे कम होने लगता है।
- पके हुए टमाटर को काटकर चेहरे पर रगड़ने से रंग साफ हो जाता है।
- बेसन में थोड़ी-सी हल्दी व पानी, दो बूंद बादाम रोगन मिलाकर पेस्ट बना लें। चेहरे पर लगाने से रंग निखरता है।
- अति चमकती धूप में न बैठें।
- चेहरे को धूल-मिट्टी से बचाएं।

चेहरे का सौन्दर्य बढ़ाता है फेस पैक

चेहरे की सुंदरता बढ़ाने में त्वचा का बहुत बड़ा योगदान है। मौसम और त्वचा की प्रकृति के अनुरूप देखभाल करने से त्वचा को स्वस्थ और सुंदर बनाया जा सकता है। अक्सर ऐसी छोटी-छोटी समस्याओं के लिए ब्यूटी पार्लर का सहारा लेना पड़ता है, लेकिन आप घर पर ही फेस पैक बना सकती हैं और बड़ी आसानी से अपने चेहरे की कांति वापस ला सकती हैं।

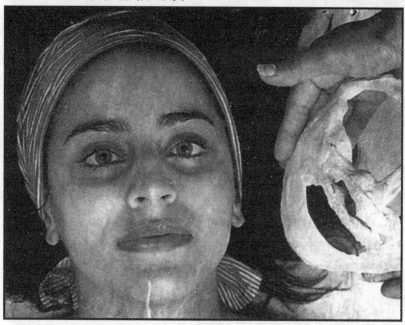

जाड़े के दिनों में शुष्क त्वचा को सबसे अधिक परेशानी का सामना करना पड़ता है। शुष्क त्वचा ठंड से जल्दी प्रभावित होती है और सूखकर उसमें दरारें पड़ जाती हैं।

शुष्क त्वचा के लिए फेस पैक

एक चम्मच चने के बेसन में थोड़ा शहद और मलाई मिलाकर चेहरे पर लगाएं। अगर आप अंडे की जर्दी लगा सकती हैं तो और बेहतर है। अंडे की जर्दी में दो

42

चम्मच शहद मिलाकर अच्छा-सा घोल तैयार करें। इसे चेहरे पर लगाएं और सूख जाने पर धो लें। इससे त्वचा का अच्छा पोषण होता है और नर्मी भी बनी रहती है।

त्वचा का तेल : संतुलन बनाए रखने के लिए रात में चेहरे को अच्छी तरह धो लें, फिर एक चम्मच बादाम के तेल में 4-5 बूंद ग्लिसरीन और मलाई मिलाकर लेप करें। आप सिर्फ ग्लिसरीन और नीबू का रस भी प्रयोग कर सकती हैं। ऑलिव ऑयल से मालिश करना भी लाभदायक है मगर ध्यान रहे, चेहरे पर मालिश हमेशा नीचे से ऊपर की ओर करनी चाहिए। गालों पर गोलाई से मालिश करें।

सामान्य त्वचा के लिए फेस पैक

सामान्य त्वचा को आमतौर पर ज्यादा परेशानी नहीं सहनी पड़ती। इसे हमेशा सामान्य बनाए रखने के लिए आप फेस पैक का इस्तेमाल कर सकती है। मसूर की दाल को पानी में भिगो लें, फिर दूध के साथ पीसकर चेहरे पर लेप लगाएं। सूख जाने पर धो लें। कच्चा दूध भी बहुत फायदेमंद है। रात में सोने से पहले दो चम्मच कच्चे दूध में एक चम्मच ग्लिसरीन मिलाकर लगाएं, सुबह धो लें। अंडे के प्रयोग से भी अच्छा फेस पैक तैयार हो सकता है। दूध में अंडा फेंटकर हल्दी-बेसन का लेप बनाएं और चेहरे पर लगाएं। इससे चेहरे का रंग भी साफ होगा। हल्दी में बहुत-से औषधीय गुण हैं—यह रक्त-शोधक का काम करती है। दही, बेसन और ग्लिसरीन का मिश्रण भी सामान्य त्वचा की अच्छी देखभाल कर सकता है।

तैलीय त्वचा के लिए फेस पैक

यदि आपकी त्वचा तैलीय है तो गर्मी के दिनों में अच्छे साबुन का प्रयोग करें। साबुन के बदले चने के बेसन तथा संतरे के छिलके के पॉउडर का प्रयोग भी कर सकती हैं। इनका गाढ़ा घोल बनाकर चेहरे पर लगाएं और ठंडे पानी से धो लें।

जाड़े के दिनों में तैलीय त्वचा वरदान है, लेकिन मौसम की खुश्की थोड़ा-बहुत इसे भी प्रभावित कर जाती है इसलिए इस मौसम में ऐसी त्वचा को भी थोड़ी देखभाल की जरुरत है। इसके लिए आप एक चम्मच संतरे के छिलके का पॉउडर लें और उसमें थोड़ा दूध और मलाई मिलाकर चेहरे पर लगाएं। बेसन में दूध और मलाई का फेस पैक भी तैयार कर सकती हैं। सप्ताह में एक बार, अंडे की सफेदी में थोड़ा दूध और एक चम्मच शहद मिलाकर बना हुआ लेप लगाएं। आपकी त्वचा खिल उठेगी।

फेस मास्क

प्रायः मुंहासों के कारण चेहरे पर दाग बन जाते हैं। हम इन्हें नाखून आदि से दबाकर या नोचकर और भी गहरा बना लेते हैं। अगर मुंहासे हों तो उन्हें किसी भी तरह न छेड़ें। चाहें तो किसी अच्छे ब्यूटी पार्लर में जाकर कील, मुंहासे सहित निकलवाएं। फिर निम्न लेपों का प्रयोग करें—

जैतून के तेल का मास्क

इसके लिए आधा चम्मच जैतून के तेल में चौथाई चम्मच नीबू का रस मिलाकर चेहरे पर लगाएं। पन्द्रह मिनट बाद धो लें।

पुदीना मास्क

एक चम्मच पुदीने के रस में एक चम्मच गुलाबजल मिलाकर चेहरे पर लगाएं। इसे कुछ घंटे लगाकर रखें। चाहे तो रात में लगाकर सो भी सकती हैं। फिर ठंडे पानी से चेहरा धो लें।

बादाम मास्क

चार भीगे हुए बादाम दो चम्मच दूध के साथ पीस लें। एक चम्मच संतरे का रस व विटामिन ए का कैप्सूल इसमें मिलाकर चेहरे पर लगाएं। धब्बों पर कुछ ज्यादा लगाएं। बीस मिनट बाद चेहरा धो लें।

कच्चे पपीते का मास्क

कच्चे पपीते के छोटे-से टुकड़े को पीसकर उसका रस निकालें। उसे चेहरे व धब्बों पर अच्छी तरह लगाकर सूखने दें। पंद्रह मिनट बाद चेहरा धो लें।

त्वचा की एक सामान्य समस्या हैं मुंहासे

- पहले मुंहासे दूर करने के लिए मुंहासों पर कैंफर लोशन का प्रयोग करें। किसी मेडिकेटेड साबुन व गर्म पानी से चेहरा साफ करें।
- अगर चेहरे पर अधिक मुंहासे हों तो किसी अच्छे ब्यूटी पार्लर में जाकर उन्हें जड़ सहित निकलवाएं।

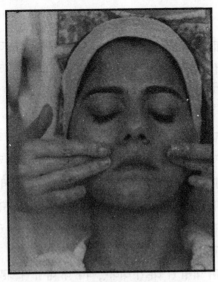

- पुदीने के पत्तों को पीसकर रस निकालें। उसमें आधा चम्मच नीबू का रस मिलाकर चेहरे पर लगाएं। बीस मिनट बाद चेहरा धो लें।
- चंदन पेस्ट में, खीरे का गाढ़ा रस मिलाकर लगाएं।
- नीम की पत्तियों को पीसकर लगाएं। बीस मिनट बाद चेहरा धो लें।
- एक चम्मच बेसन में आधा चम्मच हल्दी, एक चम्मच नीम-रस व दो चम्मच दूध मिलाकर पेस्ट बनाएं। चेहरे पर अच्छी तरह लगाकर बीस मिनट बाद धो लें।
- हल्के स्टार्च पेस्ट को रात-भर चेहरे पर लगाकर सोने से भी काफी फायदा होता है।
- मुंहासे खत्म हो जाने पर फिर न होने के लिए रोजाना पुदीने के रस में रुई भिगोकर चेहरे पर मलें। कुछ देर बाद धो लें।
- दूसरों का तौलिया या अन्य वस्तुएं जैसे–साबुन, क्रीम आदि इस्तेमाल न करें। बाहर से आने पर क्लींजर्स की सहायता से धूल, गंदगी साफ कर लें। हमेशा त्वचा को साफ रखें।
- साधारण व शुष्क त्वचा को दिन में दो बार व तैलीय त्वचा को दिन में तीन-चार बार हल्के गर्म पानी से धोएं।
- खाने के पदार्थ अधिक तैलीय न हों। अधिक सलाद खाएं व पानी कम-से-कम आठ गिलास प्रतिदिन पीएं। इस तरह जरा-सी देखभाल आपकी खूबसूरती को बरकरार रख सकती है।

स्टीम फेशियल

भाप द्वारा रोमछिद्रों को खोलकर उनकी गहरी सफाई की जा सकती है। इससे त्वचा पर उपस्थित चिकनाई, धूलकणों आदि को साफ किया जा सकता है। स्टीम फेशियल द्वारा चेहरे पर नई जान और नई चमक आ जाती है। स्टीम फेशियल की **घरेलू विधि** निम्न है—

बेसिन में गर्म पानी लेकर उसमें गुलाब की पंखुड़ियां डाल दें। कुछ मिनट उन्हें भीगने दें। अब अपने चेहरे को तौलिए से ढक लें, ताकि भाप चारों ओर बिखर न सके। भाप के करीब ले जाकर चेहरे को सेकें। ध्यान रहे उतने करीब ही ले जाएं, जिससे आपको तकलीफ न हो। भाप में श्वास लें। चेहरे पर भाप को अच्छी तरह आने दें। अच्छी भाप लेने के बाद टिश्यू पेपर से चेहरा पोंछ लें। अगर चेहरे पर ब्लैकहेड्स हैं तो दबाकर उन्हें निकालें या ब्लैक हेड रिमूवर से उन्हें निकालकर रुई से साफ कर लें। गर्म पानी से चेहरा धोकर, बर्फ के पानी से चेहरा धोएं। अब चेहरे पर किसी अच्छे फेस मास्क को लगाकर सूखने दें। बाद में ठंडे पानी से धो लें। इस तरह हफ्ते या पन्द्रह दिनों में एक बार चेहरे को भाप देते रहेंगे, तो चेहरे की खूबसूरती बनी रहेगी।

फेस मास्क लगाने के लिए कुछ आवश्यक सावधानियां

- अगर आप पहली बार मास्क का प्रयोग अपनी त्वचा पर करने जा रही हैं तो पहले अपनी त्वचा के प्रकार के मास्क का चुनाव कर लें।
- मास्क का प्रयोग साफ त्वचा पर ही करें।
- जब त्वचा गर्म हो, तभी मास्क लगाएं। इसके लिए क्रीम फेशियल या स्टीम फेशियल के दौरान मास्क का प्रयोग करें।
- आंखों के चारों ओर व होंठों के भाग को छोड़कर, बाकी जगह पर लगाएं।
- शुष्क त्वचा, नाजुक त्वचा, मिश्रित प्रकार की त्वचा पर मास्क केवल दस मिनट तक लगाएं। तत्पश्चात पानी से धो लें।
- तैलीय त्वचा पर मास्क को पंद्रह मिनट तक रहने दें। उसके पश्चात धोएं।
- मौसम के हिसाब से मास्क का प्रयोग करें।
- मास्क उतारने के बाद तुरंत बाहर या धूप में न जाएं। इससे त्वचा पर सीधा असर पड़ता है। कुछ देर त्वचा को आराम दें, ताकि जितने प्रोटीन्स हमने त्वचा को दिए हैं, उनका पोषण सही तरीके से हो सके।

मैनीक्योर : हाथों की संपूर्ण देखभाल

केवल चेहरे की देखभाल करना ही खूबसूरती की संपूर्ण देखभाल नहीं है, शेष शरीर और संपूर्ण व्यक्तित्व भी खूबसूरत होना चाहिए। तभी आपके इस खूबसूरत हुस्न को एक सही पहचान मिलेगी। इससे आपका आत्मविश्वास भी बढ़ेगा तथा साथ ही सब आपकी प्रशंसा भी करेंगे।

चेहरे की सुंदरता के बाद सबसे पहले निगाह आपके हाथों और पैरों पर जाती है। यदि ये खूबसूरत नहीं हैं तो आपका चांद-सा चेहरा भी फीका लगेगा। इसलिए अपने हाथों का भी विशेष ध्यान रखें। मैनीक्योर पद्धति इस दिशा में एक बेहतर कदम साबित होगी। हाथों की सुंदरता भावनाओं की भी वाहक होती है, तो आइए अपनी भावनाओं को संवारने का एक प्रयास करें। मैनीक्योर के लिए निम्नलिखित सामग्री की आवश्यकता होती है——

एमरी फाइल, शैम्पू, नेलकटर, नेलपॉलिश, गर्म पानी, क्यूटिकल क्लीनर, क्यूटिकल पुशर (ऑरेंज स्टिक), नेल पॉलिश रिमूवर, क्यूटिकल क्रीम, हैंड लोशन, रुई के फोहे। उपरोक्त सामग्री एकत्र कर अब मैनीक्योर करना आरंभ करें।

- सर्वप्रथम उत्तम क्वालिटी के नेल रिमूवर से अपनी नेल पॉलिश हटा लें। नेल रिमूवर रुई में आवश्यकतानुसार ही लें क्योंकि इसकी अधिकता से नाखूनों पर व आसपास की त्वचा पर रूखापन आ जाता है।
- नेल फाइलर से नाखूनों को अपनी पसंद की गोल, चौकोर या ओवल शेप दें। एक बात हमेशा ध्यान रखें कि फाइलर से हमेशा हल्के हाथों से व एक ही दिशा में काम लें।
- अब नाखूनों व आस-पास के चारों कोनों पर क्यूटिकल क्रीम लगाएं।
- कुनकुने पानी में थोड़ा-सा लिक्विड सोप या शैंपू डालकर हाथों को पांच मिनट तक उसमें डुबोएं।
- बैकपुशर या ऑरेंज स्टिक की सहायता से नाखूनों के ऊपर आई त्वचा को धीरे-धीरे पीछे करें। इससे सिर्फ मृत त्वचा ही निकलेगी। इसके निकल जाने से नाखूनों को सही आकार मिलता है।
- हैंड लोशन और बॉडी लोशन या क्रीम से हाथों की मालिश करें।

- नाखूनों को ब्रश से साफ करें। थोड़ी देर के लिए नाखूनों को हल्के कुनकुने बादाम या जैतून के तेल में डुबोएं।
- हाथों को तौलिए से पोंछें। रुई के फोहे से नाखूनों के चारों तरफ फिर सफाई करें।
- अब नेल पॉलिश लगाएं। नेल पॉलिश लगाना भी एक कला होती है। यदि आप चाहती हैं कि आपके नाखून खूबसूरत दिखने के साथ-साथ सुरक्षित भी रहें तो नाखूनों पर पहले बेस फोट लगाएं। यह पारदर्शी होता है। इसे एक कोट लगाकर सूखने दें। अब मनपसंद रंग की नेल पॉलिश लगाएं। पहले ब्रश की एक लाइन नाखून के बीच वाले भाग पर, फिर एक-एक लाइन आस-पास के भाग पर कुशलतापूर्वक लगाएं। इससे नाखून लंबे प्रतीत होते हैं और नेल पॉलिश आस-पास के कोनों पर भी नहीं फैलती। नाखूनों के कोनों पर गोलाई से ब्रश घुमाने पर नाखून चपटे व छोटे दिखते हैं।

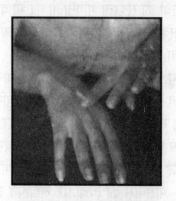

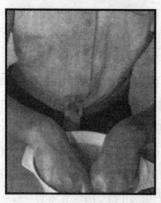

हाथों के सौंदर्य को बढ़ाता है मैनीक्योर

- नेल पॉलिश का पहला कोट सूखने के बाद ही दूसरा कोट लगाएं।
- इसके अलावा नहाते वक्त रोजाना नाखूनों की देखभाल करने से न चूकें। नाखूनों के चारों तरफ रोज क्यूटिकल क्रीम से मालिश करें। सोते वक्त व काम के पश्चात हाथों पर क्रीम से हल्की मालिश करते रहने से हाथ रूखे नहीं लगेंगे। सप्ताह में एक बार मैनीक्योर अवश्य करें या ब्यूटी पार्लर में जाकर करवाएं, नाखूनों के नीचे का मैल साफ करने के लिए ऑरेंज स्टिक में रुई लपेटकर एंटीसेप्टिक लोशन में डुबोएं व नाखूनों के अंदर का मैल साफ करें।

हाथों की नियमित देखभाल

अक्सर हम यह भूल जाते हैं कि हमारे सभी अंगों में सबसे ज्यादा हाथ ही दिखाई देते हैं। जब हम हाथ से कोई भी काम करते हैं या बात करते समय हाथों का इस्तेमाल करते हैं तो हमें शर्मिंदगी का सामना करना पड़ता है। अच्छी ग्रूमिंग में न केवल चेहरा अपितु हाथ भी शामिल हैं। हाथों के पीछे की त्वचा पतली और मुलायम होती है इसलिए इसमें जल्दी झुर्रियां पड़ने की संभावना रहती है। हथेली की त्वचा मोटी और मजबूत होती है। हथेली की त्वचा के खुरदरा होने की संभावना भी ज्यादा होती रहती है। इसका प्रमुख कारण बार-बार हाथों को साबुन से धोना और डिटर्जेंट का इस्तेमाल करना है। प्रायः हाथों से उम्र का भी पता चल जाता है, इसलिए इनकी अतिरिक्त देखभाल की आवश्यकता होती है। नहाने के बाद या हाथ धोने के बाद हमेशा कोई भी अच्छी क्रीम अपने हाथों पर अवश्य लगाएं। नीबू व हल्दी युक्त क्रीम लगाना अति उत्तम होता है। वैसे यदि नीबू का रस मिलाकर हल्दी से हाथ धोए जाएं तो हाथों की खूबसूरती यूं ही बनी रहेगी। नीबू तो त्वचा का मैल काटता है और हल्दी उसे मुलायम बनाती है।

रात को सोने से पहले भी हाथों को धो-पोंछकर कुछ देर तक क्रीम की मालिश करें। हाथों की त्वचा को साफ करने के लिए फेस मास्क भी लगाया जा सकता है। इससे त्वचा साफ व मुलायम तो होगी ही, साथ ही त्वचा की टोनिंग भी अच्छी तरह हो जाएगी। हाथों की कसरत करने से भी इनमें लचीलापन आ जाता है। यहां कुछ ऐसी कसरतें दी जा रही हैं, जिन्हें आठ-दस बार करना लाभदायक सिद्ध होगा।

- मुट्ठी कसकर बंद करें और खोलें। उंगलियां ज्यादा न खींचें।
- अपने हाथ सामने की तरफ करें और हथेलियां नीचे की ओर। उंगलियों को एक-दूसरे के साथ दबाएं व अलग करें।

- हाथों को ढीला छोड़ दें, फिर उन्हें गोल घुमाएं, पहले एक ओर फिर दूसरी ओर घुमाएं।
- हाथों को कुछ मिनटों के लिए नमकयुक्त कुनकुने पानी में भिगोने से आराम मिलता है।
- हाथों को यदि बारी-बारी से ठंडे व कुनकुने पानी में रखा जाए तो इससे 'ब्लड सरकुलेशन' अच्छा होगा।

व्यायाम के अतिरिक्त हाथों के लिए कुछ अन्य सुझाव

- रात को सोने से पहले दूध की मलाई में थोड़ा-सा नीबू का रस व ग्लिसरीन की कुछ बूंदें मिलाकर हाथों पर मलें।
- रात को सोते समय पैट्रोलियम जेली से अपनी हथेलियों की मालिश करें।
- हमेशा नीबू से मिले पानी से हाथ धोएं।
- थोड़ी-सी ग्लिसरीन में गुलाब जल या खीरे का रस मिलाकर रुई के फोहे से हाथों पर रगड़ें, त्वचा साफ होगी।
- हाथों व उंगलियों पर बादाम रोगन से मालिश करनी चाहिए।
- यदि हाथ खुरदरे हों तो थोड़े-से शक्कर के दाने लेकर उसमें दो बूंद नीबू का रस मिलाइए। इसे हाथों, कोहनियों व एड़ियों पर रगड़ें। त्वचा मुलायम हो जाएगी।
- उबले हुए आलू छीलकर मसल लें। उंगलियों पर इसका लेप लगाने से त्वचा पर निखार आता है।
- हल्के गर्म पानी में नीबू का रस डालकर कुछ देर हाथों को डुबोकर रखें।
- उंगलियों और हाथों की कसरत से हाथों में लचीलापन आता है। मुट्ठियों को भींचकर बंद करें व खोलें। यह प्रक्रिया दोनों ही हाथों से 10-10 बार करें।
- हाथों को गीले तौलिए से पोंछकर मॉइस्चराइजर लगाएं।
- जब भी हाथ धोएं, मॉइस्चराइजर जरूर लगाएं।
- ठंड के दिनों में हाथ की त्वचा रूखी हो जाती है अतः पांच मिनट तक किसी अच्छी कंपनी का विंटर केअर लोशन लगाएं, फिर कुनकुने ग्लिसरीन मिले पानी में कुछ सेकंड डुबोएं। रोएंदार नैपकिन से हाथ पोंछें।
- नीबू के रस में दूध मिलाकर हाथों की मालिश करें। हाथ मुलायम और सुंदर हो जाएंगे।

- शहद, जैतून का तेल, नीबू का रस और ग्लिसरीन बराबर मात्रा में मिलाकर रख लें। प्रतिदिन रात को सोते समय इसकी मालिश करें। हाथ नर्म व मुलायम हो जाएंगे।

सौंदर्य में इजाफा करते हैं नर्म व मुलायम हाथ

- एक छोटा चम्मच दूध में पिसा हुआ बादाम, एक बूंद नीबू का रस, दो बूंद ग्लिसरीन, दो बूंद गुलाब जल को मिलाकर हाथों पर लगाएं, रात में सोने से पहले इस मिश्रण से हाथों की मालिश करें। प्रातः बेसन व पानी से धो लें।
- पानी व सिरका समान मात्रा में मिलाकर उसमें पांच मिनट के लिए हाथ डुबोएं या फिर डेढ़ लीटर पानी व आधे नीबू के घोल में पांच मिनट तक हाथ डुबोकर पोंछ लें।

51

- आधा चम्मच सेंधा नमक, 5-6 बूंद नीबू का रस, आधा चम्मच ऑलिव ऑयल लेकर अच्छी तरह मिला लें, फिर हाथों पर गोलाई में घुमाते हुए मसाज करें। यह मृत त्वचा हटाने के लिए अच्छा लोशन है।

- दो टेबल स्पून बादाम रोगन, 1 अंडे की जर्दी, 1 टी स्पून शहद लेकर अच्छी तरह मिलाएं, फिर इससे हाथों की अच्छी तरह मालिश करें और सूती दस्ताने पहन लें। आधे घंटे बाद दस्ताने निकाल दें और बराबर मात्रा में पानी व सिरका मिलाकर इस मिश्रण से हाथ धो लें। अतिरिक्त लोशन को शीशे की बोतल में भरकर फ्रिज में रख दें। यह लोशन दो सप्ताह तक खराब नहीं होता इसे दिन में दो बार इस्तेमाल करें।

- दो टेबल स्पून लैनोलिन, 2 टेबल स्पून कोको, 2 टेबल स्पून मक्खन, 2 टेबल स्पून बादाम रोगन लेकर अच्छी तरह मिला लें। इसे बेजान और रूखे हाथों पर लगाकर मालिश करें। इसे सप्ताह में दो बार करें।

- आधा कप गुलाब जल, ¼ कप आफ्टर शेव, ¼ कप ग्लिसरीन, ¼ टेबल स्पून लोशन दिन में दो बार अपने हाथों में लगाकर मालिश करें।

- 250 ग्राम ओटमील, 1 टेबल स्पून नीबू का रस, ½ लीटर गर्म पानी, 1 टी स्पून डाइल्यूटेड अमोनिया, 1 टी स्पून ऑलिव ऑयल, 2 टी स्पून गुलाब जल, 1 टेबल स्पून ग्लिसरीन लें। ओटमील को गर्म पानी में रात-भर के लिए भिगो दें। सुबह पानी निकालकर अन्य सामग्री के साथ मिला लें। अपने हाथों पर जितनी बार चाहें इस्तेमाल करें। बचे हुए लोशन को आप शीशे की बोतल में भरकर रख दें।

- 2 टेबल स्पून भीगी हुई इमली का गूदा, 2 टेबल स्पून नीबू का रस, 2 टेबल स्पून ग्लिसरीन लें। इमली का गूदा मैश करके हाथों पर दस मिनट लगाएं, इससे हाथों का कालापन दूर होगा। इसके बाद नीबू के रस में ग्लिसरीन मिलाएं और इससे हाथों की दस मिनट तक मालिश करें। यह हाथों की मृत त्वचा को हटाने का बेहतरीन उपाय है। इसे हफ्ते में तीन बार हाथों में लगाकर मालिश करें।

- 20 मि.ली. बादाम का तेल, 5-6 बूंद नीबू का रस, 1 चम्मच चीनी लेकर एक गहरे बर्तन में डालें और हल्का चला दें। इस मिश्रण में अपने हाथों को 15 मिनट तक भिगोएं। फिर साफ पानी में हाथ धो लें और तौलिए से पोंछकर कोई क्रीम लगा लें। इससे हाथों को पोषण तो मिलता ही है, वे ब्लीच भी होते हैं।

- कच्चा आलू या नीबू हाथों पर रगड़ा जाए तो हाथों की सुंदरता बढ़ जाती है ।
- सर्दी में हाथ लाल हो जाते हैं व सूज जाते हैं । अतः इन दिनों नमकयुक्त पानी में दस मिनट तक हाथ डुबोकर रखने चाहिए, इससे हाथ मुलायम हो जाते हैं । हाथों को पानी से निकालकर अच्छी तरह पोंछ लें । इसके बाद एक छोटा चम्मच दूध में एक बूंद ग्लिसरीन मिलाकर हाथों पर रगड़ें । आपके हाथों की सुंदरता बढ़ जाएगी ।

सुंदर और मुलायम हाथों से आपकी खूबसूरती तो बढ़ती ही है, साथ ही आपकी तरफ दूसरों का ध्यान भी बरबस ही आकर्षित हो जाता है । हाथों की सुंदरता इस बात का प्रमाण है कि आप अपनी व्यस्त जिंदगी के बावजूद भी अपने सौंदर्य के प्रति कितना सचेत रहते हैं । चूंकि यह तो सब जानते ही हैं कि रोजमर्रा के घरेलू कार्य करने से हाथों की खूबसूरती पर प्रभाव पड़ता है, लेकिन थोड़ी-सी देखभाल की जाए तो आप भी अपने हाथों को सुंदर व मुलायम बना सकते हैं ।

क्यूटिकल्स की देखभाल

- 1 टेबल स्पून पपीता या अनन्नास का जूस, ¼ अंडे की जर्दी, 1 टेबल स्पून सिरका लेकर अच्छी तरह मिलाएं और क्यूटिकल पर सप्ताह में दो बार लगाएं इससे क्यूटिकल मुलायम रहेंगे ।
- 20 मि.ली. कैस्टर ऑयल, 20 मि.ली. ग्लिसरीन, दोनों को मिलाकर नाखूनों और क्यूटिकल्स में लगाएं । अतिरिक्त मिश्रण को बोतल में भरकर रख दें ।

नाखूनों की देखभाल

हाथ के नाखूनों की विशेष देखभाल की जानी चाहिए । सब काम हाथों से होता है, इस कारण नाखून कमजोर होकर टूट जाते हैं । इनकी देखभाल के लिए आगे दिए गए कुछ उपचार लाभप्रद सिद्ध होंगे ।

- नाखूनों को कुनकुने दूध में भिगोएं । वे सुंदर और मजबूत बनेंगे ।
- नाखूनों को साफ करने के लिए हाइड्रोजन पैरॉक्साइड की कुछ बूंदें नाखून और इनके नीचे की त्वचा में डालें । फिर रुई से पोंछकर हाथ धो लें । गंदगी निकल आएगी ।

- नाखूनों में सदा ही नेल पॉलिश लगाकर न रखें। उन्हें कभी-कभी हवा भी लगने दें।
- विटामिन 'बी कॉम्प्लेक्स' और लहसुन खाने से नाखून मजबूत होते हैं।
- रात को नाखूनों पर ग्लिसरीन लगाकर सोएं। दर्द व जलन से राहत मिलेगी।
- फूल गोभी के प्रयोग से नाखूनों के सभी रोग नष्ट हो जाते हैं।
- यदि नाखूनों के किनारे उग आए हों तो क्यूटिकल्स भद्दे लगने के साथ-साथ दर्दनाक भी हो जाते हैं। अतः बादाम या जैतून के तेल से उंगलियों की मालिश करें।

अपने नाखूनों की देखभाल करें

- अनार के पत्ते पीसकर बांधने से नाखूनों के टूटने से होने वाला दर्द ठीक हो जाता है।
- यदि क्यूटिकल्स की वजह से उंगलियों में सूजन आ गई है तो हल्के गर्म पानी में उंगलियों को सेंकें। बाद में हल्दी और चंदन का लेप भी लगाएं।
- कैल्शियम, विटामिन 'ई' और 'बी', सल्फर फॉस्फेट्स नाखूनों को स्वस्थ और मजबूत बनाए रखते हैं।
- भोजन में दूध, हरी सब्जी, पनीर, दही, अंडा इत्यादि चीजों का भरपूर इस्तेमाल करें।
- कपड़े धोते समय रबड़ के दस्ताने पहन लें।
- यदि आपके नाखून पतले हैं और जल्दी ही क्रेक हो जाते हैं तो दो चम्मच जिलेटिन गरम पानी में घोलें। इसमें फलों का रस या एक गिलास दूध अथवा पानी मिलाकर ले लें।
- नाखूनों की देखभाल तथा स्वच्छता का ध्यान रखना चाहिए।
- नाखून सुंदर रहें, इसके लिए आवश्यक है कि स्वास्थ्य अच्छा रहे।
- रसोई के काम करने के पश्चात शीघ्र ही हाथों को साबुन से धो लें, पर जल्दी-जल्दी साबुन से हाथ न धोएं।
- नाखूनों में मैल चला गया हो तो उसे निकालें।

- वाशिंग पाउडर, डिटरजेंट आदि नाखूनों की कांति को चौपट कर उनकी नैसर्गिक चमक नष्ट कर सकते हैं।
- नाखूनों के निर्माण व स्वास्थ्य के लिए प्रोटीन, कैल्शियम, पोटेशियम, विटामिन 'ए', 'बी', 'सी', 'डी' और लौह तत्त्व भी आवश्यक होते हैं। इन तत्त्वों की पूर्ति दाल, सोयाबीन, दूध, दही, मक्खन, पनीर, मसूर की दाल, रसीले फल, पत्तों वाली सब्जियों के सेवन से होती है।
- नाखून बढ़ाने हैं तो इनकी स्वच्छता पर अवश्य ही ध्यान दें।
- नाखून काटने से पूर्व उन्हें 5 मिनट गुनगुने जल में डुबाकर रखें। ऐसा करने से नाखून सरलता से कटते हैं।
- पोरों की मालिश करने से खून परिसंचरण बढ़ेगा, नाखूनों में सिकुड़न पड़ना कम होगा तथा नाखून मजबूत बनेंगे, इसलिए दिन में 5–7 मिनट एक–दो बार मालिश जरूर करें, किंतु ज्यादा मालिश से नाखून पतले पड़ सकते हैं।
- पोरों की मालिश नारियल या जैतून के तेल से करें।
- बढ़े हुए नाखून यदि टूट रहे हैं या फट रहे हैं, तो उन्हें शीघ्र काटकर छोटा कर दें।
- भुरभुरे नाखूनों को अपनी उंगलियों के अग्रभाग से ज्यादा बड़ा न रखें।
- नाखून किसी वस्तु से न खुरचें।
- पेंच आदि खोलते समय नाखून को पेंचकस की तरह प्रयोग न करें।
- दांतों से नाखून काटने से नाखून भद्दे दिखने लगते हैं।
- मिट्टी के तेल में चार–पांच मिनट नाखूनों को डुबोए रखने से नाखूनों के टूटने में अवरोध आता है।
- दो नीबू का रस एक प्याले में निचोड़कर उसमें बादाम रोगन डालकर घोल तैयार करें, इसमें नाखून कुछ समय तक डुबोए रखें। यह नुस्खा 15–20 दिन तक नियमित करें, इससे नाखून कमजोर नहीं पड़ेंगे।
- नीबू का रस निकालने के बाद छिलके मत फेंकिए, उनको नाखूनों पर रगड़ें। इससे नाखून मजबूत होते हैं।
- नाखूनों पर यदि कोई चिन्ह लग जाए तो आलू को काटकर नाखूनों पर रगड़ने से चिन्ह साफ हो जाता है।
- जब भी हाथ धोएं, अपने नाखूनों व क्यूटिकल पर मॉइस्चराइजर अवश्य लगाएं, क्योंकि उस समय हाथों में ग्रहणशीलता अधिक होती है।

55

- रात को सोने से पहले नाखूनों पर ऑलिव ऑयल लगाकर सोने से नाखून जल्दी बढ़ते हैं। इसके लिए गुनगुने ऑलिव ऑयल में एक विटामिन 'ई' कैप्सूल तोड़कर मिला लें और प्रतिदिन सोने से पहले अपने हाथों को इसमें डुबोएं। दस मिनट बाद हाथों को बाहर निकालकर हल्के हाथों से मसाज करें। ध्यान रहे इस पूरे हफ्ते आपके नाखूनों में नेल पॉलिश नहीं लगी होनी चाहिए।
- वेजीटेबल जूस व फलों के रस में एसिड होता है, जो नाखूनों के लिए हानिकारक होता है, इसलिए सब्जी या फल काटने के बाद नल के पानी से हाथ जरूर धोएं।
- गर्म पानी के साथ कैल्शियम लैक्टेट की एक-एक गोली दिन में तीन बार लेने से नाखून मजबूत होते हैं।
- नाखूनों पर सप्ताह में दो बार नेल स्ट्रेंथनर लगाएं। इसका उपयोग बगैर पॉलिश लगे नाखूनों पर भी किया जा सकता है और पॉलिश लगे नाखूनों पर भी।
- सोने से पूर्व नाखूनों व क्यूटिकल पर क्यूटिकल ऑयल या बेबी ऑयल से मसाज करें। इसके बाद किसी भी अच्छी क्रीम का प्रयोग करें।
- जब क्यूटिकल थोड़े मुलायम हो जाएं तो हफ्ते में दो बार क्यूटिकल को पीछे की ओर पुश करें।
- नाखूनों को साइड में ज्यादा फाइल न करें, इनसे उनके टूटने का डर अधिक रहता है।
- हमारे शरीर की तरह नाखूनों को भी हाइड्रेशन की जरूरत होती है, इसलिए ज्यादा-से-ज्यादा पानी पिएं।
- नेल पॉलिश सूखे नहीं इसके लिए नेल पॉलिश की शीशी में नेलवार्निश की कुछ बूंदें मिलाकर फ्रिज में रख दें। ध्यान रखें कि बहुत ज्यादा वार्निश न मिलाएं, वरना नेल पॉलिश बहुत ज्यादा पतली हो जाएगी।

अंगूठी चुनने में बरतें सावधानी

अंगूठियां आजकल हाथों की बनावट को ध्यान में रखकर बनाई जाने लगी हैं, क्योंकि अलग-अलग डिजाइन की अंगूठियां अलग-अलग बनावट वाले हाथों में सजती हैं। सही अंगूठी चुनने के लिए आपको यह जानना जरूरी है कि कौन-से शेप की अंगूठी आपके हाथों को सूट करेगी।

सही अंगूठी का चुनाव करें

- अगर आपकी उंगलियां छोटी और चपटी हैं और नाखून भी कुदरती चपटे या चौकोर हैं तो आपको गोल स्टोन वाली प्लेन अंगूठी पहननी चाहिए। बहुत पतली, छोटी या हल्के डिजाइन वाली अंगूठी आपके हाथों में खूब फबेगी। बड़ी व सिंगल स्टोन वाली अंगूठी भी अच्छी लगेगी, अगर यह रेक्टेंगल शेप में हो।

- छोटी लेकिन पतली उंगलियां लंबी दिख सकती हैं अगर आप बढ़िया छल्ले पर लगे बड़े स्टोन वाली अंगूठी पहनें या अंडाकार या ओवल शेप वाली अंगूठी जिसके दोनों सिरे नुकीले हों। आप रेक्टेंगल शेप की थोड़ी बड़ी अंगूठी भी पहन सकती हैं, लेकिन स्टोन बड़ा नहीं होना चाहिए।

- छोटी उंगलियों पर कोई भी अंगूठी बहुत अच्छी लगती है, लेकिन आपके नाखून छोटे होने चाहिए। ट्रिपल बैंड वाली अंगूठी आपके हाथों में विशेष रूप से अच्छी लगेगी या ऐसी अंगूठी जिसमें कई छल्ले हों और बीच में छोटे-छोटे खूबसूरत स्टोन जड़े हों, आपके हाथ में खूब फबेगी।

- बहुत पतली और लंबी उंगलियों में चौड़े चौकोर आकार की या गोलाकार बड़ी अंगूठी बहुत अच्छी लगती है। अगर आपकी उंगलियां पतली व लंबी हैं तो एक बड़ी-सी अंगूठी पहनें जिसके बीचोंबीच एक स्टोन हो और जिसके चारों ओर कंट्रास्ट कलर के स्टोन उसी शेप में हों। फूलों के गुच्छों वाली अंगूठी ऐसे हाथों पर बहुत प्यारी लगती है।

- अंगूठी खरीदते वक्त अंगूठी का मेटल और स्टोन का रंग भी बहुत अहमियत रखता है। जिनके हाथों की त्वचा कुछ पीलापन लिए हुए होती है उनके लिए प्योर गोल्ड की अंगूठी सही नहीं होती। ऐसी अंगूठी हाथों का पीलापन और बढ़ा देती है, इसलिए ऐसे हाथों के लिए व्हाइट गोल्ड या चांदी व हीरे की अंगूठी उपयुक्त रहती है।

- ऐसी स्किन के लिए हरे या नीले रंग के स्टोन को भी न चुनें, क्योंकि यह ऐसी त्वचा को और मटमैला बना देते हैं। ऐसे हाथों पर मोती, व्हाइट स्टोन या हीरे की अंगूठी बहुत अच्छी लगती है।

- जिनके हाथों का रंग बहुत सफेद हो उनके हाथों में गोल्ड व प्लेटिनम की पतली या छल्ले वाली अंगूठी बहुत जंचती है। इसके अलावा ऐसे हाथों पर डायमंड, रूबी व नीलम की अंगूठी भी खूब सजती है।

- सामान्य गोरे हाथों पर वैसे तो कोई भी अंगूठी अच्छी लगती है, लेकिन इन पर हीरे की अंगूठी और गहरे लाल स्टोन वाली अंगूठी काफी आकर्षक लगती है। ऐसे हाथों पर सोने की जड़ाऊ अंगूठी भी बहुत फबती है।

कोहनी की देखभाल

कोहनी हाथों का वह हिस्सा है, जहां सभी की नजर पड़ती है। खूबसूरत, साफ कोहनियां सभी का ध्यान अपनी ओर आकर्षित करती हैं। इसके विपरीत सख्त,

बदसूरत, काली कोहनियां देखने में बहुत भद्दी लगती हैं। कोहनियां भी ग्रीवा की तरह अपेक्षित रहती हैं। शरीर के सभी अंगों की भांति कोहनी की ओर भी पूर्ण ध्यान दें। कोहनी की देखभाल में प्रतिदिन 5 मिनट अवश्य लगाएं। इससे आपकी कोहनियां और भी सुंदर हो जाएंगी।

कोहनियों की स्वच्छता का ध्यान रखिए

कोहनी को सुंदर बनाने के कुछ उपाय

- अपनी कोहनी को टिकाकर बैठने की आदत न डालें।
- तेज धूप में हमेशा पूरी आस्तीन के कपड़े ही पहनें।
- कोहनी पर सनस्क्रीन लोशन लगाना भी लाभप्रद रहता है।
- कोहनी पर नीबू, ग्लिसरीन लगाएं। प्रतिदिन के उपयोग से कोहनी नरम हो जाएगी और मृत त्वचा भी निकल जाएगी।

- कोहनी पर हल्दी का लेप लगाकर सूखने दें। थोड़ी देर बाद धो लें।
- नीबू मलाई का उबटन लगाकर रगड़ें। धीरे-धीरे कोहनी खूबसूरत हो जाएंगी।
- नीबू के टुकड़े पर हल्की-सी फिटकरी बुरक लें और उसे अच्छी तरह कोहनियों पर मलें, 2-3 घंटे के बाद रगड़कर धो लें, कोहनियां साफ हो जाएंगी।
- नीबू व संतरे के छिलके रगड़ने से भी कोहनी की त्वचा गोरी हो जाती है।
- प्याज का रस लगाने से भी कालापन दूर होता है।
- कच्चा पनीर रगड़ने से भी कोहनी नर्म, मुलायम व गोरी हो जाती है।
- टमाटर के छिलकों से यदि कोहनी को रगड़ा जाए तो जमा मैल साफ हो जाएगा।
- कोहनी अक्सर धूल जमने से रूखी हो जाती हैं और इनका रंग भी मटमैला हो जाता है, अतः इन पर कच्चा आलू रगड़ें।
- कोहनी पर यदि खीरे के टुकड़े मलें तो भी इनकी त्वचा साफ हो जाएगी।

कोहनियों को प्रतिदिन साफ करें। इससे उन पर कालापन नहीं आता तथा वे सदैव सुंदर बनी रहती हैं।

पैडिक्योर : पैरों की देखभाल

पैर हमारे सच्चे साथी होते हैं। इन्हीं के बलबूते पर हम अपनी मंजिल तक पहुंचते हैं, इसलिए हमें अपने पैरों को सदैव स्वस्थ एवं सुंदर रखना चाहिए। इन्हें सुंदर रखने का मतलब है इन्हें रोगमुक्त रखना व काम के बाद इन्हें भी आराम देना।

इन्हें सुंदर बनाए रखने के लिए आवश्यक है कि इनकी सही सफाई व साज संभाल हो। पैडिक्योर से न केवल पैरों को आराम मिलता है वरन् वे सुंदर भी दिखते हैं। पूरे व्यक्तित्व को आकर्षक बनाने में खूबसूरत पैर महत्त्वपूर्ण योगदान देते हैं। पैडिक्योर के लिए इन चीजों की जरूरत होती है—नेल क्लिपर, एमरी बोर्ड, टिश्यूपेपर, ऑरेंज स्टिक, नेल पॉलिश रिमूवर, रुई और मालिश के लिए क्रीम। पैडिक्योर शुरू करने से पहले एक टब में कुनकुना पानी रखकर खाने का सोड़ा और हाइड्रोजन पैराऑक्साइड की कुछ बूंदें डालकर उसमें 10-15 मिनट तक पैर रखें। यदि एड़ियां गंदी व कटी-फटी हैं तो पानी में ही झांवे से रगड़ें। नाखूनों के भीतर यदि मैल हो तो ऑरेंज स्टिक पर रुई लपेटकर नीचे से मैल साफ कर लें।

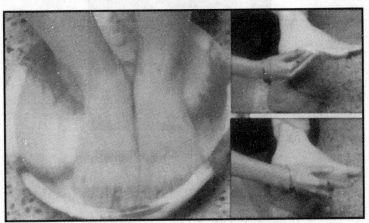

पैडिक्योर से पैरों का संपूर्ण सौंदर्य निखारता है

अब पैडिक्योर शुरू करें—

● सबसे पहले क्लिपर की सहायता से नाखूनों को सीधा काटें। पैर के नाखून छोटे ही रखे जाने चाहिए।

61

- एमरी बोर्ड की बारीक साइड से नाखूनों के खुरदुरे हिस्से को धीरे-धीरे रगड़ें। यदि आस-पास की त्वचा कुछ कड़ी हो या नाखून सख्त हो गए हों तो फाइल के दूसरी ओर की मोटी साइड का इस्तेमाल करें।
- मालिश की क्रीम से पैरों की मालिश करें। मालिश उंगलियों से धीरे-धीरे ऊपर ले जाते हुए करें। इसी तरह तलुओं की भी मालिश करें।
- थोड़ी क्रीम उंगलियों पर लगाकर उनसे 'क्यूटिकल्स' की भी मालिश करें। ऑरेंज स्टिक की सहायता से क्रीम को नाखून व क्यूटिकल के बीच में लगाएं व धीरे-धीरे क्यूटिकल को पीछे की ओर करें। इससे नाखून का पूरा आधार नजर आएगा।
- उंगलियों के बीच में रुई के छोटे-छोटे फोहे रखकर नाखूनों पर नेलपॉलिश लगाएं। पहले एक बेस कोट ही लगाएं।
- अब नेल पॉलिश की 'टॉप कोट' लगाएं। नेल पॉलिश को तीन 'स्ट्रोक' में लगाएं, यानी नाखून के बीच में पहला स्ट्रोक व अगल-बगल दो स्ट्रोक और लगाएं। ऐसा करने से पॉलिश साफ व एकसार लगेगी।

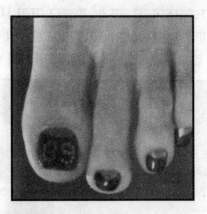

सुंदर लगते हैं नेलपॉलिश लगे नाखून

पॉलिश लगाने के बाद पैडिक्योर पूरा हो जाता है। यदि इधर-उधर कहीं फालतू पॉलिश लग गई हो तो रुई पर रिमूवर लगाकर उसे साफ कर दें। सप्ताह में एक बार पैडिक्योर अवश्य करें।

पैरों को सुडौल व खूबसूरत बनाने के उपाय

- प्रतिदिन एक ही जगह खड़े होकर 10 मिनट तक जोगिंग करें।
- कभी भी ज्यादा ऊंची एड़ी के जूते या चप्पलें न पहनें।
- प्रातःकाल दौड़ लगाना व रस्सी कूदना पैरों को स्वस्थ बनाए रखने के लिए एक उत्तम व्यायाम है, अतः इस व्यायाम को प्रतिदिन करने की आदत डालें।
- साइकिल चलाने से भी आपके पैर स्वस्थ व मजबूत रहेंगे।
- हमेशा सामान्य तेजी से चलने की आदत डालें, यानी न तो ज्यादा तेज चलें, न ज्यादा धीरे।
- बैठते समय अपने पैरों को कभी भी एक के ऊपर एक न रखें।
- प्रतिदिन कुनकुने पानी में थोड़ा-सा नमक डालकर पैर डुबोएं। इससे आपको राहत महसूस होगी।
- सीधे खड़े होकर अपना एक हाथ इस मुद्रा में लाएं कि आपकी हथेली जमीन की ओर हो और हाथ कंधे की सीध में। अब अपना पैर उठाकर हाथ से छूने की कोशिश करें। इसी प्रकार दूसरे हाथ से दूसरा पैर छूने की कोशिश करें। पांच-पांच बार यह व्यायाम करें। इससे आपके पैर सुडौल हो जाएंगे।
- पैरों को हमेशा साफ रखें। उनमें संक्रमण न होने दें।
- प्लास्टिक के जूते पहनने से बचें, इनसे पैर लाल हो जाते हैं, उनमें खारिश हो जाती है तथा पैरों की उंगलियों के बीच बिवाइयां पड़ जाती हैं।
- बंद मुंह के जूते कम पहनें। संभव हो तो हमेशा हवादार जूते-चप्पल ही पहनें।
- जैतून के तेल में नमक मिलाकर, उससे पैरों की मालिश करें।
- हमेशा सही नाप के जूते-चप्पल ही पहनें।
- हफ्ते में एक बार कुनकुने पानी से नीबू का रस, शैंपू व ग्लिसरीन डालकर पंद्रह मिनट तक पैर डुबोएं।

पैरों की देखभाल

- फुरसत के समय किसी अच्छी क्रीम या तेल से हल्के हाथों से गोलाई में पैरों की मालिश करें। थोड़ी देर में तेल त्वचा में समा जाएगा। इससे थके-हारे पैरों को आराम मिलेगा और रूखी त्वचा मुलायम बनेगी।

- नहाते समय प्यूमिक स्टोन से पैरों की अच्छी तरह सफाई करें, ताकि कटी-फटी त्वचा उतर जाए। नहाने के बाद कोई अच्छा-सा बॉडी लोशन या क्रीम पैरों में लगाएं।

- अगर पैरों में पसीना ज्यादा आता हो तो गुनगुने पानी में नीबू की कुछ बूंदें डालें। इसमें पैरों को डुबोकर रखें। पन्द्रह मिनट के बाद पैरों को पोंछ लें। थोड़ी-सी मुल्तानी मिट्टी में गुलाब जल डालकर पेस्ट बनाकर पैरों पर पतली परत लगाएं। सूखने पर धो लें।

- पसीने की समस्या से बचने के लिए पैरों पर अच्छी तरह पाउडर लगाकर जूते पहनें, वैसे ऐसे पैरों के लिए खुले सैंडल ज्यादा बेहतर रहते हैं।

- मुल्तानी मिट्टी में थोड़ा-सा दही डालकर पेस्ट बनाकर पैरों में लगा लें और सूखने पर धो दें, पैर मुलायम हो जाएंगे।

- पैरों की त्वचा ज्यादा सूखी हो तो गुनगुने पानी में कुछ बूंदें जैतून के तेल की मिलाएं। पन्द्रह मिनट तक अपने पैरों को इसमें भिगोकर रखें, फिर पोंछकर किसी अच्छी क्रीम से मालिश करें।

- दो चम्मच ग्लिसरीन और एक चम्मच गुलाब जल में एक चम्मच नीबू का रस अच्छी तरह मिलाएं। इस मिश्रण को एक बोतल में बंद करके रोज सोने से पहले लगाएं। इससे पैरों की त्वचा मुलायम बनी रहेगी।

- आपके पैर ठंडे रहते हैं तो सोने से पहले जैतून के तेल की मालिश करें।

- पैरों के अंदर धंसे नाखूनों की समस्या उन्हें गलत ढंग से काटने से होती है। नाखूनों को सीधा और चौड़ाई में काटें।

- नेल पॉलिश लगे हुए पैर अच्छे लगते हैं, पर बीच-बीच में नेल पॉलिश का प्रयोग बंद कर दें, ताकि नाखूनों का स्वाभाविक रंग बना रहे।

- नेल पॉलिश हमेशा अच्छी कंपनी की ही खरीदें।

- लगातार कुर्सी पर बैठे रहने के कारण पैर खिंच जाते हों तो पैरों को क्लॉकवाइज और एंटी-क्लॉकवाइज थोड़ी-थोड़ी देर में घुमाते रहें।

- जूते-चप्पल हमेशा सही माप के खरीदें, जिससे आपके पैरों को उनमें पूरी जगह मिल सके। तंग जूते-चप्पल न खरीदें।

2500 हर्बल ब्यूटी टिप्स—4

- बहुत देर तक ऊंची एड़ी की चप्पलें न पहनें, इससे थकान ज्यादा होती है और शरीर का संतुलन बिगड़ता है। अगर हील पहननी ही हो तो प्लेटफॉर्म हील खरीदें।
- नंगे पांव हरी घास पर टहलें।
- चुकंदर को काटकर एड़ियों में लगाने से वे चिकनी व स्वस्थ रहती हैं।
- रात को सोने से पूर्व एड़ियों को गुनगुने पानी में डेटॉल की दो-चार बूंदें डालकर कुछ समय तक पानी में पैर रखें। इससे आराम मिलता है।

एड़ियों की नियमित सफाई से वे साफ रहती हैं। कटी-फटी एड़ियां न खुद को ही अच्छी लगती हैं, न देखने वालों को।

एड़ियों का सौंदर्य : कुछ टिप्स

- यदि आपकी एड़ियां फटी हुई हों तो सोने से पहले ग्लिसरीन लगाकर सोएं। कुछ भी लगाने से पहले पैर अवश्य धो लें।
- व्यायाम करने के बाद पैर की उंगलियों को चौड़ाई में फैलाकर जितना हो सके, गोल-गोल घुमाएं। इससे उंगलियों के बीच की मृत त्वचा हटेगी।
- एड़ियां कटने पर सरसों के तेल में मोम पकाकर लगाएं। एड़ी ठीक हो जाएंगी।
- मधुमक्खियों के छत्ते का मोम पिघलाकर उसमें बोरिक पाउडर मिलाकर एड़ियों पर मलें।
- नहाने के बाद सरसों के तेल में चुटकी-भर हल्दी मिलाकर एड़ियों पर रगड़ें।
- प्याज का रस यदि एड़ियों पर लगाया जाए तो इससे कालापन दूर होगा।
- सप्ताह में एक बार जैतून का तेल कुनकुना करके एड़ियों पर मलें। दस मिनट बाद बेसन और हल्दी का लेप लगाएं। त्वचा साफ हो जाएगी।
- रात को सोने से पहले एड़ियों पर मॉइस्चराइजर अवश्य लगाएं।
- यदि पंद्रह दिन तक लगातार सख्त एड़ियों पर नीबू, मलाई रगड़ें तो आपकी एड़ियां मुलायम हो जाएंगी।

एड़ियां और हमारे पैर अमूमन हमेशा ही उपेक्षा का शिकार रहते हैं। महिलाएं इनकी तरफ ज्यादा ध्यान नहीं देती हैं। वे अपने चेहरे की सुंदरता के लिए तो घंटों लगाती हैं, पर पैर व एड़ियों के लिए स्नान ही पर्याप्त मानती हैं। अतः यदि आप प्रतिदिन सुबह-शाम 10-10 मिनट भी अपने पैरों की देखभाल के लिए निकालें तो आपके पैर निहायत ही खूबसूरत हो जाएंगे।

पीठ को आकर्षक कैसे बनाएं

खूबसूरत और आकर्षक दिखने के लिए पीठ का भी अपना अलग ही महत्त्व है, किंतु यह एक आश्चर्यजनक तथ्य है कि सौंदर्य निखारने के लिए पीठ पर ज्यादा ध्यान नहीं दिया जाता। लगातार उपेक्षा के कारण पीठ अपना आकर्षण खो बैठती है। पीठ यदि आकर्षक न हो तो सौंदर्य अधूरा-सा लगता है। कई बार पीठ की त्वचा पर मैल के कारण काले धब्बे पड़ जाते हैं। मोटापे के कारण भी पीठ पर मांस बढ़ने लगता है। पीठ के बाल भी सौंदर्य को घटाते हैं। पीठ को आकर्षक व स्वस्थ बनाए रखने के लिए मालिश, डायटिंग, व्यायाम, लेप आवश्यक हैं।

खूबसूरत दिखने के लिए पीठ को आकर्षक बनाएं

66

पीठ के कुछ व्यायाम

- जमीन पर नमाज पढ़ने की मुद्रा में 15-20 मिनट तक बैठें ।
- फर्श पर सीधे लेटकर दोनों हाथों को शरीर के दोनों ओर रखें । अब दाएं हाथ को तनी हुई मुद्रा में ऊपर की ओर उठाते हुए सिर के पीछे की ओर जमीन पर लाएं । इसके बाद हाथ को उसी मुद्रा में वापस ले जाएं । अब इसी तरह बाएं हाथ को करें । यह व्यायाम 5 मिनट तक करें ।

व्यायाम सदा प्रातःकाल नहाने से पूर्व करना चाहिए । व्यायाम के अलावा पीठ को सुंदर बनाने के कुछ अन्य उपाय इस प्रकार हैं—

- बाजार में लंबे हैंडिल वाला पीठ साफ करने वाला एक ब्रश मिलता है, जिससे पीठ को भली-भांति साफ किया जा सकता है ।

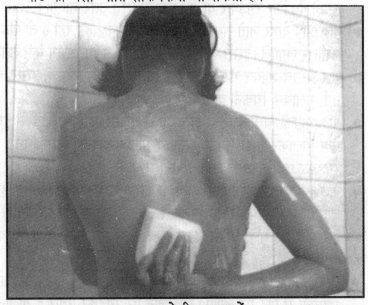

ब्रश से पीठ साफ करें

- सप्ताह में एक बार अपनी पीठ की मालिश अवश्य करवाएं । ब्यूटी पार्लर में जाकर भी आप मसाज करवा सकती हैं ।
- बेसन में दही या कच्चा दूध, चुटकी-भर हल्दी व नीबू का रस मिलाकर लगाएं । उबटन को धीरे-धीरे मलें । सारा मैल उतर जाएगा ।
- नहाने के बाद कोल्ड क्रीम या मॉइस्चराइजर लगाएं ।
- गर्मी के मौसम में धूप से त्वचा काली हो जाती है, अतः हल्दी व नीबू का पैक लगाएं । त्वचा की रंगत साफ हो जाएगी ।

- जब भी धूप में निकलें स्कार्फ, दुपट्टे या साड़ी के पल्लू से अपनी पीठ ढक लें। इससे सूरज की तेज किरणें सीधे ही पीठ पर नहीं पड़तीं।
- बेसन में मलाई, नीबू का रस, चंदन पाउडर, एक चम्मच शहद व हल्दी मिलाकर पीठ पर मलें, फिर सूखने के बाद धो लें, इससे त्वचा के अंदर से धूल कण निकल जाएंगे और पीठ आकर्षक लगने लगेगी।
- यदि पीठ पर बहुत बाल हों तो थोड़ी-सी दही में नीबू का रस मिलाकर ब्लीच करें। 15 मिनट बाद धोकर अच्छी-सी क्रीम लगा लें।
- रात को पीठ पर एक्ने लोशन लगाकर सोएं। इससे आपकी पीठ का संक्रमण खत्म हो जाएगा। ढीले वस्त्र ही पहनें।
- नहाने से पहले सरसों के तेल को पीठ पर धीरे-धीरे मलें। दस मिनट तक सूखने दें। फिर रगड़कर धो लें। मैल की परत उतर जाएगी।
- यदि आप बाहर जाते समय बड़े गले की पोशाक पहन रही हैं तो पीठ पर कंसीलर लगा लें। इससे पीठ व चेहरे का रंग अलग-अलग नहीं लगेगा।
- चार चम्मच शक्कर में नीबू का रस मिलाकर पीठ पर मलें, इससे त्वचा नर्म, मुलायम, चिकनी व खूबसूरत हो जाएगी।
- यदि आपकी त्वचा काली है और धूप से झुलसी हुई है तो थोड़े-से दूध में मैदा मिलाकर गाढ़ा उबटन बनाकर पीठ पर लगाएं। दस मिनट बाद रगड़कर छुड़ा लें और कुनकुने पानी से धो लें।
- पीठ की त्वचा का रंग दाग-धब्बों के कारण सांवला पड़ जाता है। इसके लिए हल्दी में नीबू का रस मिलाकर उबटन बना लें। फिर स्नान से पूर्व इसे पीठ पर मलें। इससे एक तो त्वचा का रंग साफ होगा, साथ ही दाग-धब्बे भी दूर हो जाएंगे।
- चीनी, शहद, दही और अंडा मिलाकर लेप बना लें, फिर इसे ब्रश की सहायता से पीठ पर लगाएं। सूख जाने पर रगड़कर उतार दें या गुनगुने पानी से धो लें। इससे काले मस्से, बड़ी कीलें इत्यादि साफ हो जाती हैं।
- महीने में कम-से-कम 1 बार पीठ की तेल से मालिश करा लेना बहुत ही लाभप्रद है। इससे मांसपेशियों की कठोरता दूर होकर उनका लचीलापन बढ़ता है। रक्तसंचार में वृद्धि होकर त्वचा की कांति बढ़ती है।

इस प्रकार थोड़ी-सी समझदारी व सूझबूझ से अनाकर्षक पीठ को भी सुंदर बनाया जा सकता है।

गर्दन का सौंदर्य

चेहरे की कमनीयता में गर्दन का बहुत बड़ा हाथ है। यदि गर्दन की उचित सफाई व देखभाल की जाए तो आपके सौंदर्य में वृद्धि होती है। वहीं पर्याप्त देखभाल के अभाव में गर्दन आपकी सुंदरता को हानि भी पहुंचा सकती है। जिस प्रकार चेहरे की मांसपेशियों पर उम्र बढ़ने के साथ झुर्रियां आने लगती हैं, उसी प्रकार वजन के बढ़ने से गर्दन भी मोटी होने लगती है।

गर्दन को आकर्षक और सुंदर बनाए रखने के लिए नीचे दिए गए कुछ व्यायाम प्रतिदिन करें।

- गर्दन बहुत ही नाजुक होती है, इसलिए ध्यान रखें कि व्यायाम बहुत सावधानी से करें। असावधानीपूर्वक व्यायाम करने से गर्दन में चनका आ जाता है।
- किसी कुर्सी पर आरामपूर्वक पीठ टिकाकर बैठें, गर्दन व कंधे सीधे रखें।
- गर्दन को सीधा रखें। सिर को दाएं कंधे की ओर झुकाएं, फिर बाएं कंधे की ओर करें। ऐसा 10 से 15 बार करें।
- पलंग पर पीठ के बल लेटकर गर्दन पलंग के नीचे लटकने दें। इससे गर्दन लंबी होती है।
- इसके अतिरिक्त गर्दन की विशेष देखभाल करके उसे कसावयुक्त सुंदर बनाया जा सकता है।
- सिर को कभी झुकाकर न रखें। इससे गर्दन पर जल्दी ही झुर्रियां पड़ जाती हैं।
- 25 वर्ष की आयु के बाद गर्दन की देखभाल की ओर विशेष ध्यान दें। हमेशा चेहरे की मालिश के साथ गर्दन की मालिश भी करें।
- चेहरे पर जब भी मसाज करें, गर्दन से करते हुए ऊपर गालों तक करें।
- यदि प्रतिदिन नियमित रूप से, नहाने से पहले, नीबू-मलाई की मालिश की जाए तो गर्दन धीरे-धीरे खूबसूरत हो जाएगी।
- यदि चेहरे और गर्दन का रंग अलग हो तो नहाने से पहले गर्दन पर हल्दी और नीबू का रस मिलाकर लगाएं।

● यदि आपको मेकअप करके कहीं बाहर जाना हो तो जो फाउंडेशन चेहरे पर लगाया है, वही गर्दन पर भी लगाएं। इससे चेहरा व गर्दन एकसार लगेगी।

चेहरे की कमनीयता को बढ़ाता है गर्दन का सौंदर्य।

70

- धीरे-धीरे खाली हाथों से भी गर्दन की मसाज करें।
- पलंग पर पीठ के बल सीधे लेटकर गर्दन पलंग के नीचे की ओर लटकने दें। फिर धीरे-धीरे सिर को ऊपर उठाएं। इससे गर्दन लंबी हो सकती है।
- कच्चे दूध में रुई के फोहे को भिगोकर, प्रतिदिन रात को सोते समय उससे गर्दन को साफ करके सोएं।
- यदि गर्दन पर कालापन जम गया हो तो दस चम्मच बेसन लेकर उसमें एक चम्मच दही मिलाएं। यह उबटन 20-25 मिनट तक अपनी गर्दन पर लगाएं। सूखने पर छुड़ा लें और कुनकुने पानी से धो लें। ऐसा लगातार करने से गर्दन खूबसूरत हो जाएगी।
- गर्दन की देखभाल के लिए आप एरोमाथैरेपी भी इस्तेमाल कर सकती हैं। 20 मि.ली. जोजोबा ऑयल, 20 मि.ली. व्हीट जर्म ऑयल, 20 मि.ली. बादाम का तेल, 20 मि.ली. एपोकेडा ऑयल, 5 बूंद लेमन ऑयल, 5 बूंद ऑरेंज ऑयल, 15 बूंद कैरट ऑयल, 5 बूंद रोज ऑयल, 5 बूंद बेसिल ऑयल, 15 बूंद पामारोज ऑयल, 5 बूंद संदल ऑयल। सभी सामग्री को मिलाकर एक कांच की बोतल में भर लें। प्रतिदिन सोने से पहले अपनी गर्दन की मालिश करें।
- रात को सोने से पहले गर्दन को साफ पानी से धोकर पोंछ लें। एक चम्मच दूध की मलाई, नीबू का रस व ग्लिसरीन मिलाकर गर्दन की मालिश करें।
- छोटी गर्दन की सुंदरता बढ़ाने के लिए हमेशा गहरे गले के यानी 'वी' शेप या 'लो नेक' के वस्त्र ही पहनें।
- केश विन्यास भी ऐसा चुनें, जिससे बाल चेहरे पर छितरे हुए नजर न आएं।
- यदि पपीते का गूदा गर्दन पर लगाया जाए तो गर्दन चिकनी व खूबसूरत हो जाएगी।
- गर्दन काली पड़ गई हो तो कच्चे आलू को कद्दूकस करके उसका रस गर्दन पर लगाएं। उसे 15 मिनट तक लगा रहने दें। बाद में सादे पानी से धो दें।
- बीफ वैक्स और मक्खन को बराबर मात्रा में लेकर गर्म पानी में मिलाकर अच्छी तरह फेंट लें। रात को गर्दन पर लगाकर सुबह पानी से धो दें।
- गर्दन की त्वचा को उजली व चमकदार बनाने के लिए तीन चम्मच बोरेक्स पाउडर, दो चम्मच ग्लिसरीन और दो कप गुलाब जल में मिलाकर लगाएं। कुछ देर बाद इसे धो दें।

- गर्दन की टैनिंग हटाने के लिए एक कप बटर मिल्क और एक नीबू का रस मिलाकर पेस्ट बनाएं तथा 15 मिनट तक लगाकर रखने के बाद धो लें।

- यदि गर्दन मोटी है तो उसे मालिश द्वारा सही शेप प्रदान करें। इसके अलावा नियमित व्यायाम से इसका उपचार करें।

- गर्दन की सुंदरता बढ़ाने के लिए उसे महीने या 15 दिन में ब्लीच करके अच्छा-सा पैक लगाएं।

- छोटी गर्दन पर गले से सटे जड़ाऊ सैट नहीं पहनने चाहिए। इसकी अपेक्षा हल्के-फुल्के सैट टॉप्स आदि ही पहनने चाहिए।

- नहाते समय बालों को सिर के ऊपर सैट कर लें, फिर मुलायम बॉडी स्क्रब से गर्दन को साफ करें।

- रोजाना चेहरा साफ करते वक्त कच्चे दूध या क्लींजिंग मिल्क से गर्दन साफ करें।

- अधिक काली गर्दन की सफाई हेतु एक चम्मच मुल्तानी मिट्टी, एक चम्मच दही व नीबू के रस का पेस्ट तैयार करें। इसे गर्दन पर 15 मिनट के लिए लगाएं, फिर धो लें।

- धूप में निकलते समय सनस्क्रीन लोशन या क्रीम गर्दन पर लगा लें।

- एक चम्मच मुल्तानी मिट्टी, एक चम्मच चंदन पाउडर व चुटकी-भर हल्दी व एक चम्मच दूध मिलाकर पेस्ट बनाकर गर्दन पर 15 मिनट रखें, फिर धो लें।

- गर्दन की खूबसूरती बढ़ाने हेतु गर्दन में पहने जाने वाले आभूषण व परिधान अहम भूमिका अदा करते हैं। परिधान व आभूषण के सही चयन से गले के कई दोषों को छुपाया जा सकता है।

- यदि गर्दन व चेहरा छोटा हो तो 'वी' आकार के गले की पोशाक पहनें। इस पर लंबी पतली चेन पहनें, इससे गर्दन लंबी नजर आएगी।

- लंबे चेहरे व पतली गर्दन वाली महिलाओं को गोल गले, गोल कॉलर वाली पोशाकों का चयन करना चाहिए। इन पर मीनाकारी वाले हार या मोतियों की माला ज्यादा फबती है।

- पतले चेहरे व पतले गले पर चौकोर गले या मुड़े हुए कॉलर की बनावट वाले गले ज्यादा फिट बैठते हैं। इन पर गुलबंद या गोल मनकों की माला ज्यादा अच्छी लगती है।

- अंडाकार चेहरे व लंबी गर्दन पर अंडाकार गले की पोशाक बहुत अच्छी लगती है। इन पर हर प्रकार के आभूषण अच्छे लगते हैं।
- चौकोर चेहरे व मध्य आकार की गर्दन पर यू या गोल आकार का गला अच्छा लगता है। इन पर रानीहार या मोतियों की माला ज्यादा अच्छी लगती है।

गर्दन को सुराहीदार रूप देने के लिए कुछ प्रयत्न अवश्य करने होंगे। तभी आपकी गर्दन की तारीफ हो पाएगी। अच्छी गर्दन होने पर कोई भी जेवर गर्दन के सौंदर्य को बढ़ावा देगा।

होंठों का श्रृंगार

चेहरे की सुंदरता में होंठों का विशेष महत्त्व है। कवियों ने भी नारी के होंठों को अपनी रचनाओं में प्रमुख स्थान दिया है। किसी ने इन्हें गुलाब की पंखुड़ियां कहा है तो किसी ने मोगरे के फूलों से इनकी तुलना की है। वैसे यह सच भी है कि नारी के सुर्ख होंठ उसकी सुंदरता में सोने पे सुहागे का कार्य करते हैं। प्रत्येक नारी चाहती है कि वह सबसे खूबसूरत और सुन्दर दिखाई दे, इसलिए वे अपने होंठों को भी ज्यादा-से-ज्यादा आकर्षक देखना चाहती हैं। सभी स्त्रियों के होंठ प्राकृतिक रूप से सुंदर नहीं होते, परंतु उनकी उचित देखभाल व सौंदर्य प्रसाधनों के उचित उपयोग से होंठ आकर्षक बन सकते हैं।

प्रत्येक स्त्री को अपने होंठों की देखभाल करनी चाहिए। अग्रलिखित टिप्स का पालन करके होंठों को कोमल, नाजुक व गुलाबी रंगत में लाया जा सकता है।

- यदि आपके होंठ रूखे हों तो इन पर सुबह-शाम मलाई रगड़ें।
- देशी घी की मालिश करने से होंठ मुलायम और गुलाबी हो जाते हैं।
- ग्लिसरीन, नीबू का रस, गुलाब जल और दही को मिलाकर होंठों पर लगाएं। होंठों का कालापन दूर हो जाएगा।
- सुबह-शाम कच्चे दूध में रुई का फोहा भिगोकर होंठ साफ करें।
- गुलाब की ताजा पत्ती पीसकर प्रतिदिन होंठों पर लगाई जाए तो आपके होंठ भी गुलाब की तरह खिल जाएंगे।
- सर्दियों में अक्सर होंठ फट जाते हैं, दरार भी पड़ जाती है तथा कभी-कभी उनमें से खून भी आने लगता है। ऐसे में सरसों के तेल से धीरे-धीरे होंठों की मालिश करें।
- पोदीने का रस मलाई में मिलाकर लगाएं। दरारें जल्दी ही भर जाएंगी।
- होंठों की रंगत बढ़ाने के लिए मलाई व नीबू मिलाकर रगड़ें।
- टमाटर का रस पीने से भी होंठों की रंगत बढ़ती है।
- टमाटर का रस होंठों पर भी लगाया जा सकता है।
- दो-तीन पत्ती केसर को एक चम्मच दूध में पीसकर होंठों पर लगाने से भी होंठ खूबसूरत बनते हैं।

- शहद में मलाई और गुलाब जल मिलाकर सप्ताह में एक बार होंठों पर लगाएं। होंठों की रंगत गुलाबी हो जाएगी।
- जरा-सा घी गर्म करके, उसमें नमक मिलाकर होंठों पर व नाभि में लगाएं। फटे होंठ ठीक हो जाएंगे।
- रात को सोते समय नाभि में सरसों का तेल लगाकर मालिश करें। इस प्रयोग को यदि लगातार किया जाए तो फटे होंठों से राहत मिलेगी।
- होंठों को फटने से बचाने के लिए लिप बाम या मॉइस्चराइजर युक्त लिपस्टिक ही लगाएं।

होंठ : सौंदर्य का आधार

- होंठों पर बार-बार जीभ न फेरें। इस तरह करने से भी होंठ फटते हैं।
- रात को सोते समय पैट्रोलियम जेली लगाएं।
- यदि चुकंदर का रस होंठों पर लगाया जाए तो कुछ ही दिनों में होंठ लाल हो जाएंगे।
- रात-भर चिरौंजी भिगोएं। सुबह उन्हें दूध के साथ पीसकर होंठों पर लगाएं। होंठों की खूबसूरती देखते ही बनेगी।
- पत्तों पर पड़ी सुबह की ओस होंठों पर लगाने से होंठ खूबसूरत बनते हैं।
- यदि होंठों के आस-पास की त्वचा ज्यादा फटती है तो दिन में कई बार मलाई और शहद मिलाकर धीरे-धीरे मालिश करें।
- दरार पड़े होंठों पर बेबी ऑयल भी लगाया जा सकता है।
- होंठों के फटने पर बादाम रोगन में चुटकी-भर खाने का सोड़ा मिलाकर रात को सोते समय लगाएं।
- प्रतिदिन कच्चे दूध का फेन लगाने से होंठ सूखते नहीं हैं।
- संभव हो तो सूखे होंठों पर जमी पपड़ी कभी न खुरचें।
- होंठों को दांतों से कभी न चबाएं।

- टमाटर, नीबू का रस और ग्लिसरीन बराबर मात्रा में मिलाकर रात को सोते समय होंठों पर लगाकर सोएं।
- गुलाबी होंठों के लिए ताजे गुलाब की लाल पत्तियों को पीसकर शहद/मक्खन में मिलाकर लगाएं।
- मक्खन में केसर पीसकर लगाने से भी होंठों की खूबसूरती बढ़ती है।

होंठों को सुंदर बनाने में लिपस्टिक का बहुत योगदान होता है। लिपस्टिक हमेशा अच्छी कंपनी की ही खरीदें। लिपस्टिक खरीदते समय हाथ पर हल्की-सी रेखा खींचें। रेखा को मिटा दें। यदि निशान मिट जाता है तो वह अच्छी कंपनी की है।

स्वस्थ दंत पंक्ति के लिए कुछ टिप्स

दांतों का महत्त्व शरीर के किसी भी अन्य अंग से कम नहीं। दांत केवल स्वास्थ्य ही नहीं, सौंदर्य की दृष्टि से भी महत्त्वपूर्ण हैं। चमकती, स्वस्थ दंत पंक्ति वाली मुस्कराहट की शोभा क्या बिना दांत वाली मुस्कराहट से प्रदर्शित हो सकती है? कभी नहीं। अतः दांतों की सुरक्षा हमारी अपनी सुरक्षा है। यहां कुछ टिप्स प्रस्तुत हैं—

- सुबह ही नहीं, रात को सोने से पहले भी एक बार दांतों की सफाई करें।
- भोजन में कैल्शियम की उचित मात्रा लें, ताकि दांत मजबूत हों, उन पर दाग-धब्बे न पड़ सकें।
- नीबू के छिलके को दांतों पर रगड़ने और बाद में कुल्ला कर मंजन करने से भी दांत भली प्रकार साफ हो जाते हैं।
- नीबू के छिलके छांव में सुखाएं। इनका चूर्ण बनाकर सप्ताह में दो बार दांत मलना भी दांतों के लिए हितकर है।
- सरसों के तेल में नमक मिलाकर भी कभी-कभी दांतों की सफाई करने से दांत स्वस्थ बने रहते हैं।
- छोटी इलायची, तज, वच, कपूर, कूठ, नागकेसर, कमल की जड़, सभी को समान मात्रा में लेकर कूटकर कपड़छन करके चूर्ण कर लें और शहद के साथ 250 मि.ग्रा. की गोलियां बना लें। इन गोलियों को चूसते रहने से मुंह से दुर्गंध, बदबू आना नष्ट होकर मुंह से सुगंध आने लगेगी।
- दांतों की सामान्य सफाई में दांतों की पूरी सतह अच्छी तरह से साफ नहीं हो पाती, इसलिए प्रोफेशनल क्लीनिंग की जरूरत होती है। यह मान्यता

76

पूरी तरह गलत है कि प्रोफेशनल क्लीनिंग या स्केलिंग से इनेमल क्षतिग्रस्त होता है या दांत कमजोर होते हैं। इसके विपरीत स्केलिंग के द्वारा दांतों पर बने कठोर आवरण के हटने से मसूड़े मजबूत ही होते हैं, क्योंकि भोजन औ़र टार्टर के द्वारा बना यह कठोर आवरण हड्डी को कमजोर बनाता है, जिससे दांत कमजोर होते हैं।

- दांतों में खाद्य पदार्थ फंसे रहकर दुर्गंध उत्पन्न करते हैं। दांतों की स्केलिंग द्वारा दांतों की सही ढंग से सफाई और इंटर डेंटल क्लीनर की सहायता से दुर्गंध को खत्म किया जा सकता है।
- ऑर्थोडेंटिक ट्रीटमेंट के द्वारा असमान क्रम के दांतों को ठीक करके एक क्रम में लाया जा सकता है। एक ही जगह कई दांतों के जन्म लेने, दांतों के न आने और जबड़े के एक सीध में न रहने से ही दांत असमान क्रम में आते हैं।
- दांतों के पल्प में संक्रमण और सूजन के लिए मुख्यतः बैक्टीरिया ही जिम्मेदार होते हैं, इसके लिए रूट केनाल ट्रीटमेंट आवश्यक है। यदि संक्रमण का इलाज न कराया जाए तो चेहरा, गर्दन और मुंह में सूजन आने की संभावना रहती है।
- कॉस्मेटिक डेनटिस्टरी के द्वारा चेहरे में अविश्वसनीय परिवर्तन आ सकता है। इसमें दांतों के बीच की जगह को भरा जाता है। यह फिलिंग सोने या पोर्सलीन या किसी एलॉय से बनी होती है। यह स्थायी होती है और इसे निकालने की जरूरत भी नहीं पड़ती।
- डेंटल क्रॉउन से भद्दे दिखने वाले और गंदे दांतों को ढका जाता है या फिर टूटे हुए दांतों को सही किया जाता है। साथ ही इसमें डेंटल फिलिंग के द्वारा दांतों को नया रूप दिया जाता है।

स्नान के विभिन्न तरीके

नहाने से शरीर के रोमछिद्र खुल जाते हैं। मांसपेशियां तनावरहित व शरीर

स्वास्थ्य के लिए स्नान जरूरी है

रोगमुक्त होता है। पानी में रोगों को दूर करने का औषधीय गुण होता है, इसलिए शरीर को साफ तथा निरोग रखने के लिए प्रतिदिन नहाना बहुत जरूरी है।

नहाने के अनगिनत तरीके हैं, लेकिन कुछ खास स्नान ऐसे भी हैं, जिनसे हम अपने शरीर को स्वच्छ, निर्मल, निरोग व चुस्त-दुरुस्त रख सकते हैं। वायु स्नान, धूप का स्नान, जल स्नान, मिट्टी स्नान, कटि यानी कमर का स्नान, भाप स्नान, तेल स्नान, नमक स्नान, गुलाब स्नान आदि कुछ प्रमुख स्नान हैं।

➲ **वायु स्नान :** सुबह के समय ताजी हवा में घूमने से शारीरिक, मानसिक तथा बौद्धिक शक्तियों का विकास होता है।

- सुबह की शुद्ध, ताजा वायु जीवनदायिनी होती है।
- आयुर्वेद के अनुसार भोर के समय सूर्य से ऊषा नामक किरण निकलती है। इस ऊषा वायु या अमृतमयी वायु के त्वचा से लगने पर शरीर में तेज, बल, स्फूर्ति, उत्साह व आरोग्यता का संचार होता है।
- यह रक्त शुद्ध करती है। रक्त का प्रवाह बढ़ाती है।

➲ **धूप स्नान :** इसके लिए सुबह-सुबह धूप का सेवन करना चाहिए, क्योंकि उगते सूरज की किरणें स्वास्थ्यवर्द्धक होती हैं।

- इस दौरान कम-से-कम पतले और हल्के कपड़े पहनें।
- धूप का सेवन करने से पहले सनस्क्रीन लोशन लगा लेना बेहतर रहता है।

➲ **कटि या कमर का स्नान :** एक टब में गुनगुना पानी तथा दूसरे टब में ठंडा पानी भरिए।

- पहले गुनगुने पानी में कमर से नीचे का भाग डुबोकर बैठें।
- पांच या दस मिनट बाद गर्म पानी से निकलकर इतने ही समय ठंडे पानी में बैठें, इससे शरीर की अतिरिक्त चर्बी कम होती है।
- जिनके कूल्हे भारी होते हैं, उनके लिए हिप बाथ बहुत लाभदायक सिद्ध होता है। इसमें कमर के निचले हिस्से से लेकर जांघों के निचले हिस्से को कटि स्नान की तरह ही पहले गुनगुने पानी, फिर ठंडे पानी के टब में डुबोया जाता है। इससे भी कूल्हों व जांघों की चर्बी में कमी आती है।

➲ **भाप स्नान :** किसी बंद कमरे में, जहां हवा का आवागमन न हो, वहां बिजली से या किसी चूल्हे पर गर्म पानी करके उसकी भाप लें।

- भाप से शरीर के सभी रोमछिद्र खुल जाते हैं।
- त्वचा पर जमी मृत कोशिकाएं व शरीर के टॉक्सिन बाहर निकलते हैं।

- पांच से सात मिनट भाप स्नान लें, फिर गुनगुने पानी से स्नान करें।
- ➲ **गुलाब स्नान** : नहाने के पानी में गुलाब अर्क या तेल डालकर नहाएं।

गुलाब स्नान से तन-मन खिल उठता है

- गुलाब की महक से आपका शरीर भी महक जाएगा और आपका तन-मन गुलाब के फूल की भांति खिल उठेगा।
- ➲ **तेल स्नान** : पानी में सुगंधित तेल डालकर स्नान करें।
- इससे स्नान के साथ-साथ शरीर की तेल मालिश भी हो जाती है।
- जिनकी त्वचा रूखी होती है, उनको इस विधि से ही नहाना चाहिए, ताकि उनकी त्वचा नरम, चिकनी व सौम्य हो जाए।
- सुगंधित तेलयुक्त जल में स्नान करने से पूरे दिन शरीर महकता रहता है।

- **नमक स्नान :** हल्के गुनगुने पानी में एक चम्मच नमक डालकर टब में थोड़ी देर बैठें, फिर बाहर आ जाएं।
- इस स्नान से सूखी त्वचा मुलायम हो जाती है और बदन दर्द भी दूर होता है।
- इस स्नान से दिन-भर की सारी थकान दूर हो जाती है।
- **रेत या मिट्टी स्नान :** रेत या मिट्टी स्नान के दो रूप हैं। एक तो समुद्र की रेत में और दूसरा मिट्टी का तन पर लेप करके।
- रेत स्नान में समुद्र में नहाने के बाद व्यक्ति को किनारे लिटाकर गर्दन तक शरीर को रेत से ढक दिया जाता है।
- जरूरत के मुताबिक एक-डेढ़ घंटे इसी स्थिति में रखने के बाद फिर समुद्र में स्नान करवाया जाता है।
- मिट्टी स्नान में बारीक पिसी मुल्तानी मिट्टी में चंदन पाउडर, गुलाब जल व अन्य सुगंधित हर्बल तेल डालकर पेस्ट बनाया जाता है।
- इसका शरीर पर लेप करके एक निश्चित अवधि के लिए छोड़ दिया जाता है। उसके पश्चात गुनगुने पानी से स्नान किया जाता है।
- ये स्नान शरीर को शीतलता देते हैं व अनेक त्वचा रोगों का उपचार भी हैं।

नहाने से थके तन-मन को तुरंत राहत मिलती है। रात में नहाकर सोने से नींद अच्छी आती है, क्योंकि नहाने से शरीर पर जमी मृत त्वचा के साथ ही धूल-मिट्टी व पसीने के कण भी हटते हैं। नहाने की प्रक्रिया भी सही तरीके से होनी चाहिए जिससे आपको लाभ पहुंचे—

- नहाते समय पहले सिर के ऊपर पानी डालना चाहिए, फिर बाकी अंगों पर। कई लोग पहले पैर, फिर कमर, कंधे और तब कहीं सिर पर पानी डालते हैं। इस तरह नहाने का उल्टा प्रभाव होता है, इसमें तलवों की गर्मी सिर तक चढ़ जाती है और मस्तिष्क विकार होने का डर होता है।
- नहाने से पहले थोड़ा प्राणायाम तथा तेल मालिश कर लेना भी लाभदायक रहता है।
- उबटनों का लेप या पपीते, संतरे आदि के गूदे से शरीर की आधा-पौना घंटे अच्छी तरह मालिश करके गुनगुने पानी में नहाने से शरीर की मृत कोशिकाएं हटती हैं।

- नहाने के पानी में एक कप सिरका मिला लें, आपकी त्वचा में निश्चय ही नई जान आ जाएगी।
- पानी में एक कप मिल्क पाउडर मिलाकर नहाने से त्वचा की खुश्की दूर होगी और उसमें चमक आएगी।
- एक प्याला जई का आटा और भूसी मिलाकर नहाने से त्वचा साफ होगी, रंगत निखरेगी और पोर-पोर में राहत महसूस होगी।
- नहाने से पहले अपने शरीर में कोई भी अच्छा बॉडी ऑयल लगा लें। कम-से-कम दस मिनट तक तेल लगा रहने दें। तेल सूखने के बाद अपनी त्वचा को मुलायम कपड़े से रगड़ें। मुरझाई त्वचा में तुरंत निखार आ जाता है।
- नहाने के बाद शरीर को अच्छी तरह मुलायम तौलिए से थपथपाकर सुखा लें।

गालों का सौंदर्य

हर महिला चाहती है कि उसके गाल लाल बने रहें, परंतु आज के तनावपूर्ण माहौल में ऐसा संभव नहीं है। फिर भी यही कोशिश करनी चाहिए कि गालों की आभा बनी रहे। इसके लिए कुछ व्यायाम नियमित रूप से करें।

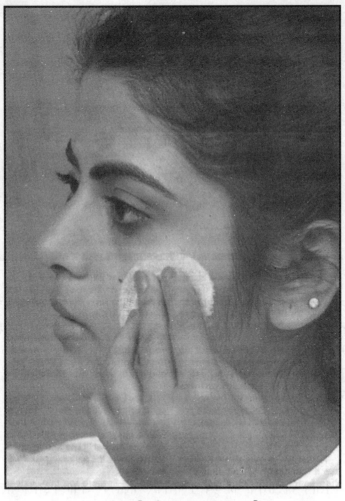

गुलाबी गालों की रंगत का ख्याल रखें

83

- बिना क्रीम के चेहरे पर धीरे-धीरे मसाज करें। गालों पर 15-20 मिनट तक यह मसाज करें।
- गाल पतले हैं तो मुंह में पानी भरकर गाल फुला लें। लगभग 5 मिनट तक यही करें।

जादू करती है गालों की गुलाबी आभा

इसके अतिरिक्त मेकअप से भी गुलाबी आभा लाई जा सकती है। ऐसे में ब्लशर का चुनाव करें। ब्लशर का रंग त्वचा के रंग के अनुसार ही करें। ब्लशर सदैव गाल की उभरी हुई हड्डी पर लगता है।

खान-पान पर पूरा ध्यान दें। रक्त बनाने वाले फलों का अधिक सेवन करें। तनावरहित रहें व इन बातों को प्रयोग में लाएं।

- प्रातःकाल एक गिलास टमाटर का जूस, खाली पेट पीने की आदत डालें।
- संतरे का प्रयोग जितना हो सके, करें।
- चुकंदर को पीसकर उसका उबटन (पैक) चेहरे पर लगाएं।
- गुलाब की पत्तियों को दूध में पीसकर गालों पर लगाएं। इनसे गालों की गुलाबी रंगत आ जाती है।

84

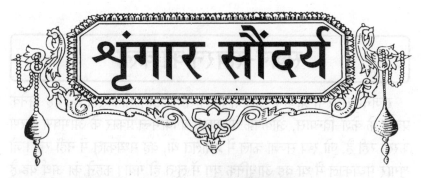

शृंगार सौंदर्य

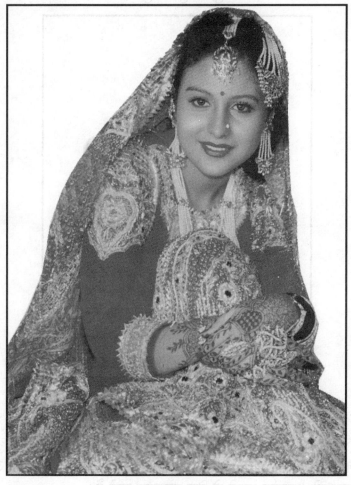

सजने-संवरने की कला

सजना-संवरना प्राचीन काल से ही नारी का प्रिय शौक रहा है। वह अनेक प्रकार के केश-विन्यास, आकर्षक वेशभूषाएं व विभिन्न प्रकार के आभूषण धारण करती रही हैं, जो रूप सज्जा काल में प्रचलित थी, वह मध्यकाल में नहीं रही। जो शृंगार मध्यकाल में था वह आधुनिक युग में लुप्त हो गया। कहने का अर्थ यह है

कि पुराने फैशन की जगह नए-नए फैशन प्रतिस्थापित हो रहे हैं। आधुनिक युग में महिलाएं तो नित नए फैशन अपनाने ही लगी हैं, साथ-ही-साथ पुरुष भी अपने व्यक्तित्व को आकर्षक बनाने के लिए प्रयासरत रहते हैं।

महिलाएं क्यों बनती-संवरती हैं? क्यों फैशन करती हैं? इन प्रश्नों के प्रति पुरुष निरंतर जिज्ञासु बना रहता है। एक अवधारणा है कि नारियां पुरुषों की नजरों में अपने को रूपवती सिद्ध करने के लिए सजती-संवरती हैं। यह भी माना जाता है कि नारी अपनी मान-प्रतिष्ठा प्राप्त करने के उद्देश्य से प्रेरित होकर व अपनी संपन्नता की धाक जमाने की खातिर मूल्यवान आभूषण और सुंदर वस्त्र धारण करती हैं, किंतु गहराई से विचार करें तो यह सब तर्क-वितर्क नारी मनोविज्ञान के परिप्रेक्ष्य में सही साबित नहीं होते। यह निश्चित करने के लिए कि नारी फैशन क्यों करती हैं, सर्वप्रथम नारी और पुरुष के पारस्परिक संबंधों का संक्षिप्त विश्लेषण करना जरूरी है।

नारी पुरुष को सम्मोहित करने के लिए अपना बनाव-शृंगार करती है। पुरुष सुंदर नारी की एक झलक देखने को लालायित रहता है, उधर नारी अपना रूप प्रदर्शित करने को आतुर रहती है। नारी पुरुष के मुख से अपने रूप की प्रशंसा सुनते नहीं थकती। दरअसल नारी पुरुष को रिझाने और उसे अपनी ओर आकृष्ट करने के लिए सजती-संवरती है, क्योंकि इसी के फलस्वरूप उसको आत्मसंतुष्टि की अनुभूति होती है।

साज-शृंगार महिलाओं का सबसे प्रिय शगल

आजकल सुंदर तथा आकर्षक बनने के लिए अनेक सौंदर्य प्रसाधन बाजार में उपलब्ध हैं, लेकिन इन्हें खरीदते समय या प्रयोग में लाते समय इनके बारे में सही-सही जानकारी होनी भी आवश्यक है। ऐसा करना इसलिए आवश्यक हो जाता

है क्योंकि ज्यादातर महिलाएं खुद को सुंदर-से-सुंदर बनाने के लिए प्रसाधन तो खरीद लेती हैं किंतु जानकारी के अभाव में तथा अपने व्यक्तित्व व उम्र का ध्यान न रखते हुए उन्हें गलत तरीके से प्रयोग करके परिहास का पात्र बन जाती हैं।

चूंकि प्रत्येक महिला का चेहरा तथा शारीरिक बनावट आदि अलग-अलग होती है, इसलिए यह जरूरी नहीं है कि जो सौंदर्य प्रसाधन एक युवती पर खूबसूरत लगे, वही एक विपरीत शारीरिक आकृति वाली व अनाकर्षक मुख वाली महिला या युवती पर भी अच्छा लगे। अतः यह आवश्यक है कि सौंदर्य को बनाए रखने के लिए पहले इस कला को अच्छी तरह जाना समझा जाए।

सजने-संवरने की कला के बारे में सीखने हेतु नीचे दिए गए सुझावों पर अवश्य ध्यान दें।

- सबसे पहले आप अपने चेहरे की आकृति तथा शारीरिक बनावट को परखें।
- अपने शरीर के कद के अनुसार ही वस्त्रों का चयन करें।
- फैशन की अंधी दौड़ में शामिल न होकर खुद पर फबने वाले एवं आरामदेह वस्त्रों का ही चयन करें।
- चूंकि लंबे बाल नारी की शोभा हैं, अतः प्रत्येक नारी को इनका विशेष ख्याल रखना चाहिए।
- बालों की प्रकृति के अनुसार व फबने वाले बाल ही सैट करवाएं। यदि छोटे बाल फबते हैं तो बाल छोटे करवाएं और यदि लंबे बाल ही आपके चेहरे की शोभा बढ़ाते हैं तो उन्हें यथावत रहने दें।
- पलकों पर भी यदि बादाम का तेल लगाया जाए तो इन्हें घना व काला बनाया जा सकता है।
- आपके माथे की बनावट भी आपके सौंदर्य पर प्रभाव डालती है, अतः यदि आपका माथा चौड़ा या छोटा है तो उसकी प्राकृतिक बनावट तो बदली नहीं जा सकती किंतु बालों को इस तरह सैट करवाया जा सकता है जिससे वह अनाकर्षक न लगे।
- माथे के बाद नंबर आता है आपकी भौंहों और आंखों का। भौंहों को अपने चेहरे की आकृति के अनुसार सही आकार देने के लिए किसी कुशल सौंदर्य विशेषज्ञा की मदद ली जा सकती है, या प्रैक्टिस द्वारा स्वयं भी धागे की सहायता से अपनी भौंहें संवारी जा सकती हैं।
- महिलाएं गर्दन पर ज्यादा ध्यान नहीं देतीं जिससे उनकी गर्दन काली दिखाई देती हैं। गर्दन पर नीबू लगाएं, जिससे वह साफ रहे।

- चूंकि सभी की भौंहें काली और घनी नहीं होतीं, लेकिन इनकी बनावट, जो कि प्राकृतिक है, उसे बदला भी नहीं जा सकता, अतः जैतून का या बादाम का तेल लगाकर इन्हें काला व घना किया जा सकता है।

एक कला है सजना-संवरना

- नाखूनों की कटाई-छंटाई करते रहें व मौसम के अनुसार नेलपॉलिश लगाएं।
- 'आंखें' चेहरे का एक महत्त्वपूर्ण हिस्सा है, इस सच्चाई को नकारा नहीं जा सकता। आंखों को सुंदर व कटीली बनाने के लिए काजल से बेहतर कुछ नहीं है। अतः काजल के प्रयोग से छोटी आंखों को भी बड़ी व खूबसूरत दर्शाया जा सकता है। बादाम के छिलकों को जलाकर, पीसकर व छानकर बनाया गया काजल आंखों को स्वस्थता प्रदान करता है।
- आंखों को स्वस्थ व आकर्षक बनाए रखने के लिए इन्हें सदा ठंडे पानी से धोएं।
- आंखें सबसे अधिक संवेदनशील होती हैं, अतः कोई भी सौंदर्य प्रसाधन प्रयुक्त करते समय किसी नेत्र विशेषज्ञ से परामर्श अवश्य कर लें।

- आंखों के बाद बारी आती है, होंठों की। होंठों की खूबसूरती के लिए आवश्यक है कि आप विटामिन 'सी' का प्रचुर मात्रा में प्रयोग करें। होंठों को दांतों से कभी भी न काटें। हमेशा बढ़िया क्वालिटी व बढ़िया कंपनी की लिपस्टिक का इस्तेमाल करें। होंठों को फटने से बचाने के लिए नियमित नीबू, मलाई लगाएं तथा दिन में कई बार कोई भी बढ़िया-सी क्रीम लगाएं।

- खूबसूरत दंत पंक्ति ही होंठों की शोभा बढ़ाती है, अतः नियमित सुबह-शाम ब्रश करना चाहिए। प्रातः की गई दातुन भी दांतों को मजबूत व स्वस्थ बनाती है। कई बार दांतों पर पीलापन छा जाता है, ऐसा कैल्शियम की कमी से होता है। अतः कैल्शियमयुक्त आहार का प्रचुर मात्रा में सेवन करें।

- हाथों की देखभाल के लिए 15 दिन में एक बार मैनीक्योर करवा लें। इससे हाथ की त्वचा सुंदर व आकर्षक बनी रहेगी।

- पैरों की देखभाल के लिए पैडिक्योर हर 15वें दिन करवाएं या खुद करें।

- अधिकांशतः शरीर का उपेक्षित भाग पैर व गर्दन होती है। पैडीक्योर से पैर आकर्षक बने रहते हैं।

- एड़ियों को प्रतिदिन साफ करें। इससे एड़ियां फटी हुई नहीं रहतीं। पैरों के नाखूनों में सफाई से नेलपॉलिश लगाएं।

- 25 साल के बाद हर 15-20वें दिन फेशियल करवाएं। इससे चेहरे की त्वचा में कसाव रहता है।

- हाथ-पैरों की वैक्सिंग करवाती रहें।

सजने-संवरने की कला असीम है, यह कहने का तात्पर्य है कि नख से शिख तक सजना-संवरना चाहिए। शरीर के किसी भी भाग की उपेक्षा न करें।

साज-शृंगार के लिए उपयोगी टिप्स

- ब्रश करने से पहले टूथब्रश पर थोड़ा-सा नमक छिड़ककर ब्रश करें, दांत मोती-से चमक उठेंगे।

- आपका पार्टी में जाने का वक्त हो रहा है और आपके पास बालों में हिना लगाने का समय भी नहीं है, ऐसे में घबराएं नहीं। थोड़ा-सा ब्राउन पाउडर ब्लशर उंगलियों पर छिड़कें, फिर उसे बालों में जहां जरूरत हो लगा लें। इसका प्रभाव तब तक रहेगा जब तक आप सिर नहीं धोएंगी।

- अपने बाल शिकाकाई से धोने से पहले उसे पानी में उबाल लें। इससे ज्यादा झाग बनेगा।
- अगर आपको अपनी कलाई में से छोटी चूड़ियां निकालने में कठिनाई हो रही हो तो पॉलिथीन की एक थैली हाथ में पहनकर चूड़ियां निकालें, चूड़ियां आसानी से निकल आएंगी।
- अगर कोई आपके बालों में चुइंगम चिपका दे तो उस पर थोड़ा शहद मलें। चुइंगम स्वतः उतर जाएगा।
- अक्सर कुछ खास मौकों पर मुंहासे चेहरे पर उभर आते हैं। अगर आप मुंहासों पर चाक और पानी मिला पेस्ट लगाएं तो शाम तक मुंहासे दब जाएंगे।
- अपने पर्स में मिनरल वाटर रखें। यह जरूरत पड़ने पर आपके फाउंडेशन को फ्रेश रखने में मदद करेगा।

आपका चेहरा और घरेलू उबटन

त्वचा की साज-संभाल के लिए प्राचीन काल से विभिन्न उबटनों का प्रचलन होता आ रहा है। शादी-ब्याह में दुल्हन व दूल्हे को उबटन लगाना एक प्रथा है, जिसे 'तेल चढ़ाना', 'हल्दी चढ़ाना' आदि कहते हैं। सखियों की छेड़छाड़ और ढोलक की थाप पर गाए जाने वाले लोकगीतों में हल्दी उबटन के गुणों का जिक्र अवश्य होता है, जैसे—

'कितना रूप चढ़ा है, बटना कितना खिला है',

'म्हारी हल्दी से रंग सुरंग, निपजे मलापै' आदि शब्दों से समां बंध जाता है।

उबटन के अनेक लाभ हैं। इससे त्वचा की मालिश हो जाती है और त्वचा के रोमकूप खुल जाते हैं।

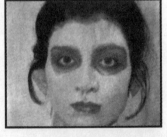

- रक्त संचार तेज होता है।
- उबटन पसीने की दुर्गन्ध दूर कर देता है।
- उबटन त्वचा को किसी सीमा तक स्थाई और प्राकृतिक आभा प्रदान करते हैं।
- नियमित उबटन से काया का कायाकल्प होने लगता है।

उबटन को अलग-अलग प्रांतों में अलग-अलग नामों से जाना जाता है। इसके इस्तेमाल व बनाने का ढंग भी अलग होता है। कहीं इसमें चमेली का तेल मिलाते हैं, कहीं बादाम का, कहीं सरसों का तो कहीं खस का तेल।

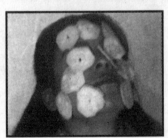

सौंदर्य संवारें घरेलू उबटन से

उबटन में हल्दी व बेसन अवश्य मिलाया जाता है। इससे त्वचा कांतिमय व मुलायम बनती है।

उबटन करते समय ध्यान रखना चाहिए कि मालिश नीचे से ऊपर की ओर करें। खुश्क त्वचा के लिए तेलयुक्त सामग्री का चयन करें। तैलीय त्वचा के लिए

कम तेल या बिना तेल की सामग्री का प्रयोग करें। उबटन सप्ताह में कम-से-कम एक बार अवश्य लगाएं।

- एक कटोरी बेसन, चार चम्मच हल्दी, 2 चम्मच सरसों का तेल, इसे दूध में मिलाकर पेस्ट बना लें। अब इस उबटन को शरीर पर मलें। इसे तब तक मलें जब तक कि यह सूखकर खुद ही झड़ने न लगे। इस उबटन से त्वचा मुलायम होती है।

- हल्दी को बादाम की गिरी के साथ मिलाकर उसमें एक चम्मच ज्वार का आटा, 1 चम्मच दूध मिलाकर लेप तैयार कीजिए। स्नान से एक घंटा पूर्व लगाएं व गरम पानी से स्नान करें।

- चंदन को हल्दी की गांठों के साथ गुलाब जल के साथ पीसें। त्वचा पर इसका लेप लगाकर सूखने दें। ठंडे पानी से स्नान करें। इस उबटन का प्रयोग ग्रीष्म ऋतु में ही करें।

- दो बड़े चम्मच दूध में चंदन घिसकर संतरे का रस और बेसन लगाएं। आधे घंटे तक सूखने दें। सूखने पर ठंडे पानी से धोएं, ये दोनों उबटन शीतलता प्रदान करने वाले हैं। इसके अलावा कुछ फेस पैक हैं जिनका प्रयोग सुगमता से कर सकते हैं।

- चेहरे के दाग-धब्बे दूर करने के लिए चंदन पाउडर में कपूर घिसकर मिलाएं। फिर शहद में मिलाकर चेहरे पर लगाएं। आधे घंटे बाद चेहरा धो लें। नियमित प्रयोग से कुछ ही दिनों में चेहरा साफ हो जाएगा।

- दो चम्मच शहद, दो चम्मच नीबू का रस, दो चम्मच ग्लिसरीन और आधा कप पानी मिलाकर त्वचा पर मिलाकर लगाएं। एक घंटे बाद कुनकुने पानी से चेहरा धो लें।

- प्रतिदिन सुबह-शाम कच्चा दूध लेकर रुई के फोहे से चेहरा साफ करें। ऐसा करने से चेहरे में नमी भी बनी रहेगी और ताजगी भी नजर आएगी।

- काले तिल और पीली सरसों को दूध में पीसकर चेहरे पर दस मिनट लगाएं। इस प्रकार के नियमित प्रयोग से चेहरे के दाग-धब्बे दूर हो जाएंगे।

- चहरे पर मुंहासे हटाने के लिए लौंग को पीसकर सुबह-शाम मुंहासों पर नित्य-प्रति मलें। कुछ ही दिनों में चेहरा बेदाग हो जाएगा।

- अंडे की जर्दी को अच्छी तरह फेंटकर चेहरे पर पैक लगाएं। 10 मिनट बाद चेहरा धो लें। त्वचा गुलाबी आभा से युक्त चमकती हुई नजर आएगी।

- दिन में दो-तीन बार नीबू के छिलके रगड़ने से भी त्वचा कुछ ही दिनों में चमकने लगेगी।
- पोदीने का रस लगाने से भी त्वचा के दाग-धब्बे ठीक हो जाते हैं।
- यदि चेहरे पर किसी तरह की जलन हो और खुजली-सी महसूस होने लगे तो पोदीने का रस एवं तुलसी के पत्तों का रस सम भाग लेकर चेहरे पर दस मिनट तक लगाएं। कुछ ही दिनों के प्रयोग से चेहरे की जलन और खुजली भी दूर हो जाएगी।
- यदि चेहरे पर झाइयां हैं तो दो चम्मच शहद में नीबू का रस (कुछ बूंदें) मिलाकर दस मिनट तक चेहरे पर लगाएं। बाद में कुनकुने पानी से धो लें। नियमित प्रयोग से कुछ ही दिनों में चेहरे पर से झाइयां गायब हो जाएंगी।
- यदि तैलीय त्वचा हो तो टमाटर के टुकड़े को चेहरे पर मलकर कुछ देर तक छोड़ दें। पंद्रह मिनट बाद ठंडे पानी से चेहरा धो लें। चेहरे की तैलीयता और दाग-धब्बे दूर हो जाएंगे।
- नीबू और संतरे के सूखे छिलकों को बारीक पीसकर एक चम्मच चूर्ण में चुटकी भर हल्दी, थोड़ा-सा बेसन और गुलाब जल की दो बूंद कच्चे दूध के साथ मिलाकर गाढ़ा पेस्ट तैयार कर लें। यदि त्वचा रूखी है तो थोड़ी-सी मलाई भी मिला लें। नियमित प्रयोग करने पर आपका चेहरा गुलाब की तरह खिल उठेगा।
- छने हुए चोकर में दूध मिलाकर चेहरे पर लगाकर चेहरा धो लें। यदि आपकी त्वचा रूखी है तो मलाई मिलाकर लगाएं।
- यदि चेहरे पर बारीक-बारीक गड्ढे हों तो चावल के आटे में कच्चा दूध मिलाकर गाढ़ा पेस्ट बना लें। एक माह तक लगातार इस उबटन का प्रयोग करें, चेहरे के ये अनाकर्षक गड्ढे कुछ ही दिनों में भर जाएंगे।
- खीरे के रस में थोड़ा-सा नीबू का रस मिलाकर चेहरे पर लगाएं, आपकी त्वचा खिल उठेगी।
- यदि आप चेहरे पर ब्लीच करना चाहती हैं तो तो खीरे से अच्छा कोई ब्लीच नहीं है। खीरे का रस निकालकर उसे कुछ देर अपने चेहरे पर लगाकर सूखने दें। बाद में चेहरा धो लें। आपकी त्वचा कुदरती चमक का अहसास दिलाएगी।
- पपीते के गूदे को यदि अच्छी तरह मसलकर चेहरे पर इसका पेस्ट लगाया जाए तो चेहरा बेदाग और बेहद ही मुलायम हो जाएगा।

- यदि चेहरे की त्वचा बेजान हो, ढीली पड़ गई हो या खाल किसी भी तरफ से लटकती हुई-सी प्रतीत हो तो दो चम्मच एलोवेरा (ग्वारपाठा) का रस चेहरे पर दस मिनट रोजाना लगाएं। कुछ ही दिनों में आपकी त्वचा में कसावट आ जाएगी और आपको एक कुदरती चमक का अहसास होगा।
- यदि मुंहासे चेहरे पर अपने निशान छोड़ गए हों तो दो चम्मच मलाई में कुछ बूंदें नीबू के रस की मिलाकर रात्रि सोते समय अपने चेहरे पर अच्छी तरह रगड़ लें। प्रातः उठकर कुनकुने पानी से धो लें। आपकी त्वचा कुछ ही दिनों में चमकने लगेगी।
- कैमामाइल पौधे की पत्तियों को पीसकर चेहरे पर लगाने से कील-मुंहासों के निशान दूर हो जाते हैं और त्वचा की जलन भी दूर हो जाती है।
- दालचीनी के तेल से यदि चेहरे पर मालिश की जाए तो धूप में झुलसी हुई त्वचा पर भी निखार आ जाएगा।
- खुबानी विटामिन 'ए' से भरपूर होती है, इसे चेहरे पर पेस्ट के रूप में लगाया जाए तो त्वचा पर खिंचाव के दाग मिट जाते हैं।
- बंदगोभी को उबालकर पानी ठंडा करें। इस पानी को छानकर मुंह धोएं। त्वचा निखर जाएगी।
- चेहरे की मृत त्वचा हटाने के लिए पके पपीते का गूदा चेहरे पर लगाएं।

चेहरे के सौंदर्य को बढ़ाने के लिए खानपान में पौष्टिकता का ख्याल भी रखें।

- एक पके हुए केले में आधा चम्मच शहद मिलाकर मसल लें और चेहरे और गरदन में फेस पैक के रूप में लगाएं। पंद्रह मिनट बाद चेहरा धो लें। चेहरा खिल उठेगा।
- प्रतिदिन प्रातःकाल खाली पेट एक सेब खाने से त्वचा में अद्‌भुत निखार आता है।
- 200 ग्राम सेब के टुकड़ों को दो लीटर पानी में उबालकर छान लें, इस पानी से चेहरा धोएं। त्वचा निखर जाएगी।
- सेब के दो टुकड़े पीसकर दूध में मिला लें। इस पेस्ट को चेहरे पर आहिस्ता-आहिस्ता मलें। चेहरे की झुर्रियां गायब हो जाएंगी और कील-मुंहासे भी खत्म हो जाएंगे।
- प्रतिदिन खाली पेट आंवले का मुरब्बा खाने से त्वचा की स्निग्धता बढ़ती है।
- थोड़े-से सूखे आंवले एक कप पानी में भिगो दें। आंवले जब नरम पड़ जाएं तो हाथ से मसल लें। उस पानी से चेहरा धोएं। पंद्रह दिन में झुर्रियां और झाईं गायब हो जाएंगी।
- दस चिरौंजी रात्रि में भिगोकर प्रातः पीस लें। अब थोड़ा-सा कच्चा दूध, चुटकी-भर हल्दी और आधा चम्मच नीबू का रस मिलाकर चेहरे पर लगाएं। हल्के हाथ से चेहरा मलें। कील-मुंहासे गायब हो जाएंगे।
- चेहरे का कालापन दूर करने के लिए टमाटर को मसलकर चेहरे पर लगाएं, सूखने पर सर्दी में गर्म पानी से धोएं, गर्मी में ठंडे पानी से धोएं। कुछ ही दिनों में त्वचा चमकने लगेगी।
- गुलाब की पत्तियां और दूध को पीसकर गाढ़ा-सा उबटन तैयार करें और इसे पूरे शरीर पर मलें, कुछ देर बाद ताजे पानी से स्नान कर लें। एक सप्ताह बाद आपकी त्वचा गुलाब की तरह खिल उठेगी।
- ताजी दही से चेहरे और गर्दन की 10 मिनट तक मसाज करें। पूरे शरीर पर भी इसका मसाज किया जा सकता है। चेहरे पर अब दही का पैक लगाएं। तीस मिनट बाद चेहरे को ठंडे पानी से धो लें। इससे त्वचा का कालापन खत्म हो जाएगा।
- तुलसी की पत्तियां, पुदीना और नीम की पत्तियां, तीनों को सम भाग में लेकर पेस्ट बनाकर फ्रिज में रख लें। आपकी त्वचा खिली-खिली और जवान नजर आएगी।

- यदि शेष शरीर की अपेक्षा चेहरे की त्वचा बेहद रूखी हो तो केला मसलकर उसमें दूध मिलाकर चेहरे पर लगाएं। त्वचा एकदम रेशमी-मुलायम हो जाएगी।
- यदि ठंडा दूध, नीबू का रस और शहद मिलाकर रोजाना चेहरे पर लगाया जाए तो धूप में झुलसी त्वचा निखर जाएगी।

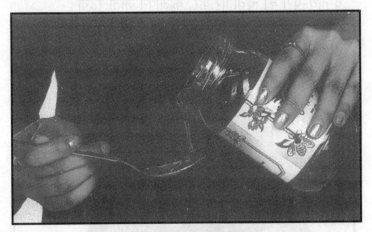

शहद भी उत्तम सौंदर्यवर्द्धक है

- यदि प्राकृतिक रूप से बहुत ही खूबसूरत बनने की इच्छा हो तो दिन में 10-12 गिलास पानी पीने की आदत डालिए।
- दो चम्मच मुल्तानी मिट्टी, दो चम्मच गुलाब जल, 6 बूंद यू.डी.कॉलॉन, विलेहजल आदि को थोड़ा-सा पानी मिलाकर गाढ़ा पेस्ट बनाएं। फिर चेहरे व गर्दन पर लगाएं। सूखने पर रगड़कर उतार लें। इसे लगाने से पहले चेहरे की मालिश करें व भाप लगाएं।
- एक चम्मच दूध पाउडर, एक अंडे की सफेदी, इनमें आवश्यकतानुसार दूध डालकर पेस्ट बनाएं। चेहरे पर 15 मिनट तक लगाएं। बाद में कुनकुने पानी से धो लें। तैलीय त्वचा के लिए यह पैक उत्तम रहेगा।
- यदि आपकी त्वचा शुष्क है तो एक अंडा (पीला भाग), एक चम्मच नीबू का रस, एक चम्मच जैतून का तेल, तीनों को अच्छी तरह फेंटकर मिला लें। 20 मिनट तक चेहरे पर लगाएं। सूख जाने पर रुई के फोहे से दूध में डुबोकर फेस पैक उतारें। त्वचा में नमी का अहसास होगा।

- त्वचा को रूखेपन से बचाने के लिए पानी खूब पीएं। दिन में कई बार ठंडे पानी से चेहरा धोएं, पर साबुन से बार-बार नहीं। साबुन से त्वचा की नमी खत्म हो जाती है।

- चेहरे पर कभी-कभी दाग-धब्बे पड़ जाते हैं, उन्हें मिटाने के लिए नीबू के छिलके पर चीनी के कुछ दाने डालकर उसे तब तक हल्के हाथ से त्वचा पर मलें, जब तक चीनी घुल न जाए। यही तरीका काली पड़ गई कोहनियों व हाथ-पैरों की त्वचा पर करें, कालापन जाता रहेगा।

नुस्खे पुराने पर सौंदर्य एकदम नया

- कुनकुने पानी में नीबू व शहद डालकर सुबह खाली पेट सेवन करने से एक तो हाजमा बढ़िया रहता है, दूसरे वजन भी कम होता है।

- सुबह सोकर उठने पर अगर आंखें सूजी हों तो पानी में थोड़ी चाय की पत्ती उबालें, फिर उसे छानकर ठंडा करें और रुई के फोहे से आंखों पर लगाएं। सूजन फौरन खत्म होगी।

98

- साधारण चाय व कॉफी की बजाय खास हर्बल चाय का सेवन करें। ऐसा करने से शरीर में एक नई स्फूर्ति का अनुभव होगा। अगर तैलीय त्वचा हो तो चेहरे पर हर्बल स्टीम का प्रयोग करें।
- मेहंदी का थोड़ा-सा पाउडर और मुट्ठी-भर पुदीने के पत्ते गरम पानी में डाल दें, फिर तौलिए से चेहरे और सिर को ढककर 10 मिनट तक हल्की भाप लें। भाप लेने के बाद चेहरा रगड़कर नहीं, बल्कि हल्के हाथ से थपथपाकर सुखाएं।
- टमाटर का एक टुकड़ा लेकर मसाज के अंदाज में चेहरे पर धीरे-धीरे रगड़ने से चेहरे के रोम छिद्रों में छिपी सारी गंदगी व धूल-मिट्टी साफ हो जाएगी।
- चेहरा साफ करने के लिए कच्चा दूध भी प्रयोग किया जा सकता है। घर में बीयर या ब्रांडी वगैरह हो तो रुई पर कुछ बूंदें ब्रांडी की डालकर, उससे भी चेहरा, गर्दन साफ कर सकते हैं।
- यदि उपरोक्त प्रयोग न करना चाहें तो दही में नीबू व ग्लिसरीन की कुछ बूंदें डालें और 15 मिनट तक उसे चेहरे पर लगाकर छोड़ दें। बाद में चेहरा धो दें, त्वचा निखर उठेगी।
- त्वचा पर पुराने निशान पड़े हों तो रात को सोने से पहले अनन्नास का रस चेहरे पर लगाकर सो जाएं या फिर कम-से-कम 1 घंटा लगा रहने दें। यह प्रयोग लगातार 1 महीने तक करें। आप देखेंगे कि निशान लगातार हल्के पड़ते जा रहे हैं।
- त्वचा थकी-थकी लग रही हो तो चेहरे पर शहद की पतली परत चढ़ाएं और आंखों पर गुलाबजल के फोहे रखकर थोड़ी देर आराम से लेट जाएं। आप फिर से तरोताजा हो जाएंगे।
- ढलती उम्र में त्वचा को झुर्रियों से बचाने के लिए प्रोटीनयुक्त पौष्टिक भोजन लें। तली हुई चीजों से परहेज करें तथा हरी सब्जियां खूब खाएं।
- त्वचा में कसाव व चमक बनाए रखने के लिए अंडे की सफेदी में थोड़ा शहद, थोड़ा नीबू का रस डालकर फेंट लें और उसे सूखने तक खुली त्वचा (चेहरे, गर्दन व हाथों) पर लगाएं। अगर शहद व नीबू न हो तो अंडे की सफेदी में थोड़ा-सा जैतून का तेल मिलाकर लगा सकते हैं। थोड़ी देर बाद कुनकुने पानी से धो लें।
- पके हुए केले को मसलकर चेहरे पर लगाएं, पंद्रह मिनट बाद चेहरा धो लें। त्वचा में चमक भी आएगी और कसाव भी आ जाएगा।

- आंखों को आराम देने के लिए गुलाबजल, आलू का गूदा या रस का प्रयोग करें। आलू के रस में ब्लीचिंग तत्त्व होते हैं। इसके प्रयोग से आंखों के आसपास का कालापन कम हो जाता है।
- ज्यादा तेज मिर्च-मसाला युक्त भोजन खाने से पसीना दुर्गंधमय हो जाता है। इससे बचने के लिए पानी में थोड़ा यूडीकोलोन या गुलाबजल डालकर नहाएं। कपड़ों से पसीने की गंध दूर करने के लिए उन्हें धोने के बाद एक बार सफेद सिरका या गुलाबजल मिले पानी में से जरूर निकालें।
- संतरे व मौसमी के छिलकों को सुखाकर उनका मिक्सी में पाउडर बना लें और उसे समान मात्रा में बेसन या जौ के आटे के साथ मिलाकर रख लें। नहाते समय इस पाउडर को बॉडी स्क्रब की तरह प्रयोग करें। इससे शरीर की सभी मृत कोशिकाएं जीवित हो जाएंगी, साथ ही त्वचा में रक्तसंचार भी बढ़ जाएगा। इस तरह के स्नान से मन प्रफुल्लित, शरीर सौम्य तथा त्वचा रेशम-रेशम हो जाती है।
- एक और तरह का सौंदर्य स्नान है। इसके लिए आप 1 प्याला ज्वार का आटा या चोकर लेकर उसमें 2-3 नीबू या नारंगी के सूखे पिसे हुए छिलकों का पाउडर और ताजे फूलों की कुछ पंखुड़ियां मिलाएं, फिर उन्हें पोटली में बांध लें और नल पर इस तरह बांधें कि पानी पोटली से होता हुआ बाल्टी में जाए। इस पानी से नहाते समय पोटली को पानी में भिगो-भिगोकर शरीर पर मलें या फिर सारी सामग्री को थोड़ी देर शरीर पर लगाकर बैठ जाएं। नहाने के बाद त्वचा कोमल हो जाएगी और कालापन नहीं रहेगा।
- एक चम्मच मुल्तानी मिट्टी, एक अंडे की जर्दी, आधा चम्मच कड़वे बादाम के तेल को लेकर तीनों चीजों को मिलाकर गाढ़ा पेस्ट बना लें। 15 मिनट तक चेहरे पर लगाकर कुनकुने पानी में धोएं।
- यदि तैलीय त्वचा से अधिक परेशान हों तो ककड़ी का रस, नीबू का रस और गुलाब जल मिलाकर रोज चेहरे पर लगाएं।
- एक चम्मच मुल्तानी मिट्टी, आधा चम्मच गुलाब के सूखे फूलों का पाउडर, आधा चम्मच ग्लिसरीन—इन सभी को दूध के साथ घोलें तथा चेहरे व गर्दन पर लगाएं। बाद में सादे पानी से धो लें।
- रूखी त्वचा वालों के लिए गाय का घी भी बेहद फायदेमंद है। गाय के घी में नीबू का रस मिलाकर चेहरे पर मसाज करें। आपकी त्वचा में स्निग्धता आ जाएगी।

तन और मन महकाने के बाद अगर अपना घर-आंगन भी महकाना हो तो एक चौड़े मुंह के बर्तन में पानी भरकर उसमें ताजे फूलों की पंखुड़ियां तोड़कर डाल दें या मोमबत्ती जलाकर उसकी लौ के नीचे पिघले मोम पर कुछ इत्र की बूंदें डाल दें। पूरा घर महक उठेगा।

घरेलू उबटन से चेहरे को दाग-धब्बों से रहित बनाएं

● बादाम पाउडर, संतरे का रस, दूध, गाजर का रस मिलाकर रोज चेहरे पर लगाएं। काले दाग-धब्बे दूर हो जाएंगे।

- यदि चेहरे पर ब्राउन रंग के बाल नजर आएं तो दो चम्मच जौ का आटा, दो चम्मच दूध, एक चुटकी हल्दी मिलाकर पेस्ट बना लें। इसे चेहरे पर रगड़ें। बाद में कुनकुने पानी से चेहरा धो लें। कुछ ही दिनों में बाल दिखने बंद हो जाएंगे।

- यदि चेहरे पर झुर्रियां पड़ गई हों तो एक अंडे की सफेदी चेहरे पर लगाएं। सूखने पर चेहरा धो लें। त्वचा में कसाव आ जाएगा तथा झुर्रियों से भी छुटकारा मिलेगा।

- एक चम्मच जौ का आटा या बेसन, एक चम्मच टमाटर का जूस, एक चम्मच ककड़ी का जूस, एक चम्मच ठंडा दूध और चुटकी-भर हल्दी मिलाकर चेहरे पर लगाएं। सप्ताह में दो बार यह पैक लगाने से त्वचा गोरी हो जाएगी।

- जौ के आटे में थोड़ा-सा मट्ठा, चुटकी भर हल्दी, खीरे का रस और शहद मिलाकर लगाने से चेहरे की स्निग्धता बनी रहेगी।

- चेहरे पर चमक लाने के लिए खीरे के रस में बेसन मिलाकर चेहरे पर लगाएं।

- नीम की हरी पत्तियों को धोकर पीस लें। इसके पेस्ट में बेसन मिलाएं। चंदन के चूरे को कपड़े से छानकर गुलाबजल में घोल लें और इसमें चुटकी-भर हल्दी मिलाएं। इस मिश्रण को गर्दन व चेहरे पर अच्छी तरह रगड़ें।

- मसूर की दाल, हल्दी व बेसन समान मात्रा में लें। रात्रि में इसे दूध में भिगो दें। प्रातः पीसकर उबटन तैयार कर लें। इसे चेहरे पर लगाएं।

- जौ के दाने, हल्दी की गांठों को कढ़ाही में अच्छी तरह भून लें। भूनने के बाद बारीक कूट लें। अब इसमें चंदन का चूरा, खसखस के दाने और केसर को अच्छी तरह मिला लें। इस मिश्रण को बारीक पीसकर नारियल के तेल में डालकर तैयार करें। यह उबटन शरीर के सभी भागों पर लगाया जा सकता है। खास-तौर से झुर्रियों व कील-मुंहासों के लिए यह अत्यंत लाभकारी है।

- उबले हुए आलू बारीक पीसकर बराबर मात्रा में जौ का आटा लेकर, थोड़ा-सा दूध मिलाकर गाढ़ा पेस्ट बनाएं व चेहरे पर रगड़कर धो लें। इससे त्वचा रेशमी व मुलायम हो जाएगी।

- हल्दी को बादाम की गिरी के साथ मिलाकर, इसमें थोड़ा-सा ज्वार का आटा और दूध मिलाकर गाढ़ा पेस्ट बनाएं। इसे नहाने से पूर्व अपने चेहरे के अलावा शरीर पर भी रगड़ा जा सकता है। कुनकुने पानी से नहा लें। ऐसा करने से शरीर व चेहरा कमल की तरह खिल जाएगा।

सौंदर्य निखारने के उत्तम उपाय हैं घरेलू प्रसाधन

- यदि आपकी त्वचा तैलीय है तो चने के आटे में थोड़ा-सा पानी डालकर उसे चेहरे पर रगड़कर उतार लें और चेहरा धो लें, धीरे-धीरे त्वचा की तैलीयता खत्म होती जाएगी।
- यदि चंदन को घिसकर (उबटन की तरह) चेहरे पर लगाया जाए तो कुछ ही दिनों में आपका चेहरा बेदाग, नर्म व खूबसूरत दिखाई देने लगेगा।
- एक चम्मच जैतून का तेल व दो चम्मच ताजा मलाई लेकर इन दोनों को अच्छी तरह मिलाने के बाद यदि चेहरे पर 10 मिनट लगाया जाए तो खुश्क त्वचा में नमी का अहसास बरकरार रहेगा।
- यदि आपकी त्वचा दागदार है तो जई के आटे को पानी में मिलाकर त्वचा को प्रतिदिन/कुछ ही दिनों तक साफ करें।
- मक्खन वाले दूध में जौ का आटा मिलाकर या फिर आधा चम्मच शहद, एक-एक चम्मच बादाम/नारियल का तेल मिलाकर अच्छी तरह फेंट लें। बारीक पिसा बादाम पाउडर लें और उसमें अंडे की जर्दी, कुछ बूंद जैतून का तेल और नीबू अच्छी तरह मिलाएं। अब यह पैक 30 मिनट लगाकर कुनकुने पानी से चेहरा धो लें। आपका चेहरा दमक उठेगा।
- दो चम्मच संतरे के छिलकों का चूर्ण व एक चम्मच सरसों को अच्छी तरह मिलाकर चेहरे व गर्दन पर लगाकर आधा घंटा सूखने दें और चेहरा कुनकुने पानी से धो लें।
- मक्खन में जरा-सी केसर मिलाकर गाढ़ा लेप चेहरे पर लगाएं। आपकी त्वचा कोमल हो जाएगी।

- यदि चेहरे पर झाइयां और मुंहासे, काले दाग आदि परेशान करने लगें तो सरसों, केसर, हल्दी, गोखरू, मेथी, सोंठ व कपूर की बराबर मात्रा लेकर तथा चंदन, लौंग और चिरौंजी की कुछ मात्रा लेकर सरसों तेल के साथ महीन पीसकर उबटन बना लें। सप्ताह भर में ही त्वचा में निखार आ जाएगा।

- दस-पंद्रह दाने बादाम, दो तोले गिरी, एक माशा केसर और कुछ मात्रा में संतरे के सूखे छिलके लेकर सभी को दूध के साथ महीन पीसकर उबटन तैयार कर लें। प्रतिदिन चेहरे पर लगाएं, फर्क आप खुद महसूस करेंगे। यह उबटन कश्मीरी उबटन के नाम से जाना जाता है।

- एक चम्मच बोरिक पाउडर, तीन-चार चम्मच दूध का पाउडर, थोड़ा-सा ऑलिव ऑयल तथा नीबू के रस को मिलाकर तैयार किया गया उबटन आपकी त्वचा के रंग को निखार देगा।

- दो चम्मच मुल्तानी मिट्टी और एक चम्मच मलाई को मिलाकर गाढ़ा पेस्ट बना लें और इसे अपने चेहरे पर दस मिनट तक लगाएं। बाद में कुनकुने पानी से धो लें। कुछ ही दिनों में चेहरे के सभी निशान दूर हो जाएंगे।

- यदि चेहरे पर दाग-धब्बे दिखाई दें तो एक चम्मच जई के आटे में दूध मिलाकर, चेहरे पर रगड़ें। दाग गायब हो जाएंगे।

- एक चम्मच चावल का आटा, एक-चौथाई छोटी चम्मच रीठे की छाल और आधे बादाम को पीसकर पेस्ट बनाकर लगाने से श्याम वर्ण त्वचा, निखरी त्वचा में बदल जाएगी।

- यदि चेहरे पर किसी भी तरह की चोट के काले निशान उभरे हुए हों तो प्रतिदिन दिन में दो बार, नीबू, पोदीने व टमाटर का रस बराबर मात्रा में लेकर चेहरे पर रुई के फोहे से लगाएं।

- थोड़े-से ओटमील को पानी में घोलकर पेस्ट बना लें। इसे चेहरे पर लगाने से आपकी त्वचा कांतिमय हो जाएगी।

- यदि चेहरे की त्वचा धूप से सांवली हो गई हो तो नियमित रूप से ठंडा कच्चा दूध और नीबू का रस लगाएं। इससे आपका चेहरा निखर जाएगा।

- एक छोटा चम्मच नीबू का रस और एक चम्मच दही मिलाकर रुई के फोहे से यह पैक चेहरे पर लगाएं। यह एक अच्छे क्लींजिंग का कार्य करता है।

- लाल गुलाब की दस-बारह कप धुली पत्तियों को उबलते पानी में डालें। ठंडा होने पर साफ शीशी में छानकर भर लें, थोड़ी-सी ग्लिसरीन भी मिलाएं। प्रतिदिन चेहरे पर क्रीम की तरह मालिश करें।
- चेहरे पर नमी को बरकरार रखने के लिए शहद का लेप करें और कुनकुने पानी से चेहरा धोएं। फर्क आप खुद महसूस करेंगी।
- एक चम्मच कावलिम पाउडर, एक चम्मच बादाम का पाउडर, एक चम्मच चंदन पाउडर, एक चम्मच मुल्तानी मिट्टी, एक कैप्सूल विटामिन 'ई' और थोड़ा-सा गुलाब जल मिलाकर यह लेप प्रतिदिन चेहरे पर लगाएं। इससे आपकी त्वचा की टोनिंग बहुत अच्छी तरह होगी।
- थोड़ा-सा चावल का दरदरा पाउडर, मसूर की दाल का पाउडर, हल्दी, चंदन पाउडर, मुल्तानी मिट्टी में संतरे का रस मिलाकर गाढ़ा पेस्ट बना लें। अब इस पेस्ट को चेहरे पर दिन में दो बार लगाएं। कुछ ही दिनों में ब्लैक हैड्स से छुटकारा मिल जाएगा।
- मुंहासे के दाग हटाने के लिए दो चम्मच चोकर में 2-3 बूंद नीबू का रस और एक चम्मच खट्टा दही मिलाकर चेहरे पर रगड़ें। कुछ ही दिनों में धब्बों से छुटकारा मिल जाएगा।
- यदि चेहरे पर खुजली हो तो एक चम्मच तुलसी के पत्तों का रस और थोड़ा-सा नीबू का रस चेहरे पर लगाएं। शीघ्र ही खुजली से राहत मिलेगी।
- थोड़ी-सी अंजीर को घंटे भर पानी में भिगोकर, उसे मसलकर चेहरे पर लगा लें। त्वचा कांतिमय हो जाएगी।
- गाजर के स्लाइस पानी में उबालकर ठंडा कर लें व उसे मैश करके चेहरे पर थोड़ी देर लगाएं। ऐसा करने से चेहरे की रंगत निखर जाएगी।
- संतरे का गूदा चेहरे पर लगाने से चेहरा बेदाग, मुलायम व खूबसूरत हो जाएगा।
- यदि खीरे का गूदा चेहरे पर लगाया जाए तो त्वचा का रंग एकदम गोरा हो जाएगा।
- पिसा हुआ बथुआ चेहरे पर लगाने से चेहरा मुलायम व नरम हो जाता है।
- सोयाबीन व मसूर की दाल रात में भिगोकर सुबह छिलका उतारकर थोड़ा-सा कच्चा दूध व बादाम रोगन मिलाकर पीस लें। थोड़ी देर चेहरे पर लगा लें। खुश्की दूर हो जाएगी।

- हरा पोदीना पीसकर लेप करें। लगभग 20-25 मिनट बाद चेहरा धो लें। इससे त्वचा की गर्मी खत्म होती है।
- प्रतिदिन मुल्तानी मिट्टी से चेहरा धोएं। एक सप्ताह बाद सारे परिणाम आपके सामने होंगे।
- शुद्ध सरसों को बारीक पीसकर दूध या पानी में घोलकर चेहरे पर लगाएं। प्रतिदिन के प्रयोग से रंगत निखर जाएगी।
- मैदा में थोड़ा दूध मिलाकर गाढ़ा पेस्ट बनाएं। चेहरे पर मलें, मैल की बत्तियां उतर जाएंगी व त्वचा भी मुलायम हो जाएगी।
- यदि चेहरे की त्वचा खुश्क व खुरदरी है तो तरबूज, कद्दू, खीरा व खरबूजा—चारों की गिरियां सम मात्रा में लेकर दूध में बारीक पीसकर मलाई में फेंटकर चेहरे पर मल लें। एक घंटे बाद चेहरा धो लें।
- यदि आपकी त्वचा तैलीय है तो आप अग्रलिखित उबटन लगाएं। छः स्ट्राबेरी को पीसकर, एक चम्मच ब्रांडी, दो चम्मच मुल्तानी मिट्टी और गुलाब जल की कुछ बूंदें मिलाकर, इस पैक को 20 मिनट तक चेहरे पर लगाइए। त्वचा साफ, दमकती नजर आएगी।
- यदि आपकी त्वचा मिली-जुली है तो चेहरे पर बर्फ भी फिराई जा सकती है।
- दूध में चावल का आटा मिलाकर तैयार किया गया उबटन आपके लिए एक अच्छा घरेलू स्क्रब सिद्ध होगा।
- आलू को कद्दूकस करके चेहरे पर मल लें, बाद में नीबू मिला हुआ पानी लेकर चेहरा धोएं। इसके नियमित प्रयोग से चेहरा बेदाग हो जाएगा और त्वचा में भी कसावट आ जाएगी।
- चार चम्मच मुल्तानी मिट्टी, थोड़ा-सा स्किन टॉनिक, लैक्टो कैलेमाइन व गुलाब जल मिलाकर चेहरे पर 15 मिनट लगाएं। कुछ देर बाद चेहरा धो लें। स्वाभाविक चमक अलग ही नजर आएगी।
- अंडे की सफेदी, ज्वार का आटा फेंटकर उसमें एक चम्मच शहद मिला लें और चेहरे पर एक घंटे तक लगाए रखें। सप्ताह में दो-तीन बार किया गया यह प्रयोग आपकी त्वचा चमका देगा।
- जैतून के तेल में खीरे को बारीक पीसकर उन्हें मसल लें। अब उसका (खीरे) रस तेल में मिला लें। इसे चेहरे पर लगाने से त्वचा निखरती है।
- बादाम रोगन में थोड़ी-सी हल्दी व असली चंदन की लकड़ी का चूरा मिलाकर, उबटन बनाकर चेहरे पर लगाएं। त्वचा निखर जाएगी।

- यदि आपकी त्वचा रूखी है तो 10 बादाम लीजिए, उसमें दो चम्मच बेसन, चार चम्मच मलाई, नीबू का रस, एक चम्मच मुल्तानी मिट्टी मिलाकर बीस मिनट तक चेहरे पर लगाएं। चेहरे को बाद में कुनकुने पानी से धो लें या फिर दूध में रुई भिगोकर उससे साफ कर लें और बाद में ठंडे पानी से चेहरा धो लें।
- ग्वारपाठे के रस में हल्दी मिलाकर चेहरे पर लेप करने से चेहरा कांतिमान बनता है।
- चंदन और रक्तचंदन रक्त की उष्णता का शमन कर त्वचा का वर्ण निखारते हैं। चंदन, मुलेठी और अश्वगंधा का चेहरे पर लेप किया जाता है।
- शाल्मली (सेमल) के कांटे छांव में सुखाकर दूध में घिसकर लेप लगाने से काले दाग नष्ट होते हैं।
- मंजिष्ठा और सारिवा का चूर्ण दूध के साथ नियमित सेवन करने से त्वचा का रंग निखरता है।
- ग्वारपाठे का रस नियमित चेहरे पर लगाने से जीवाणुओं से त्वचा की रक्षा होती है।
- गर्मियों में चंदन, कपूर, बाला, इनका उबटन बनाकर शरीर पर लगाने से त्वचा की गर्मी खत्म होती है।
- तैलीय त्वचा में उपयोगी मुल्तानी मिट्टी, चंदन का चूर्ण और गुलाब जल का लेप सबसे अच्छा है।
- नीबू रस, बेसन और तिल के तेल का उबटन लगाने से त्वचा में प्राकृतिक निखार आता है।
- रोज सुबह 100 मि.ली. पालक का रस पीने से रक्त की वृद्धि होकर चेहरा खिल उठता है।
- नीम के पत्तों का रस निकालकर उसमें चंदन का चूर्ण डालकर पीने से रक्त शुद्ध हो जाता है और चेहरे में ताजगी आती है।
- तुलसी के पत्तों का रस और नीबू का रस बराबर मात्रा में मिलाकर चेहरे पर लगाने से काले दाग नष्ट हो जाते हैं।
- किंशुकादि तेल अप्रतिम औषधि है। इसे नियमित लगाने और चेहरे की हल्के हाथ से मालिश करने से चेहरा गोरा दिखाई देता है।
- सादे पानी से चेहरा न धोकर, गुनगुने पानी में नीबू निचोड़कर चेहरा धोएं।

- साफ और नर्म रुई लेकर सुबह जो ओस पेड़-पौधों पर पड़ती है, उसे रुई में इतना इकट्ठा करें कि वह तर हो जाए, इसे धीरे-धीरे चेहरे पर मलें। मलकर छोड़ दें। मुंह को गुलाब के समान कोमल और गुलाबी सौंदर्य देने का यह अच्छा उपाय है।
- अधिक सर्दी पड़ने पर चेहरे पर हल्के-हल्के सफेद दाग पड़ जाते हैं, उन्हें दूर करने के लिए सेम की फली (जिसकी सब्जी बनाई जाती है) की ताजी कोमल पत्तियों को तोड़कर पीसकर पेस्ट बना लें। इसे चेहरे पर नीचे से ऊपर की ओर लगाएं अथवा हरे पत्तों को तोड़कर चेहरे पर रगड़ लें। कुछ दिन इसके नियमित प्रयोग से दाग अदृश्य होते जाते हैं। पांच-छः दिन प्रयोग करने पर लाभ मिलेगा और त्वचा साफ दिखाई देगी।
- खसखस को गुलाब जल में मिलाकर करीब आधा घंटा रखा रहने दें। फिर इसे चेहरे पर लगा लें। आधे घंटे बाद चेहरा धो लें।
- चेहरे पर उभर आए मस्सों को दूर करने के लिए चुकंदर के पत्तों को पीसकर उसमें शहद मिलाकर मस्सों पर लगाएं।
- सीप की राख को सिरके में मिलाकर लगाने से भी मस्सा नष्ट हो जाता है।
- मुंहासों के लिए धनिया पाउडर, लोध्र, वच या एक चुटकी फिटकरी मिलाकर गाढ़ा पेस्ट तैयार करें। चेहरे पर लगाएं और 15-20 मिनट बाद चेहरा सादे पानी से धो लें।
- गोभी के पत्तों को पीसकर उनका रस निकाल लें और उसमें थोड़ा-सा खमीर मिला लें। इस लोशन को चेहरे और गर्दन पर लगाएं। आधे घंटे बाद चेहरे को ठंडे पानी से धो लें। इससे त्वचा का सूखापन, कालापन और झुर्रियां दूर होती हैं।
- लोध्र, कूठ, रक्त चंदन, मंजिष्ठा, हल्दी, मालकांगनी, वट वृक्ष की जटा, प्रत्येक 12-12 ग्राम, चिरौंजी 50 ग्राम बारीक पीसकर गुलाब जल के साथ चेहरे पर लगाएं। कुछ ही दिनों के प्रयोग से मुहांसे, फुंसी, काले धब्बे, झाईं सभी नष्ट हो जाते हैं।
- गेंदे का फूल एक बेहतरीन सौंदर्य प्रसाधन है। इस्तेमाल के लिए थोड़ी-सी पत्तियों को बर्तन में डालकर उसमें उबलता पानी डालकर ढक दें। ठंडा होने पर इस पानी से चेहरा धोएं। झाइयों व तैलीय त्वचा के लिए यह सस्ता और असरदार उपचार है।

- 1 हिस्सा ककड़ी का जूस, 4 हिस्सा बादाम का तेल, 1 हिस्सा बीजवैक्स लें। ककड़ी का जूस एक अलग बाउल में रखें। बादाम के तेल और वैक्स को मिलाकर बॉयलर में गर्म करें। जब यह मिश्रण गाढ़ा होने लगे तो उसमें ककड़ी का जूस मिलाएं। 45 मिनट तक आंच पर रहने दें, जब तक कि ककड़ी का जूस एक तिहाई न बच जाए। खुशबू के लिए कुछ बूंदें परफ्यूम की मिलाएं। यह कोल्ड क्रीम अत्यंत उपयोगी होती है।

- 50 ग्राम दही, 2 बड़े चम्मच भर गेहूं का दलिया लेकर दोनों को अच्छी तरह मिलाएं। पूरे चेहरे पर और विशेषतः जहां त्वचा कड़ी और बदरंग हो गई हो, 20 मिनट लगाकर हल्के गर्म पानी से चेहरा धो डालें। अंतिम बार नीबू के रस मिले ठंडे पानी से मुंह धोएं। दलिए में उपस्थित विटामिन 'ई' चेहरे पर निखार लाता है।

- 2 बड़े चम्मच सोयाबीन का आटा, ½ कप दही, 1 बड़ा चम्मच शहद तीनों को भली प्रकार मिलाकर लेप तैयार करके चेहरे पर लगाएं। 15-20 मिनट के बाद गर्म पानी से धो डालें। अंत में एक बार ठंडे पानी से चेहरा धोएं। सामग्री में उपस्थित विटामिन 'बी' त्वचा में निखार लाता है और त्वचा से निकलने वाले तेल को भी संतुलित करता है।

- सरसों, हल्दी, गोखरू, मेथी, सोंठ, कपूर और लाल चंदन को बराबर मात्रा में लेकर पीस लें। इसमें सात-आठ लौंग तथा केसर के धागे भी पीसकर मिला दें। इस उबटन को लगाने के आधे घंटे बाद ठंडे पानी से धोकर साफ कर लें। तैलीय त्वचा वालों के लिए तथा कील-मुहांसे और झुर्रियों में यह उपयोगी है।

- दो-तीन बादाम की गिरियां, दो-तीन पिस्ते के टुकड़ों को रात-भर थोड़े-से दूध में भिगोकर रखें। सुबह इसमें केसर के दो-तीन धागे मिलाकर पेस्ट बना लें और 20 मिनट लगाने के बाद ठंडे पानी से धोकर साफ कर लें। इससे त्वचा स्वस्थ, मुलायम और आकर्षक लगती है।

- आंवले के ताजे फलों को चुटकी-भर केसर के साथ गुलाब जल में पीसकर सिर पर लगाएं। आधा सीसी के दर्द में इससे राहत मिलती है।

- सरसों, मेथी दाना आधा-आधा चम्मच, आधा चम्मच चंदन पाउडर, एक चम्मच चिरौंजी, एक टिकिया कपूर और पांच-छः धागे केसर लेकर दूध में पीस लें। इस लेप को चेहरे पर मलते हुए लगाएं। आधे घंटे बाद तेल का हाथ लगाकर उबटन लगा दें और चेहरा व गर्दन धोकर साफ कर लें।

- एक चम्मच बादाम तेल, एक चम्मच पिस्ता तेल, आधा चम्मच पिसी कच्ची हल्दी और सात-आठ धागे केसर मिलाकर लेप तैयार कर लें। रस लेप को चेहरे और गर्दन में लगाने के बाद सूखने पर गुनगुने पानी से त्वचा साफ करें। इसके प्रयोग से त्वचा के दाग-धब्बे और फोड़े-फुंसियां दूर हो जाती हैं तथा त्वचा साफ, बेदाग होकर निखर उठती है।
- एक चम्मच अंकुरित गेहूं, एक इंच अर्जुन की छाल का टुकड़ा और चार-पांच धागे केसर के पीस लें। इसमें एक चम्मच शहद और एक चम्मच पिसा लाल चंदन मिलाकर लेप बनाएं और चेहरे व गर्दन पर लगाकर लगभग आधा घंटा लगा रहने दें फिर ठंडे पानी से धो दें। इस लेप को लगाने से त्वचा की धूप और वातावरण के प्रदूषण से रक्षा होती है। इसका प्रयोग हर रोज सुबह मॉइस्चराइजिंग के बाद और मेकअप के पहले करें।

इन उबटनों व फेस पैक का प्रयोग कर त्वचा को कोमल, कांतिमय बनाया जा सकता है। खुश्क, सामान्य, तैलीय व मिश्रित त्वचा के लिए कोई भी उबटन व फेस पैक चुनकर लगाया जा सकता है और अपने चेहरे की आभा बढ़ाई जा सकती है।

भौंहें और आपका चेहरा

आंखों के लिए कहा गया है कि वे कुछ नहीं छुपा पातीं, वहीं भौंहें भी हमारी भाव-भंगिमा को दर्शाती हैं। आंखों को सुंदर आधार देने के लिए भौंहें भी भली-भांति तराशी हुई होनी चाहिए। भौंहों को सही आकार देकर चेहरे की सुंदरता में चार चांद लगाए जा सकते हैं। भौंहों के आकार भी फैशन के अनुरूप बदल लिए जाते हैं। सत्तर के दशक में बेहद पतली भौंहें देखने में आती थीं। आजकल मोटी भौंहें अधिक प्रचलित हैं।

भौंहों का आकार चेहरे की आकृति पर निर्भर करता है। भौंहों की लंबाई सदैव नेत्रों से लंबी होनी चाहिए।

गोल चेहरा : गोल चेहरे पर पर्वताकार भौंहें बनाएं। गोलाकार भौंहें चेहरे को और भी गोल बनाती हैं।

लंबा चेहरा : ऐसे चेहरे पर गोल भौंहें बनाएं। इससे चेहरा भी थोड़ा गोल ही लगता है।

बड़ा, चौकोर चेहरा : ऐसे चेहरे पर भौंहों को गोलाई प्रदान करें व भौंहों का आखिरी सिरा मोड़ कनपटी की ओर झुकाए रखें। इससे चेहरे की चौड़ाई भी कम दिखेगी। सीधी भौंहें कभी न बनाएं।

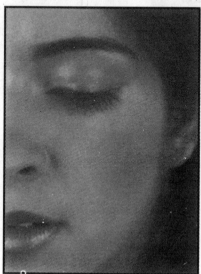
अपने चेहरे के अनुरूप भौंहें बनाएं

पतला चेहरा : पतले चेहरे पर घनी व कमान के आकार वाली घनी भौंहें बनाएं। ये भौंहें लंबी, पतली कदापि न हों।

अंडाकार चेहरा : अंडाकार चेहरे पर भौंहें गोल न बनाकर थोड़ी सीधी रखें। यदि ये घनी व गहरी होंगी तो अच्छी लगेंगी।

तिकोना चेहरा : ऐसे चेहरे पर घनी व सीधी भौंहें जंचती हैं।

111

भौंहें सुंदर बनाने के लिए कुछ टिप्स

- यदि आपकी भौंहें पतली हैं तो उन पर ब्राउन कलर की आईब्रो पेंसिल फेरें।
- यदि आपकी भौंहें घनी हों तो स्ट्रॉक देते हुए उन्हें पेंसिल से भरें।

उपरोक्त टिप्स से आपकी भौंहें बनेंगी आकर्षक

- भौंहें भी ब्रश से संभालनी चाहिए।
- भौंहों का रंग गहरा न होने पर काजल लगाकर पोंछ दें। इससे वो घनी काली दिखाई देंगी।
- भौंहों को घना करने के लिए रात को सोने से पूर्व जैतून का तेल लगाएं।
  नियमित देखभाल से भौंहें घनी, काली व सुंदर दिखाई देती हैं।

आप और आपकी आंखें

यह तो हम जानते ही हैं कि हमारी पांचों इंद्रियों में 'आंखों' का सबसे ज्यादा महत्त्व है। ये आंखें ही होती हैं, जो हमें इस दुनिया को रंगीन भी दिखाती हैं और बदरंग भी। आंखों की सुंदरता स्वयं आपके बारे में बहुत कुछ कह देती है। इसलिए इनकी सुंदरता पर विशेष ध्यान दें।

आंखों की सुंदरता के प्रायः दो पक्ष होते हैं—1. शृंगार, 2. स्वास्थ्य। आंखों का स्वस्थ होना शरीर के स्वास्थ्य से जुड़ा है। हमारे शरीर में विटामिन 'ए' और 'डी' की कमी नहीं होनी चाहिए। दूध, पनीर, अंडा, हरी सब्जियों का सेवन अति उत्तम रहता है। सप्ताह में एक या दो बार किसी अच्छे आई लोशन से आंखों को धोएं।

आंखें कुदरत का अनमोल उपहार

अब बारी आती है, आंखों के शृंगार की। इसका आशय यह है कि जब हमें कुदरत ने छोटी, उभरी या धंसी हुईं आंखें दी हैं तो इसके लिए यदि उचित रूप से मेकअप किया जाए तो आप भी खूबसूरत आंखों की स्वामिनी बन सकती हैं। आंखों का मेकअप करते समय सर्वप्रथम सौंदर्य प्रसाधन खरीदने में एहतियात बरतें। सदैव अच्छी क्वालिटी और विश्वसनीय कंपनी के सौंदर्य प्रसाधन ही खरीदें। अपनी आंखों और सौंदर्य प्रसाधन में कभी खिलवाड़ न करें, अन्यथा आपको नुकसान पहुंच सकता है।

आंखों के संबंध में एक बात यह भी ध्यान देने योग्य है कि 24 घंटों में से लगभग 8 घंटे आंखों को विश्राम की सख्त आवश्यकता होती है। अतः 8 घंटे आप अपनी आंखों को पूर्ण विश्राम दें तो आपकी आंखें सदा ही निरोगी, स्वस्थ ताजगी से भरपूर व चमकदार बनी रहेंगी।

आंखों के कुछ व्यायाम

जिस तरह शरीर के अन्य अंगों को स्वस्थ बनाए रखने के लिए व्यायाम की आवश्यकता होती है, उसी प्रकार आंखों को भी स्वस्थ बनाए रखने के लिए व्यायाम की आवश्यकता होती है।

तो आइए, यहां कुछ ऐसे सरल व्यायाम दिए जा रहे हैं, जिनके द्वारा आंखों को अति सुंदर बनाया जा सकता है।

- पलकों को बार-बार झपकाना भी आंखों का स्वाभाविक व्यायाम होता है। आंखों को भींचकर बंद करें। फिर अधिक-से-अधिक खोलने की चेष्टा करें। लगभग दस बार यह क्रिया दोहराएं।

- आंखों की पुतलियों को लगभग 20 बार दाईं ओर एवं 20 बार बाईं ओर घुमाएं। इस समय आपकी पलकें बंद रहनी चाहिए।

- 10 बार दोनों आंखों को तेजी से एक साथ झपकाएं। कुछ क्षण आंखें बंद करके झपकाने की यह क्रिया पुनः 10 बार दोहराएं। इससे आंखों की पुतलियों में चमक आती है।

- दर्पण के सामने अपने प्रतिबिंब की आंखों में आंखें डालकर पांच मिनट तक देखते रहिए।

- दूर किसी विशेष वस्तु पर अपनी दृष्टि केंद्रित करें। करीब दो मिनट बाद निकट रखी किसी अन्य वस्तु को अपना निशाना बनाएं। अब पुनः पूर्व वस्तु पर अपनी दृष्टि केंद्रित करें। लगभग 10 बार यही प्रक्रिया दोहराएं।

- दृष्टि को धीरे-धीरे नीचे से ऊपर आसमान की ओर उठाते चले जाएं। लगभग तीस सेकंड तक स्थिर रखने के बाद दृष्टि को धीरे-धीरे नीचे जमीन की ओर झुकाते चले जाएं। लगभग 15 बार यह व्यायाम दोहराएं।

- रात्रि को सोते समय धीरे-से अपनी आंखें बंद कर लें। फिर लगभग 72 बार अपनी आंखों को खोलें व बंद करें। इस व्यायाम से आपकी आंखों की थकावट दूर हो जाएगी।

- लंबे समय तक लगातार किसी चीज को टकटकी लगाकर नहीं घूरना चाहिए। इससे आंखों पर तनाव पड़ता है, जिसका सीधा असर आंखों पर पड़ता है और दृष्टि कमजोर हो जाती है।

- पढ़ते समय या दूर की किसी चीज को देखते समय अपनी पलकों को अधखुला ही रखें। ऊपर देखते वक्त भी ऊपरी पलक को अधखुला ही रखें, सिर्फ मुंह को ऊपर उठाएं।

114

- पलकों को सही तरीके से झपकाना चाहिए। इससे आंखों की नमी बनी रहती है। आंखों की ऊपरी पलक के नीचे स्थित लैक्रीमल ग्लैंड्स रोगनाशक द्रव का निर्माण करती हैं, जो आंखों को साफ रखता है। पढ़ते समय हर दो-तीन शब्दों के बाद पलकें झपकानी चाहिए।
- आसपास देखने के लिए तिरछी नजरों से न देखते हुए पूरा मुंह उस दिशा में घुमाकर देखें।
- किसी चीज को देखने के लिए आंखों की ओर से कोई अतिरिक्त ताकत न लगाएं। जितना देख सकते हैं, उतना ही देखें।
- चश्मा तभी पहनें, जब जरूरत हो।
- तेज रोशनी में कभी न पढ़ें। इस बात का भी ध्यान रखें कि जिस पुस्तक को आप पढ़ रहे हैं, उस पर सूरज की किरणों का सीधा प्रभाव न पड़े। सफर के दौरान कभी न पढ़ें।
- आंखों की देखभाल में पलकों की अहम् भूमिका होती है। टी.वी. देखते वक्त टकटकी लगाकर न देखते हुए बार-बार पलक झपकाते रहें।

सन ट्रीटमेंट

सभी तरह के नजर दोषों को दूर करने में सन ट्रीटमेंट सबसे ज्यादा लाभकारी है। कभी-कभार तो इसके कई चामत्कारिक परिणाम भी देखे गए हैं।

सूरज के सामने आंखें बंद करके खड़े हो जाएं और दाएं-बाएं झुकते हुए धूप की सेंक लें। इसके लिए सुबह या फिर शाम की गुनगुनी धूप उपयुक्त है। दोपहर की तेज धूप में मौजूद सूरज की अल्ट्रावायलेट किरणें आंखों को नुकसान पहुंचा सकती हैं, इसलिए दोपहर में यह व्यायाम न करें। इसे पांच से दस मिनट तक किया जा सकता है। इसके बाद आंखों को ठंडे पानी से धो लें। इसके लिए एक चौड़े बर्तन में पानी लें। चेहरा झुकाकर दोनों आंखों को उसमें डुबोकर दो-तीन बार पलक झपकाएं, फिर वह पानी फेंक दें। नया पानी लेकर यही क्रिया दोहराएं। इस तरह से तीन-चार बार करें। आप अपनी आंखों को एकदम तरोताजा महसूस करेंगे।

पामिंग

हाथों की दोनों हथेलियों से दोनों आंखों को कुछ इस तरह से ढक लें कि हाथों का दबाव आंखों पर न पड़े। पामिंग करते वक्त कमरे में रोशनी न रखें। अगर

आपको आंखें ढकने के बाद अंधेरे के बजाय दूसरे रंग दिखें तो समझिए आपकी आंखों व दिमाग में अभी भी तनाव है। इसके लिए आप काले रंग की या फिर फूल-पत्तों, बादल, समुद्र आदि की कल्पना करें। ऐसा करने पर अगर संपूर्ण अंधेरा महसूस हो तो समझ लीजिए आपकी हीलिंग शुरू हो गई। यह क्रिया दो मिनट से लेकर आधे घंटे तक भी की जा सकती है। इसे आप रात को सोने से पहले लेटे-लेटे भी कर सकते हैं। अगर बैठकर कर रहे हैं तो टेबल पर अपनी कोहनियों के नीचे तकिया रखना न भूलें।

व्हाइट लाइन

दो लाइनों के बीच की खाली जगह को व्हाइट लाइन कहते हैं। जिस तरह हम पढ़ते हैं, उसी तरह व्हाइट लाइन पर नजर दौड़ाएं। बाएं से दाएं, दाएं से बाएं हर लाइन के बाद पलक झपकाना न भूलें। पलकों को झपकाना आंखों को तुरंत आराम पहुंचाने का सबसे आसान तरीका है। शब्दों को देखने या पढ़ने की कोशिश न करें। इस क्रिया से हमारी पढ़ने की नजर स्वस्थ होने लगती है और आंखें तनावरहित रहती हैं। यह एक्सरसाइज मोमबत्ती की रोशनी में करें।

स्विंगिंग

दोनों हाथ पीछे मोड़कर दाएं से बाएं और बाएं से दाएं झुलाएं। दोनों पैरों के बीच तकरीबन 12 इंच का फासला रखें। झूलते समय मुंह व आंखों को न हिलाएं। पलकें झपकाते रहें। आसपास की गतिविधियों पर बिल्कुल ध्यान न दें। यह क्रिया 50 से 100 बार तक दोहराएं। स्विंगिंग आंखों के लिए तो लाभकारी है ही, इससे नींद भी काफी अच्छी आती है।

स्नेलेन टेस्ट कार्ड

आंखें चेक करते वक्त डॉक्टर्स जो अल्फाबेटिकल कार्ड हमें पढ़ने के लिए दिखाते हैं, वैसा ही कार्ड अपने घर की दीवार या फिर स्कूल की दीवार पर लगाएं। आंखों पर दबाव डाले बिना जितना छोटे-से-छोटा लेटर पढ़ सकते हैं, उतना पढ़ें। इसके लिए रोज पांच मिनट का समय तय कर लें। हर रोज प्रैक्टिस करने से आंखों की रोशनी तो बढ़ती ही है, कभी-कभार नजर दोष भी पूरी तरह से ठीक हो जाता है। अगर आप यह एक्सरसाइज घर में कर रहे हैं तो जैसे-जैसे आंखों की रोशनी बढ़ती जाए, वैसे-वैसे अपने और कार्ड के बीच का फासला बढ़ाते जाएं।

बॉल एक्सरसाइज

एक बॉल लेकर उसे दोनों हाथों द्वारा जमीन पर उछालकर कैच करें। दाएं हाथ से फेंकें तो बाएं हाथ से पकड़ें व बाएं हाथ से फेंकें, तो दाएं हाथ से पकड़ें। ऐसा करीबन 100 बार करें व हर बार बॉल कैच करते वक्त पलक झपकाएं।

● चश्मे से हमेशा छुटकारा पाने के लिए प्रातःकाल मुंह में पानी भरके (इतना पानी भरे कि मुंह गुब्बारे की तरह फूल जाए) चेहरे पर ताजे पानी के छपके लगाएं। ऐसा लगातार करने से चेहरे व आंखों की कसरत होती है और आंखों की रोशनी तेज होती है।

इसके अलावा और भी कई एक्सरसाइजेस हैं, जिन्हें करने की सलाह आंखों की समस्या की जांच करने के बाद ही दी जाती है। स्वस्थ आंखें पर्सनैलिटी का सबसे बड़ा प्लस प्वाइंट है, इसलिए हर शख्स को आंखों का खासतौर पर ध्यान रखना चाहिए। अगर आप भी इस मुहिम में शामिल होकर अपना खुद का सेंटर खोलना चाहते हैं या इसे अपने कैरियर के रूप में अपनाना चाहते हैं तो इससे बेहतर काम और क्या हो सकता है?

यह थैरेपी उन लोगों के लिए है...

❏ जो Myopia, Hypermetorpia, Astigmatisation व Presbyopia से छुटकारा पाना चाहते हैं।

❏ जिनकी आंखें भैंगी हैं, जिन्हें Glaucoma है और जिन्हें छोटी उम्र में ही मोतियाबिंद हो गया है।

❏ उन छात्रों और प्रोफेशनल्स के लिए जो कम्प्यूटर या इंटरनेट पर घंटों काम करते हैं।

❏ उन लोगों के लिए जो लगातार कई घंटों तक लिखते-पढ़ते और टी.वी. देखते हैं।

❏ जो अपनी आंखों की रोशनी को उम्र-भर रोशन रखना चाहते हैं।

आंखों का सौंदर्य

प्राचीन काल से लेकर आधुनिक काल तक हमारे कवियों ने 'आंखों' को लेकर इतनी उपमाएं दी हैं कि और अधिक कुछ कहने को शेष ही नहीं बचता। प्रारंभ से ही कहा जाता रहा है कि आंखें भी बोलती हैं, उनकी भी मूक भाषा

होती है। इसका आशय यह है कि स्वस्थ, सुंदर व ताजगी से भरपूर आंखें ही बोलती हुई-सी प्रतीत होती हैं।

आंखों को सुंदर बनाना यूं तो कोई कठिन काम नहीं है, किंतु यदि थोड़ी-सी सावधानी बरती जाए और उचित देखभाल की जाए तो आप भी 'मृगनयनी' या 'मीनाक्षी' बन सकती हैं।

- यदि प्रकृति ने आपकी आंखें छोटी, बड़ी, उभरी व धंसी हुई बनाई हैं तो वह अपने वश में नहीं है, लेकिन यदि आप उचित रूप से अपनी आंखों का रख-रखाव और मेकअप करें तो आप उन्हें आकर्षक बना सकते हैं।
- यदि कम आयु में ही आंखों के चारों ओर काले घेरे या निशान बन जाते हैं तो भोजन में हरी सब्जियों का व दूध का भरपूर इस्तेमाल करें।
- समय-समय पर डॉक्टर से अपनी आंखें चैक करवाते रहें।
- आंखें खूबसूरत तभी लगती हैं जब आस-पास की त्वचा कसी हुई हो। उसके लिए प्रारंभ से ही ध्यान रखना चाहिए।
- आंखों में जब भी थकान का अनुभव हो तो ठंडे पानी से छींटें मारने चाहिए, जिससे आंखें तरोताजा लगें।
- कभी भी अंधेरे में, कम रोशनी में, तेज रोशनी में, तेज धूप में या ज्यादा झुककर व लेटकर लिखने-पढ़ने की आदत न डालें।
- आंखों को स्वस्थ रखने का एक बेहद सरल उपाय यह है कि रात्रि में एक चम्मच त्रिफला चूर्ण भिगोकर प्रातः उस पानी को छानकर उससे आंखें धो लें। लगातार एक माह तक किया गया यह प्रयोग आपकी आंखों की रोशनी व खूबसूरती बढ़ा देगा।
- प्रतिदिन प्रातःकाल अपनी आंखों पर ठंडे व ताजे पानी से छींटें मारने चाहिए।
- सर्दियों के दिनों में प्रातःकाल ओस की बूंदों को लेकर अपनी आंखों पर लगाना चाहिए।
- धूप में निकलते समय सदैव ही चश्मा लगाना चाहिए।
- प्रतिदिन यदि आप अपनी आंखों में काजल का सुरमा लगाते हों तो धीरे-धीरे छोड़ दें, कभी-कभार ही लगाएं।
- आंखों के लिए यदि संभव हो तो कृत्रिम प्रसाधनों की अपेक्षा प्राकृतिक सौंदर्य प्रसाधन ही काम में लें।
- आंखों के नीचे बादाम के तेल की मालिश भी फायदेमंद रहती है।

- आलू के पतले गोल टुकड़े काटकर आंखों के नीचे मलें तो आंखों का कालापन दूर होगा।
- आंखों की सुंदरता बहुत कुछ हमारी भौंहों के आकार पर निर्भर करती है। यदि आपकी आंखें छोटी हैं तो भौंहों को पतला आकार न दें। घनी भौंहों से आंखें बड़ी लगेंगी। भौंहों को धनुषाकार रूप न देकर बादाम का आकार दें। इससे आंखें बड़ी-बड़ी और खिली-खिली रहेंगी।
- यदि ककड़ी का रस लगाया जाए तो आंखों को काफी फायदा होता है।
- खीरे के दो गोल टुकड़े थोड़ी देर आंखों पर रखें।
- यदि आंखें लाल हों तो टी-बैग लगाकर थोड़ी देर सो जाएं।
- प्रतिदिन कुछ सेकंड के लिए अपनी आंखों के कोनों, माथे पर दबाव डालें। इससे आपको आराम महसूस होगा।
- कुनकुने दूध में रुई का फोहा भिगोकर यदि आंखों पर कुछ देर रखा जाए तो कभी भी आंखों के नीचे काले धब्बे नहीं पड़ेंगे।
- आंखों की सुरक्षा के लिए भोजन में विटामिन 'ए' युक्त पदार्थ लेने चाहिए, जैसे हरी पत्तेदार सब्जियां, गाजर, पपीता, दूध। शरीर में प्राकृतिक रूप से विटामिन 'ए' की पूर्ति होने से आंखों की रोशनी कम नहीं होती।
- आंखों में धूल गिरने पर आंखों को मलें नहीं, बल्कि ठंडे पानी के छींटे मारने चाहिए।
- आंखों को मसलने से आंखों पर दबाव पड़ता है। यह दबाव आंखों के लिए नुकसानदायक होता है, क्योंकि आंखें शरीर का सबसे कोमल अंग हैं।
- आंखों को धुएं से बचाएं। लंबे समय तक आंखों में निरंतर धुआं पड़ना नुकसानदेह है। धुएं वाले स्थान पर कार्य करना पड़े तो चश्मा लगाना चाहिए।
- आंखों की सुरक्षा के लिए किसी दूसरे का रुमाल उपयोग में न लाएं। रोगी के रूमाल का उपयोग करने से संक्रमण की आशंका रहती है।
- एक डिब्बी में रखे हुए काजल का उपयोग कई लोगों द्वारा करने पर भी संक्रमण की आशंका रहती है।
- एक स्त्री अपनी उंगली से बच्चों को बारी-बारी से काजल लगाती है, तो यदि एक बच्चे को संक्रमण हो तो अन्य बच्चों को संक्रमण होने की आशंका रहती है।

- गंदे कपड़े से आंख पोंछना एवं अस्वच्छ पानी से आंख धोना उचित नहीं।
- गर्म पानी से आंखों को धोना या सिर पर गर्म पानी डालकर नहाना भी आंखों के लिए हानिप्रद है।
- लंबे समय का तनाव तथा अनिद्रा आंखों के लिए नुकसानदायक है।
- आंखों की सुरक्षा के लिए तनाव से बचना चाहिए तथा गहरी नींद सोने का पूरा प्रयास करना चाहिए।
- आंखों में जलन हो तो गुलाब जल से धोना चाहिए। प्रातःकाल स्वच्छ शीतल जल से आंखों को धोना ताजगी प्रदान करता है।
- कच्ची गाजर या बादाम की 5-6 गिरियां प्रातः छिलका उतारकर खूब पीसकर एक गिलास गर्म मीठे दूध के साथ 21 दिन पीते रहें। आंखों के चारों ओर का कालापन जाता रहेगा।
- पलकों को घना और काला करने के लिए सप्ताह में 2-3 बार रात्रि को सोने से पहले अरंड के तेल की पलकों पर मालिश करें और सो जाएं।
- अपनी पलकों को सुंदर, आकर्षक व घनी करने के लिए उनकी पर्मिंग भी कराई जा सकती है। पर्मिंग पूर्ण रूप से सुरक्षित है तथा इसका कोई साइड इफेक्ट भी नहीं होता। दरअसल, पर्मिंग कराने से आपको मसकारा लगाने की जरूरत नहीं पड़ेगी। पर्मिंग किसी भी अच्छे ब्यूटी पार्लर में जाकर करवाई जा सकती है।
- आंखों में चमक लाने के लिए एक गिलास गुनगुने पानी में छोटा चम्मच शहद मिलाकर पानी ठंडा होने पर दिन में तीन-चार बार आंखों को धोएं। इससे आंखों में ताजगी आएगी।
- जब कभी आंखों में पीलापन दिखाई दे, तो तांबे के बरतन में रखा हुआ पानी सवेरे, कुछ भी खाने के पहले पी लें। तांबे का असर इसमें फायदा करता है।
- इसके अलावा फिटकरी और आंवले का पानी भी इस्तेमाल करें।
- दो-तीन आंवले एक गिलास पानी में रात को भिगो दें। सवेरे आंवले निकाल दें और उस पानी से आंखों को छींटें दें। ऐसा करीब दो हफ्ते करें। पीलापन, जलन, खुजली सब दूर हो जाएगी।
- रात को सोने से पहले गुलाबजल की कुछ बूंदें आंखों में डालें। इससे आंखों की दिन-भर की थकान दूर हो जाती है और आंखें हल्कापन महसूस करती हैं।

- आंखों के चारों ओर कालापन होने पर लाल पके हुए टमाटरों का पर्याप्त मात्रा में सेवन करें।
- कपूर का इस्तेमाल भी आंखों के लिए फायदेमंद है। इसके प्रयोग के दो तरीके हैं, एक तो कपूर काजल और दूसरा कपूर का लेप।
- कपूर जलाकर उसके धुएं को एक छोटी-सी डिबिया में रख लें और हर रोज लगाएं।
- एक छोटी कटोरी में एक चम्मच-भर असली घी गरम कर लें और इसमें एक या दो कपूर डालकर इतना गरम करें कि कपूर और घी मिल जाएं। इसे रोज आंखों में लगाएं।

इसके अलावा आंखों का सौंदर्य विभिन्न प्रसाधनों द्वारा भी बढ़ाया जा सकता है। नेत्र सौंदर्य बढ़ाने के कुछ और टिप्स—

- आंखों के मेकअप में सबसे पहले आंखें बंद करके आईशैडो लगाएं। यदि आप चाहती हैं कि आईशैडो लंबे समय तक टिका रहे तो पहले थोड़ा-सा पाउडर लगा लें।
- यदि आपकी आंखें ज्यादा बड़ी हैं और आप उन्हें छोटा दिखाना चाहती हैं तो गहरे रंग का आईशैडो लगाएं।
- आईशैडो सदैव आंखों के कोने से, ऊपर से नीचे की ओर लगाएं।
- यदि आंखें छोटी और धंसी हुई हों तो हल्के व बीच के रंग के शेड का इस्तेमाल करें।

आंखों के अनुरूप मेकअप करें

- यदि आंखों को नैचुरल लुक देना हो तो सबसे पहले नैचुरल शेड लगाएं, फिर एक शेड गहरा लगाएं। (नैचुरल से) पुनः एक शेड लगाएं तथा पुनः एक शेड (हल्का) नैचुरल लगाएं। फिर अंत में गहरा शेड लगाएं।
- यदि आप आईशैडो और भौंहों के बीच 'हाईलाइनर आईशैडो' लगाएं तो आपकी आंखों की खूबसूरती बढ़ जाएगी।
- आंखों के किनारे से लेकर बाहरी छोर तक 'आईलाइनर' यदि सधे हुए हाथों से लगाएं तो आपकी आंखों को नया लुक मिलेगा।

- अब बारी आती है पलकों की। यदि आपकी पलकें घनी नहीं हैं तो 'आई कलर' यानी नकली पलकें लगाकर उन्हें हल्के-से दबाकर, घनी पलकों में तब्दील किया जा सकता है।
- पलकों पर मस्कारा का प्रयोग करने से पहले यह अवश्य ध्यान रखें कि मस्कारा जब तक बिल्कुल सूख न जाए तब तक दोनों पलकें कभी भी बंद न करें।

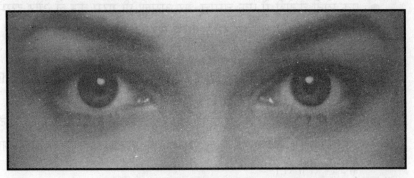

आंखों का मेकअप करते समय सावधानी बरतें

- मस्कारा सदा ही ऊपर की पलक पर लगाते समय उन्हें बाहर की ओर मोड़ते हुए लगाएं और निचली पलक पर लगाते समय उन्हें अंदर की ओर मोड़ते हुए लगाएं।
- पलकों को यदि लंबा बनाना हो तो मस्कारा का प्रयोग दो बार करें तथा बीच में टिश्यू पेपर रखकर अतिरिक्त मस्कारा पोंछ लें।
- यदि आप आंखें गोल दिखाना चाहती हैं तो आंखों के किनारे व बाहरी छोर को छोड़कर सिर्फ बीच के भाग पर ही पेंसिल से लाइन बनाएं।
- दिन के समय आई शैडो सदैव हल्के रंग का ही लगाएं और रात में चटक रंग के शैडो का इस्तेमाल करें।

बिना आंखों का मेकअप किए अगर आप घर से बाहर निकल रही हैं तो यह ठीक वैसा ही है जैसे बिना कपड़ों के घर से बाहर निकलना। आंखों के मेकअप में महत्त्वपूर्ण भूमिका निभाने वाले आई लाइनर को विभिन्न प्रकार की आंखों में किस तरह लगाया जाए उनके लिए निम्न टिप्स हैं—

- दिन के समय हमेशा पेंसिल आई लाइनर का ही प्रयोग करें। लिक्विड लाइनर के विपरीत इसे लगाना बहुत आसान है।

- पेंसिल लाइनर लगाते समय अपनी आंखों को बंद करें और पलकों से सटाकर लाइनर लगाएं। स्मूद फिनिश के लिए दोबारा पेंसिल फेरें।
- छोटी आंखों को बड़ा और उभरा हुआ बनाने के लिए आंखों के नीचे सफेद आई लाइनर से एक रेखा खींचें, इससे आंखें बड़ी दिखाई देती हैं।
- गोल आंखों को लंबा और बादामी आकार देने के लिए हमेशा ब्रॉन्ज और भूरे रंग के आई लाइनर और आई शैडो का प्रयोग करें।
- गोल आंखों की ऊपरी लिड को कवर करने के लिए सॉफ्ट कलर का प्रयोग करें। इसके बाद आई लिड के निचले भाग में आई शैडो लगाएं।
- बिल्ली जैसी रहस्यमयी आंखों के लिए काले आई लाइनर से ऊपरी आई लिड की पलकों से सटाकर एक रेखा खींचें। यह रेखा अंदर से गहरी और बाहर से मोटी होनी चाहिए। इसके बाद हल्के आई शैडो से पूरी आई लिड को भर दें और अगर निचली आई लिड को हाईलाइट करना है तो इसे सफेद या किसी हल्के रंग के आई शैडो से उभारें। इस पर गहरा रंग लगाने से आपका लुक खराब हो सकता है।

आंखों के व्यायाम से जहां आंखें निरोगी बनती हैं, वहीं इन प्रसाधनों के प्रयोग से सुंदर।

मस्कारा लगाने से संबंधित कुछ टिप्स

- पलकों पर मस्कारा लगाएं और इसे सूखने दें। आंखों के बाहरी किनारे पर ज्यादा मस्कारा लगाएं जिससे पलकें ज्यादा फैली हुईं दिखें।
- यदि आंखों पर आईशैडो ज्यादा लग गया हो तो आंखों की ऊपरी पलकों पर जड़ों से सिरे की ओर मस्कारा लगाना चाहिए, जिससे अतिरिक्त पाउडर के कण यदि पलकों पर छूट गए हों तो वे भी निकल जाएं। फिर नीचे वाली पलकों पर मस्कारा लगाएं।
- यदि पलकों पर मस्कारा लगाना हो तो शुरुआत नीचे की पलकों से करें। बाद में ऊपरी पलकों पर मस्कारा लगाएं, वरना मस्कारा आईलिड पर लग सकता है।
- दूसरों के द्वारा इस्तेमाल किया गया मस्कारा कभी प्रयोग में न लाएं, न ही अपना मस्कारा दूसरों को दें। तीन महीने बाद मस्कारे को प्रयोग में लाना बंद कर दें, क्योंकि कुछ महीने बाद ही इसमें बैक्टीरिया जन्म लेने लगते हैं, जो आंखों के लिए घातक सिद्ध हो सकते हैं।

- यदि मस्कारा गलत लग गया हो और उसे हटाना हो तो हाथों की उंगलियों से भूलकर भी न रगड़ें, बल्कि थोड़ा-सा फाउंडेशन लगाकर उसे ठीक करें।
- मस्कारा लगाने के पूर्व गर्म चम्मच से पलकों को घुमाव दें।
- पलकों पर ट्रांसुलेंट पाउडर लगाकर उस पर मस्कारा लगाने से साधारण मस्कारा भी अलग ही लुक देगा।
- यदि मस्कारा लगाने से आपकी पलकें चिपक जाती हैं या उन पर कुछ मस्कारा इकट्ठा हो जाता है, तो मस्कारा लगाने से पहले ब्रश को एक टिश्यू पेपर पर हल्का-सा रोल कर लें। इससे अनावश्यक मस्कारा निकल जाएगा।
- आंखों पर अधिक मस्कारा लगा हो तो उसे हटाने के लिए आंखों की दोनों पलकों के बीच टिश्यू पेपर रखें और दो-तीन बार पलकें झपकाएं। इससे अनावश्यक मस्कारा पेपर पर आ जाएगा।
- यदि आपका लिक्विड आई लाइनर खत्म हो गया है तो एक पतले ब्रश को मस्कारे में डालकर लाइनर की तरह इस्तेमाल कर सकते हैं।
- चश्मा पहनने वाली महिलाओं में यदि नजदीक का चश्मा है तो आपको गहरे व उभरे रंग का आईशैडो व बहुत ज्यादा मस्कारा लगाना चाहिए जिससे आंखें उभरी हुई दिखें।
- रंगीन मस्कारा भी पलकों को खूबसूरत बना देता है। शुरुआत में पहले दो कोट काला मस्कारा लगाएं, जब मस्कारा सूख जाए तब हल्का-सा रंगीन मस्कारा लगाएं। इसके लिए आप नीला, हरा या बैंगनी रंग का मस्कारा ऊपर वाली पलकों पर अंदर की तरफ से लगाएं।
- पहले मस्कारा सिर्फ काले रंग में आता था, लेकिन अब यह कई रंगों में मिलने लगा है। ब्राउन, नेवी, रॉयल ब्लू और परपल रंगों में भी मस्कारे मिलते हैं।
- ज्यादा कलरफुल मस्कारे डिस्को एज का पुराना लुक देते हैं। बेहतर है कि मस्कारे का प्रयोग अपनी आंखों के रंग के हिसाब से किया जाए।
- काली आंखों में काला मस्कारा लगाने से आंखों की सुंदरता और गहराई दोनों बढ़ती हैं।
- भूरा मस्कारा भूरी, हरी आंखों में चमक लाता है।
- चमकीला मस्कारा पलकों को अतिरिक्त चमक देता है।
- वाटरप्रूफ मस्कारे को लगाकर बारिश में भीगने का मजा लिया जा सकता है।
- कॉन्टेक्ट लैंस पहनने वालों के लिए अलग मस्कारा आता है।

- मस्कारे की ट्यूब को यदि ज्यादा दबाकर उपयोग किया जाए, तो ट्यूब में ज्यादा हवा चली जाती है, जिससे मस्कारा बहुत तेजी से सूखता है, इसलिए इसे हमेशा बंद और कम तापमान में रखना चाहिए।
- मस्कारा लगाने से पहले आसपास की धूल अच्छी तरह साफ करें और मस्कारे को ब्रश में धीरे-से निकालें।
- कई बार मस्कारा ट्यूब के आसपास छूट जाता है, कई बार यह अधिक निकल आता है, ऐसे में उसे टिश्यू पेपर से साफ करें, फिर ब्रश का प्रयोग करें।
- वाटरप्रूफ मस्कारा ज्यादा समय तक टिकता है, इसलिए उसी का प्रयोग करें।
- पलकों को कोट करते समय हाथ धीरे-धीरे लेकिन एक जैसा चलाएं, क्योंकि हल्के कोट लगाना ज्यादा अच्छा होता है।
- काले की जगह नेवी मस्कारा लगाएं, क्योंकि यह काले की तुलना में ज्यादा सॉफ्ट लुक देता है।

आईशैडो

- आईशैडो का आंखों की खूबसूरती को बढ़ाने में महत्त्वपूर्ण योगदान होता है। सॉफ्ट-स्मोकी ग्रे आपकी आंखों को एकदम ग्लैमरस लुक देंगे।
- छोटे फ्लैट ब्रश पर आईशैडो लगाएं और आंखों पर अंदरूनी कोने से बाहरी कोने तक लगाएं।
- उंगली या कॉस्मेटिक स्पॉन्ज से शैडो को बैलेंस कर लें।
- थोड़ा-सा और शैडो लगाकर खूबसूरती से ब्लेंड (मिक्स) कर लें, आखिर में आइब्रो बोन को हाइलाइट कर लें।

हर्बल काजल

- हर्बल काजल रोज ताजा बनाकर लगाया जा सकता है। एक लंबी सुई से एक बादाम की गिरी को फंसा लें। गिरी की नोक नीचे की तरफ होनी चाहिए। अब सुई को पीछे से पकड़कर गिरी की नोक को जला लें और उसकी लौ पर चांदी का या कोई भी साफ चम्मच रख दें। काजल तैयार हो जाएगा।

गॉगल्स फैशन की जरूरत

गॉगल्स आपके व्यक्तित्व में निखार तो लाते ही हैं, साथ ही आंखों को सूरज की हानिकारक अल्ट्रा वॉयलेट किरणों से भी बचाते हैं। आप रंगीन चश्मा पहनकर स्मार्ट लगती हैं तो क्यों न आप आंखों की रक्षा भी करें और फैशनेबल भी दिखें। इसके लिए पेश हैं निम्न टिप्स—

- अगर आपकी आंखें कमजोर हैं तो आप पॉवर के रंगीन चश्मे पहन सकती हैं।
- फोटोक्रोमेटिक लेंस का प्रयोग करने से यह सुविधा मिलती है कि धूप में ये लेंस रंगीन होकर आंखों का बचाव करते हैं, जबकि छाया में धूल से बचाव करते हैं।
- अपने चेहरे की त्वचा के अनुरूप सही रंग व आकार का फ्रेम लें।
- सफेद या सिल्वर शेड का फ्रेम बहुत भड़कीला लगता है।
- सुनहरा, काला या भूरे रंग का फ्रेम आमतौर पर हर रंगत पर जंचता है।
- गहरा नीला फ्रेम त्वचा के खुरदरेपन और दाग-धब्बों को छिपाता है।
- लाल फ्रेम बहुत ही कैजुअल लगता है, अतः इसे दफ्तर इत्यादि में पहनकर नहीं जाया जा सकता।
- अंडाकार फ्रेम अंडाकार चेहरे पर अच्छा नहीं लगता।
- चौकोर चेहरे के लिए गोल फ्रेम के चश्मे अच्छे रहते हैं।
- गोल या अंडाकार चेहरे के लिए चौकोर फ्रेम अच्छे रहते हैं।
- चश्मे के दोनों लेंस के बीच का हिस्सा, जो आपकी नाक के ऊपर आता है, आपके फ्रेम से ऊंचा हो तो वह चेहरे को लंबा दिखाता है।
- बीच के हिस्से से गाल और कुछ हद तक आंखें भी दिखाई दें, ऐसा फ्रेम छोटे चेहरे के लिए बढ़िया रहता है।
- बीच का यह हिस्सा दोनों लेंस के बीच में नीचे रहता है तो वह चेहरे की लंबाई कम दिखाता है।
- हमेशा अपने व्यक्तित्व से मेल खाते सन ग्लासेज लें।
- अगर सन ग्लासेज से आपकी नाक भिंचती है तो यह आपके लिए सही नहीं है। थोड़ा बड़े आकार का चश्मा लें।
- सन ग्लासेज पर निशान या खरोंच न पड़ने दें, इन्हें हमेशा केस में ही रखें और मुलायम कपड़े से हल्के हाथ से पोंछकर साफ करें।

नाक का मेकअप

यदि आपकी नाक में किसी प्रकार की कोई कमी है तो मेकअप द्वारा नाक की कई कमियों को आप मेकअप द्वारा छुपा सकती हैं, इसके लिए निम्न टिप्स अपनाएं—

- अगर आपकी नाक मोटी व बेडौल है तो इसे पतला व स्लोप लुक देने के लिए नाक के ऊपरी हिस्से पर फाउंडेशन की कुछ हल्की टोन रखते हुए आईब्रो व नाक की टिप तक गहरी टोन रखें। इसके साथ ही बिंदी लगाने वाले स्थान से नाक की टिप तक आपके फाउंडेशन की टोन कुछ गहरी होनी चाहिए। साथ ही नाक, गालों व कनपटियों पर ब्लश ऑन लगाकर नाक को आकर्षक दिखाया जा सकता है।

- अगर आपकी नाक लंबी है, तो ऐसे में नाक के आसपास गहरी टोन दें। ऐसा करने से नाक खूबसूरत तो दिखेगी ही, साथ ही उसको सही आकार भी मिल जाएगा।

- नाक का मेकअप करते समय इस बात का ख्याल रखें कि मेकअप नाक पर परतों की तरह जमा दिखाई न दे, न ही ऐसा लगे कि मेकअप सिर्फ नाक पर किया गया है।

- ब्लश ऑन लगाते समय भी इस बात का खास ध्यान रखें कि इसे निर्धारित हिस्सों से आगे-पीछे न लगाएं वरना इफेक्ट नहीं आता।

- नाक के आसपास की त्वचा तैलीय होती है, जिससे वहां धूल-मिट्टी जमा होती रहती है और ब्लैक हैड्स की समस्या हो जाती है। ऐसे में आप फेशियल करवाते समय नाक के ऊपर और आसपास के ब्लैक हैड्स व व्हाइट हैड्स जरूर निकलवाएं।

- मुंह धोने के बाद भी उंगली से नाक के आसपास हल्के-से ब्लैक हैड्स तौलिए से साफ कर लें।

- नथ या लौंग में जमा साबुन या मैल हफ्ते में एक बार जरूर साफ करें। इसके त्वचा के संपर्क में लगातार रहने पर त्वचा का संक्रमण भी हो सकता है।

कैजुअल मेकअप

कैजुअल मेकअप प्रायः वह होता है, जो प्रतिदिन किया जा सके। इस मेकअप में ज्यादा वक्त भी नहीं लगता। यह मेकअप पार्टी या फंक्शन पर किए जाने वाले मेकअप से बिल्कुल अलग होता है। यह मेकअप आपको एक 'नैचुरल लुक' देता है। यदि आप भी चाहती हैं कि आपकी खूबसूरती 'नैचुरल' लगे तो आइए कुछ टिप्स अपनाएं।

मेकअप में सौम्यता का ध्यान रखिए

- सबसे पहले अपने पूरे बालों को हेयर बैंड लगा दें।
- अब चेहरे को किसी अच्छे क्लींजिंग मिल्क से साफ करके उस पर एक आइस क्यूब रगड़ें।
- चेहरा सूखने के बाद अपनी त्वचा के रंग से मेल खाता फाउंडेशन लगाएं। इसे गर्दन पर भी लगाएं। फाउंडेशन एकसार करने के लिए गीली स्पंज का प्रयोग करें।

मेकअप से महसूस होती है 'नैचुरल लुक'

- अब आप अपने चेहरे व गर्दन पर कॉम्पैक्ट पाउडर लगाएं।
- चेहरे की आकृति के अनुरूप अपनी आईब्रो को सही शेप दें।
- यदि आंखें बड़ी हैं तो डार्क ब्राउन आईशैडो लगाएं और आंखें छोटी हैं तो लाइट कलर का शेड लगाएं। हल्का गुलाबी शेड भी आप पर जंचेगा।

- अब आप सावधानी से सीध में आईलाइन लगाएं।
- पलकों पर मस्कारा सावधानीपूर्वक लगाएं। यदि अपनी पलकें घनी बनानी हों तो बाजार में मिल रही नकली पलकें भी लगाई जा सकती हैं।
- मुलायम ब्रश की मदद से आप स्क्रीन कलर या अपनी त्वचा पर फबने वाला ब्लशर लगाएं। हो सके तो केक वाला ब्लशर ही लगाएं।
- अब बारी आती है होंठों की। होंठ चेहरे पर आकर्षण का केंद्र माने जाते हैं। होंठों पर डार्क कलर की पेंसिल से आउट लाइन बनाएं, फिर हल्का गुलाबी या कोई भी हल्का कलर ब्रश की मदद से होंठों के अंदर भरें।
- अब बारी आती है बालों की तो इन्हें आप अपनी उम्र, व्यवसाय या अपनी पसंद के अनुसार संवार सकती हैं।
- नाखूनों पर लाइट पिंक या लाइट ऑरेंज नेल पॉलिश आप पर बहुत अच्छी फबेगी।
- अब एक हाथ में घड़ी व एक हाथ में ब्रेसलेट डाला जा सकता है।

इस प्रकार आपका 'मेकअप' पूर्ण हो गया। यह मेकअप प्रतिदिन किया जा सकता है। इससे आपको एक 'नैचुरल लुक' की अनुभूति होगी।

आपका रंग-रूप और परिधान का चुनाव

स्त्री शृंगार सौंदर्य प्रसाधनों के साथ-साथ वस्त्रों का भी कम महत्त्व नहीं है। व्यक्तित्व को निखारने व आकर्षक बनाने में इनका बहुत बड़ा हाथ है। जब आप अपने कद, रंग-रूप व अवसर के अनुकूल वस्त्र नहीं पहनती हैं तो ये ही वस्त्र आपके व्यक्तित्व को निस्तेज कर देते हैं। अब आप देखें कि किस प्रकार वस्त्र आपके अनुकूल हैं।

- वस्त्रों का चुनाव करते समय सर्वप्रथम अपने रंग पर ध्यान दें। अगर आपकी त्वचा गोरी है तो हल्का-गाढ़ा कोई भी रंग आप पर खिलेगा। पर गोरा रंग होने के बाद भी अपने रंग के विरोधी रंग जैसे काला या कॉफी रंग पहनने से बचें। ये रंग अन्य रंगों की तुलना में कम फबेंगे।
- सांवले रंग पर हल्के रंग के वस्त्र उपयुक्त रहते हैं, परंतु एकदम सफेद वस्त्र रंग के विपरीत होने के कारण उसमें आप अलग-सी नजर आएंगी। गाढ़े रंगों में मैरुन, नीला व ग्रे वस्त्र पहन सकती हैं।
- गेहुंए रंग पर गाढ़े तथा हल्के सभी रंग के वस्त्र उचित दिखते हैं।

- वस्त्रों में कद भी काफी प्रभावित होता है। छोटे कद की स्त्रियों को छोटे प्रिंट वाले तथा खड़ी धारियों वाले कपड़े धारण करने चाहिए।
- गहरे रंग के वस्त्रों में व एक ही शेड के वस्त्रों में भी इनका कद बहुत लंबा नजर आता है।
- छोटे कद के लिए ढीले वस्त्र अनुकूल नहीं रहते, ऐसे कद वाली स्त्रियों को ठीक फिटिंग वाले वस्त्र पहनने चाहिए।
- यदि कद बहुत लंबा है तो बड़ी धारियों वाले प्रिंट के कपड़े व्यक्तित्व के अनुकूल रहेंगे।
- हल्के रंगों के कपड़ों में भी लंबाई सामान्य लगती है।
- मोटे शरीर पर ढीले, बड़े प्रिंट वाले, बड़ी धारियों वाले तथा चेक के कपड़े शरीर को और चौड़ा दर्शाते हैं। क्यों न ऐसे में शरीर पर खड़ी धारियों के छोटे प्रिंट के कपड़े पहने जाएं।
- साड़ी पहनने वाली स्त्रियों को पतले कपड़े, जैसे शिफॉन, नायलॉन, कोटा आदि की साड़ियों का चुनाव करना चाहिए। अरगंडी या कलफ लगी साड़ियों में वे और भी मोटी दिखेंगी।
- गर्मियों में हल्के रंग के वस्त्र जैसे सूती, शिफॉन, कोटा व अरगंडी के वस्त्रों को पहनें।
- इसके विपरीत सर्दियों में गाढ़े रंग के व सिंथेटिक कपड़ों को पहना जा सकता है।
- ऐंटीक दिखने वाली साड़ियां गजब का प्रभाव छोड़ती हैं। यह धागे और जरी के कॉम्बिनेशन से बनने वाली साड़ियां होती हैं, जिसमें जरी को जलाया जाता है।
- कीमती और भारी साड़ियों को ड्राइक्लीन करवाकर ही रखें और पहनें।
- इत्र (सेंट) साड़ियों की जरी को काला कर देता है, इसलिए जरी और बनारसी साड़ियों पर कभी इत्र का प्रयोग न करें।
- जरी की साड़ियां हमेशा उल्टा करके रखें।
- रखी हुई साड़ियों पर तीन-चार महीने के अंतर में धूप अवश्य लगवा दें।

चयन कैसे करें वेस्टर्न आउटफिट का

- आपका व्यक्तित्व पूरी तरह निखर सके, इसके लिए जरूरी है कि आप अपने लिए परिधान का चयन करते समय कुछ खास बातों का ध्यान रखें।

- अपने सभी मनपसंद कपड़ों को एक-एक करके पहनें। यह भी देखें कि वे आप पर कितने फबते हैं। फिर वैसे ही रंग, फैब्रिक, आकार और नाप के कपड़े पहनें।
- पैंट हमेशा एड़ियों को छूने वाली और बूट कट तथा जैकेट पूरी बांह वाली और कमर को ढकती हुई नीचे तक होनी चाहिए।
- अगर शरीर पीछे से पतला दिखता हो, तो पतली मोहरी की पैंट पर फुल टॉप पहनें।
- अगर कमर छोटी हो तो लंबा टॉप और छोटी स्कर्ट पहनें।
- अगर कमर लंबी हो तो लंबी पैंट या स्कर्ट के साथ छोटा टॉप पहनें।
- शरीर के सुंदर हिस्सों को उभारने के लिए कपड़ों में समन्वय अच्छा रखें। अगर एक कपड़ा चुस्त पहन रही हों तो दूसरा ढीला पहनें।
- परिधान चाहे किसी भी रंग का हो, लेकिन अगर वह साफ और बिना किसी क्रीज का हो तो दुबले होने का आभास देता है।
- किसी प्रिंट का बेस जितने गहरे रंग का होगा, उतनी ही ज्यादा आप स्लिम दिखेंगी।
- वी-नैक वाले वस्त्र पहनने से गर्दन अधिक लंबी दिखती है और आकर्षक भी।
- अगर आपकी कमर और कमर का निचला हिस्सा भारी है तो बोट नैक वाले कपड़े पहनें। इससे कंधे ज्यादा चौड़े दिखने के कारण कमर व निचले हिस्सों का भारीपन कम हो जाता है।
- पैंटी खरीदते समय उसके आकार-प्रकार का हमेशा ध्यान रखें। चुस्त पैंटी पहनने से पेट नहीं बढ़ेगा।
- चमकदार रंग किसी भी हिस्से को ज्यादा आकर्षक बना देते हैं। कपड़े लेते समय यह ध्यान रखें कि वे आपके शरीर के किस-किस हिस्से को ज्यादा उभार रहे हैं।
- अपने व्यक्तित्व को और सुंदर बनाने के लिए जूतों और कपड़ों के रंगों का भी मिलान कर लें।
- कंधे पर सलीके से लटका हुआ बैग भी सुंदर लगता है।

वक्षस्थल उन्नत न हो तो
- शिफॉन और क्रेप्स के प्लेन सूट पहनने से बचें। प्लेट्स वाले या ढीले सलवार कुरते पहनें।

- प्लेट वाले कुर्ते के साथ सलवार या ए लाइन वाले कपड़े ठीक रहते हैं।
- वेस्टर्न ड्रेस पहनते वक्त ऐसे पैंट्स का चयन करें, जिनमें जेबें तथा प्लेटें ज्यादा-से-ज्यादा हों।
- बायसकट स्कर्ट कपड़े न पहनें। बायसकट से बनने वाली हल्की क्रीज़ आपके निचले हिस्से के अधिक भारी होने का भ्रम पैदा करेगी।
- ऐसे कपड़े पहनें जिससे आपकी कमर अधिक आकर्षक लगे। इससे लोगों का ध्यान आपके निचले हिस्से के बदले कमर पर केन्द्रित होगा।
- ए लाइन स्कर्ट और ढीले-ढाले टॉप व जैकेट से इस कमी को छिपाया जा सकता है।

वक्षस्थल भारी हो तो

- तंग पैंट या स्कर्ट के साथ ढीले शर्ट या टॉप पहनें।
- शरीर कम दिखे, इसके लिए गहरे शेड के थोड़े ढीले टॉप व जैकेट पहनें।
- बेल्ट का इस्तेमाल न करें। इससे आपके कंधे और वक्ष दिखेंगे।
- शरीर के निचले हिस्से की ओर ध्यान खींचने के लिए प्रिंटेड या चमकदार रंग के कपड़े पहनें।

अगर पैर छोटे व धड़ बड़ा हो तो

- सलवार के साथ छोटा और चूड़ीदार के साथ लंबा कुर्ता पहनें।
- छोटी स्कर्ट के साथ लंबी जैकेट पहनें। इससे टांगें ज्यादा लंबी दिखेंगी। अगर आपकी कमर छोटी है तो छोटी स्कर्ट और शॉर्ट पहनें।
- बसंत की गर्मी के दिनों में कैप्रीपैंट और पेडल पुशर पहनें। शर्ट, जैकेट और कोट ऐसे पहनें जो लंबाई में छोटे हों।
- गर्मी के दिनों में क्रॉप टॉप पहनें।
- लंबे ब्लेजर और ऐसे टॉप पहनने से बचें जो आपके निचले हिस्से को उभारते हों। इससे आपके शरीर का ऊपरी हिस्सा ज्यादा लंबा और निचला हिस्सा छोटा लगने लगेगा।
- सभी कपड़े एक ही रंग के पहनें। इससे आप अधिक लंबी दिखेंगी।
- थोड़ी अधिक ऊंची एड़ी की चप्पल पहनें।
- चौड़ी मोहरी की पैंट पहनने से बचें।
- अच्छा पॉस्चर कैसी भी फिगर को सुंदर बना देता है। बिल्कुल सीधी खड़ी हों। इससे आप लंबी दिखेंगी। ठुड्डी को ऊपर उठाए रखें।

लंबी-चौड़ी काठी के लिए

- काले, भूरे आदि रंगों के कपड़े पहनें क्योंकि इन्हें चुस्त-दुरुस्त रंग (स्लिमिंग कलर) माना जाता है।
- लाइनिंग वाले वस्त्र पहनने से बचें। इनसे आपका शरीर अनावश्यक रूप से भारी और मोटा लगता है।
- टाइट शर्ट और स्ट्रेच टी-शर्ट न ही पहनें तो अच्छा हो। बिल्कुल ढीला टॉप भी न पहनें।
- वी-नैक वाले परिधान पहनें, इससे गर्दन लंबी लगेगी।
- अलग-अलग रंगों वाले कपड़े न लें। सभी कपड़े एक ही रंग के लें।
- चिपके और बुने हुए फैब्रिक वाले कपड़े न पहनें।
- अधिक लंबी और दुबली लगने के लिए ऊंची एड़ी के सैंडल पहनें।
- तह का निशान लगे हुए कपड़े पहनने से बचें, इससे आपका शरीर भारी लगने लगेगा।
- बड़े प्रिंट वाले कपड़े न पहनें।
- ऐसे कपड़े पहनें जिनसे शरीर पर लंबाई से धारियां आती हों।
- पेट के हिस्से को लंबा लुक देने के लिए वेस्ट लाइन न रखें।

निचला हिस्सा भारी हो तो

- ऊंची कमर वाली स्कर्ट या ट्राउजर में अंदर डालकर टॉप न पहनें।
- शॉर्ट फिट वाले जैकेट तो कतई न पहनें।
- कपड़े की लंबाई के बारे में सतर्क रहें। कपड़े बहुत छोटे नहीं होने चाहिए। इससे आप लोगों का ध्यान अपनी कमर के नीचे के हिस्सों से हटाकर ऊपर की ओर आकर्षित कर सकेंगी।
- ऊंची एड़ी की चप्पलें पहनें। इससे आश्चर्यजनक तरीके से रूप बदल सकता है।
- विरोधाभासी हेमलाइन वाले टॉप पहनें। इससे आपका निचला हिस्सा देखने में हल्का होने का आभास देगा।
- वैसे बेडौल अंगों को पहनावे से छिपा लेना समस्या का निदान जरूर है, पर स्थायी हल नहीं। आकार ठीक रखने के लिए खूब पैदल चलें, भरपूर पानी पिएं और फलों का सेवन करें।

ब्रॉन्ज मेकअप (आधुनिक मेकअप)

क्या आप चाहती हैं कि खुद को ब्रॉन्ज रंग में रंगा जाए और फैशन की दुनिया में सबसे एक कदम आगे चला जाए। अगर हां! तो आपको धूप में खुद को सांवला करने की जरूरत नहीं है। इसके लिए बाजार में मौजूद ब्रॉन्ज प्रोडक्ट्स अपनाकर आप यह कार्य अंजाम दे सकती हैं। बस इसका इस्तेमाल करते समय निम्नलिखित टिप्स पर ध्यान दें—

- खुद को ब्रॉन्ज रंग में रंगते समय इस बात का ध्यान रखें कि आप बहुत ज्यादा नारंगी या चमकीली न नजर आने लगें।

- हल्का-सा ब्रॉन्ज शेड तो नेचुरल लगेगा, लेकिन ज्यादा गहरा शेड आंखों में चुभने लगेगा। त्वचा को अपने प्राकृतिक रंग से केवल दो शेड गहरा ब्रॉन्ज करें। ध्यान रहे, ब्रॉन्ज करने का अर्थ है त्वचा को गर्म रखना, न कि बेजान बनाना।

- अपना मेकअप सिंपल रखें, अगर आप ब्रॉन्जर्स का इस्तेमाल कर रही हैं तब कॉपर कलर के आईशैडो व लिपस्टिक का प्रयोग न करें।

- आंखों पर ब्राउन व ब्लैक लाइनर व मस्कारे का प्रयोग करें।

- गाढ़े रंग जैसे कोरल्स, लाल व मैरुन रंग की लिपस्टिक लगाएं। अगर आप अपने चेहरे के केवल कुछ हिस्से को रंगना चाहती हैं तो कन्ट्रास्ट का इस्तेमाल करें।

- ब्रॉन्जर्स इस्तेमाल करते समय फाउंडेशन न लगाएं तो बेहतर है और अगर लगाएं तो बहुत ही हल्का। ज्यादा फाउंडेशन इस्तेमाल करने से चेहरे की चमक गायब हो जाएगी और आप बहुत मडी व आर्टीफिशियल नजर आएंगी।

- अगर आप फाउंडेशन इस्तेमाल करना चाहती हैं तो मॉइस्चराजर के साथ मिलाकर लगाएं।

- तैलीय त्वचा के लिए पाउडर ब्रॉन्जर्स अच्छे रहते हैं। अगर आपकी त्वचा सूखी है तो क्रीम स्टिक या जैल ब्रॉन्जर्स का इस्तेमाल करें।

- ब्रॉन्ज रंग को थोड़ा हल्का करने के लिए पिंक या रोज ब्लश लगाएं।

- पाउडर ब्रॉन्जर्स का इस्तेमाल करते समय इस बात का ध्यान रखें कि ब्रश सही हो। हमेशा चौड़े व फ्लफी किस्म के ब्रश का ही प्रयोग करें।

- सबसे पहले ब्रश को रंग में डुबोएं और अपने हाथ के पीछे लगाएं, ताकि अतिरिक्त रंग निकल जाए। इसे चेहरे के उन हिस्सों पर लगाएं, जहां से सूरज की किरणें आपका गोरापन छीन सकती हैं। मसलन, गाल, माथा, ठोड़ी और नाक के किनारे।

- क्रीम, स्टिक या लिक्विड ब्रॉन्जर्स को अपनी उंगलियों से लगाएं। उंगलियों पर ब्रॉन्जर निकालकर उसे मलें, ताकि वह एक बराबर हो जाए। इसके बाद उसे चेहरे पर गालों से लगाना शुरू करें और उसे गोल-गोल घुमाएं।

- हेयर लाइन के पास ब्लैक कलर का इस्तेमाल करें। बाकी बचे हुए रंग को नाक, माथे और गर्दन पर भी लगा सकते हैं।

- इसे लगाने का तरीका यह है कि पहले हल्का शेड लगाएं, फिर धीरे-धीरे गाढ़ा करें। अगर अधिक लग गया हो तो ड्राई कॉटन पैड से या फिर हल्का-सा पाउडर लगाकर उसे झाड़ दें।

- इस समय बाजार में नए मल्टीट्यूड ब्रॉन्जर्स उपलब्ध हैं। वे डार्क व लाइट टोन मिक्स करके एक नेचुरल टच देते हैं। इसमें ब्रॉन्जिंग पाउडर वाला मडी लुक नहीं आता।

- जहां आपकी त्वचा का शेड गहरा है, वहां ब्रॉन्ज का गहरा शेड लगाएं और अपने चेहरे के बाहरी हिस्से में हल्के शेड का इस्तेमाल करें। या फिर ऐसा ब्रॉन्जर का प्रयोग करें, जिसमें रंगों की जबरदस्त रेंज हो और जिसमें गोल्डन शेड्स भी भरपूर हों।

कैसी हो आपकी मेकअप किट

आजकल बाजार में महिलाओं के सौंदर्य प्रसाधनों को एक ही जगह रखने के लिए 'मेकअप किट' या आम साधारण भाषा में कहें तो 'वैनिटी बेग' मिलने लगे हैं। हर महिला इन्हें खरीदना पसंद करती है, क्योंकि इससे वे कभी भी, कहीं भी, अपनी जरूरत की चीजों के हिसाब से अपने चेहरे को संवार सकती हैं। प्रायः महिलाएं अपनी मेकअप किट में एक कंघा, लिपस्टिक, ब्लशर रखकर उसे अपनी संपूर्ण 'किट' मान लेती हैं, लेकिन यही उनकी संपूर्ण किट नहीं होती, क्योंकि जब तक इसमें आवश्यक व जरूरी चीजें नहीं होंगी तो आपको समय पर दूसरों का मुंह ताकना पड़ेगा, अतएव अपनी 'मेकअप किट' को सदैव संपूर्ण रखें।

कुछ प्रसाधनों व आवश्यक वस्तुओं को हम यहां एक सूची द्वारा दर्शाने का प्रयास कर रहे हैं, ताकि आप इसका लाभ उठा सकें, यथा—

- एक नर्म ब्रश यानी नर्म दांतों वाला मोटा ब्रश तथा बारीक कंघा।
- खुशबूदार तेल की छोटी शीशी।
- क्लींजिंग मिल्क।
- एस्ट्रिंजेंट लोशन।
- कोई भी कोल्ड क्रीम।
- फेस पाउडर।
- फाउंडेशन।

- ब्लशर।
- मस्कारा।
- बिंदिया (चेहरे की आकृतिनुसार गोल, लंबी इत्यादि)।
- लिपस्टिक।
- आई लाइनर।
- एक डार्क व एक लाइट रंग का आई शैडो।
- नेल पॉलिश।
- नेल रिमूवर।
- हैंड व बॉडी लोशन।
- हेयर स्प्रे।
- बारीक काली पिनें।
- छोटे व बड़े रबर बैंड।
- भीनी महक वाला परफ्यूम।
- एक टिश्यू पेपर।
- एक छोटा आईना।
- सेफ्टी पिन।

ये सारा सामान एक छोटी-सी किट में आ जाता है। कपड़े की बनी हुई बहुत जेबों वाली किट इसके लिए उपयुक्त रहती है। इन जेबों में सामान रखकर उस पर छोटी-सी पर्ची चिपका दें, जिससे सामान ढूंढ़ने में परेशानी न हो।

कपड़े से बनी किट उत्तम रहती है

138

सुंदरता के साथ बीमारी न लाएं पार्लर से

ऐसा अक्सर देखने में आता है कि अपनी खूबसूरती बढ़ाने के लिए महिलाएं ब्यूटी पार्लर में जाती हैं जहां क्रीम, प्रसाधनों, जैल, हेयर स्प्रे, परफ्यूम्स आदि का प्रयोग किया जाता है। इनके प्रयोग से जहां क्षणिक सुंदरता में निखार आ जाता है वहीं आप कई तरह की बीमारियों को भी लेकर घर आती हैं। पार्लरों से घातक बीमारियां घर तक न आएं उनके लिए निम्न टिप्स हैं—

- ऐसे पार्लर का चुनाव करें जो साफ-सुथरा व प्रकाशयुक्त हों।
- पार्लर में काम करते समय ब्यूटीशियन द्वारा हाथों पर दस्ताने का उपयोग करने से संक्रमण फैलने का खतरा कम हो जाता है।
- बच्चों व संवेदनशील त्वचा वाली महिलाओं को बाल कटवाने के बाद एंटीसेप्टिक लोशन का उपयोग करना चाहिए या मेडिकेटेड शैंपू से बाल धो लेने चाहिए, ताकि किसी प्रकार की एलर्जी व संक्रमण न हो।
- एलर्जी, जुकाम व संक्रमण की बीमारी से पीड़ित महिला को ब्यूटी पार्लर जाते समय अपना स्वयं का सामान साथ रखना चाहिए।
- पार्लर जाते समय जहां तक संभव हो सके, अपनी ही कंघी, ब्रश, पिन, नेल कटर, तौलिया, नैपकिन व गाउन ले जाना चाहिए।
- सौंदर्य प्रसाधन जैसे आईलाइनर, लिपस्टिक, फेस पाउडर भी अपना ही इस्तेमाल करें तो बेहतर होगा।
- ब्राइडल मेकअप के दौरान अपनी सौंदर्य सामग्री अपने साथ ले जाएं।

ब्यूटी कॉस्मेटिक्स का भी उचित रख-रखाव

जिस तरह कॉस्मेटिक्स खूबसूरत दिखने में आपकी मदद करते हैं, उसी तरह इन प्रॉडक्ट्स की देखभाल करना भी आपका दायित्व है। वजह यह है कि अगर उचित देखभाल की कमी के कारण ये खराब हो गए तो पैसों की बरबादी तो होती ही है साथ ही इनका इस्तेमाल करने से त्वचा को नुकसान भी पहुंचता है। इनके रख-रखाव के लिए पेश हैं कुछ खास टिप्स—

- कॉस्मेटिक्स का प्रयोग करने से पहले हाथ अवश्य धोएं। गंदे हाथ से क्रीम आदि का इस्तेमाल करेंगे तो चेहरा तो खराब होगा ही साथ ही हाथों में चिपके कीटाणु क्रीम या लोशन में भी मिल जाएंगे। ऐसे में अगली बार अगर आप हाथ धोती भी हैं, तब भी पहले से मौजूद कीटाणु अपना असर दिखाने से नहीं चूकेंगे।

- दूसरी अहम बात यह है कि ब्यूटी प्रॉडक्ट्स में कभी पानी न मिलाएं। कई बार क्रीम या लोशन को पतला करने के लिए महिलाएं पानी मिला देती हैं। पानी मिलाने से कॉस्मेटिक्स के फॉर्मूले का बैलेंस तो बिगड़ ही जाता है, साथ ही सौंदर्य प्रसाधन के रंग और महक पर भी असर पड़ता है।

- प्रसाधनों पर दिए गए निर्देशों का हमेशा पालन करें। उन्हें नजरअंदाज न करें।

- लिपस्टिक को हमेशा ठंडी जगह पर रखें।

- अगर अपने कॉस्मेटिक्स आपको बाथरूम में रखने हैं तो ध्यान रहे कि उन्हें बंद कैबिनेट में ही रखें।

- क्रीम्स और लोशन आदि को सदा रेफ्रिजरेटर में रखें। इन्हें खरीदते समय भी ध्यान दें कि बोतल का ढक्कन या ओपनिंग छोटी हो। छेद बड़ा होगा तो कॉस्मेटिक के अंदर गंदगी आसानी से चली जाती है।

- उन सौंदर्य प्रसाधनों को फौरन त्याग दें, जिनकी खुशबू बदल गई हो या हल्की पड़ गई हो। खुशबू उड़ जाना इस बात का संकेत है कि वह प्रसाधन खराब हो चुका है।

- कभी-कभार क्रीम पतली हो जाती है या फिर कुछ गाढ़ी हो जाती है, उसी तरह किसी कॉस्मेटिक का रंग उड़ चुका होता है। ऐसे कॉस्मेटिक्स को डस्टबिन में फेंक देना ही समझदारी है।

- आमतौर पर आईशैडो को छः से बारह महीने के बाद इस्तेमाल नहीं करना चाहिए।

- मस्कारे की उम्र भी काफी कम होती है। कितनी ही अच्छी कंपनी का मस्कारा क्यों न हो, छः से आठ महीने के बाद प्रयोग के आरोग्य हो सकता है।

- लिपस्टिक भी साल-भर बाद प्रयोग नहीं करनी चाहिए।

- सबसे महत्त्वपूर्ण बात यह है कि कभी भी अपने सौंदर्य प्रसाधनों को किसी दूसरे के साथ शेयर न करें, चाहे वह आपकी सबसे करीबी दोस्त या रिश्तेदार ही क्यों न हो।

140

मेकअप उतारना भी जरूरी है

जैसे सोने से पहले आभूषण व भारी साड़ियां उतार दी जाती हैं, वैसे ही मेकअप उतारना भी जरूरी है, जो महिलाएं चेहरे का मेकअप उतारे बिना सोती हैं, उनकी त्वचा धीरे-धीरे अपनी चमक खोने लगती है तथा झाइयों और झुर्रियों की शिकार हो जाती है। अतः मेकअप उतारने के लिए इन सुझावों पर गौर करें—

● सोने से पहले रुई के फोहे में क्लींजिंग मिल्क लगाकर चेहरे पर रगड़ें। एक फोहा गंदा हो जाने पर तुरंत दूसरा फोहा इस्तेमाल करें।

● यदि क्लींजिंग मिल्क न हो तो कच्चे दूध में जरा-सा गुलाब जल मिलाकर इस्तेमाल किया जा सकता है।

● मेकअप साफ कर लेने के बाद चेहरे को साफ पानी से अच्छी तरह धो लें, गर्दन का पिछला हिस्सा, गर्दन, माथा व हाथ-पैर भी पानी से धो लें।

● अगर आप चिपकने वाली बिन्दी का इस्तेमाल करती हैं तो उसे भी उतारकर सोएं, क्योंकि लगातार चौबीस घंटों तक इसे चिपकाए रखने से खुजली हो सकती है या बिंदी लगे हुए स्थान पर धब्बा पड़ सकता है।

सौंदर्य जिज्ञासाएं

अपनी ब्यूटी के संबंध में अधिकतर महिलाओं के दिमाग में कुछ सवाल उठते हैं, क्या किया जाए, कैसे किया जाए, कब किया जाए, जैसे मेरा सही फाउंडेशन शैड क्या होगा? मेरी नेलपॉलिश दूसरे ही दिन क्यों निकल जाती है? मेकअप काफी देर तक टिका रहे, इसके लिए क्या किया जाए? हेयर ड्रेसर की तरह ही हम अपने बालों को अच्छी तरह बलो-ड्राई क्यों नहीं कर पाते?

इत्यादि प्रश्नों को एकत्र करके हमने दस प्रश्न बनाए हैं, जिनमें आपकी ब्यूटी से संबंधित जवाब दिए जा रहे हैं, तो आइए शुरू करें 'Beauty Queries'

1. **अपनी त्वचा से संबंधित पूरी तरह मेल खाने वाला फाउंडेशन चुनने में आप नाकामयाब रहती हैं, सही शेड कैसे चुना जाए?**

- फाउंडेशन आपकी कनपटी और जबड़े के भाग से मैच करता हुआ होना चाहिए। अतः यहीं लगाकर जांच करें। किसी दूसरी जगह लगा कर जांचने का प्रयास भी न करें। घर में ही सही रंग का शेड चुनने में मुश्किल होती है, अतः किसी एक्सपर्ट की सलाह लेना अच्छा रहता है।

2. **मेकअप ज्यादा समय तक टिका रहे, इसके लिए क्या उपाय है?**

- मेकअप ज्यादा समय तक टिका रहे, यह इस बात पर निर्भर करता है कि आपने सावधानीपूर्वक मेकअप किया हो तथा पाउडर का सही टच दिया हो। एक बात का सदैव ध्यान रखना चाहिए कि मॉइस्चराइजर ज्यादा तैलीय न हो, नहीं तो मेकअप एक ओर सिमट जाएगा। फाउंडेशन लगाने से पहले मॉइस्चराइजर को पूरी तरह त्वचा में समा जाने दें। फाउंडेशन अपनी जगह पर बना रहे, इसके लिए लूज पाउडर लगाएं। हल्के हाथों से पफ द्वारा पाउडर लगाएं। इसके बाद अनावश्यक पाउडर को ब्रश की सहायता से साफ करें।

आंखें : क्रीम आई शैडो की बजाय पाउडर आई शैडो ज्यादा समय तक टिका रहता है। बरौनियों और अपनी भौंहों के बीच के भाग पर लूज पाउडर का बेस चिपचिपाहट नहीं देगा। यदि आप अपनी आंखों पर लाइनिंग करने के लिए पेंसिल काम में ले रही हों तो लाइन पर उसी रंग के पाउडर आई शैडो का भी इस्तेमाल करें। वाटर प्रूफ मसकारा लगाना चाहिए।

होंठ : लिपस्टिक खूबसूरत लगे, इसके लिए पहले होंठों पर लिपस्टिक लगाने के बाद टिश्यू पेपर से सुखा लें। इसके बाद लिपस्टिक का एक फाइनल टच दें।

3. यदि बाल रूखे हों और कुछ-कुछ सफेद भी हो रहे हों तो इसके लिए ऐसा क्या उपाय करना चाहिए, जिसमें कम-से-कम देखभाल करनी पड़े?

- यदि बाल सफेद हो रहे हों तो डेमी परमानेंट कलर करवाना एक बेहतर उपाय सिद्ध हो सकता है। परमानेंट कलर बालों को घना व चमकदार बनाता है। इसका असर चार से छः हफ्ते तक रहता है।

4. आंखों के मेकअप की बात जब भी आती है तो मस्कारा को छोड़कर और कुछ सूझता ही नहीं है, अतः आंखों का बाकी मेकअप क्या और कैसे करना चाहिए?

- यह बहुत आसान है, अपने मनपसंद आई शैडो के तीन शेड लाइट, मीडियम से भौंहों तक के भाग पर हल्का शेड लगाइए—1. बरौनियों से भौंहों तक के भाग पर हल्का शेड लगाएं, 2. सामान्य शेड बरौनियों से क्रीज के ऊपर तक लगाएं, 3. बरौनियों की लाइनिंग करने के लिए आई लाइनर, ब्रश तथा सबसे गहरे शेड का प्रयोग करें।

5. बालों को घर पर स्टाइल करने से उतनी खूबसूरती नजर नहीं आती, जितनी सैलून से स्टाइल करने से नजर आती है। इसके लिए क्या करना चाहिए?

- इसके लिए शुरुआत सही ब्रश से करें, बालों को सीधा ब्रश करने के लिए फ्लैट ब्रश का इस्तेमाल करें—छोटे गोल ब्रश से बाल भरे-भरे व कर्ली दिखाई देते हैं। अपने बालों को कई हिस्सों में बांटकर ब्लो-ड्राय करें। बालों को तौलिए से सुखाकर गर्दन से ब्लो ड्राय करना शुरू करें। सिर के ऊपर बालों को पिनअप करके रखें, ताकि वे गीले बने रहें। अब सबसे निचले हिस्से, फिर बीच के भाग तथा अंत में सिर के सामने के बालों को ब्लो-ड्राय करें।

6. विग का इस्तेमाल कैसे करना चाहिए?

- विग लगाते समय जितनी जल्दी हो शेप भरने की कोशिश करें। इसके लिए नीचे की तह को कुछ ज्यादा ही छोटा करना पड़ सकता है—यदि बालों की लंबाई बढ़ाना चाहती हैं तो अधिक बाल का भ्रम पैदा करने के लिए ऊपर और सामने की ओर लेयर दें। यदि लटें आंखों पर आती हैं, पर वे इतनी लंबी हैं कि उन्हें कानों पर रखा जा सकता है तो सीधे ही पीछे की ओर खींचें।

7. नेल पॉलिश लगाने के कुछ ही दिन बाद उसकी पर्त निकलने लगती है। नाखून भी खूबसूरत लगें और पॉलिश भी ज्यादा समय तक टिकी रहे, इसके लिए क्या करना चाहिए?

- पॉलिश लगाने से पहले नाखून रिमूवर से अंश रहित कर लेने चाहिए। फिर सॉफ्टनर से आस-पास की मृत त्वचा हटाएं। अब नाखून क्लींजर से पोंछें। हमेशा सही बेस कोट का ही प्रयोग करें ताकि पॉलिश नाखूनों से चिपकी रहे। नेल पॉलिश लगाने के बाद तीन दिन तक चमक बरकरार रखने के लिए टॉप-कोट की पर्त लगाएं ताकि नीचे की पॉलिश नरम पड़कर धब्बों की शक्ल में न उभरे।

8. त्वचा किस तरह की है, इसका पता कैसे लगाया जाए?

- अपना सिर पीछे की ओर थोड़ा-सा झुकाकर आइने में देखें, ताकि बालों के आगे झुकने से छिद्र देखने में रुकावट न हो। अब अपनी त्वचा पर क्लींजिंग से पहले-पहले निगाह डालें कि यह कैसी है। आंखों के नीचे के भाग से जबड़ों के किनारे तक आपकी त्वचा में लकीरें दिखाई दें व त्वचा कसी हुई दिखाई दे तो आपकी त्वचा में तेल की कमी है, यानी रूखी है। अपने होंठों को चुंबन की मुद्रा में सिकोड़ें, यदि आपके मुंह के आस-पास गालों पर आड़ी लकीरें दिखाई दें तथा होंठों की सामान्य स्थिति आने पर वे गायब हो जाएं तो इसका मतलब है आपकी त्वचा में पानी की कमी तथा नमी का अभाव है। यह जरूरी भी नहीं है कि उसमें तेल की कमी हो। यदि रोम छिद्र दिखाई दें तथा आपकी त्वचा की रंगत संतरे के छिलके के रंग की है तो अपना चेहरा धोएं, 2-3 मिनट इंतजार करें। अब अपनी नाक आइने पर दबाएं। यदि धब्बा दिखाई दे तो त्वचा तैलीय है। रूखे गालों व माथे तथा नाक के बीच के हिस्से के बीच 'क्रॉस' की तरह की लकीरें बने तो त्वचा मिश्रित प्रकार की है।

9. चेहरे के दाग-धब्बों से छुटकारा कैसे पाया जाए?

- भूरे दाग-धब्बे धूप के कारण पड़ते हैं। इसका प्रमुख कारण है सनस्क्रीन का प्रयोग न करना। यदि सनस्क्रीन का प्रयोग किया जाए तो भविष्य में पड़ने वाले दाग-धब्बों को रोका जा सकता है, लेकिन जो धब्बे पड़ चुके हैं, उनके लिए विटामिन 'ए' युक्त क्रीम लगानी चाहिए। डॉक्टरी सलाह द्वारा जंतुनाशक क्रीम या गोलियां लेकर भी इन दाग-धब्बों से छुटकारा पाया जा सकता है।

10. त्वचा की देखभाल के लिए कई उत्पाद होते हैं, क्या उनके प्रयोग का कोई विशेष क्रम होता है?

● सुबह के समय सबसे पहले सन-ब्लॉक लगाना चाहिए क्योंकि इसे घुलने में 30 मिनट के करीब लग जाते हैं। यह इसके बाद ही काम करता है।

किसी भी अल्फा हाइड्रॉक्सी के इस्तेमाल से पूर्व 10-15 मिनट तक इंतजार करें, जिससे केवल स्क्रीन घुले नहीं, इसके बाद ही मॉइस्चराइजर लगाएं। अंत में यदि जरूरी हो तो डॉक्टरी सलाह से बताई गई कोई भी पिंपल्स क्रीम प्रयोग में लाई जा सकती है। विटामिन 'ए' और 'सी' युक्त क्रीम का इस्तेमाल एक साथ नहीं करना चाहिए। इसके बजाय एक रात विटामिन 'ए' युक्त क्रीम तथा दूसरी रात 'सी' युक्त क्रीम लगाएं।

इनका उपयोग सोने से आधा घंटे पहले लगाकर करें, अन्यथा तकिए पर लगकर ये आपकी आंखों को नुकसान पहुंचा सकती हैं। मॉइस्चराइजर भी तुरंत लगाया जा सकता है।

11. मेरे होंठों पर छोटे-छोटे घने बाल हैं तथा कोहनी पर कालापन है। मेरी समस्या का उपाय बताएं?

● होंठों के बालों को हटाने के लिए थर्मोलाइसिस, ब्लीच या वैक्स कर सकती हैं। कोहनियों के कालेपन को दूर करने के लिए नीबू को रगड़ें व नियमित सफाई रखें।

12. ग्रीष्म ऋतु में चेहरे की चमक बनाए रखने के क्या उपाय हैं?

● गर्मियों के दिनों में चोकर, शहद, अंडा व 2-3 बूंदें नींबू की मिलाकर चेहरे पर लगाएं। सूख जाने पर धो डालें।

13. मुझे धूप में रहना पड़ता है, जिससे त्वचा काली पड़ती जा रही है। इससे कैसे छुटकारा पाऊं?

● सबसे पहले तो यह ध्यान रखें कि सूरज की किरणें सीधे त्वचा पर न जाएं। घर से निकलने से पहले सनस्क्रीन लोशन लगाएं।

14. चेहरे को साफ व गोरा बनाए रखने के लिए क्या करूं?

● हल्दी व दही का प्रतिदिन लेप करें। फेशियल माह में 3 बार करवाएं। धूप से जहां तक संभव हो, बचें।

10. सर्दियों में पूरे शरीर पर खुश्की छा जाती है। कोई घरेलू उपाय बताएं?

● सर्दियों में रोजाना जैतून के तेल से मालिश करें। खाने में संतुलित भोजन लें।

विवाह के एक माह पूर्व सौंदर्य की देखभाल

विवाह से एक माह पूर्व ही अपनी देखभाल शुरू कर देनी चाहिए। इससे त्वचा कोमल व सुंदर बनी रहती है। यह सोच लेना कि विवाह से एक-दो दिन पूर्व ही सब हो जाएगा, सर्वथा गलत है।

विवाहपूर्व शृंगार बोध जरूरी

दुल्हन यदि शादी से एक महीने पहले ही अपने रूप की देखभाल शुरू कर दे तो शादी के दिन उसका रूप यूं निखर आएगा कि देखने वाले बस देखते ही रह जाएंगे। आइए जानें कैसे?

एक महीने पहले

- डिटॉक्सीफिकेशन से शुरुआत करें। डिटॉक्सीफिकेशन का अर्थ होता है शरीर से विष को बाहर निकालना। जंक फूड कम कर दें और ज्यादा-से-ज्यादा फल और सब्जियां खाएं। इससे चेहरे पर खूबसूरत चमक आती है और अतिरिक्त चर्बी घटती है, वो भी स्वस्थ तरीके से। अगर आप कुछ भी ऊल-जुलूल खाती रहेंगी तो आपकी सारी लापरवाही आपकी त्वचा पर झलकने लगेगी और आपकी त्वचा बुझी हुई और बेजान-सी लगने लगेगी।

- ऊर्जा बढ़ाने वाली कोई विटामिन की गोली लें। कोई ऐसी गोली भी लें, जिसमें विटामिन, मिनरल, एमीनो एसिड सब कुछ हो, जो आपकी त्वचा को स्वस्थ बनाए और कोशिकाओं के पुनर्निर्माण की प्रक्रिया तेज करे, जिससे आपकी त्वचा खिली-खिली और जवां-जवां नजर आए।

- खूब पानी पीएं। अगर आप अभी तक ज्यादा पानी नहीं पीती रही हैं तो कोई बात नहीं, अब खूब पानी पीना शुरू कर दें। दिन में कम-से-कम 2-3 लीटर पानी जरूर पीएं।

- डीप क्लींजिंग करें। स्टीम लें, इससे रक्त संचार बढ़ेगा और त्वचा नर्म, मुलायम बनेगी। स्टीम लेने के बाद चेहरे पर ठंडे पानी से छींटे मारें। अगर आपको ब्लैकहैड्स हैं तो स्टीम लेने के बाद निकालें।

- फेस मास्क, फेस पैक या पील ऑफ मास्क लगाएं।

- आपके व्यक्तित्व का मुख्य आधार आपकी त्वचा है, अतः अपनी त्वचा की पूरी देखभाल करना अति आवश्यक है, फिर भी यदि आप एक-दो महीने पहले से हल्के व्यायाम और नियमित सैर कर सकें, तो इससे धीरे-धीरे रक्त संचार संयत रूप से आपकी त्वचा को बहुत लाभ पहुंचा सकता है और आप प्राकृतिक कांति से भर सकती हैं।

- आंवले के प्रयोग से हमारा शरीर स्वस्थ रहता है। यदि एक मीठा आंवला नियमित रूप से दूध के साथ खाली पेट लिया जाए तो इससे आपकी त्वचा को बहुत फायदा पहुंच सकता है।

- अक्सर देखा गया है कि ऐन मौके पर वधू के चेहरे पर मुंहासे निकल आते हैं और सारा मजा किरकिरा कर देते हैं, इसलिए कम-से-कम इन दिनों विशेष रूप से संतुलित भोजन करें।

147

- त्वचा को कोमल और स्निग्ध बनाना ही काफी नहीं, उसे वातावरण से होने वाली हानि से भी बचाना आवश्यक है, बाहर घूमने जाते समय इन दिनों विशेष रूप से आपको चाहिए कि किसी अच्छी सनस्क्रीन क्रीम का प्रयोग करें। इसके प्रयोग से आपकी त्वचा सूर्य की किरणों से होने वाली क्षति से बच सकती है।
- एक-दो माह पहले से ही नियमित तेल और मेहंदी का प्रयोग आपके बालों को दिखने में सुंदर और लाभकारी बना सकता है।
- हफ्ते में कम-से-कम एक बार स्क्रब जरूर करें। इससे मृत त्वचा से छुटकारा मिलेगा और त्वचा में खूबसूरत चमक जागेगी, लेकिन अगर आपकी त्वचा संवेदनशील है तो थोड़ी सावधानी बरतें। वैसे अल्फा आइड्रॉक्सी एसिड युक्त प्रोटीन का इस्तेमाल करके भी मृत त्वचा से छुटकारा पाया जा सकता है।
- योगा करें या जिम ज्वाइन कर लें, इससे आपका शरीर आकर्षक बनेगा।

कोई हेयर कट आजमाना हो तो अभी आजमा लें। बालों की देखभाल भी अभी से शुरू कर दें।

तीन हफ्ते पहले

- भरपूर नींद लें। सोने का एक नियम बनाएं। इससे त्वचा खूबसूरत बनेगी, आंखों में एक चमक आएगी और आप तरोताजा महसूस करेंगी।
- नाखूनों की खूबसूरती का ध्यान रखना अभी से शुरू कर दें। क्युटिकल्स को पीछे पुश करें। नाखून छोटे रखें, ताकि वो टूटे नहीं और शादी वाले दिन आपके हाथ इतने खूबसूरत नजर आएं कि आपका हाथ अपने हाथ में लेते ही आपके वो सारी दुनिया भूल जाएं।
- एक अच्छा क्लींजिंग रुटीन अपनाएं। त्वचा पर ताजगी और सेहत भरी चमक के लिए त्वचा की गहराई तक सफाई जरूरी है। अगर आपके पास क्लींजिंग मिल्क इस्तेमाल करने या दो बार मुंह धोने की फुर्सत नहीं है तो क्लींजिंग वाइप्स का इस्तेमाल करें।
- आंखों के आसपास सूजन हो तो उसे दूर करने की कोशिश करें। कोई सौम्य आई क्रीम या जेल इस्तेमाल करें। आई क्रीम को फ्रिज में रखें। क्रीम का शीतल अहसास आंखों की सूजन दूर कर देगा। इसके अलावा ठंडे पानी में रुई भिगोकर 15 मिनट तक आंखों पर रखें। हफ्ते में एक बार ऐसा जरूर करें। अगर त्वचा रूखी है तो पानी की जगह ठंडे (फ्रीज किए हुए) दूध में रुई भिगोएं। सोने से पहले आंखों पर से मेकअप उतारना न भूलें।

दो हफ्ते पहले

- अब तक आपकी त्वचा में इतना खूबसूरत निखार आ गया होगा कि जरा एक बार आईने में खुद को निहारें तो आप पलकें झपकाना भी भूल जाएंगी। बस अब थोड़ी कोशिश और करें।

- किसी अच्छे नाइट क्रीम का इस्तेमाल करें, ताकि जब आप सोई हों तो उसमें मौजूद विटामिन और एंटी एजिंग तत्त्व असर दिखाते रहें।

- चेहरे पर दाग-धब्बे हों तो उसे हटाने का उपाय करें। जैसे-जैसे शादी का दिन नजदीक आता जाता है, शॉपिंग, तैयारियों की भाग-दौड़, अत्यधिक तनाव से दाग और गहरे हो जाते हैं। दाग हटाने का सबसे अच्छा तरीका यह है कि रात को सोने से पहले दाग-धब्बे मिटाने वाली कोई क्रीम इस्तेमाल करें।

- रिलैक्सेशन का कोई तरीका अपनाकर तनाव कम करने की कोशिश करें। रिलैक्सिंग मसाज, योगा, मॉर्निंग वाक, एरोमाथैरेपी, इनमें से रिलैक्सेशन का कोई भी तरीका अपनाएं।

- फाइनल हेयर कट करा लें। शादी वाले दिन कौन-सी हेयर स्टाइल बनवानी है, कौन-सी हेयर स्टाइल आप पर सबसे ज्यादा फबेगी, इस बारे में अपनी ब्यूटीशियन से बात कर लें।

एक हफ्ते पहले

- डीप क्लींजिंग फेशियल करवाएं।
- नरम, मुलायम त्वचा के लिए फेशियल के बाद कोई मॉइस्चराइजिंग मास्क लगाएं।
- स्नान के बाद बॉडी लोशन लगाना न भूलें।
- ब्यूटी संवारने का अपना हमेशा का रुटीन भी जारी रखें।
- शादी के दो-चार दिन पहले मैनीक्योर-पैडिक्योर करवा लें।
- एक दिन पहले मेहंदी लगवा लें और एक बार मेहंदी लग जाने के बाद पानी में हाथ न डालें।
- जहां तक हो सके, धूप से बचें। फिर भी धूप में निकलना हो तो छाता व चश्मा सदैव साथ लेकर निकलें।
- किसी भी अच्छी सौंदर्य विशेषज्ञा से मिलकर त्वचा के उपचार का तरीका जान लें।
- प्रत्येक हफ्ते फेशियल करवा लें।

149

- मैनीक्योर, पैडिक्योर हर 10-15 दिन में करवाएं।
- बॉडी मसाज प्रत्येक हफ्ते करवाएं, इससे विवाह पूर्व की थकान मिट जाती है।
- यदि आंखों के नीचे काले घेरे हैं तो किसी नेत्र विशेषज्ञ से संपर्क करें। घर पर ही आप कॉटन वूल को गुलाब जल में भिगोकर आंखों पर लगाएं तो काफी आराम मिलता है।
- अपने खान-पान का ध्यान रखें। फलों का जूस ज्यादा-से-ज्यादा लें।
- प्रतिदिन हल्का-फुल्का व्यायाम अवश्य करें।
- हर सप्ताह हिना व कंडीशनिंग कराएं। इससे बाल घने तो होते ही हैं, साथ ही उनमें चमक भी आती है। बालों में तेल की मालिश से बालों की रंगत में भी निखार आता है। तनाव से भी राहत मिलती है।
- शादी से एक दिन पहले अपने हेयर ड्रेसर से अपनी स्टाइल के बारे में जान लें।

इस प्रकार आपकी थोड़ी-सी सूझबूझ आपको एक परफेक्ट लुक देगी। यह सब एक माह पूर्व करवाने से त्वचा में बहुत परिवर्तन आ जाता है। त्वचा निखरी हुई-सी लगती है। दुल्हन के आकर्षक व्यक्तित्व के लिए कुछ और टिप्स इस प्रकार हैं—

- सर्वप्रथम मेकअप की ओर दृष्टि डालें। चेहरे का पूर्ण मेकअप करने के साथ-साथ हाथ-पैर की ओर भी ध्यान दीजिए, क्योंकि यदि आपकी ससुराल में पर्दा है, तो चेहरे से पहले हाथ-पैर पर ही सबकी दृष्टि जाती है। इसके लिए पैडिक्योर व मैनीक्योर करवाइए। यदि हाथ-पैर के रोएं घने हों तो वैक्सिंग जरूरी हो जाती है, जबकि हल्के रोएं होने पर ब्लीच करना पर्याप्त होता है।
- चलते समय कंधे झुकाकर कभी नहीं चलना चाहिए। रीढ़ की हड्डी को सदैव सीधा रखिए। इसके लिए आदमकद आईने के सामने खड़े होकर अपनी खड़े होने की स्थिति पर गौर कीजिए। कंधों को तानकर रखिए, लेकिन ध्यान रखिए कि आप जरूरत से ज्यादा तनी हुई-सी न लगें।
- आपकी त्वचा गोरी है तो कोई भी रंग आप पर खिलेगा। यदि आपकी त्वचा सांवली है तो साड़ियों के रंगों का चयन सोच-समझकर ही कीजिए।
- दुल्हन का लिबास भारी होता है, चाहे वह साड़ी हो या लहंगा-चुन्नी। आप कोई भी लिबास पहनिए, लेकिन सलीके से एवं पिनअप करके रखिए, ताकि बार-बार संभालने का झंझट न हो।

- यदि आपका कद छोटा है तो यथासंभव गर्दन झुका कर न रहें। ऊंची एड़ी वाले सैंडिलों का प्रयोग करें। चलते वक्त कदम सीधे एवं सधे हुए रखिए। यदि कदम डगमगा गए तो गिरने के साथ-साथ मोच का भय बना रहेगा और सबकी हंसी का शिकार भी बनना पड़ सकता है। यदि आपका कद लंबा है तो फ्लैट चप्पल, सैंडिल का प्रयोग करें। हां, सिर हल्का-सा झुकाकर रखने से सुंदरता में चार चांद लग जाएंगे।
- जितने दिन आपको वहां रुकना हो, उस हिसाब से साड़ी तय करके रखिए एवं पहले से ही मैच के पेटीकोट-ब्लाउज तैयार करवा लीजिए। कपड़े आपके सही नाप के ही हों।
- पूरे दिन के लिए पहनी जाने वाली साड़ी अगर मौसम के अनुरूप हो तो ज्यादा बेहतर होगा। उदाहरण के लिए गर्मियों में कॉटन की जरीदार हल्की साड़ी पहनें एवं सर्दियों में सिल्क, सिंथेटिक पहनेंगी तो फबेगी।
- वाणी श्रेष्ठ व्यक्तित्व का अहम लक्षण होती है। यदि आप खूबसूरत होते हुए भी मृदु भाषी नहीं हैं तो आपकी सारी खूबसूरती रखी रह जाएगी। यह तो वह आभूषण है, जिसे साधारण शख्स भी धारण करे तो अत्यंत सुन्दर लगने लगता है। अतः अपनी भाषा में मिठास लाएं एवं तहजीब के साथ भाषा का प्रयोग करें।
- अशुद्ध उच्चारण कदापि न करें। यदि आप अशुद्ध बोलती हैं तो उसे शुद्ध तरीके से बोलने की आदत डालें। साथ ही यह ध्यान रखने योग्य है कि शब्दों का प्रयोग करते समय होंठ अधिक न फैलें-सिकुड़ें। यदि आप आईने के सामने नित्य प्रति पांच-सात मिनट तक स्वयं से ही कुछ बातें करेंगी तो खुद ही अपनी हंसी या मुस्कान को भी होंठों पर बेहतर ढंग से ला सकेंगी, जो कि ससुराल पक्ष वालों को प्रभावित किए बिना नहीं रह सकेगी।
- अक्सर कई लड़कियां ससुराल पहुंचकर भी रोती-बिसूरती रहती हैं। ऐसा बिल्कुल भी नहीं करना चाहिए। हालांकि अपनों का साथ छोड़ते हुए बहुत दिल दुखता है। यही सोचिए कि आपकी मां, भाभी वगैरह भी तो अपना परिवार छोड़कर आई थीं। इस बात से आपको बहुत तसल्ली मिलेगी। ससुराल में सहज रहने का प्रयास कीजिए।
- रात्रि से पूर्व स्वयं का पूर्ण शृंगार कीजिए। इसके लिए आप किसी का भी सहयोग ले सकती हैं। यदि आपकी ननद या अन्य कोई रिश्तेदार आपका मेकअप करना चाहे तो उसका सहयोग लीजिए।

- मत भूलिए इस वक्त आप सबका केन्द्र बिन्दु हैं। अतः ज्यादा-से-ज्यादा शिष्ट बनिए। खाने पर आमंत्रित किए जाने पर ज्यादा ना-नुकर न करें। खाने से पहले एवं खाने के बाद में हाथ अच्छी तरह साफ कीजिए। आप एक छोटा नैपकिन अपने पास रखेंगी तो ज्यादा अच्छा होगा। जितनी भूख हो उतना खाना अवश्य खाइए।

- यदि रात में आपको दूध अथवा अन्य कोई पेय पदार्थ पीने को दिया जाए तो निःसंकोच ग्रहण कीजिए।

- सुहागरात को लेकर किसी तरह का कोई भय न पालें और अपनी सुहागरात का अनुभव किसी को न बताएं, चाहे कोई कितना ही पूछे। अगले की बातों में न आएं और मुस्कराकर टाल दें। हो सकता है, आपका राज जानने के बाद वह किसी और को ज्यादा बढ़ा-चढ़ाकर सुनाए। यह राज तो हमेशा आप एवं आपके जीवन साथी के बीच ही रहना चाहिए।

- यदि आप खाने के मामले में संकोची स्वभाव रखती हैं, तो थोड़े काजू तलकर उनमें नमक व जरा-सी काली मिर्च मिलाकर एक पैकेट बना लें एवं पर्स में रख लें। ये आपकी हल्की भूख को दबा देंगे और वैसे आप अपने पति से भी खाने के लिए कह सकती हैं। वह आपकी अवश्य सुनेंगे।

- अपने रीति-रिवाजों के मुताबिक ससुराल पक्ष वाले नववधू के हाथ का कुछ पका हुआ खाते हैं। अतः आप उस परीक्षा के लिए तैयार रहिए। इसके लिए आप पहले से ही सोचकर रखिए कि खाने में आप क्या सबसे बेहतर व लजीज व्यंजन बना सकती हैं। बस, उसे ही बनाकर खिलाइए। फिर देखिए, आपकी कितनी तारीफ होती है! यदि आप पाक-कला में अधिक निपुण नहीं हैं, तो शादी से पहले अपनी पाक-कला की बढ़-चढ़कर तारीफ हर्गिज मत कीजिए। अन्यथा यदि आप पसन्द पर खरी नहीं उतर पाईं तो गलत बात होगी एवं आप भी तनावग्रस्त हो जाएंगी। अतः ऐसी स्थिति उत्पन्न न होने दीजिए।

- नहाने के बाद अपना कोई भी कीमती सामान बाथरूम में न छोड़ें क्योंकि शादी के घर में भीड़-भाड़ अधिक होती है। ऐसे में अगर आपकी कोई भी कीमती चीज खो जाती है तो न किसी से कहा जा सकता है, न नाम लिया जा सकता है, बल्कि आप पर ही लापरवाह होने का इल्जाम लग जाएगा। अतः अपना सामान नहाने से पहले किसी जिम्मेदार व्यक्ति को सौंपकर जाएं।

- प्रत्येक काम पूर्ण आत्मविश्वास एवं सलीके से करेंगी तो सब मुग्ध हो जाएंगे।
- नहाने के बाद मेकअप अवश्य करें, लेकिन पहले दिन की अपेक्षा दूसरे दिन हल्का मेकअप करें।
- अपना पर्स हर वक्त अपने पास रखिए एवं साथ में कम-से-कम तीन रूमाल रखिए, ताकि एक गन्दा होने पर दूसरा इस्तेमाल किया जा सके।
- अपने कपड़े स्वयं धोकर सुखा दीजिए। इधर-उधर साड़ी न पटकें अपितु तह करके एक जगह जमा दीजिए।
- यदि आपका पसीना दुर्गन्धयुक्त है तो यूडीकोलोन का प्रयोग करें एवं बढ़िया स्तर का परफ्यूम इस्तेमाल करें जो भीनी-भीनी खुशबू दे।
- आप एक ही जगह गठरी-सी बनी न बैठी रहें। अपनी स्वाभाविक मुद्रा में बैठें। यदि थकान महसूस होती है तो किसी से भी आराम करने को कह सकती हैं।
- लज्जा भी एक आभूषण है जो दुल्हन के चेहरे की शोभा बढ़ाता है। इसे आप तन-मन से धारण कीजिए। वैवाहिक रीति-रिवाजों में कई बड़ी मनभावन परम्पराएं होती हैं। हर परम्परा खुले दिल से निभाइए। ऐसा मौका फिर कभी नहीं आता।
- यदि आप किसी से वार्तालाप कर रही हैं तो सोच-समझकर ही बोलिए एवं नपे-तुले शब्दों का इस्तेमाल कीजिए। बोलते वक्त आवाज धीमी ही रखिए एवं बातचीत में तब तक अधिक मत खुलिए जब तक कि आप अगले व्यक्ति के स्वभाव से पूर्ण रूप से परिचित न हों। कहीं ऐसा न हो कि आपके पीछे से वह आपको बातूनी करार दे दे।

विवाह से दो-तीन दिन पहले

- आपको चाहिए कि शादी से दो-तीन दिन पूर्व ही स्वयं या अपने सौंदर्य विशेषज्ञों की सलाह से एक बार ब्राइडल मेकअप का पूर्वाभ्यास कर लें। इससे समय पर होने वाली परेशानियों से बचा जा सकता है। इससे पूरी तैयारी करने में सहायता मिलती है। ऐन मौके पर परेशान भी नहीं होना पड़ता।

- शादी से कई दिन पहले से ही लोगों का आना-जाना लगा रहता है। कई रस्में करने के लिए सगे-संबंधियों का भी आगमन लगा रहता है। ऐसे में आप सेमी परमानेंट आई लैंसेस (पलकें) लगवा लें। इनके घुमाव तीन महीने तक टिकाऊ रह जाते हैं।

- दुल्हन का मेकअप यूं तो शादी के दिन के अनुसार ही किया जाता है, पर नई बहू तो बहुत दिनों तक नई ही कहलाती है और इसलिए जरूरी है कि बहुत दिनों तक उसकी छवि वैसी ही बनी रहे। इसलिए अच्छा यह होगा कि आप सेमी परमानेंट या फिर परमानेंट मेकअप करवाएं। इससे शादी के बाद भी आप हर समय थोड़ा बहुत आवश्यकतानुसार मेकअप करके बराबर एक-सी सुंदर दिख सकती हैं।

आप ऐसी ही छोटी-छोटी बातों को ध्यान में रखकर चलेंगी तो सबके बीच प्रशंसा पाएंगी एवं सभ्य, सुसंस्कृत बहू कहलाएंगी।

नववधू का श्रृंगार

विवाह के अवसर पर नववधू अपना श्रृंगार स्वयं नहीं करती हैं, ऐसे अवसर के लिए सौंदर्य विशेषज्ञ की सहायता ली जाती है। नववधू का श्रृंगार कैसा हो, इसके लिए कौन-से सौंदर्य प्रसाधनों की आवश्यकता होती है, इस सबकी जानकारी हर स्त्री को होनी चाहिए। सबसे पहले तो हमें यह जानना चाहिए कि नववधू के श्रृंगार के लिए हम किन-किन सौंदर्य प्रसाधनों का इस्तेमाल करें।

- क्लींजिंग मिल्क
- फाउंडेशन
- सेटिंग लोशन
- तरल रूज
- आई ब्रो पेंसिल
- नेल फाइलर, नेल पुशर, ऑरेंज स्टिक, हैंड लोशन
- बॉडी लोशन
- ब्लैक हैड्स एक्स्ट्रेक्टर, हेयर पिन्स
- एस्ट्रिंजेंट लोशन
- स्विच, गजरा (असली फूलों का)
- शादी का जोड़ा और आभूषण
- लिपस्टिक, लिपग्लॉस
- लाल-सफेद बिंदिया
- क्रीम
- पाउडर
- आईलाइनर
- आई शैडो
- नेल पॉलिश
- रूज
- मेहंदी
- कांटे
- हेयर स्प्रे
- काजल
- परफ्यूम
- मस्कारा
- रोलर्स

नववधू के अच्छे श्रृंगार के लिए जरूरी है कि वह शादी के एक माह पूर्व ही अपने व्यायाम व खान-पान पर ध्यान दें। नववधू की त्वचा कोमल और स्निग्ध रहनी चाहिए तथा कांतिमय भी, इसके लिए एक सप्ताह पहले ही पूरी देह पर उबटन लगाकर नहाना आरंभ कर देना चाहिए। चेहरे पर फेशियल करवाने से त्वचा निखर जाती है। चेहरे पर भाप देकर कीलें आसानी से निकाली जा सकती हैं। चेहरे की सफाई के बाद नित्य स्किन टॉनिक लगाएं।

विवाह के दिन हाथ-पैरों का श्रृंगार भी आवश्यक होता है। इसके लिए विवाह के दिन प्रातः कुनकुने पानी से थोड़ा-सा साबुन का घोल बनाकर उसमें उंगलियां

डुबोकर रखें ताकि नाखून मुलायम हो सकें। अब नेल फाइलर से नाखूनों को मनचाहा आकार दें। नाखूनों की ऊपरी त्वचा पर जैतून का तेल लगाकर नेल पुशर या ऑरेंज स्टिक से ऊपर की त्वचा दबाते जाएं। अनावश्यक त्वचा कैंची से काट दें। पूरी बांह पर ऊपर से नीचे तक क्रीम की मालिश करें तथा कुनकुने पानी से हाथ धोकर हैंड लोशन लगा लें, ताकि हाथ मुलायम हो जाएं। अंत में पारदर्शी नेल पॉलिश का बेस कोट लगाकर मनपसंद गहरे रंग की नेलपॉलिश के दो कोट लगा दें।

विवाह से एक दिन पहले ही हाथ-पैरों पर मेहंदी लगाकर रचा लेनी चाहिए।

विवाह से एक दिन पहले ही वैक्सिंग, पैडिक्योर व मैनीक्योर करवा लेने चाहिए।

विवाह वाले दिन मेकअप वाटर प्रूफ ही करवाना चाहिए। इससे मेकअप लंबे समय तक टिका रह सकता है।

नववधू की केश शैली के लिए यह आवश्यक है कि बालों में चिकनाई न हो। मेकअप से पहले ही बालों को शैंपू से अच्छी तरह धोकर साफ व रूखा कर लेना चाहिए। गीले बालों में ही रोलर्स लगाकर उन्हें सुखा लेना चाहिए। सूखने पर रोलर्स निकाल देने चाहिए। इससे बालों में स्वाभाविक बल पड़ जाएंगे तथा बालों को सुंदर आकार दिया जा सकेगा। अब आप आगे के बालों की छोटी-छोटी लटें लेकर बैक कॉम्बिंग करें। वधू की हमेशा बीच की मांग ही निकालनी चाहिए क्योंकि टीके के लिए बीच की मांग ही उपयुक्त रहती है। आगे के बाल संवारने के बाद पीछे के बालों का जूड़ा बना देना चाहिए। छोटे बालों का जूड़ा बनाने के लिए बना-बनाया स्विच ही सही रहता है। बालों में गजरा भी लगाना चाहिए। अंत में बालों पर हेयर स्प्रे करना चाहिए ताकि बाल अच्छी तरह सैट हो जाएं और उनमें चमक भी आ जाए।

बालों के बाद आपके चेहरे की बारी आती है। साफ चेहरे पर सबसे पहले बेस क्रीम लगाएं। इसके बाद अपनी त्वचा से मेल खाता फाउंडेशन पूरे चेहरे, गर्दन व गले पर उंगलियों से फैलाकर एकसार कर लें। यदि आंखों के नीचे कालापन या झाइयां हैं तो उन्हें छिपाने के लिए त्वचा से मेल खाता फाउंडेशन लगाएं।

अब गालों पर ब्रश द्वारा रूज लगाएं। ऊपरी भाग पर थोड़ा-सा रूज लगाकर धीरे-धीरे नीचे की ओर मलना चाहिए। इससे गालों पर सुर्खी आ जाती है। बाद में चेहरे पर समानता लाने के लिए कॉम्पेक्ट पाउडर अवश्य लगाएं। पाउडर इस प्रकार लगाएं कि चेहरे पर धब्बे न पड़ें। पलकों के ऊपरी भाग पर भी पाउडर लगाना चाहिए।

ऊपरी भाग पर पाउडर लगाने से मस्कारा अच्छी तरह लगता है। मस्कारा, आंख

खोलकर लगाना चाहिए। ऊपरी पलक पर बाहर की तरफ करके व निचली पलक पर अंदर की ओर करते हुए मस्कारा लगाना चाहिए। अब मस्कारा सूखने के बाद आंखें हल्के-से बंद करके बारीक ब्रश से आई लाइनर लगाएं। आई ब्रो के कलर अनुसार पेंसिल फेरें। अपने चेहरे की शेप के अनुसार ही भौंहों को आकार दें।

सबसे पहले अपने होंठों पर पाउडर लगाएं। फिर अतिरिक्त पाउडर हटा लें। अब लिप पेंसिल से आउटलाइन बनाकर अंदर मैरून, लाल या कॉफी कलर की लिपस्टिक भरें। दोनों होंठों के बीच टिश्यू पेपर रखकर अतिरिक्त लिपस्टिक हटा लें। पुनः पाउडर थपथपाकर लगाएं। एक बार पुनः लिपस्टिक लगाएं। इस प्रकार लिपस्टिक लंबे समय तक टिकी रहती है।

नववधू को ध्यानपूर्वक श्रृंगार करना चाहिए

पलकों पर वस्त्रों के अनुरूप कोई भी गाढ़े शेड का आई शैडो लगाएं।

अंत में माथे पर गोल अथवा जैसी खूबसूरत जंचे, बिंदी लगाएं। लाल जोड़ा हो तो लाल बिंदी ही फबती है। माथे को सजाने के लिए भौंहों के बिल्कुल ऊपर अर्द्ध चंद्राकार में छोटी-छोटी बिंदियां बनाएं।

लिपस्टिक लगाते वक्त एक बात जरूर ध्यान रखनी चाहिए कि पहले हल्के रंग की, फिर गहरे रंग की लिपस्टिक लगाएं। अंत में लिपग्लॉस अवश्य लगाएं।

वधू चाहे किसी भी प्रांत की हो, उस पर सुर्ख लाल या मैरून रंग का जोड़ा ही जंचता है। वधू के जोड़े पर मोती सोने के तथा गोटा चांदी या जरी का ही अच्छा लगता है। इससे वधू के रूप में चार चांद लग जाते हैं।

आभूषणों के बिना तो वधू का शृंगार ही अधूरा है। वधू के माथे पर बेना, झूमर या सीस पट्टी, नाक में नथ, कानों में झुमके या कर्णफूल, गले में हार, चंद्रहार, कलाइयों में कंगन व हथफूल, कमर में करधनी या तगड़ी, पैरों में पायल तथा बिछुए, ये सभी आभूषण वधू की खूबसूरती में चार चांद लगाते हैं।

क्या होता है दुल्हन का सोलह शृंगार?

विवाह की बेला पर नववधुओं के सोलह शृंगार किए जाने की परंपरा अनादिकाल से चली आ रही है। शृंगार शब्द का प्रयोग सामान्यतः वस्त्राभूषण आदि से शरीर को सुसज्जित करने के अर्थ में लिया जाता है और सोलह शृंगार के अंतर्गत शरीर की स्वच्छता व कांति से लेकर नख-शिख शृंगार एवं स्मित छवि का समावेश माना जाता है।

प्राचीन कवियों ने नारी के सोलह शृंगार को बहुत महत्त्व दिया है। कई रचनाकार इसे मध्ययुगीन धारणा की उपज मानते हैं। इस काल के कवियों के अनुसार सोलह शृंगार के अंतर्गत अपनाए जाने वाले प्रसाधन व शृंगार इस प्रकार थे—

1. तेल मालिश, 2. उबटन, 3. स्नान, 4. अंगराग या विलेपन, 5. अंगवस्त्र, 6. केश रचना, 7. पुष्प सज्जा व मांग सजाना, 8. बिंदी व अंजन, 10. लाली, 11. मेहंदी, 12. महावर, 13. इत्र, 14. आभूषण, 15. मुस्कान, 16. आरसी-दर्पण।

तेल मालिश

तेल मालिश को सोलह शृंगार में से एक माना गया है। मालिश से शरीर की कांति बढ़ती है। त्वचा का रख-रखाव हर मौसम में जरूरी है। नमी एवं चिकनाई का संतुलन बनाए रखने के लिए मालिश सर्वोत्तम विधि है। पुराने समय में मालिश के लिए बादाम या चंदन का तेल उपयोग में लाया जाता था। आज ज्यादातर लोग ऑलिव ऑयल पसंद करते हैं। तेल को कुनकुना गरम करके कन्या के पूरे बदन की मालिश की जाती है। मालिश 15 दिन पहले से ही शुरू कर दी जाती है। इससे त्वचा स्निग्ध व कोमल हो जाती है।

उबटन

दुल्हन के सलोने सौंदर्य, खिले-खिले रूप एवं कंचन-सी निखरी काया के लिए आज भी मालिश के पश्चात उबटन लगाने की सलाह दी जाती है। इसके बाद साबुन के प्रयोग की भी जरूरत नहीं रह जाती। उबटन चाहे सूखे मेवे, केसर आदि जैसी महंगी सामग्री से बना हो या सस्ती सामग्री जैसे चना, बाजरा या गेहूं के आटे से बना हो, हमेशा उपयोगी सिद्ध होता है। उबटन के विकल्प में आज फेशियल काफी प्रचलित है। इस प्रक्रिया से भी त्वचा में निखार आता है, किंतु एक तो यह महंगा विकल्प है, दूसरे फेशियल प्रक्रिया केवल चेहरे तक ही सीमित रहती है। हाथ-पैरों के लिए वैक्सिंग का सहारा लिया जाता है, किंतु जैसा सौंदर्य उबटन की सहायता से खिलता है, वैसा आधुनिक विकल्पों से नहीं निखर पाता। यही कारण है कि उबटन की श्रेष्ठता सौंदर्य वैज्ञानिक भी स्वीकारते हैं। विवाह के अवसर पर अब भी नववधू को कई दिन पहले से ही उबटन लगाया जाता है। प्राचीन काल में सौंदर्य की देखभाल के लिए जो प्रसाधन उपयोगी माने गए हैं, उनमें उबटन ही एक ऐसा प्रसाधन है जो आज भी सौंदर्य के क्षेत्र में अपनी जगह बनाए हुए है।

स्नान

सोलह श्रृंगार के अंतर्गत स्नान को सौंदर्य का अभिन्न अंग माना गया है। उबटन के बाद स्नान क्रिया की जाती है, ताकि त्वचा साफ व स्वच्छ हो जाए। साफ व स्निग्ध त्वचा ही सौंदर्य का आईना तथा बाह्य प्रसाधनों का आधार है। हमारे देश में तो स्नान क्रिया दिनचर्या का एक बहुत ही महत्त्वपूर्ण व अतिआवश्यक क्रियाकलाप माना गया है। इसे धार्मिक क्रिया के रूप में भी लिया जाता है। उत्तर भारत में तो यह कहावत भी काफी प्रचलित है—'सौ काम छोड़कर पहले नहा लेना चाहिए।' तन-मन की स्फूर्ति व ताजगी के लिए स्नान एक सस्ता व सौंदर्य टॉनिक है।

स्नान की व्यवस्था हर देश, काल में सदा से ही रही है। मोहनजोदड़ो तथा हड़प्पा संस्कृति में भी स्नान व्यवस्था दैनिक जीवन से जुड़ी एक मुख्य क्रिया थी। वहां से प्राप्त ध्वंसावशेष इस तथ्य की पुष्टि करते हैं। उस काल में ऐसी भी व्यवस्था थी कि नर-नारी सम्मिलित रूप से स्नानगृहों में स्नान करते थे। मध्ययुग में निर्मित विशाल बावड़ियां स्नान के महत्त्व को प्रतिपादित करती हैं। महाकवि बाणभट्ट ने 'कादम्बरी' में बड़े विस्तार से स्नानगृह का उल्लेख किया है। इस भव्य स्नानागर में सुगंधित जल कलशों एवं द्रोणियों में भरा रखा रहता था। स्फटिक की बनी चौकियां वहां रखी होती थीं, जिस पर बैठकर स्नान किया जाता था। किसी जल

में चंदन का रस मिला रहता था और किसी में कुंकुम, स्नानविधि क्रीड़ामयी भी होती थी। फव्वारे भी लगाए जाते थे। स्नान के जल में विभिन्न प्रकार के पुष्प डालने की प्रथा थी। मालती पुष्प का विशेष प्रचलन था। मध्यकाल में नूरजहां के स्नानकुंड में ताजे गुलाब की पंखुड़ियां डाली जाती थीं। आज भी विशेष अवसरों पर नारी के स्नान को नहान कहते हैं। विवाह से पहले नहान का महत्त्व एक रस्म के रूप में है।

विलेपन एवं अंगराग

स्नान के साथ विलेपन क्रिया का संबंध रहा है। कभी स्नान से पूर्व और कभी स्नान के साथ विलेपन की प्रथा थी, विलेपनों में चंदन का प्रमुख स्थान था। चंदन एवं अन्य लेपों द्वारा शरीर को स्वच्छ व सुवासित किया जाता था। सुगंधित मिट्टी (मुल्तानी मिट्टी) का भी प्रयोग किया जाता था। इनमें पंखुड़ियां पीसकर मिलाई जाती थीं। उस समय साबुन का युग नहीं था, अतः लेप लगाकर उसे रगड़ते हुए स्नान किया जाता था, तत्पश्चात शरीर पर सुगंधित वस्तुओं से बना 'अंगराग' लगाया जाता था। यह ऋतु के अनुसार बदलता रहता था। शीत ऋतु में कस्तूरी, केसर और अगरु लेप का महत्त्व था। ग्रीष्म ऋतु में चंदन व कपूर की प्रधानता होती थी। इसके द्वारा शरीर पर पक्षियों के जोड़े, युगल मूर्ति में बनाए जाते थे। शरीर की शोभा बढ़ाने तथा पसीने की दुर्गंध दूर करने के लिए ही शरीर पर सुगंधित द्रव्यों का लेप किया जाता था। इसका प्रचलन वैदिक काल से ही मिलता है। ठोड़ी व कपोल सजाने की परंपरा भी अंगराग के अंतर्गत आती है। अत्रिदेव विद्यालंकार ने अपनी पुस्तक 'प्राचीन भारत के प्रसाधन' में इस शृंगार का वर्णन करते हुए लिखा है कि कपोल का शृंगार कई रूपों में किया जाता था। विशेष प्रकार के बेलबूटे व बुंदकी आदि बनाकर सजाया जाता है। आज शृंगार में अंगराग का स्थान खत्म हो चुका है, किंतु दुल्हन को सजाते समय भौंहों के ऊपर लाल सफेद बुंदकों की परंपरा व ठोड़ी पर काला तिल बनाने की कला अभी भी जीवित है। इन बुंदकियों के बिना दुल्हन, दुल्हन नहीं लगती।

अंगवस्त्र

सजने-संवरने का अवसर आते ही ब्याही-कुंआरी, हर नारी के मन में पहला प्रश्न उठता है 'क्या पहने' और यदि मौका अलबेली दुल्हन के शृंगार का हो तो निश्चय ही विशेष वेशभूषा की तैयारी खास जतन से की जाती है, क्योंकि लिबास या परिधान न केवल दुल्हन को अनूठा सौंदर्य प्रदान करते हैं, बल्कि संपूर्ण व्यक्तित्व की पृष्ठभूमि

बन जाते हैं। बदलते युगों के साथ-साथ वस्त्रों की निर्माण प्रक्रिया बदलती रही। वैदिक साहित्य के रचनाकाल में स्त्रियां सुरुचिपूर्ण ढंग से वस्त्र पहनने लगी थीं। उस समय 'रसना' का विशेष महत्त्व वर्णित है। यह रसना वक्षस्थल पर बांधी जाती थी। कमर के नीचे लहंगा पहना जाता था। विशेष मुहूर्त या पूजा के अवसर पर घुटनों तक की धोती पहनी जाती थी। ये पोशाकें दसवीं शताब्दी तक प्रचलित थीं।

फिर धीरे-धीरे 15वीं शताब्दी तक धोती, चोली, लहंगा, ओढ़नी प्रचलन में आ गई थी। उत्तरी भारत में लहंगा-चोली का विशेष प्रचलन था। आज भी इसे विशेष मौकों पर पहना जाता है। लहंगा मूलतः ब्रज का विशिष्ट परिधान रहा है जो ब्रज के साथ उत्तर प्रदेश, राजस्थान, मालवा तथा गुजरात में भी लोकप्रिय हुआ। 16वीं शताब्दी तक पहुंचते-पहुंचते साड़ी का प्रचलन बढ़ गया। अकबरकालीन चित्रों में साड़ी का अलंकृत बॉर्डर तथा पल्लू का कलात्मक रूप दिखाई देता है।

यूं तो सभी मौकों पर लिबास एक अनूठा परिवेश निर्मित करते हैं, किंतु जब नई नवेली दुल्हन सजती है तो परिधानों की भूमिका में उतरते हैं अरमानों के रग, उभरती है एक विशेष संस्कृति, अलंकृत होती है नारी। आकृति और सोलह शृंगार से मंडित हो मंडप में कदम रखती है चंद्रमुखी।

केश रचना

प्राचीन काल से ही महिलाएं केश विन्यास को अपने शृंगार में प्रधानता देती रही हैं, इसलिए परम्परागत सोलह शृंगार में केश रचना की भूमिका अहम् हो जाती है। प्राचीन काल में जब आर्य सभ्यता अपने पूर्ण गौरव पर थी, तब से लेकर आज तक भारतीय कवियों, चित्रकारों, मूर्तिकारों की कृतियों ने इसके महत्त्व को अनेक रूपों में व्यक्त किया है। खुदाई के दौरान मिली प्राचीन मूर्तियों की केश रचना एक-से-एक खूबसूरत हैं। कहीं पीछे लटकता-सा जूड़ा तो कहीं ऊंचा जूड़ा। उत्तर भारत की अपेक्षा दक्षिण भारत की मूर्तियों का केश विन्यास अधिक भव्य है। सारनाथ, मथुरा तथा उत्तर भारत में 'अलकावलि', 'मयूरपंखी', 'अहिछत्र' आदि विधियां काफी लोकप्रिय थीं। अल्कावलि विधि में बालों को घुंघराला बनाकर छोड़ दिया जाता था। मयूरपंखी में मयूर पंख जैसा आकार एवं अहिछत्र में नाग के फन जैसा आकार होता था। अजंता की मूर्तियों में भी भारतीय केश रचना के अनेक नमूने देखे जा सकते हैं। मुगलकाल में जब तिसर ढकने का रिवाज आया तो जूड़ों के बजाय चोटी लोकप्रिय हो गई। उस काल के अनेक कवियों ने नागिन-सी लहराती चोटी के वर्णन में सुंदर काव्य रचना की है।

हेयर स्टाइल कैसा भी हो, दुल्हन की केश रचना उसके व्यक्तित्व के अनुरूप होनी चाहिए। केश रचना के बाद बालों को सुसज्जित किया जाता है।

पुष्प सज्जा

दुल्हन संपन्न घराने की हो या साधारण परिवार की, फूलों के बिना उसका शृंगार अधूरा रह जाता है। पुष्प द्वारा केशों को सजाना सोलह शृंगार की भारतीय परंपरा का एक अंग है। वैदिक काल की स्त्रियां केश-सज्जा हेतु पुष्प, मोती, सिंदूर, रुपहली-सुनहरी किरण, सोने-चांदी के घुंघरू अथवा चांद-सूरज या कुंदर के जड़ाऊ टुकड़े लगाया करती थीं। पुष्प सज्जा के दौरान दो शैलियां अधिक लोकप्रिय थीं। एक, जूड़े में गजरा बांधना और दूसरा, चोटी में वेणी लगाना। कभी-कभी लड़ियों का गुच्छा बनाकर खुले बालों पर लगाया जाता था। इस प्रकार की पुष्प सज्जा महाराष्ट्र व दक्षिण भारत में आज भी प्रचलित है। कहीं-कहीं तो दुल्हन का पूरा शृंगार ही फूलों से किया जाता है। पुष्प सज्जा के लिए उन्हीं फूलों को चुना जाता है जिनकी भीनी सुगंध तन-मन को उल्लसित व सुवासित करती रहे। चम्पा, चमेली, मोगरा, जूही, केतकी, रजनीगंधा, गुलाब आदि फूल प्रिय रहे हैं।

बिंदिया

बिंदी भारतीय संस्कृति के पारम्परिक कलात्मक शृंगार की पहचान है। इसका प्रयोग सदियों पुराना है। कृष्ण काव्य धारा के सभी कवियों ने ललाट पर बिंदी का चित्रमय वर्णन किया है। अष्टछाप कवियों ने नारियों को सिंदूर बंदर (रोली) या चंदन की बिंदिया तथा केसर आदि का टीका लगाते हुए वर्णित किया है। सूर सागर में तो बिंदी के अनगिनत रूप चित्रित हैं। भारत के अनेक प्रांतों में बिंदी केवल शृंगार प्रसाधन न होकर सुहाग का प्रतीक भी मानी गई है। दक्षिण भारत में रोली व कुंकुम की बिंदी का प्रचलन है, बंगाल में सिंदूर की बिंदी शुभ मानी जाती है, वैसे तो ज्यादातर बिंदिया गोल अथवा तिलक के आकार की ही लगाई जाती हैं, किंतु प्राचीन काल में विवाह आदि अवसरों पर अर्धचंद्राकार, स्वस्तिक या कलश की आकृति वाले आकार में भी बिंदी बनाई जाती थी।

अंजन

आंखें हमारी भावनाओं का आईना हैं। जो बात जुबां पर नहीं आ पाती उसे आंखें बयां कर देती हैं। तभी तो आंखें बोलती हैं, मुस्कराती हैं, मचलती हैं,

रूठती-मनाती हैं, उदास होती हैं, चंचल या बेबस भी होती हैं, क्रोध से लाल, अनुराग से रंजित भी होती हैं, और तो और आंखों-ही-आंखों में इशारे भी हो जाते हैं, प्रेम कहानियां बन जाती हैं, दुश्मनी की बुनियाद तक पड़ जाती है। शायद यही कारण है कि कवियों ने आंखों के सौंदर्य व भाव-भंगिमाओं का खूबसूरत वर्णन किया है, सूर, तुलसी साहित्य में नौ रसों की अभिव्यक्ति का माध्यम आंखें ही हैं।

सुरमा, काजल या अंजन द्वारा नयनों को मुखर बनाने की प्रथा प्राचीन है। हमेशा से ही काजल हमारे समाज में दैनिक प्रसाधन का अंग रहा है, किंतु वियोग की स्थिति में विरहणी काजल नहीं लगाती थी। कवि कालीदास के काव्य में अंजन के अनेक उल्लेख मिलते हैं। खजुराहो की मूर्तियों में नारी सौंदर्य के अद्भुत स्वरूप अंकित हैं। देवी जगदम्बा के मंदिर में नेत्रों में अंजन लगाती हुई एक प्रतिमा है। आज के आधुनिक युग में भी काजल शृंगार का प्रमुख अंग है।

लाली

शृंगार या सुंदरता का जिक्र होते ही आंखों के सामने उभरता है एक अक्स...कंचन-सी काया, भावभीने नयन, खूबसूरत होंठ। आंखें यदि मन का आईना हैं तो होंठों को मन की सांकेतिक भाषा कहा जा सकता है। होंठों से मन की गहराइयों की, मौन संवेदनाओं की अभिव्यक्ति होती है। होंठ चाहे सुंदर हों या साधारण, उनकी अपनी स्वाभाविक लालिमा तो होती ही है, फिर भी उन्हें संवारने तथा और भी आकर्षक बनाने की क्रिया आदि काल से अपनाई जा रही है। बातचीत के दौरान होंठ जब खुलते या बंद होते हैं तो आंखें मूक दर्शक बनी एक सम्मोहन में बंधती चली जाती हैं। शायद इसीलिए सोलह शृंगार की काव्यधारा में इसका प्रचुर वर्णन है।

प्राचीन युगीन काव्य में होंठ रंगने के अनेक वर्णन हैं। पान का सेवन यानी ताम्बूल का प्रयोग बहु प्रचलित था। पूजा-अर्जना में प्रयोग के साथ-साथ होंठों को लाल करने में भी यह प्रयुक्त होता था। सूर साहित्य में पान से रचे होंठों का वर्णन अनेक स्थानों पर है। पान की भांति ही दंदासा व मिस्सी का भी प्रचलन था।

मेहंदी

प्रियतम को रिझाने की चाहत हुई तो यौवनाओं का दिल सोलह शृंगार के लिए मचल उठा। काजल, बिंदी, लाली सभी सजा लिया, फिर भी शृंगार अधूरा-सा...प्रेम का प्रतीक लाल रंग जो अंग नहीं लगा...तो पीसी गई मेहंदी की

हरी पत्तियां और रचाई गई लाल-लाल मेहंदी...प्रेम व आकर्षण की पराकाष्ठा का अनूठा रंग...जिससे उभरती है एक कशिश और द्विगुणित होता है नारी सौंदर्य। भारतीय संस्कृति के परंपरागत सौंदर्य प्रसाधनों में मेहंदी का स्थान अग्रणी है। इसका प्रचलन मध्य एशिया के पूर्व पश्चिमी क्षेत्रों से लेकर संपूर्ण भारत तक है। यह शुभ व मांगलिक भाव का प्रतीक भी है।

पंजाब, राजस्थान, गुजरात तथा मध्य व उत्तर प्रदेश में विवाह से पूर्व मेहंदी की रस्म एक प्रथा है। रीतिकालीन कवियों की रचनाओं में मेहंदी रचे हाथों के अनुपम सौंदर्य का उल्लेख मिलता है, इसकी गिनती न केवल सोलह शृंगार में की जाती है, बल्कि चौंसठ कलाओं में भी इसका समावेश है। इसे 'हिना' भी कहा जाता है।

महावर

कल्पना के सोपानों में चेहरे की भांति चरणों को भी कमल की उपमा दी गई है। विवाह मंडप में नई नवेली दुल्हन के कदमों की आहट किसी मधुर संगीत से कम नहीं लगती और जब पैर महावर से अलंकृत हों तो पैरों पर नजरें ठहर-ठहर जाती हैं। सौभाग्यवती नारी के शृंगार प्रसाधनों तथा सुहाग चिन्हों में पैरों के शृंगार का विशिष्ट स्थान है।

पैरों को मेहंदी और आलता या महावर से सजाया जाता है। महावर एक प्रकार की लाख से बना लाल रंग का द्रव्य होता है। गोरे-गोरे पांवों पर लगी महावर की छटा को शृंगारिक कवियों ने अनेक उपमाओं से सुसज्जित किया है। महावर के प्रचलन का उल्लेख प्राकृत काल से ही मिलता है। प्राचीन 'मरहुत-शिल्प' में महावर से भरे आम्रफल जैसे पात्रों का वर्णन है। लाक्षरस यानी महावर से पैरों पर बेलबूटे या पत्तियों की आकृति बनाई जाती थी। अंगूठे पर तिलक लगाया जाता था।

जायसी ने पद्मावती के नख-शिख वर्णन में चरणों के विशेष आभूषणों के बावजूद पैरों की लालिमा के बिना शृंगार अधूरा माना है। इसे उल्लास व उमंग से संबंधित माना गया है। विवाह के अवसर पर नाईन को बुलाकर आलता या महावर लगाने व नेग देने का वर्णन सूर तथा तुलसी साहित्य में अनेक स्थानों पर उल्लिखित है।

आज भी यह प्रथा कई एक स्थानों, विशेषकर उत्तर भारत में रस्म के रूप में प्रचलित है।

इत्र

शृंगार के साथ सुगंध का एक अभिन्न रिश्ता है जो आदिकाल से चला आ रहा है। इसकी अनिवार्यता हर युग में स्वीकारी गई है। शरीर को सजाने-संवारने के प्रत्येक प्रसाधन में खुशबू का समावेश किया जाता था। केसर, कस्तूरी व चंदन महत्त्वपूर्ण थे। स्नान के जल में पुष्प पंखुड़ियां डाली जाती थीं। महकती कलियों से शीश शृंगार की प्रथा रही है। यूं तो सोलह शृंगार के अंतर्गत अलग से सुगंध की गिनती हर कवि ने नहीं की है। केवल कहीं-कहीं ही सोलह शृंगार के रूप में उल्लेख है।

मध्यकाल में मुगलकाल के दौरान सुगंधित प्रसाधनों के अलावा सुगंधित पदार्थों से अर्क-सा सत निकालने की प्रक्रिया प्रचलित हुई। स्नान के बाद तथा संपूर्ण शृंगार के बाद इत्र लगाना सामंती, शाही परिवारों एवं राजघरानों का आम रिवाज था। हालांकि मध्ययुगीन कवियों ने सोलह शृंगार वर्णन के दौरान हाथ के आभूषण आरसी में इत्र का फोहा रखने का जिक्र किया है। आरसी में बारीक छिद्र होते हैं, अतः इत्र की महक आसपास के वातावरण को सुगंधित करती रहती थी। इत्र के लिए गुलाब, रात की रानी, जूही व बेला का अर्क लोकप्रिय था।

आभूषण

सिर से लेकर पांव तक गोरी की कंचन-सी काया आभूषण पहनते ही स्वयं कंचन बन जाती है। गहनों का प्रयोग भारत में सिंधु घाटी सभ्यता के युग से चला आ रहा है। पहले-पहल आभूषणों को दो वर्गों में विभाजित किया गया था। पहला 'सम्मार' यानी जो गहने ऊपर पहने जाते थे, दूसरा 'बंधनीय' जिन्हें बांधकर पहना जाता था, किंतु भारत के नाट्यशास्त्र में चार प्रकार के अलंकारों का उल्लेख मिलता है।

1. आवे यम : जो छिद्र द्वारा पहने जाते हैं, जैसे कर्णफूल, बाली, झुमके, नथ आदि।

2. बंधनीचम : जो बांधकर पहने जाते थे। बाजूबंद, पहुंची आदि।

3. प्रक्षेप्य : जिसमें अंग डालकर पहना जाए, जैसे कंगन, मुंदरी, पायल आदि।

4. आरोप्य : जो किसी अंग में लटकाकर पहना जाए। इस श्रेणी में कंठहार, करधनी, चंपाकली आदि हैं। विभिन्न कालों में आभूषणों की संख्या घटती-बढ़ती रही। मध्यकाल में बारह आभूषण शृंगार की परंपरा बन गए थे, किंतु आगे चलकर

'आईने अकबरी' (शहंशाह अकबर के बारे में अब्बुल फय्याज द्वारा लिखित एक पुस्तक) में यह संख्या छत्तीस हो गई। हर अंग के लिए विशेष आभूषण हुआ करता था। धीरे-धीरे गहने जाति वर्ग, विवाहित-अविवाहित का परिचय भी बन गए।

आरसी व दर्पण

यह प्रत्यक्ष शृंगार प्रसाधन न होकर सहायक वस्तुओं में गिना जाता है, किंतु सोलह शृंगार परंपरा का आवश्यक अंग माना गया है। प्राचीन प्रसाधनों में इसका उल्लेख केवल कहीं-कहीं ही है, लेकिन अनेक प्राचीन मूर्तियों के हाथ में दर्पण है। खजुराहो की एक प्रसिद्ध मूर्ति है, जिसमें एक नारी आकर्षक मुद्रा में हाथ में दर्पण लेकर स्वयं को निहार रही है।

पृथ्वीराज रासो में रूपमती के हाथ में दर्पण का उल्लेख है। सूरसागर में भी कई स्थानों पर इसका उल्लेख है। शृंगार की सहायक वस्तु के रूप में इसे हर काल में उपयोगी माना गया है। मध्यकाल के प्रारंभ में इसे सोलह शृंगार में गिना जाने लगा था।

दर्पण की आवश्यकता अनुभव करके ही सुंदरियों के हाथ में आरसी पहनाने का प्रचलन बढ़ा।

आरसी एक प्रकार की अंगूठी ही होती है, इसे दाएं हाथ के अंगूठे में पहना जाता है। छोटी-सी बंद डिब्बी होती है, जिसमें चारों तरफ छोटे-छोटे छिद्र होते हैं और ऊपर दर्पण जड़ा होता है। आज भी राजस्थान में विवाह के समय आरसी एक जरूरी आभूषण है। मंडप में बैठी दुल्हन इसमें अपने चेहरे का प्रतिबिंब देख सकती है।

मुस्कान

नारी सौंदर्य पर मुस्कान का अनुकूल प्रभाव पड़ता है। नारी का आकर्षण द्विगुणित हो उठता है, यदि उसमें स्मित व चितवन की मनमोहक अदा समा जाए। यही कारण है कि मुस्कान को सारे प्रसाधनों से बढ़कर माना गया है। प्राचीन कवियों ने इसे सौंदर्य का अभिन्न अंग माना है, किंतु सोलह शृंगार परंपरा का अंग यह जायसी के नख-शिख के वर्णन के बाद बना। राधावल्लभी संप्रदाय के कवि हरीराम व्यास ने 'षोड्स शृंगार' के सभी पदों में 'मंदहास' को महत्त्वपूर्ण स्थान दिया है। कुछ कवियों ने मुस्कान की गणना तेरहवें अंक पर की है तो अधिकांश ने इसे अंतिम शृंगार के रूप में माना है।

आधुनिक दुल्हन के हेयर स्टाइल

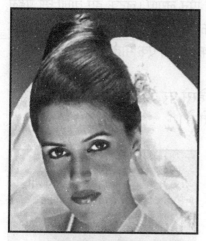

रिसेप्शन बन

- बालों को हॉरिजेंटल एक कान से दूसरे कान तक आधा-आधा बांट लें। पीछे वाले भाग को लेकर ऊंची पोनीटेल बना लें और पोनीटेल का एक फ्रेंच नॉट बनाएं।
- अब बालों के पहले भाग को लेकर कॉम्ब करें व उसे फ्रेंच नॉट के ऊपर सारे बालों को अंदर करके इनविजिबल पिन के साथ पिनअप करें। अच्छी तरह कंघी करें, ताकि बाल साफ-सुथरे लगें।

कर्ल ओवरलेप हेयर स्टाइल

इस स्टाइल को बनाने के लिए बाल लंबे होने चाहिए। अगर बाल लंबे नहीं हैं तो आप अपने बालों के साथ हेयर अटैचमेंट लगाएं।

- पहले आईब्रो के बीच से क्राउन एरिया तक मिडिल पार्टिंग करें, फिर एक कान से दूसरे कान तक एक और पार्टिंग लें। इससे दोनों साइड्स के बाल फ्लिक्स की तरह सामने आ जाएंगे और पीछे का हिस्सा बड़ा रह जाएगा।

- अब पीछे वाले सेक्शन को ट्विस्ट करके एक फ्रेंच नॉट बनाएं। फ्रेंच नॉट बनाने के बाद जो लंबे बाल नॉट से बाहर निकलें उनको कई सेक्शन में हर तरफ से बांट लें। अब हरेक सेक्शन को सफाई से कॉम्ब करें, स्प्रे करें और टेल कॉम्ब की सहायता से रोल करके नॉट के अगल-बगल बराबर से पिनअप करें।

167

- अब आपके पास बचे हैं आगे के बालों के दो सेक्शन, बायां और दायां। अब बैक कॉम्ब करके दोनों सेक्शन को क्रॉस करते हुए नॉट के ऊपर लाएं और लट के बीच में इनविजिबल पिन लगाएं। लटके हुए बालों को पहले की तरह कई सेक्शन में बांटकर स्प्रे करें और रोल करके नॉट के इधर-उधर सजाते हुए पिनअप करें। अब एक मोती इनविजिबल पिन में पिरोकर हरेक रोल को सजा दें।
- इस स्टाइल में मॉडल के क्राउन हिस्से पर एक हेयर एसेसरीज का प्रयोग किया गया है जिसे हेयरमैट कहते हैं।

सेवेंटीज लुक हेयर स्टाइल

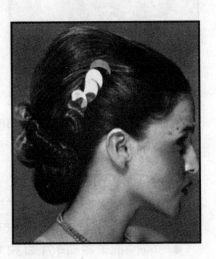

- बालों को हॉरिजॉन्टली विभाजित करें। अब पीछे वाले बालों का ऊंचा जूड़ा बनाएं और बहुत सारा स्टफिंग भी पिनअप करें।
- अब आगे वाले बालों को कॉम्ब करके पहले वाले जूड़े को कवर करते हुए थोड़ा नीचे गले के पास जूड़ा बना लें। ध्यान रहे सारे बाल चिकने दिखने चाहिए।

दुल्हन की बिंदिया

माथे पर चमकती सजीली बिंदिया सदियों से भारतीय नारी की पहचान रही है। बिंदी कब और कैसे सुहाग का प्रतीक बनी, यह तो कहा नहीं जा सकता, लेकिन आज भारतीय बिंदी विश्व-भर में अपनी अलग पहचान बना चुकी है।

आजकल सुनहरे और रुपहले रंगों वाली बिंदियां भी काफी प्रचलन में हैं। आप चाहें तो किसी भी रंग की साधारण बिंदी पर नीचे, अर्द्धचंद्राकार या त्रिकोण में नग लगाकर खूबसूरत बिंदी बना सकती हैं।

आप विभिन्न रंगों की लिक्विड बिंदियों से डिजाइनर बिंदी भी लगा सकती हैं। यह बहुत आसान है। कोई भी डिजाइन और उसके रंग तय करके आप ब्रश की सहायता से माथे पर उकेर लें। विभिन्न अवसरों पर इस तरह की डिजाइनर बिंदियां काफी आकर्षक लगती हैं।

आज दुनिया-भर में महिलाएं माथे के अलावा कनपटियों, गालों, ठोड़ी आदि पर नाना प्रकार की बिंदी लगाने लगी हैं। आप चाहें तो प्रयोग के तौर पर यह भी आजमा सकती हैं।

सावधानी

- हमेशा अच्छी क्वालिटी की बिंदी ही खरीदें।
- अवसर और अपनी पोशाक के अनुरूप ही बिंदी का चयन करें।
- चेहरे का पूरा मेकअप करने के बाद आखिर में बिंदी लगाएं।
- लिक्विड बिंदी लगाते समय माथे के नीचे टिश्यू पेपर रखें, ताकि चेहरे पर छींटे न पड़ें।
- डिजाइनर बिंदी हमेशा सधे हाथों से लगाएं। नया डिजाइन लगाने से पहले उसे कागज पर बनाकर या मेकअप से पहले माथे पर लगाकर देख लें कि वह आप पर फबेगा या नहीं।
- बिंदी लगाते समय अपने चेहरे के आकार और रंगत का ध्यान रखें। छोटे चेहरे पर बहुत बड़ी बिंदी सुंदर नहीं लगती तो लंबे चेहरे पर लंबी बिंदी नहीं भाती।

शादी वाले दिन की कुछ तैयारियां

शादी वाला दिन अत्यंत भीड़-भाड़ वाला व व्यस्त दिन होता है। सभी किसी-न-किसी कार्य में व्यस्त रहते हैं। कई बार तो ब्यूटीशियन तक से मेकअप करवाने का वक्त नहीं होता। ऐसे में परेशान न होकर आप स्वयं ही मेकअप कर सकती हैं।

- दो चम्मच चंदन पाउडर में एक चम्मच मुल्तानी मिट्टी व टमाटर का गूदा मिलाकर उबटन लगाएं। फिर पंद्रह मिनट बाद धो लें।
- बालों को किसी अच्छे शैंपू से धोकर अंत में नीबू के पानी से धो लें।
- पोशाक से मेल खाती नेलपॉलिश सुबह तैयार होते समय ही लगा लें।
- शादी के दिन वाटरप्रूफ मेकअप का ही उपयोग करें। चेहरे के रंग से मेल खाता फाउंडेशन लगाएं, फिर चेहरे, हाथ, कान के पीछे तथा गले पर मैचिंग रंग का कॉम्पैक्ट लगाएं।

170

- शादी के रोज जब आप ब्यूटी पार्लर जाने की तैयारी करें तो शादी के हल्ले-गुल्ले में कोई भी वह चीज ले जाना न भूलें जो ले जाना जरूरी है, जैसे आपकी शादी का जोड़ा, आपके जेवर, वेणी और फूल आदि। फूल भारतीय नारी का बहुत ही प्रिय सौंदर्य प्रसाधन रहा है। दुल्हन की सुंदरता में तो फूल एक अनूठी सुगंध पैदा कर देता है। फूलों के प्रयोग का एक और कारण भी है और वह यह कि प्रायः अच्छे परफ्यूम उपलब्ध न होने के कारण जो परफ्यूम या सुगन्धित वस्तुएं प्रयोग की जाती हैं उनसे दुल्हन के कीमती कपड़ों पर दाग-धब्बों का भय बना रहता है, कपड़े गल भी सकते हैं या जरी काली पड़ सकती है।
- यदि ड्रेस का रंग गुलाबी, मेजेंटा या मैरून है तो गुलाबी ब्लश ऑन, लाल रंग है तो पीच कलर का ब्लश ऑन लगाएं।
- आंखों के मेकअप के लिए पहले पलकों के ऊपरी हिस्से में गोल्डन और नीचे ड्रेस से मैचिंग आईशैडो, पलकों पर आईलाइनर और आंखों के नीचे काजल लगाएं। आंखों के अनुरूप मस्कारा भी लगाएं। ब्राउन या काली आई ब्रो पेंसिल से भौंहों को आकार दें।
- आजकल के विवाह उत्सवों में तेज रोशनियों, कैमरों और वीडियोग्राफर के फ्लेश, दुल्हा-दुल्हन के साथ फोटो खिंचवाते मेहमानों के धक्के-मुक्के, ननदों और सालियों की छेड़-छाड़ के बीच एक ऐसा गर्मागर्म माहौल बन जाता है जहां दुल्हन बेचारी के लिए अपने मेकअप को आठ-दस घंटे संभाले रखना बहुत मुश्किल हो जाता है। विवाह के मौके पर करैक्टिव मेकअप ही उचित रहता है। करैक्टिव मेकअप से चेहरे के दाग-धब्बे तथा अन्य अनुपातित नाक-नक्श सरलता से छिपाए जा सकते हैं। वाटरप्रूफ बेस द्वारा मेकअप को आठ-दस घंटे तक सरलता से टिकाऊ रखा जा सकता है।
- केश सज्जा से पहले आभूषण, पोशाक पहन लें। यदि चोटी बनाई हो तो चोटी पर ताजा फूलों की माला लपेट लें। यदि जूड़ा बनाना चाहें तो कई चोटियों वाला जूड़ा बनाकर फूलों से सजा लें।
- गुलाबी गालों की कल्पना की सार्थकता गालों पर लगाए जाने वाले ब्लशऑन पर निर्भर करती है। चेहरे के नाक-नक्श और चेहरे की त्वचा के रंग के अनुसार हल्के या गहरे रंग के ब्लशऑन का सही अनुपात में इस्तेमाल होना चाहिए। इसे लगाने के ढंग का भी बड़ा महत्त्व है। चेहरे की लंबाई-चौड़ाई

171

के अनुसार ही इसका प्रयोग होना चाहिए। ये गुलाबी, बेज तथा पीच शेड के प्रयोग में लाए जाते हैं।

- विभिन्न प्रकार की आईशैडो भी दुल्हन को मृगनयनी की परिभाषा से जोड़ने में बहुत सहायक होती हैं। ये कई शेड्स में उपलब्ध हैं और वेश-भूषा के रंगों के अनुरूप ही उनका चयन होना चाहिए, पर दुल्हन के लिए विशेष रूप से गोल्डन शेड्स उपलब्ध हैं जिन्हें अपने रंग के आधार पर चुनना चाहिए।

- दुल्हन की उठती-गिरती पलकों की भाषा सुंदर घुमावदार बरौनियों से और भी मुखरित हो उठती है। इसलिए सेमी-परमानेन्ट बरौनियां किसी भी साधारण नयन वाली को मृगनयनी की संज्ञा दे सकती हैं। फिर उन पर आई-लाइनर का वाटरप्रूफ आवरण उन्हें और भी आकर्षक बना देता है। सही लाइनर जहां सुंदरता बढ़ाता है, वहीं खराब लाइनर उसी सुंदरता को नष्ट भी कर सकता है।

- दुल्हन की भौंहों का शृंगार भी काफी महत्त्वपूर्ण होता है। यह साधारण-सी दिखने वाली दो छोटी-छोटी भौंहें उतनी साधारण कदापि नहीं हैं, जितना कि हम उन्हें समझते हैं। भौंहों के विभिन्न तरीके के शृंगार से चेहरे का आकार और भाव तक बदले जा सकते हैं। पूरे चेहरे के आकार और आधार पर आंखों की दूरियों को ध्यान में रखते हुए ही सही भौंहों के आकार चुनने चाहिए, वर्ना अच्छा-भला चेहरा भी बड़ा अटपटा-सा दिखने लगता है।

- एक भारतीय दुल्हन का शृंगार चिन्ह बिंदी, मात्र एक चिन्ह ही नहीं है, बल्कि शृंगार का एक अत्यंत आवश्यक अंग भी है। पोशाक व चेहरे के रंग-रूप के अनुसार वाटरप्रूफ और कलात्मक बिंदिया दुल्हन के चांद-से मुखड़े को सचमुच चार चांद लगा सकती हैं। आजकल दो-तीन शेड्स एक साथ भी लगाए जाते हैं और उनमें नगों तथा डायमंड तक का प्रयोग किया जाता है। आज के आधुनिक मेकअप में यह बिंदिया ही पारम्परिकता का पुट देती हैं।

- कुंदन, तीन रंगी सोना, हीरे-मोती के गहनों के अतिरिक्त पारंपरिक गहने भी पहने जा सकते हैं।

- ड्रेस से मेल खाते सैंडिल पहनना अच्छा रहता है, वरना पारदर्शी या सुनहरी सैंडिल भी हर ड्रेस पर फबते हैं।

- दुल्हन के मंद-मंद मुस्कराते होंठ सभी को आकर्षित करते हैं और बिना हिले ही बहुत कुछ कह जाते हैं, किंतु अगर सही ढंग से लिपस्टिक न लगी

172

हो या वह बह निकली हो तो सारा आकर्षण धरा रह जाता है। लिपस्टिक हमेशा अच्छी किस्म की ही इस्तेमाल करनी चाहिए। लिपस्टिक लगाने से पहले होंठों पर लिप-लाइनर से सही आकार देना चाहिए, उसके बाद इस आकार के अंदर लिप-बेस लगाना चाहिए और अंत में उस पर एक सही शेड की लिपस्टिक का प्रयोग करना चाहिए। इससे होंठ तराशे हुए और कलात्मक लगते हैं।

सबको आकर्षित करते हैं दुल्हन के मंद-मंद मुस्कराते होंठ

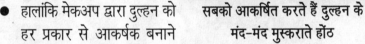

- हालांकि मेकअप द्वारा दुल्हन को हर प्रकार से आकर्षक बनाने का प्रयत्न किया जाता है, पर फिर भी अगर कुछ कमी रह जाए तो वह बालों के बनाव से भी पूरी की जा सकती है। यहां तक कि चेहरे को ओवल शेप देने में भी बालों के बनाव का बड़ा हाथ रहता है। हां, इस बात का अवश्य ध्यान रखना चाहिए कि भारतीय दुल्हन को सिर पर चुन्नी और माथे पर टीका जरूर लगाना होता है, इसलिए बालों की बनावट उसी के अनुरूप होने से उनके प्रयोग में आसानी रहती है।
- लाज का घूंघट ही सच्चे मायनों में दुल्हन को यह रूप प्रदान करता है जो सारे श्रृंगार से ऊपर, एक अलौकिक श्रृंगार है। कहने को एक साधारण-सी चुन्नी दुल्हन को जो छटा देती है वह संभवतः दुनिया का कोई सौंदर्य-प्रसाधन नहीं दे सकता। इस चुनरी को सलीके से ओढ़ना और उसके बीच अपने स्वर्ण-सौंदर्य को दीप्त रखना ही दुल्हन को पूर्णता प्रदान करता है। एक देव-कन्या-सी सुकोमल, सुशोभित और अलौकिक दुल्हन जब अपनी प्रणय वेदी पर पांव रखती है तो एक पवित्र-पावन और कंचन रूप की स्वामिनी बनकर पूरे घर में खुशी का वातावरण पैदा कर देती है।

इस प्रकार थोड़ी-सी बेसिक जानकारी होने पर शादी वाले दिन आप खुद ही अपनी ब्यूटीशियन बन सकती हैं।

हनीमून और ब्यूटी केयर

शादी के बाद हनीमून पर जाते समय स्वयं को आकर्षक बनाए रखने के लिए समय और साधन आसानी से उपलब्ध नहीं हो पाते। अतः बाहर निकलते समय कुछ खास ब्यूटी टिप्स को जरूर अपनाइए ताकि धूल, धुआं और भागम-भाग भरी यात्रा में भी आप बनी रहें खिली-खिली।

हनीमून पर भी बनाए रखें अपना सौंदर्य

- यात्रा के दौरान प्रसाधन और मेकअप के लिए अपने पास एक बड़ा-सा शोल्डर बैग और प्लास्टिक के दो पाउच जरूर रखें।
- आपके प्रसाधन आपकी पहुंच में आसानी से होने चाहिए, ताकि यात्रा की थकान को भूलकर आप झट-से मेकअप के द्वारा स्वयं को आकर्षक एवं आत्मविश्वासी बनाए रखें।

174

- यदि केश लंबे हों तो उन्हें साफ रखने के लिए हेड बैन्ड और हेयर क्लिप्स अपने साथ जरूर रखें।
- सफर पर जाते समय बालों को धूल, हवा और धूप से बचाने के लिए स्कार्फ भी जरूर साथ रखें।
- यदि आप हनीमून के साथ ही अपने रिश्तेदारों से मिलने की संभावना रखती हैं तो आपको कुछ अच्छे परिधानों और आभूषणों की जरूरत पड़ सकती है। इसके लिए एक-दो अच्छे परिधान और हल्के आभूषण रखें।
- हनीमून के लिए पहाड़ी स्थल पर जाने के लिए कैजुअल कपड़े, हल्के जूते, स्कार्फ और धूप के चश्मे की भी जरूरत पड़ सकती है।
- चूंकि भ्रमण के दौरान आपको देर तक घूमना या चलना पड़ सकता है, अतः फ्लैट अथवा हील वाले जूते या सैंडिल साथ में रखें।
- आपके कपड़े आरामदायक और हैंड बैग आसानी से साथ ले जाने वाला होना चाहिए।
- चूंकि आप अपना अधिकतर समय धूप में बिताती हैं इसलिए सनस्क्रीन और मॉइस्चराइजर को जरूर साथ में रखें।
- क्लींजर भी साथ में रखें, क्योंकि दिन-भर बाहर घूमने से चेहरे पर जमी गर्द को साफ करने के लिए इसकी जरूरत पड़ सकती है।
- प्रतिदिन अपनी त्वचा को नम बनाए रखने के लिए मॉइस्चराइजर लगाएं।
- चेहरे को आर्कषक लुक देने के लिए आई पेंसिल, काजल स्टिक और लिपस्टिक का भी प्रयोग कर सकती हैं, मगर भारी मेकअप न करें।
- अपने साथ टिश्यू पेपर भी जरूर रखें। यदि आपकी त्वचा तैलीय है या मौसम गर्म है तो आपको प्री 'माइस्चंड टिश्यूज' भी साथ रखने चाहिए।
- सफर के दौरान स्वयं को स्वस्थ रखने के लिए हल्का-फुल्का व्यायाम और संतुलित भोजन पर विशेष ध्यान दें।

सौंदर्य टिप्स

सभी की इच्छा रहती है कि वे सबसे अलग दिखें तथा आकर्षक लगें। इसके लिए सभी अपने व्यक्तित्व को निखारने के लिए प्रसाधनों, अच्छे वस्त्रों का प्रयोग करने के साथ-साथ सभी जरूरी उपाय करते हैं। एक दिन में कोई भी सुंदर नहीं बन सकता। इसके लिए नियमित देखभाल आवश्यक होती है। आपको आकर्षक और खूबसूरत बनाने के लिए यहां कुछ टिप्स दिए जा रहे हैं, जो आपके सौंदर्य में चार चांद लगा देंगे।

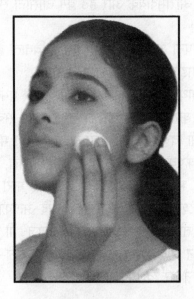

मामूली उपायों से सौंदर्य रहे तरोताजा

- अपना चेहरा व गर्दन ठंडे पानी से धोएं, ताकि मेकअप ज्यादा समय तक टिका रहे।
- कन्सीलर का प्रयोग अपने चेहरे के बदनुमा दागों तथा कालिमा को छिपाने के लिए अवश्य करें।
- कन्सीलर चेहरे के रंग से एक शेड हल्का होना चाहिए।

- फाउंडेशन के स्थान पर अपनी त्वचा से मेल खाता पैन-स्टिक जो कि वाटरप्रूफ हो, इस्तेमाल करना चाहिए।
- ब्लश ऑन क्रीम वाला ही प्रयोग करें, ज्यादा कंजूसी न करें।
- होंठों पर कोल्ड क्रीम लगाकर ही लिप ब्रश से आउटलाइन बनाएं। गहरे शेड की लिपस्टिक का प्रयोग उचित रहता है।
- आई शैडो, लिपस्टिक व पोशाक के रंगों में तालमेल व सामंजस्य अवश्य रहना चाहिए।

जैसे—शोख गुलाबी ड्रेस हो तो गुलाबी, सिंदूरी, लाल व मैरून शेड खूब जंचते हैं। हां, हाइलाइटर अवश्य ही सुनहरा या चमकीला होना चाहिए।

- केश-शैली को टिकाए रखने में हेयर-स्प्रे प्रयोग में लाएं।
- जेवरों को एक लय में ही पहनें यानी कुंदन के हार के साथ मोती के झुमके न पहनें, कुंदन के झुमके ही पहनें।
- साड़ी, लहंगा व चुनरी पर विशेष ध्यान दें, पिन-अप करें।
- हमेशा टिश्यू पेपर, पाउडर व पफ तथा लिपस्टिक अपने पास रखें।
- यदि गर्मियों के मौसम में हाथ-पैरों में जलन हो तो पके हुए पपीते को पीसकर हाथ-पैरों पर लगाने से जलन शीघ्र दूर हो जाती है।
- चेहरे की थकान व तनाव दूर करने के लिए एक औंस एस्ट्रिंजेंट में एक बड़ा चम्मच गुलाब जल मिलाकर चेहरे पर लगाएं, थोड़ी देर बाद धो लें।
- पांच चम्मच गुलाब जल, एक चम्मच ग्लिसरीन और एक चम्मच आइथल अल्कोहल, सभी को एक शीशी में डालकर हिलाएं और फ्रिज में ठंडा करने के बाद सुबह उठकर चेहरे पर लगाएं, थोड़ी देर बाद चेहरा धो लें।
- आई-ब्रो बनाने से पहले आई-ब्रो पर बर्फ का टुकड़ा रगड़ें। इससे दर्द कम होगा।
- आई-ब्रो बनाने से पहले प्लकर पर सैंड पेपर रगड़ें, इससे बाल निकालने में आसानी होगी।
- उभरी हुई आंखों पर गीला रूमाल रखें और चम्मच के उल्टी ओर से धीरे-धीरे दबाएं।
- बालों का घुंघरालापन दूर करने के लिए थोड़ा-सा मालिश ऑयल लेकर दोनों हाथों से बालों में ऊपर से नीचे की ओर रगड़ें।
- चेहरे की सुंदरता दांतों से भी होती है, अतः दांतों को नरम ब्रश से गोलाई में घुमाकर साफ करें।

- काले और भूरे बालों में चमक लाने के लिए एक भाग नीबू का रस और चार भाग पानी मिलाकर शैंपू करने के बाद बालों को जड़ों में लगाकर कुछ देर बाद धो लें।
- फटे और खुरदरे होंठों पर रात को दूध की मलाई रगड़ें।
- नाखूनों को चमकीला बनाने के लिए नीबू का छिलका रगड़ें।
- नाखूनों पर नेल पॉलिश लगाने के बाद उंगलियों को बर्फ के पानी में डुबोकर रखें, इससे नेलपॉलिश की चमक भी बढ़ेगी और वह टिकाऊ भी रहेगी।
- हाथों की कोहनियों के कालेपन को दूर करने के लिए आधे नीबू को दस मिनट तक रगड़ें।
- खुरदरे हाथों पर मालिश ऑयल लगाने से वे पुष्ट और नर्म बने रहेंगे।
- पैर पर एड़ी को मुलायम बनाने के लिए ऐप्सम साल्ट को आधा गैलन (700 ग्राम) पानी में मिलाकर एड़ी उसमें डालकर धोएं।
- आई-ब्रो पेंसिल व लिपस्टिक लगाने से पहले उसकी क्वालिटी व रंग परखने के लिए हथेली के उल्टी ओर लगाकर देखें।
- यदि आंखों के नीचे काले घेरे हों तो भूरा व ग्रे रंग का आई शैडो कदापि न लगाएं।
- गाढ़े रंग का फाउंडेशन मेकअप बिगाड़ देता है।
- आई-शैडो का चुनाव करते समय लाल और हल्के रंग का चुनाव करें क्योंकि इसे किसी भी शेड के साथ लगाया जा सकता है।
- दांतों की चमक बढ़ाने के लिए गुलाबी, लाल या मैरून रंग की लिपस्टिक सही रहती है।
- आई शैडो देर तक टिका रहे, इसके लिए एप्लीकेटर को पहले पानी में डुबोकर फिर शैडो लगाएं।
- लिपस्टिक देर तक टिकी रहे, इसके लिए होंठों पर पहले कॉनसेलरस्टिक लगाएं, बाद में लिपस्टिक लगाएं।
- पाउडर ब्लशर लगाने से पहले पेट्रोलियम जैली का एक पतला कोट लगाएं, इससे ब्लशर देर तक टिकेगा।
- चेहरे के उभरे हुए स्पॉट पर रुई से गाढ़ा ब्लशर लगाएं।
- चेहरे की उभरी नसों पर रंग वाला लैवेंडर लगाएं।
- आंखों को बड़ा और सुंदर बनाने के लिए पहले हल्का शेड बरौनी के किनारे पर लगाएं,, फिर गहरा शेड लगाएं। दोबारा हल्का शेड बरौनियों पर लगाएं।

दिए गए टिप्स का पालन करके आपका सौंदर्य सोने की तरह दमक उठेगा।

- आंखों पर उभरे हुए छोटे-छोटे दाग को भूरी या काली आई पेंसिल लगाकर छिपाएं।
- बरौनियों को और भी ज्यादा आकर्षक बनाने के लिए मस्कारा लगाने से पहले हल्का-सा फेस पाउडर लगाएं।
- यदि बरौनियों पर सीधी और पतली लाइन न लग पाए तो बरौनी के किनारों पर छोटी-छोटी बिंदी लगाएं, फिर रुई से उसे आंख के एक किनारे से दूसरे किनारे पर हल्के से फैला दें।
- यदि बरौनी पर मस्कारा ज्यादा लग गया हो तो उसे हटाने के लिए रुई में थोड़ा-सा कॉर्नेल ऑयल लगाकर साफ करें।
- मस्कारा लगाते समय ब्रश को गोलाई में घुमाएं, यदि ब्रश स्थिर रहेगा तो मस्कारा कहीं कम कहीं ज्यादा लगेगा।
- आंखें बड़ी, साफ व सुंदर लगें, इसके लिए पलकों के किनारे पर नीले रंग का आई लाइनर लगाएं।
- निचली बरौनी पर सफेद आई-पेंसिल लगाने से भी छोटी आंख बड़ी दिखाई देती है।
- आंखों पर मेकअप करते समय यदि मेकअप थोड़ा भी बाहर निकले तो उसे तुरंत रिमूवर रुई से पोंछकर, दोबारा मेकअप करना चाहिए।
- नाखूनों पर नेलपॉलिश लगाने के लिए पहले बीच से नीचे की ओर लगाएं, फिर दोनों तरफ किनारे से नीचे की ओर लगाएं। इससे नेल पॉलिश बाहर नहीं आएगी।
- त्वचा पर नेल पॉलिश लगाने के लिए पहले बीच से नीचे की ओर लगाएं, फिर दोनों किनारे से नीचे की ओर लगाएं। इससे नेल पॉलिश बाहर नहीं आएगी।
- त्वचा को सिल्की बनाने के लिए पूरे मेकअप के बाद हल्का-सा पाउडर लगाएं।
- फाउंडेशन दिन-भर टिका रहे, इसके लिए बिना तेल वाला मॉइस्चराइजर लगाएं।
- झाई या दाग मिटाने के लिए रात में कैलेमाइन लॉशन लगाकर सोएं।
- आंखों को धूप से बचाने के लिए गॉगल्स (चश्मा) लगाएं, परंतु गॉगल्स का आकार आंखों के मेकअप को न ढके तथा उसका रंग भी आप पर फबे।
- लिपस्टिक लगाने के बाद होंठों से बाहर न निकले, इसके लिए टोनिंग लिप-लाइनर लगाएं।

- लिप लाइन ठीक है या नहीं, यह जानने के लिए होंठों को दांतों पर रगड़ें।
- लिपस्टिक देर तक टिकी रहे, इसके लिए होंठों पर पहले लिक्विड फाउंडेशन लगाएं, थोड़ी देर बाद हल्का-सा पाउडर भी लगाएं, तब लिपस्टिक लगाएं।

लिपस्टिक लगाने के बाद टोनिंग लिप लाइनर लगाएं

- बाहर जाने पर चेहरे पर यदि ज्यादा चमक हो तो फ्रेशनर को रुई से चमक वाली जगह पर लगाएं, फिर उस जगह पाउडर लगाएं।
- आई-ब्रो के किनारे की ओर ऑफ-व्हाइट या हल्के हाइलाइटर लगाएं, इससे आंखें सुंदर और बड़ी लगेंगी।
- गर्दन व चेहरे पर एक चम्मच नीबू और एक चम्मच नमक का घोल बनाकर रुई से लगाकर 10 मिनट तक घोलें।
- दांतों पर यदि नीबू रगड़ा जाए तो दांत सफेद व मजबूत हो जाते हैं।
- यदि मेकअप उतारना हो तो रिमूवर क्रीम आंखों को छोड़कर पूरे चेहरे पर लगाएं, थोड़ी देर रुकें और रुई से पोंछ दें, फिर ठंडे या कुनकुने पानी से चेहरा अच्छी तरह पोंछकर मॉइस्चराइजर लगाएं।

इनमें से किसी भी उपाय को करने में मुश्किल से 2-3 मिनट लग सकते हैं, परंतु ऐसा करने से आपका सौंदर्य खिला-खिला रहेगा।

सांवले रंग पर मेकअप

रंग का सांवला या गोरा होना तो कुदरती है, जिसे बदला नहीं जा सकता। हां! सांवले रंग को सलोना अवश्य बनाया जा सकता है। यहां हम उसके लिए कुछ टिप्स दे रहे हैं—

● सांवली त्वचा के लिए फाउंडेशन सौ प्रतिशत त्वचा से मेल खाता हुआ होना चाहिए या फिर एक शेड गहरा खरीद सकती हैं। अगर आपने त्वचा के रंग से हल्के रंग का फाउंडेशन इस्तेमाल किया हो तो इसका रंग चेहरे पर अलग से नजर आएगा।

● चेहरे के दाग-धब्बों को छुपाने के लिए फाउंडेशन से पहले केसीलर का प्रयोग करें। ज्यादातर केसीलर सफेद या गुलाबी रंगों में मिलते हैं इसलिए केसीलर खरीदते समय ध्यान दें कि यह आपकी त्वचा से मेल खाता हो वरना धब्बों के रूप में दिखाई देगा।

● फाउंडेशन चेहरे के साथ गले पर भी लगाएं।

● सांवली त्वचा पर कॉम्पेक्ट के बजाय इरिडिसेंट पाउडर से मेकअप सेट करें।

● अगर यह उपलब्ध न हो तो गोल्डन रंग में शाइनिंग पाउडर को प्राकृतिक रंग के ब्लशर में मिक्स करें और ब्रश की सहायता से चेहरे पर इसका हल्का कोट लगाएं और फिनिशिंग टच दें।

● जरूरत हो तो आइब्रो पेंसिल से आइब्रो को आकार दें।

● कपड़ों के रंग से मेल खाता हल्के रंग का शाइनी आईशैडो लगाएं। सांवले रंग के साथ हल्के रंगों के आईशैडो अच्छे लगते हैं।

● दिन के मेकअप में हाइलाइटर इस्तेमाल न करें। ईवनिंग पार्टी में आईब्रो के नीचे हाइलाइटर का हल्का-सा स्पर्श करें।

● काजल का उपयोग करें, क्योंकि काजल गोरी महिलाओं के बजाय सांवली त्वचा पर ज्यादा आकर्षक लगता है। काजल की पतली रेखा से आंखों को डिफाइन करें। पलकों के ऊपर भी पेंसिल आइलाइनर से काजल की पतली रेखा खींचें। अब पलकों पर मस्कारे के दो कोट लगाएं।

● हल्के रंग की लिप पेंसिल से होंठों को आकार दें। अब हल्के रंग की फ्रॉस्टी लिपस्टिक को ब्रश की सहायता से होंठों पर लगाएं।

- सांवली त्वचा को आकर्षक बनाने के लिए हल्का शाइनी मेकअप करें।
- लाल और मैरुन बेस की लिपस्टिक के बजाय सॉफ्ट रंगों का इस्तेमाल करें।
- परंपरागत परिधान के साथ मैच करते रंगों से लगाई गई कलात्मक बिंदी बहुत आकर्षक लगती है। ये बाजार में उपलब्ध हैं।
- अपने परिधान के लिए हल्के रंग के कपड़ों का चुनाव करें, जैसे आसमानी, गुलाबी, क्रीम, लाइट ब्राउन आदि, परंतु यदि लाल रंग पहनना पसंद हो तो ब्रिक रेड रंग का चुनाव करें।
- टू पीस वेस्टर्न ड्रेसेज में लाइट ब्राउन रंग के ट्राउजर या स्कर्ट के साथ क्रीम रंग का टॉप चुनें।
- मस्टर्ड रंगों की पूरी ड्रेस या फिर मस्टर्ड के साथ सफेद या ब्रिक रेड का मेल भी सांवले रंग पर अच्छा लगता है।
- हल्के रंगों की सिल्क की सलवार-कमीज के साथ मैचिंग तांबई और सुनहरे रंगों के फिगरेटिव प्रिंट्स के डिजाइन वाला भारी दुपट्टा व्यक्तित्व को अलग ही आकर्षण प्रदान करेगा।
- कॉटन के हल्के रंगों के सलवार-सूट के साथ थोड़े गहरे रंग की मैचिंग एक रंग की लेसवाली चुन्नी सांवली रंगत को सूट करेगी।
- साड़ियों में चमकदार कपड़े न चुनकर, मैट फिनिश के कपड़े खरीदें। साटन सिल्क के बजाय प्योर सिल्क या क्रेप की साड़ियां सांवली-सलोनी रंगत पर ज्यादा अच्छी लगती हैं।
- भारी बॉर्डर या पल्लू की साड़ियां सभी पर अच्छी लगती हैं। बस इतना ध्यान रखें कि साड़ियों का बेस रंग हल्का व बॉर्डर का रंग गहरा हो।
- किसी खास मौके पर चमकदार सुनहरी जरी के बजाय तांबई सुनहरी रंग के या फिर ग्रेइश सिल्वर रंग के जरी के कपड़े खरीदें। सलीके से पहनी गई हर ड्रेस व्यक्तित्व में निखार लाएगी।
- सोने के गहनों पर तांबे जैसी पॉलिश करवाने पर हल्की लाली लिए आभूषण सांवली रंगत पर खूब फबते हैं।
- सांवली त्वचा पर प्लेन चांदी के गहने कम ही जंचते हैं, अगर आपको चांदी के गहनों का शौक है तो ऑक्सीडाइज्ड चांदी के गहने पहनें।

- परंपरागत राजस्थानी गहनों में मीनाकारी के आभूषण, जो परिधान से मैच कर रहे हों, सांवली त्वचा पर खूब फबते हैं। इसी तरह लाख के जयपुरी आभूषण जो मैरुन, लाल, नीले रंगों में उपलब्ध हैं और जिन पर छोटे-छोटे नग जड़े होते हैं, खूबसूरत लगते हैं।
- दिन के वक्त कानों में मोती के हल्के टॉप्स के साथ एक लड़ी की मोती की माला पहनें। सांवले रंग पर मोती की आभा मोहक लगती है।

इसके अलावा त्वचा की स्वाभाविक चमक बरकरार रखने के लिए पुस्तक में अन्य टिप्स भी दिए गए हैं, जिन्हें अमल में लाएं।

मेहंदी का शृंगार में महत्त्वपूर्ण योगदान

मेहंदी आज सुहाग से ज्यादा फैशन का प्रतीक बन चुकी है। अब तो लड़कियों का जब मन करता है, तभी उनके हाथों में मेहंदी लग जाती है। यहां मेहंदी के विभिन्न प्रचलित रूपों के बारे में उपयोगी टिप्स दिए जा रहे हैं—

- फैशन के माहौल में जींस-टॉप के साथ लड़कियां अरेबिक मेहंदी के प्रति अधिक लालायित होती जा रही हैं।
- लड़कियां वेस्टर्न स्टाइल के कपड़ों के साथ पेंट मेहंदी को अधिक लगाती हैं तो प्लेन सूट के साथ अरेबिक मेहंदी को लगाना पसंद करती हैं, क्योंकि उसका बार्डर मोटा और अंदर मेहंदी का डिजाइन होता है।
- जरदोजी मेहंदी अधिकांश शादी-ब्याह के मौके पर लगाई जाती है। यह आम मेहंदी की तरह ही बनाई जाती है, लेकिन मुख्य अंतर यह होता है कि इसमें मेहंदी को लगाकर इस पर मनचाहा गोल्डन, सिल्वर या मोती का काम कराया जाता है। गोल्डन, सिल्वर व अन्य चमकीले रंगों की परत मेहंदी पर लगाई जाती है।

- मेहंदी से हथेलियों को आगे-पीछे, पीठ, पेट, नाभि के चारों तरफ गला, पैर, बाजू पर बाजूबंद के रूप में, पूरे शरीर को सजाया जाता है।
- इसके अलावा काली मेहंदी, शेडो मेहंदी, ब्लैक मेहंदी, टैटू मेहंदी काफी प्रचलित हैं।
- बालों पर मेहंदी का रंग तभी चढ़ता है जब बाल पहले से ही भूरे व सफेद हों। मेहंदी से बालों में लचक, चमक व हल्का टिंट अवश्य आता है और यही हल्का टिंट आजकल फैशन में है।
- अगर किसी को बालों पर मेहंदी का कलर नहीं चाहिए तो वह मेहंदी में दही मिलाकर लगाएं।
- मात्र कंडीशनिंग के लिए सादी मेहंदी लगानी चाहिए पर अगर किसी के बाल खुश्क हैं तो मेहंदी के पेस्ट में अंडा और एक छोटा चम्मच तेल डाल दें।
- बालों में मेहंदी लगाकर हमेशा सादे गुनगुने पानी से धोना चाहिए। शैम्पू न करके बालों में तेल मालिश करें, क्योंकि मेहंदी बालों की नमी को थोड़ा कम करके प्राकृतिक ऑयल खींच लेती है। इसके लिए मेहंदी के बाद गुनगुने तेल की मालिश करके शैम्पू करें।
- मेहंदी का रंग बालों पर ज्यादा चाहिए तो पहले-पहल जल्दी-जल्दी पैक लगाएं। पहले एक महीने में हर हफ्ते, फिर 15-15 दिनों बाद लगातार लगाएं। ऐसा करने से बालों में पर्याप्त रंग आएगा।

केश सौंदर्य

बालों के प्रकार एवं देखभाल

चमकीले और काले घने बाल सबको आकर्षित करते हैं। अपने बालों को काला और घना करने के लिए यदि लापरवाही से नित्य नए प्रयोग किए जाते हैं तो बालों के असमय सफेद होने, दो-मुंहे होने, रूसी होने तथा तीव्र रूप से झड़ने जैसी समस्याएं खड़ी हो जाती हैं।

महिलाएं प्रायः इस बात से भी अनभिज्ञ रहती हैं कि उनके बालों का प्रकार क्या है? अपने बालों की प्रकृति जाने बिना वे अनेक उपायों में अपना वक्त बरबाद करती हैं। अतः बालों को चूंकि महिलाओं की सुंदरता का पैमाना माना गया है, इसलिए अपने बालों की प्रकृति पहचानकर उसी के अनुसार उनकी देखभाल करें।

आइए, सर्वप्रथम बालों के बारे में कुछ महत्त्वपूर्ण तथ्य जानें—

- हमारे सिर के एक बाल की उम्र लगभग सात साल की होती है।
- महिलाओं के सिर पर पुरुषों से अधिक बाल होते हैं।
- सोते समय और गर्मियों में बाल ज्यादा तेजी से बढ़ते हैं।
- सोलह से चौबीस साल की उम्र तक बाल ज्यादा बढ़ते हैं।
- चालीस से पचास साल की उम्र तक आते-आते महिलाओं के बाल लगभग बीस प्रतिशत झड़ने लगते हैं।
- उम्र के साथ-साथ बाल रूखे होने लगते हैं।
- स्वस्थ बालों में लचीलापन ज्यादा होता है।
- ऐसा मानना है कि हमारे सिर का एक बाल समान मोटाई के एक कॉपर के तार से भी अधिक मजबूत होता है।
- नवजात शिशु के बाल काफी मुलायम होते हैं, लेकिन छः महीने का होते-होते वे अपना अलग ही टेक्सचर बना लेते हैं।

बालों की मजबूती जांचें

- बालों की मजबूती और स्ट्रेचेबिलिटी को जांचने के लिए सिर पर से एक बाल तोड़ लें, अब दोनों हाथों की उंगलियों के बीच पकड़कर हल्के-से खींचें।

- अगर बाल थोड़ा-सा खींचने पर भी टूट जाता है, तो समझें कि आपके बाल कमजोर हैं।
- ऐसे में किसी भी तरह के रसायनों का उपचार बालों के लिए हानिकारक ही होगा।
- अगर आप चश्मा लगाती हैं तो अपने चश्मे का फ्रेम ऐसा पसंद करें, जो आपके हेयर स्टाइल से मेल खाता हो।
- हेयर कट करवाने जाते समय अपना चश्मा साथ लेकर जाएं, ताकि आपका हेयर स्टाइलिस्ट उसको ध्यान में रखकर कटिंग कर सके।

बालों के प्रकार

बाल मुख्य रूप से तीन प्रकार के होते हैं। तैलीय, रूखे और सामान्य। हमारे सिर की त्वचा के नीचे सेबेशियन ग्रंथियां होती हैं, जिनमें सीबम नाम का तत्त्व बनता है। बालों की प्राकृतिक चमक शरीर में बनने वाले इस सीबम की मात्रा पर ही निर्भर करती है।

- सामान्य बाल न तो तैलीय होते हैं न रूखे। इन बालों की सबसे बड़ी पहचान यह है कि इनसे कोई भी स्टाइल आसानी से बनाया जा सकता है।
- रूखे बाल बेजान और कांतिहीन लगते हैं। इन्हें संवारने में भी मुश्किल आती है। ये बाल उलझते भी ज्यादा हैं। ज्यादातर रूखे बाल जड़ में से मोटे होते हैं और आखिरी सिरे तक आते-आते दो-मुंहे हो जाते हैं।
- तैलीय बाल पतले और चिकने होते हैं। इन बालों में हमेशा चिपचिपाहट-सी महसूस होती है। तैलीय बालों पर धूल, मिट्टी, धूप, प्रदूषण का प्रभाव जल्दी होता है।
- स्वस्थ बालों में काफी लचीलापन होता है। इन्हें खींचकर 20 से 30 प्रतिशत तक लंबा किया जा सकता है।
- कुछ महिलाओं के बाल मिश्रित भी होते हैं, यानी जड़ों की ओर से तैलीय और आखिरी सिरे तक पहुंचते-पहुंचते बाल रूखे और दो-मुंहे हो जाते हैं।

बालों की देखभाल व मालिश

- रूखे बालों को हमेशा धोने के बाद प्राकृतिक रूप से सूखने देना चाहिए।
- सप्ताह में कम-से-कम तीन बार कुनकुने तेल से बालों की धीमे-धीमे मालिश करनी चाहिए।

- रूखे बालों में चमक लाने के लिए सिरका, नीबू का रस और दही मिलाकर सिर धोना चाहिए।
- रूखे बालों को धोने के बाद दूध में एक चम्मच मलाई फेंटकर 10-15 मिनट तक सिर में लगा रहने दें। फिर कुनकुने पानी से सिर धो लें। मलाईयुक्त दूध बालों का रूखापन दूर करता है।
- तैलीय बालों में सप्ताह में कम-से-कम एक बार नारियल के तेल या आंवले के तेल से मालिश करनी चाहिए।
- तैलीय बालों को धूप में निकलते समय ढककर निकलें।

शैंपू किए बालों में तौलिया लपेटकर रखें

- तैलीय बालों में हल्का शैंपू ही इस्तेमाल करें। तेज शैंपू के कैमिकल्स बालों को नुकसान पहुंचाते हैं।
- बालों को स्वस्थ, सुंदर व पुष्ट बनाने के लिए अपने खान-पान पर ध्यान दें।
- प्रतिदिन 7-8 गिलास पानी पीने की आदत डाल लें।
- रासायनिक ट्रीटमेंट, धूप और हेयर स्टाइलिंग के लिए काम आने वाले गर्म उपकरणों का प्रयोग बालों को मिश्रित प्रकृति का बना देता है। अतः इनके प्रयोग से बचना चाहिए।
- बिना तेल के यदि अपनी अंगुलियों से सिर में धीरे-धीरे मालिश की जाए और मसाज भी किया जाए तो इससे बालों में तेजी से रक्त संचार होता है। इससे बाल स्वस्थ बनते हैं।

बालों की नारियल तेल से मालिश करें

- नियमित 5 मिनट की मालिश से बालों का टूटना बंद हो जाता है।
- जिनके बाल हल्के और मिश्रित हों, वे बालों की प्रकृति के अनुसार खास शैंपू का ही चुनाव करें।
- पतले बालों को घना बनाने के लिए किसी विशेषज्ञ से ही अपने बाल कटवाएं।
- प्रतिदिन सुबह-शाम अपने बालों को आगे कर उन्हें ब्रश की मदद से संवारें।
- बालों की सही देखभाल के लिए मालिश अत्यंत ही जरूरी है। इससे सिर की मृत कोशिकाएं हटती हैं।

- मालिश करने के लिए नारियल, जैतून, सरसों और बादाम के तेल ही उपयुक्त रहते हैं।
- यदि बाल रूखे हों और अधिक झड़ते हों तो हफ्ते में दो बार जैतून के तेल को गर्म करके मालिश करें।
- तैलीय बालों में बादाम का तेल और मिनरल वाटर बराबर मात्रा में लेकर मालिश करना बेहद फायदेमंद साबित होता है।
- सिर में मालिश करते समय हथेलियों का प्रयोग कदापि न करें, इससे बालों की जड़ें कमजोर हो जाती हैं।
- मालिश करने के बाद उंगलियों के पोरों से सिर की त्वचा को हल्के से दबाएं, जिससे आप राहत महसूस करेंगी। यदि आप तेज गति से मालिश करते हुए एकदम से रोक देंगी तो सिर में दर्द हो सकता है।
- जब तेल बालों की जड़ों में अच्छी तरह जम जाए तब गरम पानी में एक तौलिया भिगोकर निचोड़ लें और अपने बालों में लपेटकर भाप लें।
- सप्ताह में एक बार ही भाप लेनी चाहिए। ज्यादा भाप बालों के प्राकृतिक तेल को नुकसान पहुंचाती है।

अपने बालों की प्रकृति जानकर उनकी उचित देखभाल करें। घने काले बाल सभी को आकर्षित करते हैं। फैशन के इस युग में अपने बालों की मालिश करना कभी भी न भूलें।

रूखे बालों के लिए कुछ टिप्स

आमतौर पर रूखे बालों की समस्या का मुख्य कारण साबुन, शैंपू व बालों के अन्य प्रसाधनों में रसायनों का अधिक उपयोग होना भी है। वेव सोल्यूशन लगाने, स्विमिंग पूल में क्लोरिन अधिक होने और गर्म पानी का अधिक प्रयोग करने से बाल रूखे हो जाते हैं। इसके अलावा शैंपू का अत्यधिक प्रयोग, बालों के स्टाइल बनाने के उपयोग में आने वाली कंघियां, रोलर्स, ड्रायर्स, सूर्य की किरणें, हवा का प्रदूषित होना भी रूखे बालों की समस्या को और बढ़ा देते हैं। रूखे बालों की समस्या के समाधान के लिए कुछ टिप्स प्रस्तुत हैं—

- **शैंपू का अत्यधिक प्रयोग न करें :** शैंपू का अत्यधिक प्रयोग बालों को रूखा बना देता है। सप्ताह में केवल 3 बार ही बालों में शैंपू करें, क्योंकि शैंपू बालों से उनकी प्राकृतिक नमी चुरा लेता है। हल्के शैंपू का प्रयोग करें। हल्का शैंपू बालों को नुकसान भी नहीं पहुंचाता है और बालों की तेल ग्रंथियों को सक्रिय भी बना देता है।

- **बालों के साथ नर्मी से पेश आएं :** रूखे बाल बहुत नाजुक होते हैं और टूटते भी बहुत जल्दी हैं, इसलिए इनकी सुरक्षा पर बेहद ध्यान दें। शैंपू करते समय बालों को जोर से रगड़ें या खींचें नहीं। शैंपू को उंगलियों के पोरों से हल्के-हल्के गोलाई में घुमाकर लगाएं। झाग बनाते समय उंगलियों से सिर की त्वचा खुरचें नहीं वरना बाल तो टूटेंगे ही, सिर की त्वचा को भी नुकसान पहुंचेगा।
- **मृदु शैंपू का इस्तेमाल करें :** रूखे बालों के लिए हल्के तथा अम्लीय शैंपू अधिक उपयुक्त रहते हैं, ऐसा शैंपू इस्तेमाल करें जिसका पी.एच. 4.5 से 6.7 के बीच हो, क्योंकि क्षारीय शैंपू बालों को ज्यादा रूखा बना देगा।
- **कंडीशनर का इस्तेमाल करें :** रूखे बालों के लिए कंडीशनर की आवश्यकता रहती है। ऐसा कंडीशनर इस्तेमाल करें जिसमें एल्कोहल भी बालों को रूखा बनाने में सहायक होता है। यदि बाल ज्यादा रूखे और बेजान हो गए हों तो कंडीशनर की जगह हल्के गीले बालों में हेयर मॉइस्चराइजर लगाकर पूरी रात ऐसे ही छोड़ दें मगर सिर पर शावर कैप लगाकर सोएं। सुबह पानी से अच्छी तरह बालों को धो दें।
- **गर्म तेल लगाएं :** गर्म तेल की मालिश बालों को फिर से चमकदार और जानदार बनाने में बहुत सहायक रहती है। गर्म तेल से बालों की हल्के हाथों से मालिश करें, फिर गर्म पानी में भीगा तौलिया सिर पर लपेट लें। थोड़ी देर बाद तौलिया खोलकर बालों को हल्के शैंपू से धो दें। मालिश करने से रूखे बाल भी चमकदार बनेंगे और सिर की तेल ग्रंथियां भी सक्रिय होंगी, जो बालों का रूखापन दूर करेंगी।
- **अंडे का इस्तेमाल करें :** एक कप में थोड़ा-सा पानी डालकर अंडे को फेंट लें। इसे बालों में लगाएं और थोड़ी देर बाद गुनगुने पानी से धो दें, मगर ध्यान रखें, अंडे के बाद बालों में शैंपू न करें। अंडा न केवल बालों को साफ करेगा बल्कि बालों की वास्तविक चमक भी लौटा देगा।
- बालों को सुखाने तथा सेट करने के लिए ब्लो ड्रायर का इस्तेमाल करें, लेकिन बालों को हरगिज खींचें नहीं।

केश सज्जा चेहरे के अनुसार करें

सौंदर्य में केश सज्जा का महत्त्वपूर्ण योगदान है। अच्छी तरह से की गई केश सज्जा किसी का रूप बदल सकती है। अच्छी केश सज्जा करने के लिए यह जानना जरूरी है कि बालों की प्रकृति क्या है? बालों का रंग कैसा है, बाल सीधे हैं या घुंघराले हैं, छोटे हैं कि लंबे हैं। शरीर का आकार कैसा है, चेहरे की बनावट कैसी है, गर्दन छोटी है कि लंबी है, क्योंकि हरेक व्यक्ति के चेहरे पर एक जैसी केश-शैली नहीं जंचती।

कामकाजी महिलाओं को अपने बाल छोटे रखने चाहिए। जूड़ा या चोटी बनाने में अधिक समय लगता है। छोटे बालों को धोने व सुखाने में मेहनत नहीं लगती।

यदि शरीर न ज्यादा भारी है, न हल्का है, तब बाल कंधे तक रखने चाहिए। यदि कद छोटा हो तो कभी जूड़ा न बनाएं। हरेक के चेहरे की बनावट भी

चेहरे के हिसाब से केश सज्जा सही लगती है

194

अलग-अलग होती है। गोल चेहरे पर लंबाई दर्शानी चाहिए इसलिए 'टॉपनॉट' स्टाइल उत्तम है। बालों को ऊपर दिखाने के लिए उनमें आगे से थोड़ा-सा बैक-कॉम्बिंग करें। गर्दन पर बालों को थोड़ा छोटा काटें।

चेहरा अंडाकार है तो इस पर हर तरह का हेयर स्टाइल खूब फबता है। किसी के चेहरे का आकार तिकोना है तो एक तरफ की मांग ही निकालनी चाहिए जिससे माथा चौड़ा लगे, बालों को जबड़े तक ही लंबा रखें। किसी के बालों की लंबाई कम है तो थोड़ा घुमाव देकर जबड़े को दोनों तरफ से ढक देना चाहिए।

● किसी का चेहरा कम चौड़ा होता है। इसमें माथे के बीच से बाल ऊंचे कर दिए जाते हैं और दोनों तरफ से बालों को बैक कॉम्बिंग करके ऊंचा कर दिया जाता है।

● किसी का माथा चौड़ा होता है और ठोड़ी नुकीली होती है। इस स्थिति में बीच की मांग निकालकर कोई स्टाइल बना लें। निचले जबड़े के पास बालों को कर्ल (घुंघराले) कर लें। लंबे बालों को कंघी करते हुए गर्दन पर फैला लें।

लंबी गर्दन पर खुले बाल आकर्षक लगते हैं

195

- किसी की नाक ऊंची व चपटी दिखाई देती है तो बाल नाक के बराबर रखें ताकि वे कानों को ढक दें। यदि कान बड़े हों तो बालों को कानों के ऊपर लाकर ढक दें।

नए-नए हेयर स्टाइल अपनाएं

- यदि किसी के चेहरे का आकार चौकोर है तो चेहरे पर पीछे तक मांग न निकालें। माथे पर दोनों तरफ बाल करें। ऐसे चेहरे पर 'ब्लंट कट' न करें। इससे चेहरा चपटा लगता है। इसमें स्टेप कटिंग करें। बीच की मांग निकालकर बालों को थोड़ा ऊंचा करके हेयर स्टाइल बनाएं।
- अगर माथा उभरा हुआ है तो माथे पर बालों की लटें लाकर उसे छिपाया जा सकता है।
- गर्दन लंबी है तो बालों को खुला रखें या ढीली चोटी बनाएं, गर्दन छोटी है तब ऊंचा हेयर स्टाइल बनाएं।

कैसा हो आपका हेयर स्टाइल

वैसे इसके लिए कोई लिखित शास्त्र नहीं है कि किस तरह के चेहरे पर कैसा हेयर स्टाइल हो। फिर भी यहां प्रस्तुत कुछ टिप्स आपके चेहरे और व्यक्तित्व को और निखार सकते हैं—

- सिर पर स्कार्फ को इस तरह बांधें कि इससे आपके सारे बाल ढक जाएं।
- शीशे से 12 इंच दूर खड़े होकर एक आंख बंद करके शीशे पर लिपस्टिक से अपने चेहरे का आउट-लाइन बनाएं।
- इसके बाद चेहरे के आउट-लाइन से नीचे लिखे टिप्स के अनुरूप अपने चेहरे की आउट-लाइन को मिलाएं।

➲ **चौकोर चेहरा :** इस तरह के चेहरे में जबड़े कोणीय होते हैं और भौंहें बराबर।

- इस तरह के चेहरे पर आगे की तरफ झूलते बाल फबते हैं। इससे जबड़े के कोण थोड़े ढक जाते हैं।
- पीछे से थोड़े कटे बाल स्वाभाविक रूप से आगे आ जाते हैं।
- थोड़े-से बाल माथे पर लाकर चेहरे को और आकर्षक बनाया जा सकता है।

➲ **लंबे व पतले चेहरे के लिए :** इस तरह का चेहरा ऊपर से नीचे की तरफ लगभग एक तिकोने की तरह आता है।

- इस तरह के चेहरे में गालों के साथ बालों की लट लाकर चेहरे के पतलेपन को गायब करने में मदद मिलती है।
- माथे पर बालों को हल्का टेढ़ा करते हुए पीछे ले जाएं। इन्हें आप क्लिप से पीछे की तरफ अटका सकती हैं।
- एक तरफ बालों को लाने और उन्हें मोड़कर पीछे ले जाने में आपका चेहरा कुछ और अधिक भरा-भरा और आकर्षक लगेगा।
- भौंहों से मिलाते हुए कुछ सीधे बाल रखें, ठोढ़ी से ऊपर भी कुछ बाल रखें।
- ठोढ़ी से करीब डेढ़ इंच नीचे तक बाल अच्छे लगेंगे।

➲ **तिकोना चेहरा :** इस तरह के चेहरे की श्रेणी में वे चेहरे आते हैं जिनमें भौंहें और गाल कुछ चौड़े होते हैं और ठोढ़ी थोड़ी नुकीली।

- ऐसे चेहरे में माथे पर एक तरफ कुछ बाल लाएं।
- इससे माथे का एक हिस्सा ढकें जिससे तिकोना चेहरा थोड़ा गोल लगने लगेगा।

➲ **अंडाकार चेहरा :** इस तरह के चेहरे पर किसी भी तरह की हेयर स्टाइल की जा सकती है, सभी अच्छी लगती हैं।

- फिर भी ऊपर की तरफ करके बालों को अगर पीछे की तरफ एक मोड़ दिया जाए तो अच्छा लगता है। बगल में कंधों तक झूलते बाल भी अच्छे लगते हैं।

➲ **भरा चेहरा :** इस तरह के चेहरे पर भी कई तरह की हेयर स्टाइल चल सकती हैं।

- एक ही लंबाई से ठोढ़ी से 2 इंच नीचे तक बालों को रखना चेहरे को आकर्षक बनाएगा। उन्हें चेहरे से अलग रखें।

- इनके अलावा आप खुद भी नई हेयर स्टाइल का प्रयोग कर सकती हैं, लेकिन नई हेयर स्टाइल आजमाने से पहले अपने चेहरे का आकलन करना जरूरी है। इससे आपको किसी भी तरह की हेयर स्टाइल अपनाने में मदद मिलेगी।

बालों को संवारना भी एक कला है

वैसे तो सबको पता होता है कि उस पर किस तरह के बाल सुंदर लगते हैं, मगर आईने में हमेशा एक-सा चेहरा देखने पर खुद को भी बोरियत होने लगती है।

आपने खुद भी देखा होगा कि अगर बालों को बनाने का तरीका जरा-सा बदल लें तो चेहरा बहुत ही अच्छा लगने लगता है। खुद में विश्वास आता है, सो अलग।

आजकल छोटे बाल रखने का चलन जोर पकड़ रहा है। छोटे बालों को एक तो संभालने में आसानी होती है, दूसरे उन्हें सैट करने में भी वक्त जाया नहीं करना पड़ता, तीसरे छोटे बाल ट्रेंडी लुक देते हैं। यहां अत्यंत आकर्षक लगने वाले छह छोटे हेयर स्टाइल दिए जा रहे हैं, जिन्हें अपनाकर न केवल आप आधुनिक और आकर्षक दिखेंगी, वरन आराम भी महसूस करेंगी।

आप मूल स्टाइल देखकर उसमें अपने आप भी बदलाव कर सकती हैं या फिर अपने बालों को ऐसे स्टाइल में कटवा लेने के बाद जब आप बाल ब्रश करें तो उसी स्टाइल को जरा-सा पिन करके या फिर आगे-पीछे करके खुद को बिल्कुल अलग लुक दे सकती हैं।

- यह हेयर स्टाइल एकदम फॉर्मल लुक देता है। यह भरे चेहरे और पतले चेहरे, दोनों पर ही अच्छा लगता है, मगर अगर आप मोटी हैं तो इस स्टाइल से बचें। इस हेयर स्टाइल की खूबी यह है कि यह फॉर्मल और कैजुअल, दोनों तरह की पोशाकों पर जंचता है। चाहे आप सलवार-कुर्ता पहनें या फिर स्कर्ट-टॉप, इसका एक भी बाल इधर-उधर नहीं होगा। सीधे और स्वस्थ बालों में यह ज्यादा जंचेगा।

- यह हेयर स्टाइल निश्चित रूप से बोल्ड लुक के लिए है। यह वेस्टर्न ड्रेस पहनने वाली कम उम्र की लड़कियों पर ज्यादा जंचता है। यह स्टाइल चेहरे को कमसिन, मगर बहुत कॉन्फिडेंट दिखाता है। जीन्स-टॉप, पैंट-शर्ट, स्कर्ट-ब्लाउज, ब्लेजर, कोट आदि के साथ यह लुक बहुत जंचता है।

- इस स्टाइल को आप साड़ी के साथ भी अपना सकती हैं, बाकी ड्रेसेस तो इसके साथ चलेंगी ही। जब माथे पर फ्रिंज नहीं न करना हो तो आप उन्हें थोड़ा उठाकर ऊपर पिन भी कर सकती हैं। इस हेयर स्टाइल से आप भीड़ में भी सबसे अलग और आकर्षक नजर आएंगी।

- यह बहुत ही सेफ और सिंपल हेयर स्टाइल है। चाहें तो फूल लगाएं, न चाहें तो न लगाएं। आप भारतीय पोशाक पहनें या फिर वेस्टर्न, यह सबके साथ आराम से चलेगा। यह न तो आपको बोल्ड दिखाएगा और न ही एकदम सिंपल।

- यह बोल्ड हेयर स्टाइल वेस्टर्न पोशाकों के साथ खूब जंचेगा। अगर आपके नाक-नक्श अच्छे कटे हुए हैं और चेहरा कुछ लंबा है तो यह हेयर स्टाइल आप पर बहुत जंचेगा। साड़ियों और सलवार-कुर्ते के साथ भी यह काफी जंच सकता है, बशर्ते आप इसे अच्छे से बनाए रख सकें।

- यह हेयर स्टाइल नया नहीं है। यह पांचवें हेयर स्टाइल को ही हाथों से रफल करके बनाया गया है। आप चाहें तो इस नए स्टाइल के भी कानों के आगे के बाल पीछे ले सकती हैं और चाहें तो माथे के भी बीच में या साइड में ले सकती हैं। इस दूसरे स्टाइल को आप तीसरा रूप भी दे सकती हैं।

बालों को संवारने के लिए कंघी या ब्रश का इस्तेमाल किया जाता है। कंघी या ब्रश बालों को संवारने के अतिरिक्त इन्हें स्वस्थ व स्वच्छ भी बनाए रखते हैं।

सख्त दांतों वाली कंघी का प्रयोग नुकसानदेह

- कंघी या ब्रश से बालों में जमी मिट्टी हट जाती है।

201

- कभी भी सख्त दांतों वाली कंघी या ब्रश का प्रयोग न करें।
- गीले बालों का खास ख्याल रखें। सूखे बालों की अपेक्षा गीले बालों को नुकसान शीघ्र पहुंचता है।
- गीले बालों को जोर-से रगड़ने और खींचने से भी बचें।
- यदि आप तुरंत बाल सुखाना न चाहें तो तौलिया लपेटकर रखें। इससे बाल उलझेंगे नहीं।
- बाल गीले हों तो कोई भी स्टाइल बनाने की कोशिश न करें, अन्यथा बालों की जड़ें कमजोर हो जाएंगी।
- बालों को संवारते समय खींचें नहीं। खिंचाव पड़ने से बाल जड़ से कमजोर होकर झड़ने लगते हैं।
- यदि आपके बाल पतले हैं तो ज्यादा मोटे दांतों वाली कंघी काम में न लें। इससे बाल अच्छी तरह नहीं सुलझेंगे।
- नुकीले दांतों वाली कंघी सिर की त्वचा को अधिक नुकसान पहुंचा सकती है।
- गीले बाल सुखाने के बाद मोटे दांतों वाली नरम कंघी ही काम में लें।
- सुबह-शाम नियमित रूप से बालों में कंघी करें। अच्छी तरह ब्रश करने से बालों की जड़ों में रक्त संचार बढ़ता है।
- कंघी खरीदते समय यह ध्यान रखें कि उसके दांते नुकीले, तीखे व खुरदरे न हों।
- अपनी कंघी प्रतिदिन साफ करें। उसे साबुनयुक्त कुनकुने पानी से धोएं। पुराने टूथब्रश से दांते साफ करें।
- अच्छी क्वालिटी की प्लास्टिक की कंघी ही सबसे उपयुक्त रहती है।
- हमेशा अपनी ही कंघी से बाल संवारें।
- बालों को आगे करके 100 बार ब्रश करें। इससे बाल मजबूत बनेंगे।
- कभी-कभी बालों को दिन-भर खुला रखकर हवा लगने दें।
- बालों के लिए सबसे उत्तम कंघी 'जूसर' होती है। इसकी विशेषता यह है कि यह मैल को जड़ों से खींच लाती है और इस कंघी के दांतों में मैल न भरने से इसे साफ भी नहीं करना पड़ता।

सिर की सफाई की तरह ब्रश व कंघी को भी साफ करके रखें। हफ्ते में एक बार कंघी, ब्रश को साबुन के पानी में आधे घंटे तक भिगो दें। इससे दांतों में छिपा मैल फूल जाएगा। पुराने टूथ ब्रश से इसे साफ करें व सुखाकर रखें।

बालों के तुरंत इवनिंग स्टाइल के लिए कुछ टिप्स

प्रायः शाम होते-होते बाल फ्लैट-से होने लगते हैं और सिर से चिपक-से जाते हैं। ऐसे में इवनिंग पार्टी का निमंत्रण हो तो उलझन-सी होने लगती है, लेकिन परेशान न हों, ये तरीके अपनाएं और बालों को खिला-खिला रूप और मनपसंद स्टाइल दें—

* यदि बाल दिन-भर रूखे-से हो गए हैं, फ्लैट हो गए हैं तो हल्का-सा पानी स्प्रे करके उन्हें नमी प्रदान करे। फिर हथेली से घुमाते हुए बालों को वॉल्यूम दें। इस तरह बाल खिले-खिले व घने दिखने लगेंगे। बालों को ज्यादा उठाना हो यानि ऊंचे स्टाइल में सैट करना हो तो क्राउन एरिया पर बैक कॉम्बिंग करें, फिर मनपसंद स्टाइल देकर हेयर स्प्रे से सैट करें।

* बाल शॉर्ट कट हों और फ्लैट हो गए हों तो बालों में जैल एप्लाई करें, फिर फास्ट सेटिंग हेयर ड्रायर का इस्तेमाल करते हुए पाउडर ड्राई करें, ताकि बालों को तुरंत ही वॉल्यूम के साथ-साथ नेचुरल मूवमेंट मिले। फिर मनपसंद तरीके से संवारें।

* कर्ली तथा वेवी बालों को खूबसूरती प्रदान करने के लिए बालों को आगे करके उनकी जड़ों में हेयर स्प्रे द्वारा स्प्रे करें। ऐसा सिर के हर तरफ करें। तत्पश्चात वैक्स या लोशन में उंगलियां डिप करके हल्के हाथों से बालों में एप्लाई करें।

हेयर ड्रायर के विषय में कुछ खास बातें

कई बार बालों को सुखाने व सैट करने हेतु हेयर ड्रायर प्रयोग में आता है। हेयर ड्रायर का नियमित प्रयोग न करें। गीले बालों को स्वतः ही सूखने दें। जब भी हेयर ड्रायर का प्रयोग करना हो तो इस प्रकार करें।

- हेयर ड्रायर ऐसा लेना चाहिए जिसमें हीट और स्पीड कंट्रोल करने की सुविधा हो।
- कभी भी ड्रायर को बिना फिल्टर के काम में न लें। इससे बाल मशीन में फंस सकते हैं।
- ब्लोड्राई के बाद बालों को अच्छी तरह ठंडा होने दें। फिर देखें कि बाल सूख गए या नहीं।
- ड्रायर को सिर की त्वचा के बहुत करीब न लाएं। इससे आपकी त्वचा जल सकती है।
- ड्रायर को बहुत गर्म मोड पर न रखें। इससे आपके बाल खराब हो सकते हैं।
- ड्रायर का रुख नीचे की तरफ रखें। इससे बालों के क्यूटिकल्स नर्म होंगे और बालों में चमक आएगी।
- ड्रायर में लंबे, सीधे प्रांगण वाला डिफ्यूजर लगाकर बालों में घनापन लाया जा सकता है।
- अच्छी फिनिश और स्टाइल के लिए एयर स्टाइलर को कम स्पीड पर चलाएं।
- कभी भी इलैक्ट्रिक ड्रायर को गीले हाथों से या पानी के पास इस्तेमाल न करें।
- यदि आपके ड्रायर में फिल्टर है तो उसे समय-समय पर साफ करना जरूरी है।
- रूखे, बेजान, खराब और छोटे बालों को ड्रायर की जगह अपनी उंगलियों की सहायता से सुखाएं।

हेयर ड्रायर जब भी खरीदें किसी अच्छी कम्पनी का ही खरीदें।

बालों को काला बनाए रखने के लिए कुछ उपाय

उम्र बढ़ने के साथ जहां त्वचा ढीली पड़ने लगती है, वहीं बाल भी सफेद होने लगते हैं। किसी वक्त यह कहावत मशहूर थी 'अपने बाल धूप में ऐसे ही सफेद नहीं किए'। इसका अर्थ यह भी था कि व्यक्ति को अनुभव काफी है, परंतु आजकल कोई भी यह कहना नहीं चाहता क्योंकि काफी अनुभव प्राप्त करने के लिए बुजुर्ग भी

सुंदर-सजीले केश सौंदर्य को बढ़ाते हैं

होना पड़ता है। आज के युग में अधिकांश स्त्री-पुरुष सारी उम्र किशोर व किशोरी ही बने रहना चाहते हैं। उन्हें अपनी त्वचा, सेहत व बालों की फिक्र रहती है। वे उनकी उचित देखरेख करना चाहते हैं। इसी संदर्भ में कुछ उपाय सुझाए जा रहे हैं।

- मुल्तानी मिट्टी व काली मिट्टी से बाल धोने से बालों में चमक, कालापन और घनापन सदैव बना रहता है।

- प्याज को पीसकर लेप करने से भी बाल काले होते हैं।

- यदि सप्ताह में एक बार अंडा फेंटकर लगाया जाए तो भी बालों में कालापन बना रहता है।

- आधा कप दही में 10 पिसी काली मिर्च और एक नीबू निचोड़कर मिला लें। इस पेस्ट को बालों की जड़ों पर लगा लें। बीस मिनट बाद सिर धो लें। बाल मुलायम और काले हो जाएंगे।

- गेहूं के पौधे का रस पीने से भी बाल कुछ समय बाद काले हो जाएंगे।

- रात-भर एक कटोरी काली उड़द भिगोकर, उन्हें प्रातः पीसकर सिर में यदि एक घंटे लगाया जाए तो एक माह में ही आपको अद्भुत फर्क महसूस होगा।

- यदि आपके बालों में सफेदी का कारण जुकाम और नजला है तो सुबह खाली पेट एवं शाम को 10-10 काली मिर्च चबाकर निगल लें। इससे कफ विकार दूर होगा और बाल भी काले निकलेंगे। ऐसा आप एक साल तक करें।

- तिल के तेल में काली मिर्च मिलाकर लगाने से भी फायदा होगा।

- सिर में आंवले का तेल नियमित रूप से लगाएं। रात-भर आंवले भिगोकर सुबह इन्हें पीसकर सिर में लगाएं या आंवले उबालकर उसके पानी को ठंडा करके भी सिर धोया जा सकता है। एक माह तक यह उपाय आपके बालों के लिए बेहद फायदेमंद साबित होगा।

- यदि लौकी को कद्दूकस करके उसका रस सिर में लगाया जाए तो भी आपके बाल काले हो जाएंगे।

- यदि बथुए को उबालकर उसके पानी को ठंडा करके उससे बाल धोए जाएं तो बाल कुछ ही दिनों में काले, नरम व मुलायम हो जाएंगे।

- तुरई के टुकड़ों को छांव में सुखाकर मोटा कूट लें। इसमें इतना नारियल तेल डालें कि ये डूब जाएं। चार दिन भीगने दें। फिर उबालकर, छानकर बोतल में भर लें। इस तेल से सिर की मालिश करें।

- चार चम्मच दही, काली मिर्च पिसी हुई तथा एक नीबू निचोड़कर पानी में मिला लें। इसे बालों की जड़ों में लगाएं। आधे घंटे बाद कुनकुने पानी से सिर धो लें।
- चार चम्मच मेथी दाना रात-भर के लिए भिगो दें। प्रातः थोड़े पानी से इसे पीसकर गाढ़ा लेप बना लें। यह लेप बालों की जड़ों में आधा घंटा लगाएं। बाद में ताजे पानी से सिर धो लें। लगातार पंद्रह दिन ऐसा करने से आप आश्चर्यजनक परिणाम पाएंगे।
- एक चम्मच रीठा पाउडर, एक चम्मच शिकाकाई पाउडर, एक चम्मच आंवला पाउडर, चुटकी-भर हल्दी, एक-एक चम्मच मेथी पाउडर व पिसा धनिया, एक चम्मच पिसी हुई तुलसी के पत्ते व एक-एक चम्मच नीम की पत्ती का पाउडर व नीबू का रस, एक चम्मच मेहंदी पाउडर—इन सभी को एक बड़े

प्राकृतिक प्रसाधन केश संवर्धन का अचूक उपाय है

या छोटे बर्तन में आवश्यकतानुसार पानी डालकर उबालें व रात-भर भीगने दें। प्रातःकाल उठकर यह पेस्ट अपने सिर में अच्छी तरह लगा लें। करीब एक घंटे बाद सिर धो लें। दो माह तक लगातार प्रयोग में लाने से आपके बाल काले, घने, मुलायम व मज़बूत हो जाएंगे तथा रूसी जैसी समस्या से भी छुटकारा मिल जाएगा। साथ ही आपके बाल झड़ने भी रुक जाएंगे। असमय होने वाले सफेद बालों की समस्या से भी मुक्ति मिल जाएगी।

इस प्रयोग से सुखद परिणाम पाकर शैंपू के स्थान पर इस पेस्ट का प्रयोग किया जा सकता है।

- एक चम्मच नीबू के रस में दो चम्मच ग्लिसरीन मिलाकर फेंटें। अब इसे रात-भर बालों की जड़ों में लगाकर सुबह सिर धो लें।
- एक कप दही में दो चम्मच नीबू का रस मिलाकर खूब फेंटें और बालों की जड़ों में लगाएं। दो घंटे बाद सिर धो लें, बाल काले व चमकीले हो जाएंगे।
- समान मात्रा में नीबू और आंवले का रस मिलाकर सिर में लगाया जाए तो बाल काले और मजबूत होते हैं।
- यदि कच्चे नारियल का दूध बालों में लगाया जाए तो बाल बिल्कुल काले हो जाएंगे।
- चार चम्मच मुल्तानी मिट्टी में एक चम्मच दही मिलाकर सिर धोया जाए तो न केवल बाल खूबसूरत होंगे, बल्कि रूसी से भी छुटकारा मिल जाएगा।
- तिल के पत्तों को पीसकर उस पेस्ट से यदि सिर धोया जाए तो बाल काले व मजबूत होते हैं।
- बरगद की जटा को पीसकर उसका चूर्ण बना लें। अब इसमें थोड़ा-सा पानी मिलाकर पेस्ट बना लें, करीब एक घंटे तक सिर में लगाने के बाद सिर धो लें। पंद्रह दिन के लगातार प्रयोग से आपके बाल भी बरगद की जटा की तरह लंबे नजर आएंगे और बालों की मजबूती व चमक भी देखते ही बनेगी।
- बेर के पत्तों को पीसकर यदि बालों में लगाया जाए तो बाल बहुत तेजी से बढ़ते हैं।
- जामुन की गुठलियां सुखाकर पीस लें। रात-भर सिर में लगाकर प्रातः सिर धो लें। बाल काले व लंबे हो जाएंगे।
- ककड़ी का रस यदि बालों में लगाया जाए तो बाल शीघ्र ही काले होते हैं।
- पिसी मेहंदी को नारियल तेल में डालकर कुछ दिन धूप में रखें। ऐसा करने से तेल गहरे हरे रंग का हो जाएगा। इस तेल को नित्य बालों में लगाने से बाल धीरे-धीरे काले होने लगेंगे।
- इंद्रायण के बीजों का तेल बालों पर नियमित रूप से लगाने से 4-5 माह बाद सफेद बाल भी काले होने लग जाएंगे।
- नीबू के रस में त्रिफला चूर्ण मिलाकर सिर में लेप किया जाए तो बाल कभी भी असमय सफेद नहीं होंगे।

- नित्य-प्रति काले तिल का सेवन भी बालों को काला बनाता है।
- समुद्री साग को पानी में मिलाकर सप्ताह में दो-तीन बार बालों में लगाएं, लगभग 20 मिनट बाद बाल धो लें। कुछ ही दिनों में बाल काले हो जाएंगे।
- कलौंजी को पानी में पीसकर लुगदी बना लें। इसे बालों में लगाकर एक घंटे बाद धो लें। कुछ ही दिनों में बाल काले हो जाएंगे।
- एक सेब का गूदा करके यदि उसे सिर में लगाकर सिर धोया जाए तो भी कुछ ही दिनों मे आपके बाल काले हो जाएंगे।
- मेहंदी के पत्ते, आंवला और थोड़ी-सी नील दूध में पीस लें, इसे बालों में लगाएं। एक-दो घंटे बाद धो लें। इसके लगातार उपयोग से थोड़े ही दिनों में आपके बाल काले हो जाएंगे।
- ताजे आंवले को कूटकर व रस निचोड़कर तिल के तेल में मिलाकर हल्की आंच पर पकाएं, पानी सूख जाने पर उतारें व ठंडा करके एक बोतल में भर लें। नित्य-प्रति यह तेल लगाएं।
- एलोवेरा यानी ग्वारपाठे के रस को फेंटकर सिर में लगाया जाए तो बाल काले भी हो जाएंगे, साथ ही रूसी व सफेदी से भी छुटकारा मिलेगा।
- बालों को काला करने तथा उन्हें झड़ने से रोकने में मछली का तेल भी बहुत लाभदायक है।
- सर्दियों के मौसम में यदि प्रतिदिन एक पत्तागोभी खाई जाए तो एक महीने में ही आपको बालों में फर्क नजर आ जाएगा।
- भिलावा को उत्तम नारियल के तेल और काले तिल के तेल (बराबर-बराबर मात्रा में) में कूट-पीसकर खरल करें। इसमें आम की गुठली का चूर्ण, रेती से घिसकर प्राप्त लोहे का चूर्ण, बड़ी हरड़ का चूर्ण, आंवला चूर्ण, बहेड़े का चूर्ण, प्रत्येक को भिलावा चूर्ण के बराबर मात्रा में लेकर भृंगराज के स्वरस में डुबोकर तीन घंटे दृढ़ हाथों से खरल करते-करते भलीभांति सुखा लें। इनके कपड़छन चूर्ण को रखें और भृंगराज के रस में मिलाकर सफेद बालों पर लगभग 6 महीने नियमित प्रयोग करें। सावधानी रखें कि भिलावा का हाथ से स्पर्श न होने पाए, नहीं तो सूजन आ जाएगी।
- काले बेर की पत्तियों को सेंककर फिर उनका चूर्ण बनाकर खोपरे के तेल में उबालकर छान लें। इस तेल को सिर में प्रयोग करने से बाल असमय पकते नहीं और काले हो जाते हैं।

बालों का असमय सफेद होना

प्रायः हर नारी का एक सपना होता है कि उसके बाल सबसे ज्यादा काले, खूबसूरत, घने एवं लंबे हों। अपने बालों की सुंदरता के लिए महिलाएं तरह-तरह के प्रसाधनों का इस्तेमाल करती हैं, जिसका परिणाम यह होता है कि विभिन्न प्रसाधनों के रासायनिक पदार्थ बालों को गहरा नुकसान पहुंचाकर उन्हें असमय सफेद बना देते हैं।

ऐसी स्थिति से बचने के लिए जरूरी होता है कि बालों के लिए उपयुक्त प्रसाधनों का या घरेलू चीजों का ही उपयोग करें।

- नीबू के रस में पिसा हुआ सूखा आंवला मिलाकर सफेद बालों पर लेप करें। धीरे-धीरे बालों में कालापन आ जाएगा।
- बालों को तेज धूप में ढककर चलें क्योंकि सूर्य से निकली अल्ट्रा वायलेट किरणें बालों को सफेद बना सकती हैं।

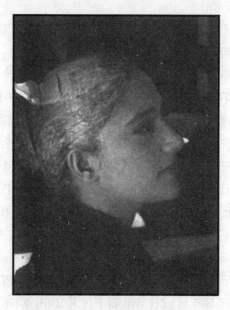

सफेद होते बालों के कारणों पर गौर करें

- सरसों का औषधियुक्त तेल यदि सिर में लगाया जाए तो भी बाल काले हो सकते हैं। यह तेल धीरे-धीरे बालों की सफेदी कम करता है। इस तेल को घर पर भी तैयार किया जा सकता है। एक किलो सरसों के तेल में थोड़ी रतनज्योत, 250 ग्राम मेहंदी पत्ते, 250 ग्राम जल भंगरा के पत्ते, 250 ग्राम आम की गुठलियां डालकर उबाल लें। इस तेल को रोजाना सिर में लगाएं।
- एक चम्मच चाय की पत्ती को एक कप पानी में डालकर उबालें। जब पानी आधा रह जाए तो छान लें। इस पानी में एक चम्मच पिसा हुआ आंवला, एक चम्मच मेहंदी व कॉफी पाउडर मिला लें। इस मिश्रण का बालों में लेप करें। एक घंटे बाद सिर धो लें। धीरे-धीरे बाल भूरे होने लगेंगे। यदि यह मिश्रण लोहे के बर्तन में रखा जाए तो बाल काले हो जाएंगे।
- प्रतिदिन एक नीबू सिर में रगड़कर एक घंटे बाद धो लें। लगभग दो माह बाद परिणाम आपके सामने होंगे।
- यदि सिर में छाछ या दही भी लगाया जाए तो असमय सफेद हुए आपके बालों का रंग धीरे-धीरे काला हो जाएगा।
- फलों के रस के सेवन से शीघ्र लाभ होता है।
- फल-सब्जियों के विटामिन शरीर में अधिक मेलानिन की उत्पत्ति करते हैं, जिसके कारण बाल काले बने रहते हैं।
- चिरौंजी, यष्टी, जीवनीय द्रव, काले तिल को दूध के साथ पीसकर सिर पर लेप करना चाहिए।
- आंवला, यष्टी, तिल को शहद के साथ पीसकर लेप करने से लाभ होता है।
- जटामांसी, तिल, सारिवा, नीलोत्पल, कूठ को कूटकर दूध में पीसकर शहद मिलाकर लेप करने से बालों की विकृति मिटती है।
- दुग्धिका, कनेर की जड़ को दूध के साथ पीसकर बालों की जड़ में मलने से बाल काले हो जाते हैं।
- त्रिफला और लौह चूर्ण को किसी अम्ल द्रव के साथ पीसकर सिर पर लेप करने से बाल काले होते हैं।
- शुक्तामल, कच्चे चावल, सेंधा नमक और लौह चूर्ण को अम्ल द्रव के साथ आग पर पकाएं। जब गाढ़ा हो जाए तो सिर को साबुन से साफ कर रात में लेप करें। प्रातः त्रिफला मिले जल से सिर साफ करें। कुछ भागों में बाल काले, लंबे होते हैं।

- सब्जियों का सेवन सलाद या सूप के रूप में करना चाहिए।
- आंवला व आम की गुठली की गिरी को जल के साथ पीसकर सिर पर लेप करने से बाल लंबे और काले होते हैं।
- नीलकमल के फूल गाय के दूध में पीसकर लोहे के पात्र में बंद कर गड्ढा खोदकर गाड़ दें। एक माह बाद पात्र निकालकर गाय के दूध में मिलाकर प्रतिदिन बालों में लगाने से बाल तेजी से काले होते हैं।
- मीठे नीम अर्थात कढ़ी पत्ते को पीस लें। छाछ में मिलाकर इसका पेस्ट बनाएं। बीस मिनट तक इसे बालों में लगा रहने दें, फिर धो लें। सप्ताह में एक बार इसका प्रयोग करें दो कप पानी में चार चम्मच चाय की पत्ती डालकर उबाल लें। चाय का रंग गहरा होने तक उबलने दें। अब इसमें एक चम्मच नमक मिलाएं। छानकर ठंडा करके बालों की जड़ों में एक घंटे तक लगाकर रखें और फिर धो लें। असमय सफेद हुए बाल काले हो जाएंगे।
- हरड़ का चूर्ण, नीम के पत्ते, आम की छाल, अनार की कलियां और मेहंदी के पत्तों का लेप बालों में लगाने से बहुत लाभ होता है।
- प्रपौण्डरीक, यष्टी, चंदन, कमल, पीपर के कल्क को आंवले के रस के साथ सिद्ध तेल से मालिश करने से बाल काले होते हैं। इसके साथ प्रतिदिन भृंगराज का तेल सिर में लगाना चाहिए।
- उड़द, कोदो, कोजी, घी आदि को तीन दिन किसी लौहे के बर्तन में डालकर रखें। सूख जाने पर इसका प्रयोग बालों में करने से बाल तेजी से काले होते हैं।
- लौह चूर्ण, भृंगराज, हरीतकी और काली मिट्टी विभीतक, अम्ल की बराबर मात्रा में कूट-पीसकर गन्ने के रस में डालकर लोहे के पात्र में भरकर, उस पात्र का मुंह बंद करके जमीन में गड्ढा खोदकर गाड़ दें। एक महीने बाद उस बर्तन को निकालकर औषधियों के मिश्रण को छानकर लेप बनाकर बालों में लगाने से सफेद बालों से मुक्ति मिलती है।
- सिर को त्रिफला चूर्ण मिले पानी से धोना चाहिए, इससे बाल प्राकृतिक रूप से घने और काले होते हैं।
- नारियल की गिरी खाने और नारियल का पानी पीने से बाल लंबे और काले रहते हैं।

- लोध्र, दारुहरिद्रा, यष्टीमधु, नागरमोथा, कपूर कचरी, भांगरा 5-5 ग्राम, आंवला, अरिष्टक, सातला 10-10 ग्राम और 40 ग्राम कृष्ण मृत्तिका लेकर उन्हें कूट-पीस व छानकर महीन पाउडर बनाकर रख लें। प्रयोग करने के समय बालों की आवश्यकतानुसार इस पाउडर की मात्रा लें, फिर इसे पानी में घोलकर पन्द्रह मिनट गलने दें और फिर घोल को फेंटें। इसके बाद घोल को बालों में खूब मलें और अच्छी तरह धो लें। चार हफ्ते लगातार प्रयोग करने से सफेद बाल कम होने शुरू हो जाएंगे। इस बीच बालों में साबुन का प्रयोग न करें।

- भृंगराज 100 ग्राम, सूखा आंवला, काला तिल, बड़ी हरड़, बहेड़ा प्रत्येक 100-100 ग्राम, सूखी मेहंदी के पत्ते, माजूफल, प्रत्येक 50-50 ग्राम, इन सबको दरदरा करके काढ़ा बनाकर निथार-छानकर बालों की जड़ों में दिन में दो बार लगाकर मालिश करें और 30 मिनट लगाकर छोड़ दें। तब बालों को भलीभांति धो लें। धोने के लिए रीठा, आंवला एवं शिकाकाई के निथरे जल से बालों को धोएं।

- आंवला भृंगराज तेल में अनार के छिलके का पाउडर व हीरा कशीश पाउडर को मेहंदी पाउडर से चौथाई मात्रा लेकर मिलाएं और रात में लौहे की कड़ाही में भिगो दें। सुबह सिर में लगाकर सादे पानी से धो लें। बालों को सुखाने के बाद सिर में भृंगराज तेल लगाएं और तीन-चार घंटे बाद किसी अच्छे प्रोटीनयुक्त शैंपू से धो लें।

बालों को हेयर कलर से भी रंगकर उनकी सफेदी छुपाई जा सकती है। सफेद हुए बालों में प्रत्येक सप्ताह अच्छी मालिश करनी चाहिए। यदि आप मांसाहारी हैं तो मछली का सेवन अधिक करें।

बालों में शैंपू का प्रयोग

बालों को साफ करने के लिए शैंपू का प्रयोग सबसे अधिक होता है। सभी प्रकार के शैंपू बालों को धो देते हैं, परंतु यह जानना जरूरी होता है कि शैंपू इतना तेज नहीं होना चाहिए जो बालों की स्वाभाविक चिकनाई को ही खत्म कर दे।

शैंपू का मुख्य कार्य बालों के ऊपर जमी धूल को साफ करना होता है। शैंपू बालों को स्वच्छ करता है। बालों की तैलीय या खुश्क प्रकृति के अनुसार बालों के लिए शैंपू का चुनाव करें। आजकल भिन्न-भिन्न कंपनियों के शैंपू बाजार में आ रहे हैं,

शैंपू के प्रयोग से बाल स्वस्थ व सुंदर रहते हैं

214

as pio kayakalp karo //Bhatt, Kanti
01473738   DUE 27/03/11

tan: saundarya, swasthya ane samasya //
01460297   DUE 27/03/11

,500 herbal beauty guide/Gupta, Ashu
01221242   DUE 27/03/11

narnun aushadh vignan/Thakar, Sitadevi
00808929   DUE 27/03/11

namjibapa Vaidyana anubhut safal prayog
01460282   DUE 27/03/11

neri low calorie vangio/Shah, Nayna
01220358   DUE 27/03/11

adurasta raheva shun karsho?/Chandarana
01452851   DUE 27/03/11

andurasti tamara hathman arogyanun bil
01487971   DUE 27/03/11 RENEWAL 2

appy mananun sarjan //Gupta, M. K.
01450842   DUE 27/03/11 RENEWAL 5

00074354 1

SP 8/3/11

CEIPT

ndsworth Council

t Reg. No 216259470

oting Library
 Mitchum Road
17 9PD

1: 020 8671 7175
braries@wandsworth.gov.uk

erdue book charge   £0.23
nes   £0.23
nes   £0.23

                  Total   £0.69
    CASH   Tendered   £1.00
               Change   £0.31

           Vat paid   £0.00
11 no. 1
ceipt No. 4767874

/03/11 14:58:43

जिन पर लिखा भी होता है कि किस प्रकृति के बालों के लिए यह शैंपू है। कभी भी सस्ते व घटिया शैंपू बाजार से न खरीदें। ये बालों को हानि पहुंचाते हैं। अच्छा शैंपू बालों को स्वच्छ, रेशमी, चमकीला व कोमल बनाए रखता है।

- शैंपू का प्रयोग सदैव अपने बालों की प्रकृति को ध्यान में रखकर ही करें।
- कभी भी शैंपू सीधे ही बालों में न डालें, इसे थोड़े-से पानी में डालकर ही लगाएं। बालों को पीछे करके ही धोना चाहिए।
- ज्यादातर शैंपू पर पी.एच. फैक्टर युक्त लिखा होता है। यह शैंपू में स्थित अम्लीय और अल्काइन तत्त्वों के संतुलन को दर्शाता है।
- पी.एच. फैक्टर के एक से कम होने पर अम्लीय तत्त्व ज्यादा होते हैं और एक से ज्यादा होने पर अल्कलाइन तत्त्व।
- यदि बाल कमजोर, रूखे और बेजान, पर्म या कलर किए हुए हों तो पी.एच. फैक्टरयुक्त शैंपू ही लेना चाहिए।
- यदि आप अपनी बालों की प्रकृति समझ नहीं पा रही हैं तो सबसे माइल्ड शैंपू ही लें।
- शैंपू का इस्तेमाल करने से पहले उसके निर्देशों को अवश्य पढ़ लें, क्योंकि बहुत-से शैंपू लगाकर उन्हें थोड़ी देर छोड़ना भी पड़ता है।
- यदि नया शैंपू इस्तेमाल करना चाहें तो उसके गुण परखने के लिए पहले एक छोटी शीशी या सैशे लें।
- नियमित अंतराल पर शैंपू बदलते रहना चाहिए, क्योंकि कुछ समय बाद बालों पर शैंपू का प्रभाव खत्म-सा हो जाता है।
- कुछ शैंपुओं में डिटरजेंट व अन्य तत्त्वों का सही मिश्रण होता है, जो बालों में से तेल निकालने का काम करता है। इन शैंपुओं के प्रयोग से बाल कम टूटते हैं।
- बाल धोने के लिए शॉवर या नल के पानी का ही इस्तेमाल करें।
- बालों को गीला करके अपनी उंगलियों के पोरों से जड़ों और बालों में शैंपू लगाएं।
- शैंपू करते समय हेयर लाइन की सफाई पर खास ध्यान दें, क्योंकि यह स्थान धूल और मेकअप से ज्यादा प्रभावित होता है।
- जब तक सिर में से शैंपू अंशरहित न हो जाए तब तक सिर धोते रहें।
- यदि सिर में किसी तरह का घाव या चोट हो तो रासायनिक शैंपू का इस्तेमाल कभी भी न करें।

215

- दो चम्मच रोजमेरी की सूखी पत्तियां, आधा लीटर पानी में आधे घंटे तक खौला लें। जब पानी ठंडा हो जाए तो पत्तियों को निकाल दें और बालों को उससे धोएं। यह रोजमेरी शैंपू कहलाता है।

- एक कप रम में एक बड़ा-सा प्याज काटकर डाल दें व आठ दिन पड़ा रहने दें। आठ दिन बाद प्याज के टुकड़े रम में से निकाल दें अथवा रम छान लें। इसके बाद आठ अंडों का पीला भाग अच्छी तरह फेंटकर मिला दें व एक चम्मच लेनोलीन पाउडर मिला दें। एग शैंपू तैयार है।

- बालों को रंगने या पर्म करवाने के बाद सामान्य शैंपू प्रयोग में न लें क्योंकि ऐसे बालों के लिए खास प्रकार के शैंपू आते हैं।

- यदि आपको अपने रूखे बालों के लिए सही शैंपू नहीं मिल रहा है तो बीयर, दही, चाय या बथुए के उबले पानी से सिर धोएं।

- बाल धोने के बाद हमेशा अपनी कंघी और ब्रश को भी साफ करें, तभी अपने स्वच्छ बालों को संवारें।

घर में बनाएं शैंपू

- **हर्बल शैंपू :** रूखे बालों के लिए 200 ग्राम शिकाकाई की पत्तियां अथवा पाउडर, 200 ग्राम आंवला पाउडर तथा 100 ग्राम संतरे के सूखे छिलके लेकर रात-भर के लिए पानी में भिगोकर रख दें। सुबह इसे अच्छी तरह से उबालकर ठंडा कर लें। जब यह मिश्रण ठंडा हो जाए, तो छलनी से छानकर, एक बोतल में भरकर रख दें। जड़ी-बूटियों से तैयार किया गया यह विशेष शैंपू बनाने में तो आसान है ही साथ ही बाजार में बिकने वाले किसी भी अन्य शैंपू से कहीं अधिक उत्तम और गुणकारी भी है। तीन-चार हफ्तों के नियमित इस्तेमाल के बाद बालों की प्राकृतिक सुंदरता व चमक लौट आती हैं।

- **ग्लिसरीन शैंपू :** तैलीय बालों की देखभाल के लिए ग्लिसरीनयुक्त साबुन की एक टिकिया लेकर उसका चूर्ण बनाकर उसे एक कप पानी में खूब उबालें। फिर ठंडा होने के लिए रख दें। ठंडा होने के बाद यह एक जैली के रूप में परिवर्तित हो जाएगा। अब इस जैली को तैलीय बालों पर दो नीबुओं के रस के साथ मिलाकर लगाएं। 10-15 मिनट के बाद स्वच्छ पानी से बाल धो लें।

- **पनामा वुड शैंपू :** 50 ग्राम पनामा वुड को थोड़े-से पानी में उबाल लें। इसे एक घंटे तक सूखने दें। अब इस पानी को छानकर प्रयोग में लाएं। यह साधारण और तैलीय बालों के लिए बहुत अच्छा रहता है।

- **सीरम शैंपू :** इसे बनाने के लिए दो अंडों की जर्दी में दो बड़े चम्मच गंधरहित लिनसीड ऑयल और दो बड़े चम्मच रम मिला दें। बालों और सिर की सतह पर इसे लगाएं। इसे एक घंटे तक लगा रहने दें, फिर गर्म पानी से धो लें। यह रूसीयुक्त और रूखे बालों के लिए उत्तम है।

- **अंडे का शैंपू :** अंडों में प्रोटीन प्रचुर मात्रा में पाया जाता है, इसलिए यह बालों के लिए भी उत्तम रहता है। एक गिलास गर्म पानी में दो अंडों को फेंटकर छान लें। अब इसे एक घंटे तक बालों और सिर की सतह पर लगा रहने दें।

- **कंडीशनिंग शैंपू :** एक-दो बड़े चम्मच कोई भी शैंपू के लेकर उसमें एक अंडा और एक बड़ा चम्मच बिना कुछ मिला जिलेटिन पाउडर मिलाएं। इस मिश्रण को धीरे-धीरे फेंटें जिससे गांठें न बनें। इसे सिर पर लगाकर सिर धो लें। इस शैंपू से बाल घने और सुंदर बनते हैं।

- **टॉनिक शैंपू :** ठंडे पानी में दो सौ ग्राम सूखे ऑलिव और शिकाकाई की फली मिलाकर रख दें। एक लोहे के बर्तन में रात-भर भिगोकर रखें। सुबह इसे दस से पन्द्रह मिनट तक उबालें और छान लें। बचे हुए पेस्ट को कुछ पतला करें और इससे बाल धोएं। यह बालों को सॉफ्ट और चमकदार बनाता है।

- अगर आपके बालों में शैंपू की सख्त जरूरत है और शैंपू खत्म हो गया है, उस पर आपके पास इतना समय भी नहीं कि बाजार से खरीद लाएं तो घबराएं नहीं। हमारे द्वारा बताए टिप्स से आपको बाल गीले भी नहीं करने पड़ेंगे और समय भी कम लगेगा, इसके लिए है एनर्जी शैंपू—कोई पुराना स्टॉकिंग लेकर उसे बाल काढ़ने वाले ब्रश के ब्रसल्स पर चढ़ा दें। अब किसी हेयर फ्रेशनर या कंडीशनर को ब्रसल्स पर डालकर बाल ब्रश करें।

कंडीशनर

गर्मी, सर्दी, तेज धूप, हवा, धूल आदि के कारण बालों को पर्म व ब्लीच करने में बालों की स्वाभाविक चमक खो जाती है। कंडीशनिंग से वह चमक लौटाई जा

सकती है। कंडीशनिंग बालों की ऊपरी सतह क्यूटिकल्स को स्वस्थ रखती है। इससे बालों में चमक व चिकनाई बनी रहती है। अच्छी तरह से कंडीशनिंग किए गए बाल आसानी से सुलझे रहते हैं। बाजार में अच्छी कंपनी के कंडीशनर खूब आसानी से मिलते हैं।

- लीव इन कंडीशनर (जिन्हें लगाने के बाद बालों को धोना आवश्यक नहीं होता) को आप सीधे ही ट्यूब से बालों में लगा सकती हैं। बालों को मोटे दांतों वाली कंघी से फैला लें और सुखाकर मनचाहा स्टाइल बनाएं।

- लंबे बालों को स्वस्थ और चमकीला बनाने के लिए उन्हें नियमित रूप से कंडीशन करना आवश्यक है।

- घरेलू कंडीशनर में सिरका, नीबू या मेहंदी भी इस्तेमाल में लाए जा सकते हैं। दो मग पानी में आधा नीबू या 4-5 बूंद सिरके की मिलाएं। सिर धोने के बाद इस मिश्रण को सिर में लगाकर तौलिए से पोंछ लें।

- मेहंदी का प्रयोग बालों को रंगने के लिए ही नहीं अपितु उन्हें तरोताजा रखने के लिए भी किया जाता है। यह एक बेहतर कंडीशनर है।

- मेहंदी कंडीशनर पैक बनाने के लिए, चार चम्मच मेहंदी, एक चम्मच हल्दी, एक चम्मच दही, एक चम्मच नीबू का रस, एक चम्मच सरसों का तेल, एक चम्मच तुलसी पाउडर, एक चम्मच नीम की पत्तियों का पाउडर और यदि बाल रंगना चाहें तो एक चम्मच पाउडर लें। अब इस पूरे मिश्रण को एक बड़े बर्तन में पानी से मिलाकर गाढ़ा पेस्ट बना लें और 24 घंटे के लिए भिगो दें। बाद में यह पैक सिर में लगाकर, सर्दियों में धूप में बैठकर सुखाएं और गर्मियों में पंखे की हवा में सुखाएं। करीब एक या डेढ़ घंटे बाद (मौसमानुसार पानी लेकर) सिर धो लें और प्राकृतिक रूप से सिर सूखने दें।

- यदि मेहंदी का रंग आपके बालों पर न चढ़े तो इसके लिए बालों में पहले तेल लगा लें।

- कंडीशनर लगाने के बाद बालों को अच्छी तरह सुखाकर ही मनचाही केश शैली में संवारें।

- प्राकृतिक कंडीशनर हिना में यदि आप अंडा और थोड़ा-सा दूध मिलाकर प्रयोग में लाएं तो आपके रूखे बालों में फायदा होगा।

- ½ आलिव ऑयल और पिघला हुआ शहद, दोनों को भली प्रकार मिलाएं और किसी बोतल में डालकर हिलाएं, दो-एक दिन यूं ही छोड़ दें। बीच-बीच में बोतल को हिलाते रहें और फिर इस्तेमाल करें।

- बालों में गहरे रंग के लिए पांच चम्मच मेहंदी, पिसा हुआ सूखा आंवला, एक चम्मच कॉफी, चौथाई चम्मच कत्था लें। इन सभी को मिलाकर एक लोहे के बर्तन में रात-भर भिगोएं। दूसरे दिन बालों पर लगाएं। बीस मिनट तक लगाकर सिर धो लें।

- हिना लगाने के बाद यह अत्यंत ही जरूरी हो जाता है कि आप अच्छी तरह सिर धोएं। अन्यथा सिर की त्वचा खिंच जाएगी।

- एक चम्मच चाय की पत्ती को एक मग पानी में उबालकर ठंडा कर लें और इसे सिर में लगाएं। यह एक बेहतर कंडीशनर है।

- कंडीशनर को बालों की जड़ों में कभी न लगाएं। इससे रूसी होने की संभावना रहती है।

- रूखे बालों में यदि आधे घंटे तक शहद लगाया जाए तो धोने के बाद आपके बाल नरम, मुलायम और चमकदार हो जाएंगे।

- यदि एलोवेरा (ग्वारपाठा) का रस बालों में लगाया जाए तो यह भी एक कंडीशनर का ही काम करेगा।

- नारियल तेल के 2 बड़े चम्मच, 1 अंडा, 1 बड़ा चम्मच सेब का सिरका लेकर नारियल के तेल को पिघलाकर अंडे फेंटकर उसमें मिलाएं। अब सिरका भी मिलाएं। मिश्रण को हल्का गर्म ही रखें नहीं तो तेल जम जाएगा। सिर में लगाने के बाद गर्म पानी में निचुड़े तौलिए से सिर को बांधें।

- शैंपू से बाल धोने के बाद बीयर मिले पानी से निथार लें। सुखाकर बालों को अपनी इच्छा के अनुसार सैट कर लें।

कंडीशनर का प्रयोग हफ्ते में सिर्फ एक बार ही करना चाहिए। इसकी नियमित आदत न डालें।

यदि घर पर स्वतः ही कंडीशनर तैयार करना हो तो कुछ टिप्स दिए जा रहे हैं, उनका पालन करें।

- बालों को धोने के बाद यदि बाल रूखे-रूखे लगें तो उन्हें अधिक देखभाल की आवश्यकता होती है। धोने के बाद बालों में कंडीशनर अवश्य लगाएं।

- बालों को धोने के बाद गीले बालों में ही कंडीशनर लगाकर 10-15 मिनट के लिए छोड़ दें। फिर सादे पानी से सिर धो लें।

कंडीशनर से संबंधित कुछ और महत्त्वपूर्ण टिप्स

हमारे बालों में सीबम नामक पदार्थ पाया जाता है, जो बालों के लिए जरूरी है। समय के साथ यह सीबम कम होता जाता है। कंडीशनर का काम इस खोए हुए सीबम को वापस लाना है। इसके अलावा कंडीशनर बालों को सीधा भी करता है। आज बाजार में ढेरों शैंपू और कंडीशनर मौजूद हैं। हम बाजारू और घरेलू, दोनों ही कंडीशनरों के बारे में यहां टिप्स दे रहे हैं—

- **प्रोटीन कंडीशनर :** प्रोटीनयुक्त यह कंडीशनर धुलाई के दौरान आपके बालों को चिकना करता है। हालांकि इसमें मौजूद प्रोटीन आपके सिर के भीतर नहीं जा पाता, लेकिन यह अस्थायी तौर पर आपके बालों में घनापन तो लाता ही है।
- **डीप कंडीशनर :** इसमें तुरंत कंडीशनिंग करने के तमाम तत्त्व मौजूद होते हैं। यह कंसंट्रेटेड फॉर्म में होते हैं। डीप कंडीशनर का मतलब है आपके बालों में लंबे समय तक कंडीशनर का रहना। यह अवधि तकरीबन 20 मिनट की होती है। डीप कंडीशनिंग के दौरान हीट का प्रयोग भी कई बार होता है। डेमेज्ड बालों में डीप कंडीशनर काफी फायदेमंद साबित होता है। विशेषज्ञों की राय में ऐसे बालों में महीने में एक बार इसका प्रयोग अवश्य होना चाहिए।
- **लीव इन कंडीशनर :** इसमें ब्लो डाइंग लोशन, बालों की चमक और घनेपन जैसी जरूरतों के लिए आवश्यक चीजें होती हैं। इन कंडीशनर्स का प्रयोग हल्के सूखे शैंपू किए गए बालों पर किया जाता है। यह बालों में तब तक लगा रहता है जब तक कि अगली बार सिर नहीं धोते। कंडीशनर बालों की चमक तो बढ़ाता है, लेकिन दोमुंहे बालों की समस्या के लिए कुछ नहीं कर पाता।
- **इंस्टेंट कंडीशनर :** यह बोतल या पैक से सीधे शैंपू किए बालों में लगाया जाता है। इंस्टेंट कंडीशनर में प्रायः हर्बल चीजें—एलोवेरा, विटामिन, बाल्सम और लेनोलिन आदि मिले होते हैं। यह माइल्ड कंडीशनर होते हैं, जो बालों में चमक लाते है।
- कंडीशनर लगाने से पहले तौलिया लपेटकर बालों का अतिरिक्त पानी सुखा लेना चाहिए।
- बालों के लिए नीबू, दही सबसे बेहतर कंडीशनर होते हैं।

कंडीशनर के प्रयोग में सावधानी बरतें

● कंडीशनर बालों के लिए एक सुरक्षा कवच का काम करता है। यह बालों को धूप, धूल, शुष्क हवाओं से बचाता है।

- कंडीशनर पूरे बालों में अच्छी तरह लग जाए, इसके लिए मोटे दांते वाली कंघी का प्रयोग करें।
- सिर धोने के बाद बालों की लंबाई के अनुसार एक या दो ढक्कन कंडीशनर लेकर उंगलियों के पोरों से सिर की त्वचा पर हल्के-से लगाएं। थोड़ा-सा कंडीशनर बालों पर भी लगाएं। दस मिनट बाद सिर धो लें।

बालों की पर्मिंग

पर्मिंग केशों को घुंघराला बनाने का एक ऐसा तरीका है जो आजकल काफी प्रचलन में है। पहले गर्म किए कर्लिंग रॉड, रोलर आदि से केशों को घुंघराला किया जाता था, पर अब पर्मिंग द्वारा यह क्रिया सरल व टिकाऊ हो गई है। पर्मिंग में विभिन्न रसायनों द्वारा केशों की मूल संरचना को बदल दिया जाता है।

इस प्रक्रिया के लिए वेविंग लोशन और न्यूट्रीलाइजर को प्रयोग में लाया जाता है। इन रसायनों का प्रयोग करके लकड़ी या प्लास्टिक के पतले-पतले रोलर द्वारा केशों में वेव्स तथा कर्ल बनाए जाते हैं। वेविंग लोशन केशों को मुलायम बनाता है जिससे उनमें वेव्स आसानी से बन जाती हैं।

न्यूट्रीलाइजर केशों की वेव्स को बनाए रखता है और वेविंग लोशन की क्रिया को बंद करता है। सही ढंग से पर्मिंग करने तथा केशों की उचित देखरेख करने से यह 6 से 8 सप्ताह तक बनी रहती है। आधुनिक पर्म में हल्की-सी कंडीशनिंग के गुण भी विद्यमान होते हैं, जो पर्मिंग के दौरान केशों को सुरक्षा प्रदान करते हैं।

पर्मिंग से पूर्व सावधानियां

- पर्मिंग कराने से पूर्व सौंदर्य विशेषज्ञा से राय अवश्य लें कि आपके केशों पर कौन-सा पर्म अधिक उपयुक्त रहेगा।

- पर्मिंग की शैली अन्य हेयर ड्रेसिंग शैलियों से अधिक लंबी और पेचीदा होती है, इसलिए स्वयं पर्मिंग करना कठिन होता है। इसके लिए किसी कुशल सौंदर्य विशेषज्ञा की मदद अवश्य लें।

- केशों की अवस्था और प्रकार को ध्यान में रखकर ही पर्मिंग कराएं।

- अगर केशों में लचीलापन नहीं है तो पर्म न कराएं क्योंकि पर्म कराने से इनके टूटने का खतरा और बढ़ जाता है।

- रूखे केशों में इतनी शक्ति नहीं होती कि वे रसायनों का प्रभाव झेल सकें, इसलिए ऐसे केशों की अच्छी पर्मिंग नहीं की जा सकती। यदि पर्मिंग की भी जाए तो केश टूटेंगे या दोमुंहे हो जाएंगे, इसलिए केशों को नियमित ट्रिम और उनकी अच्छी तरह कंडीशनिंग कराने के बाद ही पर्म कराना चाहिए। इससे पर्म का परिणाम अच्छा आता है तथा रोलर्स भी केशों में ठीक प्रकार से लगते हैं।

- अगर सौंदर्य विशेषज्ञा का हाथ कटा-फटा हो या त्वचा संवेदनशील हो तो पर्मिंग करते समय उसे रबड़ के दस्ताने प्रयोग करने चाहिए।

- एक्जीमा तथा जुकाम की हालत में पर्मिंग न कराएं। मासिक धर्म के दिनों में भी इससे बचें क्योंकि इस समय हारमोंस में बदलाव होता है। ऐसी अवस्था में पर्मिंग कराने से एलर्जी भी हो सकती है।

- पर्मिंग कराने से पूर्व अपनी नाक और कान के आभूषण उतार दें। उसके बाद अपनी गर्दन के चारों तरफ कोई साफ कपड़ा या तौलिया लगा लें।

- पर्मिंग की प्रक्रिया में लोशन का सावधानीपूर्वक प्रयोग किया जाना चाहिए क्योंकि इससे कपड़ों पर धब्बे व त्वचा पर दुष्प्रभाव भी पड़ सकता है।

- एक बार पर्मिंग करने के पश्चात दोबारा पर्मिंग कराते समय बचे हुए लोशन का प्रयोग पुनः न करें। इससे केशों पर बुरा असर पड़ सकता है।

- सोल्यूशन का प्रयोग करने से पूर्व डिब्बे तथा बोतल के लेबल पर दिए गए निर्देशों का पालन अवश्य करें क्योंकि अलग-अलग ब्रांडों के नियम कभी-कभी अलग भी होते हैं।

अच्छी पर्मिंग के लिए पर्म रोलर्स भी महत्त्वपूर्ण भूमिका निभाते हैं। पर्म रोलर का चुनाव करते समय निम्न बातों का ध्यान रखें—

- पर्म करने से पूर्व हेयर लाइन व कानों के आगे-पीछे कोई प्रोटेक्टिव क्रीम अवश्य लगाएं, फिर उस पर रुई की पट्टी बांधें, ताकि लोशन का त्वचा पर कोई असर न पड़े।

- पर्म करने के लिए धातु अथवा ब्रश वाले रोलर का प्रयोग हर्गिज न करें। पर्म रोलर का प्रयोग कर्ल के साइज और शेप को ध्यान में रखकर ही करें। पर्म रोलर हल्के प्लास्टिक के या फिर लकड़ी के ही प्रयोग करें। ये लचकदार भी हों, ताकि पर्म करते समय केशों को कोई क्षति न पहुंचे।

- पर्म में केशों को अलग-अलग हिस्सों में विभक्त करने का तरीका उनकी लंबाई पर निर्भर करता है। केशों की लंबाई को ध्यान में रखकर ही सही रोलर का प्रयोग करें। पर्मिंग में केशों के छोर पर 'एंड पेपर्स' का प्रयोग करें, उसके बाद ही केशों को रोलर पर लपेटें।

- केशों में अच्छे कर्ल पाने के लिए उन्हें एक समान तनाव देते हुए रोलर पर ध्यानपूर्वक लपेटना चाहिए। रोलर को खोलते समय खींचकर नहीं बल्कि हल्के हाथों से सावधानीपूर्वक खोलना चाहिए। ऐसा न करने पर केशों के टूटने की आशंका रहती है।

- रोलर लगाने के बाद इस बात की जांच अवश्य कर लें कि वे ठीक तरह से केशों में लग गए हैं या नहीं। कहीं ज्यादा कस तो नहीं गए या उनका बैंड कहीं से लूज तो नहीं है। अगर वह सही ढंग से न लगे हों तो उन्हें फिर से सही कर लें, नहीं तो केशों में ढीलापन आ जाएगा और वह पूरी तरह से पर्म नहीं हो पाएंगे।

पर्मिंग कैसे की जाती है?

- केशों को ट्रिम करने के पश्चात शैंपू व कंडीशनर से अच्छी तरह से केशों को साफ करें। शैंपू करते समय उंगलियों के नाखूनों से सिर की त्वचा को न तो खुरचें और न ही जड़ों को रगड़कर साफ करें, बल्कि हल्के हाथों से शैंपू व कंडीशनर लगाएं। केश धुल जाने पर तौलिए से पानी को सुखा लें पर केशों को हल्का गीला ही रहने दें।

- हल्के गीले केशों के 6 छोटे-छोटे भाग कर उनमें रोलर्स लगाएं। आधा-आधा इंच की चौड़ाई में केशों को कंघी करते हुए लटों के सिरों को 'एंड पेपर्स' के साथ रोलर्स में लपेटें। इसी तरह सिर के मध्य भाग को आगे व पीछे की तरफ रोलर्स में लपेटा जाता है।

- उसके बाद केशों के उन सभी भागों के हिस्सों में वेविंग लोशन इस तरह से डाला जाता है कि वे पूरी तरह से भीग जाएं। थोड़े अंतराल पर पुनः डालें, ताकि केश दोबारा भीग जाएं। ध्यान रहे कि लोशन सिर की त्वचा पर न लगने पाए।

- इसके बाद कर्ल टेस्ट भी अवश्य करें। इसके लिए 3-4 मिनट के अंतराल पर 1 लट को खोलकर वांछित परिणाम मिलने में कितनी देर लगेगी। इस बात का पता करने के बाद लट को फिर से उसी ढंग से लपेटकर पुनः उस पर वेविंग लोशन लगाएं। वैसे तो हरेक के केशों के अनुसार पर्मिंग टाइम भी अलग-अलग होता है, इसलिए वांछित पर्म न हो जाने तक बीच-बीच में यह जांच-परख आवश्यक है।
- 10-15 मिनट के बाद रोलर्स लगे केशों को 5 मिनट तक कुनकुने पानी से धोएं, ताकि उनमें से सारा वेविंग लोशन ठीक से निकल जाए।
- फिर रोलर्स लगे केशों को हल्के हाथों से तौलिए से थपथपाकर सुखा लें या फिर तौलिए को सिर पर तब तक लपेटें, जब तक कि वह पानी न सोख ले।
- रोलर्स लगे केशों में न्यूट्रीलाइजर डालें, ताकि वे भीग जाएं। 2-3 मिनट के बाद केशों को बिना खींचे सावधानीपूर्वक सभी रोलर्स निकालकर पुनः उन केशों पर न्यूट्रीलाइजर डाला जाता है। इससे कर्ल को स्थायी बनाया जाता है।
- अब क्रीम कंडीशनर से सिर की मालिश करें। उसके बाद केशों को अच्छी तरह से साफ पानी से धोएं।

पर्मिंग के बाद की सावधानियां

- पर्म के पश्चात केशों की देखभाल पर अधिक सावधानी बरतें।
- पर्म को शुरू में ब्रश नहीं करना चाहिए। रसायनों के कारण केश पहले से अधिक संवेदनशील हो जाते हैं, इसलिए कठोर ब्रश करने से नुकसान हो सकता है, अतः सबसे पहले अपनी उंगलियों से स्टाइल देना अधिक प्रभावशाली रहता है। उसके बाद ही हल्के हाथ से ब्रश चलाना चाहिए।
- पर्म के पश्चात केशों को शैंपू से तुरंत नहीं धोना चाहिए, न ही ब्लो ड्राई का प्रयोग करना चाहिए। पर्म किए हुए केशों को पूरी तरह से स्थिर होने के लिए 3 दिन का समय अवश्य देना चाहिए। उसके बाद केशों की नियमित कंडीशनिंग अवश्य करें, ताकि उनमें नमी और तेल का संतुलन भी बना रहे और वे रूखे भी न होने पाएं।
- यदि किसी प्रकार का कोई संदेह हो तो किसी कुशल हेयर स्टाइलिस्ट से संपर्क करें क्योंकि यह एक रासायनिक उपचार है। इसमें लापरवाही करने से केशों को नुकसान हो सकता है।

- यदि एक बार में पर्म का नतीजा सही न निकले तो दोबारा पर्म जल्दी-जल्दी न कराएं, अन्यथा केश झड़ने लगेंगे।
- एक बार पर्मिंग कराने के बाद कम-से-कम 3-4 माह बाद ही इसे पुनः दोहराना चाहिए।
- पर्म केशों के लिए उपलब्ध 'आफ्टर केयर' प्रसाधन अवश्य खरीदें।
- अपने हेयर ड्रेसर या किसी अच्छे केमिस्ट से पर्म को अधिक-से-अधिक समय तक स्थायी रखने के लिए उपयुक्त प्रसाधन की जानकारी अवश्य लें।
- पर्म को हमेशा धूप से बचाना चाहिए। तेज अल्ट्रावायलेट किरणों से केशों का आवश्यक तेल सूख जाता है और केश कमजोर होकर झड़ने लगते हैं।
- हिना पर्म के प्रभाव को कम कर देती है, क्योंकि यह केशों की सोल्यूशन सोखने की क्षमता खत्म कर देती है। इसके लिए पहले पर्मिंग और बाद में हिना करें। पहले से हिना किए गए केशों पर पर्मिंग सोल्यूशन के केमिकल प्रतिक्रिया करके इसके रंग को पूरी तरह से हरेपन में बदल सकते हैं। तब इस रंग को निकालना असंभव हो जाता है।
- पर्मिंग की प्रक्रिया में लगाए गए लोशनों के प्रभाववश धीरे-धीरे केश शुष्क व बेजान होने लगते हैं, इसलिए केशों को साफ करने के लिए आप सौम्य शैंपू का प्रयोग करें जिसका नेचुरल मॉइस्चर आपके केशों के आवरण को चमकदार बनाएगा।
- पर्मिंग एक रासायनिक प्रक्रिया है, इसलिए इसे लगातार न कराएं, बल्कि थोड़े-थोड़े अंतराल पर कराएं, क्योंकि इसे लगातार कराने से केश दोमुंहे और शुष्क हो जाएंगे। पर्मिंग में विद्यमान तेज रसायनों से केशों को गहरा नुकसान न पहुंचे, इसके लिए केशों में नियमित कंडीशनर व हेयर मास्क का प्रयोग अवश्य करें।

आधुनिक प्रसाधन जैल, हेयर स्प्रे, हेयर डाई और हेयर कलर

आजकल बालों के लिए जैल, हेयर स्प्रे, हेयर डाई व हेयर कलर बहुत प्रचलित हैं। ये बालों को सैट करने में काफी सहायक हैं।

हेयर डाई व हेयर कलर से बालों को जिस किसी भी रंग में करना चाहें, कर सकते हैं। इनका प्रयोग इस प्रकार है—

- जैल हमारे बालों को मनचाहा स्टाइल देने में मददगार होते हैं।
- जैल या हेयर स्प्रे लगाने से बाल यथास्थान ही टिके रहते हैं। हवा आदि से भी स्टाइल नहीं बिगड़ता।
- जैल या स्प्रे की सहायता से बालों को जड़ों से उठाने, किनारों को चिकना बनाने, कर्ल करने और सैटिंग में सहायता मिलती है।
- जैल लगाने से अगले दिन गीली उंगलियों को बालों में उल्टी दिशा में फिरा कर उसके प्रभाव को बढ़ाया जा सकता है।
- बालों के असमय सफेद होने का कारण यह है कि हमारी त्वचा और बालों का रंग एक ही मेलिनिन से निर्धारित होता है। उम्र के साथ पिगमेंट का बनना भी कम होते-होते रुक जाता है, जिसकी वजह से बाल धीरे-धीरे सफेद हो जाते हैं। यह प्राकृतिक क्रिया होती है कि एक बार बाल सफेद होने पर उन्हें कुदरती रूप से काला नहीं किया जा सकता, लेकिन आजकल सफेद बालों को काला करने का एक सरल उपाय है, 'हेयर डाई'।
- हेयर डाई भी दो प्रकार की होती हैं, प्राकृतिक डाई और रासायनिक डाई। प्राकृतिक डाई बालों को सुरक्षित रखती है तथा सिर की त्वचा को भी नुकसान नहीं पहुंचाती, जबकि रासायनिक डाई बालों की सेहत और संरचना के लिए नुकसानदायक होती है।
- यदि आप रासायनिक डाई ही इस्तेमाल करती हैं तो डाई करने के बाद हर्बल शैंपू से ही सिर धोएं।
- रासायनिक डाई से बालों का प्राकृतिक तेल और नमी नष्ट हो जाती है। बालों को डाई करने के बाद शैंपू से धोएं और कंडीशनर जरूर लगाएं। संभव हो सके तो हर्बल डाई ही उपयोग में लाएं।
- यदि आप सिर्फ सफेद बालों को छिपाने के लिए बालों को रंगना चाहती हैं तो अपने बालों का मूल रंग ही चुनें।
- रंगे हुए बालों के लिए खास शैंपू का ही चुनाव करें। बाल धोने के बाद कंडीशनर जरूर लगाएं।
- बालों को रंगने से पहले किसी त्वचा विशेषज्ञ से परामर्श अवश्य लें।
- रासायनिक डाई लगाने से पहले कान के पीछे लगाकर पैच टेस्ट अवश्य कर लें। इसी बीच यदि 24 घंटे में आपको त्वचा में जलन महसूस हो तो डाई का प्रयोग न करें।

- यदि आपके बाल पूरी तरह स्वस्थ और अच्छी स्थिति में हैं तभी उनका कलर बदलने की सोचें।
- बालों को हल्के हाथ से रगड़कर सुखाएं, जोर से न रगड़ें।
- पर्म किए बालों को कलर करने से पहले अपने हेयर ड्रेसर से परामर्श अवश्य लें।
- अगर आपके बाल दो-मुंहे और खराब हैं तो उन्हें घर पर खुद ही न रंगें। किसी कुशल हेयर ड्रेसर की मदद लें।
- यदि किसी खास रंग को लेकर आप शंकित हैं तो किसी विशेषज्ञ की सलाह लें।

पहली बार हेयर डाई व हेयर कलर करने से पहले उन्हें त्वचा पर लगाकर अवश्य देखें। यदि 15 मिनट बाद वहां पर चकते या दाने पड़ें तो इनका प्रयोग न करें। तब सिर्फ मेहंदी को ही डाई के रूप में प्रयोग करें।

हेयर कलरिंग से संबंधित कुछ और प्रमुख टिप्स

आज बाल केवल इसलिए डाई नहीं किए जाते कि वे सफेद हो गए हैं, बल्कि आज बालों में काले के अतिरिक्त ग्रे, गोल्डन, ब्राउन, ब्रॉन्ज आदि से लेकर गुलाबी, लैवेंडर, ग्रीन आदि अनेक शेड्स भी फैशन का रूप ले चुके हैं।

हेयर कलरिंग के तीन मुख्य रूप हैं—टेम्परेरी डाई, सेमी परमानेंट डाई तथा परमानेंट डाई। टेम्परेरी डाई एक अस्थायी पद्धति है जो एक शैंपू तक ही टिकती है। सेमी परमानेंट 4-6 सप्ताह तक चलती है। परमानेंट डाई का असर लंबे समय तक बना रहता है। भारत में सबसे अधिक सेमी परमानेंट डाई का प्रचलन है।

बाल डाई करते समय इन आवश्यक टिप्स का ध्यान भी रखें—

- बालों को डाई करने से पहले बालों की संरचना की पूर्ण जानकारी तथा रंगों का विस्तृत ज्ञान अत्यंत आवश्यक है। वरना डाई की प्रक्रिया बालों को हानि पहुंचा सकती है। पहली बार लगाने से पहले एलर्जी टेस्ट जरूर कर लें।
- रंग का चुनाव करते समय व्यक्तित्व, उम्र, चेहरे का आकार, व्यवसाय आदि का ध्यान भी रखना चाहिए।
- बालों में एक साथ दो रंग भी किए जा सकते हैं या बालों की कुछ लटों को रंगकर भी व्यक्तित्व निखारा जा सकता है। पार्टी या समारोह के मौके पर छवि के अनुरूप टचअप किया जा सकता है।
- गेहुंए रंग तथा मेच्योर व्यक्तित्व पर स्वाभाविक ब्लैक या ब्राउन रंग ठीक लगते हैं। सांवली व गहरे रंग की त्वचा पर काले बाल शोभा देते हैं। गोरी त्वचा पर गोल्डन, ब्रॉन्ज आदि रंग सुंदर लगते हैं।
- कलर में चमक लाने के लिए कलर ग्लॉस का प्रयोग किया जा सकता है।
- बाल यदि बेहद रूखे या बेजान हैं तो रंगने से पहले बालों को कंडीशनिंग व प्रोटीन उपचार दिया जाना चाहिए।
- परमानेंट कलरिंग के बाद 'शैंपू फॉर ग्लॉस' का प्रयोग किया जा सकता है।
- परमानेंट कलरिंग कुशल हेयर ड्रेसर से ही करानी चाहिए।

सावधानी

- क्या आपके बाल स्वस्थ दशा में हैं? अस्वस्थ होने पर कलरिंग से पूर्व उसका उपचार करवाएं।
- यदि एलोपेशिया या बाल झड़ने की गंभीर समस्या है तो कलरिंग करवाएं।
- बालों में रूसी होने पर पहले उसका निदान करें, फिर कलरिंग करें।
- सिर में खुजली, फोड़े-फुन्सी इत्यादि की शिकायत हो तो कलरिंग न करें।
- बालों में मेहंदी का लेप लगा है तो कलरिंग न करें।
- अस्थमा रोग और सांस से संबंधित अन्य रोगों से पीड़ित होने पर कलरिंग न करें।

माऊज का प्रयोग

- यह फोम के रूप में आता है।
- इसे गीले और सूखे बालों पर इस्तेमाल किया जा सकता है।
- माऊज में कंडीशनिंग तत्त्व होते हैं।

- ये बालों को पोषण देने के साथ ही उनकी रक्षा भी करते हैं।
- इसे बालों को ब्लो ड्राइ, स्क्रंचिंग और डिफ्यूज ड्राइंग करते समय इस्तेमाल करें।
- माऊज को जड़ों में लगाते हुए नीचे तक आएं।
- अपने बालों की प्रकृति के अनुरूप ही माऊज चुनें।
- नॉर्मल माऊज प्रायः सभी हेयर स्टाइल के लिए ठीक रहता है।

सीरम का प्रयोग

- सीरम ग्लॉसर्स, पॉलिश और शाइन लाने वाले स्प्रे तेल या सिलिकॉन से बने होते हैं।
- ये बालों में चमक और सौम्यता लाते हैं।
- सीरम का प्रयोग ज्यादा न करें, क्योंकि ये बालों को चिपचिपा बनाते हैं।

स्टाइलिंग लोशन का प्रयोग

- अगर हीट सेटिंग के लिए इसका इस्तेमाल कर रही हैं, तो ध्यान दें कि उसमें थर्मल प्रोटेक्शन हो।
- इनमें खास तरह के रेसिन होते हैं, जो बालों पर एक प्रकार की फिल्म बना लेते हैं।
- इससे बालों पर गर्मी और अन्य चीजों का दुष्प्रभाव नहीं पड़ता।

वैक्स, पोमेड्स और क्रीम का प्रयोग

- ये प्राकृतिक वैक्स जैसे कारनॉबा से बनाए जाते हैं।
- इन्हें सौम्य बनाने के लिए मिनरल ऑयल और लैनोलिन का प्रयोग किया जाता है।
- यह बालों को ग्लॉस और चमक देता है।
- माऊज लगाते समय अच्छी तरह से इसे बालों में फैलाएं।
- हीट स्टाइलिंग से बाल जल्दी सैट हो जाते हैं।
- एयर स्टाइलिंग करने से पहले बालों में स्टाइलिंग लोशन या स्प्रे लगाएं।
- कभी भी क्षतिग्रस्त बालों में एयर स्टाइलिंग न करें।

बालों की समस्या

रूसी

रूसी, डैन्ड्रफ, सीकरी—ये नाम आजकल आम हैं। सिर की त्वचा को जब खुरचते हैं तो यह सफेद कणों के रूप में झड़ने लगती है। सिर की त्वचा में भी नई त्वचा का निर्माण होता है। पुरानी त्वचा बालों को धोते समय, कंघी करते समय झड़ जाती है। यदि यह न झड़ पाए तो यह जमकर पपड़ी की तरह हो जाती है व खुरचने पर ही त्वचा से अलग होती है। रूसी खत्म करने के लिए हर 10-15 दिनों के अंतराल पर कुछ उपचार भी करने चाहिए। इन्हें करते रहने से रूसी खत्म हो जाती है।

बालों में रूसी एक आम समस्या है

रूसी को खत्म करने के कुछ टिप्स

● रूसी हो जाने पर रात में कुनकुने नारियल के तेल में एक चम्मच नीबू या कपूर मिलाकर लगाने से भी रूसी दूर होती है।

231

- प्रातः बाल धोने से पहले गुड़ को दो चम्मच पानी में भिगोएं, अब इसे रुई के फोहे से सिर में लगाकर एक घंटे बाद धो लें। धीरे-धीरे रूसी का सफाया हो जाएगा।
- आधा कटोरी दही में एक चम्मच नमक मिलाकर सिर में आधा घंटा लगाएं। फिर किसी मेडीकेटेड शैंपू से सिर धो लें।
- मुल्तानी मिट्टी, दही, नीबू का रस व नमक मिलाकर सिर धोने से कुछ ही दिनों में रूसी से छुटकारा मिल जाएगा।
- ज्यादा तेज गर्म पानी से बाल कभी न धोएं, इससे भी रूसी हो जाती है।
- दो चम्मच एलोवेरा का रस व दो चम्मच नीबू का रस मिलाकर अच्छी तरह फेंटकर सिर में लगाकर सो जाएं। सुबह ठंडे पानी से सिर धो लें।
- दही में बेसन मिलाकर गाढ़ा पेस्ट बना लें। इस पेस्ट को सिर में लगाने से रूसी दूर हो जाती है।
- 5-6 काली मिर्च तथा सीताफल के 10-12 बीज पानी में पीसकर देशी घी में मिलाकर मालिश करें। प्रातः सिर धो लें। आपको कुछ ही दिनों में फर्क नजर आ जाएगा।
- चुकंदर के पत्तों को पानी में उबालकर सिर धोने से भी रूसी दूर हो सकती है।
- 10 ग्राम काली मिर्च का पाउडर और 20 ग्राम नीबू का रस आधा कप दूध में मिलाएं। यह मिश्रण रात में बालों की जड़ में लगाकर सोएं। सुबह दो-तीन घंटे बाद सिर धो लें।
- सरसों या जैतून के तेल में नीबू का रस मिलाकर लगाने से भी रूसी की शिकायत दूर होती है।
- प्याज को बारीक पीसकर सिर में करीब दो घंटे लगाकर, बाद में सिर धो लें। एक सप्ताह में ही रूसी से छुटकारा मिल जाएगा।
- लहसुन की थोड़ी-सी कली पीसकर बालों में लगाने से भी रूसी दूर हो सकती है।
- यदि प्रतिदिन बथुए का पानी उबालकर व उसे ठंडा करके सिर धोया जाए तो भी रूसी से मुक्ति पाई जा सकती है।
- सूखी रूसी हो तो सदा मॉइस्चराइजरयुक्त शैंपू से ही सिर धोएं।
- रूसी होने पर सिर धोने से पहले सिर में गर्म भाप लें। इससे रूसी धीरे-धीरे ऊपर की ओर आ जाएगी।

- रात को एक कप छिलके वाली अरहर की दाल भिगो दें। सुबह पीसकर सिर में लगाएं। आधे घंटे बाद सिर धो लें। गीले बालों में कंघी करने से रूसी निकल जाएगी।
- तिल के तेल से सिर की मालिश करें। आधा घंटे बाद गर्म पानी में तौलिया भिगोकर भाप लें। ठंडे पानी से सिर धो लें।
- खाली रीठे से बाल धोने से भी रूसी दूर होती है।
- मूली का रस भी रूसी खत्म करने में बहुत फायदेमंद साबित होता है।
- एक भाग बादाम रोगन में सम भाग सल्फर मिलाकर दोनों की मात्रा के बराबर सर्जिकल सीरप मिलाएं। अब इसमें चार भाग डिस्टिल्ड वाटर अथवा गुलाब जल मिलाकर सिर की त्वचा पर अच्छी तरह लगाकर सिर धो लें।
- 6 चम्मच पानी में दो चम्मच शुद्ध सिरका मिलाकर रात को सोने से पहले सिर में रुई के फोहे से लगाएं। अब बालों पर तौलिया बांध लें। प्रातः शैंपू से सिर धोकर सिरका मिले पानी से पुनः सिर धोएं। लगातार तीन माह तक किया गया यह प्रयोग, रूसी से सदा के लिए छुटकारा दिलवाएगा।
- रात को एक प्याज के गोल चिप्स रात-भर पानी में भिगोएं। प्रातः प्याज निकालकर फेंक दें और पानी को सिर में 15 मिनट तक लगाएं।
- लौंग के प्रयोग से रूसी की शिकायत दूर होती है, क्योंकि लौंग एंटीसेप्टिक है।
- एक हिस्सा सेब के रस को 3 हिस्से पानी में मिलाएं। खोपड़ी की त्वचा पर भलीभांति मलें। हफ्ते-भर में दो-तीन बार यही प्रक्रिया अपनाने से लाभ होगा।
- रोजमेरी का तेल कुछ औषधियों तथा इत्रों में डाला जाता है। यह एंटी बैक्टीरियल और एंटीसेप्टिक है, अतः रूसी का दुश्मन है। इससे मालिश करने से फायदा मिलता है।
- एक पतीली जल में 4 आलू लेकर इतना उबालें कि वे फूट जाएं। इस जल से सिर धोने से रूसी खत्म हो जाती है।

बालों को एक या दो दिन में धोते रहना चाहिए। गीले बालों से मृत त्वचा जल्दी झड़ती है।

यह सोचना सर्वथा गलत है कि बालों को अधिक नहीं धोना चाहिए। बाल जितने स्वच्छ रहेंगे उतने ही स्वस्थ भी रहेंगे।

जूंएं

बालों में जूंओं का होना एक आम समस्या है। यह अधिकांशतः छोटे बच्चों के सिरों में होती हैं। जूंओं के होने पर बालों में बहुत अधिक खुजली होने लगती है। जूं एक परजीवी कीड़ा है जो मनुष्य के खून को अपनी खुराक बनाती है। जूंएं बालों में आसानी से छुप जाती हैं। जूंओं के कारण खुजली होने से संक्रमण होने का भय बना रहता है।

जूंएं एक-दूसरे से जल्दी फैलती हैं। अतः अपना कंघा सबसे अलग रखें। जूंओं को खत्म करने के लिए कई प्रकार की दवाइयां बाजार में उपलब्ध हैं जिनका नियमित प्रयोग करें।

जूंएं होने पर आगे दिए गए टिप्स का प्रयोग किया जा सकता है।

- पांच-छः काली मिर्च पीसकर एक कप दही में मिलाएं। एक नीबू का रस भी मिलाएं। बीस मिनट बाद सिर धो लें। जूंएं खत्म हो जाएंगी।
- नारियल के तेल में नीबू का रस मिलाकर लगाने से भी जूंएं दूर हो जाती हैं।
- नीम के पत्तों को पीसकर लगाने से भी जूंओं से छुटकारा पाया जा सकता है।
- लहसुन को पीसकर नीबू के रस में मिलाएं तथा रात को सोते समय सिर में लगाएं। सवेरे शैंपू से सिर धो लें। इसके लगातार प्रयोग से फिर कभी जूंएं नहीं होंगी।
- सिर की लीखों से छुटकारा पाने के लिए बोरिक पाउडर काफी मात्रा में पूरे सिर पर अच्छी तरह छिड़कें व 20 मिनट बाद बारीक कंघी करें। लीखें निकल जाएंगी।
- जूंएं होने पर बालों में प्याज का रस लगाएं, तीन-चार घंटे बाद बालों को धो लें। तीन-चार दिन लगातार ऐसा करने से सिर की जूंएं अपने आप खत्म हो जाएंगी।
- सीताफल के बीजों का चूर्ण रात को बालों में लगाएं। बालों पर अच्छी तरह कपड़ा बांध लें। इससे सिर की जूंएं तथा लीखें मर जाती हैं।
- नारियल के तेल में कपूर का चूर्ण मिलाकर लगाने से जूंएं और लीखें खत्म हो जाती हैं।
- बहुत इलाज करने पर भी यदि जूंएं खत्म नहीं हो रही हों तो तीन चम्मच पानी में एक चम्मच सिरका मिलाएं। इस मिश्रण को सप्ताह में तीन बार रात को बालों में लगाकर सोएं। सुबह शैंपू से सिर धो दें। महीने-भर ऐसा करने से सिर से जूंएं खत्म हो जाएंगी।

- बथुए के उबले पानी को ठंडा करके सिर धोने से भी जूंओं से छुटकारा पाया जा सकता है।

जहां तक हो सके सिर को साफ रखें। गंदगी से भी जूंएं होने का भय बना रहता है।

दो-मुंहे बाल

दो-मुंहे बाल होना आम बात है। प्रत्येक स्त्री इस समस्या को लेकर परेशान रहती है। दो-मुंहे बालों की सतह को ढकने वाले क्यूटिकल्स के क्षतिग्रस्त होने पर

दो-मुंहे बालों की समस्या का निदान संभव है

235

बाल सूखकर कड़े हो जाते हैं तथा बालों को मिलने वाली चिकनाई कम होने लगती है । अनेकों तरह की केश सज्जा व प्रसाधन सामग्रियों से भी ऐसा होता है ।

- यदि आप दो-मुंहे बालों से छुटकारा पाना चाहती हैं तो बालों को सदैव धीरे-धीरे सुलझाएं । इससे बाल नीचे के सिरों से फटते नहीं हैं ।
- बीच-बीच में गरम पानी से भाप लेती रहें ।
- सप्ताह में एक बार ट्रिमिंग करवाती रहें जिससे बाल दो-मुंहे न होने पाएं ।
- टैल्कम पाउडर में 0.2 प्रति प्रेथरम डस्ट मिलाकर या 10 प्रतिशत डी.डी. टी. मिलाकर प्रयोग में लाएं । रात में एक चम्मच पाउडर सिर में अच्छी तरह रगड़ें और तेजी से रगड़कर मलें, जिससे यह बालों में खूब मिल जाए । इस पाउडर से आंख, नाक व मुंह का अच्छी तरह बचाव कर लें ।
- बालों की नियमित कंडीशनिंग करें व दो-मुंहे बालों के लिए खास शैंपू ही चुनें ।
- यदि सारे या कुछ बाल दोमुंहे हो गए हों, तो प्रातः अमरूद के ताजे पत्तों को पानी में उबालकर उसके काढ़े से बालों को प्रतिदिन धोएं ।
- दोपहर को नीम के ताजे पत्तों को पानी में उबालकर उसके काढ़े से बालों को प्रतिदिन धोएं ।
- शाम को बालों में नियमित रूप से आंवला या नारियल तेल और थोड़ा-सा पानी मिलाकर बालों की जड़ों में मालिश करें ।
- बालों की नारियल के तेल से मालिश करें ।
- किसी अच्छे शैंपू से बाल धोएं और फिर कंडीशनर व अंडे का प्रयोग करें ।
- गीले बालों में कंघी न करें ।
- जितना हो सके, बाल खुला न छोड़ें ।
- बालों को धूल, धूप और धुएं आदि से बचाएं ।
- किसी अच्छे कॉस्मेटिक क्लिनिक में बॉयोप्ट्रान व ओजोन की सिटिंग लें ।
- दो-मुंहे बालों की समस्या होने पर बालों की देखभाल करें । नीचे से कटे-फटे बाल देखने में भी अच्छे नहीं लगते ।

बालों का झड़ना व गिरना

घने व सुंदर बाल सभी को अच्छे लगते हैं । स्त्रियां अपने बालों को लंबा करने के लिए लाखों जतन करती हैं । लंबे होने के साथ-साथ बाल घने भी होने चाहिए ।

बालों के लगातार झड़ने से बाल हल्के पड़ने लगते हैं। बाल झड़ते देख स्त्री-पुरुष बहुत तनावग्रस्त हो जाते हैं।

बालों का झड़ना स्वाभाविक प्रक्रिया है। विकसित बाल 2 से 4 साल तक ही रहते हैं, उसके बाद यह झड़ जाते हैं व इनकी जगह नए बाल आ जाते हैं। बाल यदि स्वाभाविक रूप से गिरते हों यानी रोजाना औसतन 2-4 बाल टूटते हों तो यह चिंता का विषय नहीं है, परंतु बहुत अधिक झड़ते हों तब वह चिंता का विषय है। बालों के झड़ने की संख्या यदि 70-80 प्रतिदिन हो तो बालों की अधिक देखभाल करें। बालों के झड़ने व गिरने को रोकने के लिए कुछ उपाय नीचे दिए जा रहे हैं।

- सप्ताह में एक बार बालों को दही-बेसन से अवश्य धोएं।
- एक कटोरी उड़द की दाल रात में भिगो दें। प्रातः पीसकर बालों में लगा लें। एक घंटे बाद सिर धो लें। ऐसा करने से कुछ ही दिनों में बाल झड़ना बंद हो जाएंगे।
- विटामिन 'सी' भरपूर मात्रा में लें। हरी सब्जियां व दूध को जड़ों में लगाया जाए तो बालों का झड़ना व गिरना बंद हो जाएगा।
- 'बालझड़' नामक एक जड़ी होती है। यदि इसे पीसकर बालों की जड़ों में लगाया जाए तो बाल झड़ना व गिरना बंद हो जाएंगे।
- थोड़ा-सा कैस्टर ऑयल (अरण्ड का तेल) लेकर उसे गरम करें और सिर की त्वचा पर उसकी मालिश करें। बालों का झड़ना रुक जाएगा।
- तेजी से झड़ रहे बालों के लिए लेजर व ओजोन की सिटिंग ले सकते हैं, इससे बालों की जड़ें मजबूत होती हैं।
- यदि बालों की जड़ें अंदर हैं तो इलेक्ट्रो एच नामक ट्रीटमेंट से भी बहुत लाभ होता है। इसमें 2-3 साल पुराने गंजेपन में भी बाल आ जाते हैं।
- एक-दो आंवले रोज खाने से और मानसिक तनाव से दूर रहने से भी बालों का झड़ना रुकता है।
- एक-दो आंवले रोज खाने से और मानसिक तनाव से दूर रहने से भी बालों का झड़ना रुकता है।
- अमरबेल को जल में उबालकर उससे सिर धोने से जहां एक ओर बाल लंबे होते हैं, वहीं दूसरी ओर उनका गिरना बंद हो जाता है।
- बालों को खींचकर कभी भी न बांधें।
- नीम की निबोली पीसकर बालों में लगाने से भी बाल झड़ना बंद हो जाते हैं तथा नए बाल उगने लग जाते हैं।

- नीम और बेर के पत्तों को पानी में उबालकर सिर धोएं। बालों में फायदा होगा।
- तुलसी के पत्तों की लुगदी तथा आंवले का चूर्ण पानी में मिलाकर सिर में मलें। 10-15 मिनट बाद सिर धो लें। इससे बालों की जड़ें भी मजबूत होंगी और बाल झड़ना भी बंद हो जाएंगे।
- एक किलो कच्चे आंवले की गुठली निकालकर मिक्सी में पीस लें। इसका जूस निकालकर बोतल में भरकर फ्रिज में रखें। प्रति सप्ताह 8 चम्मच जूस बालों में लगाएं। लगाने के 2 घंटे बाद सिर धोएं। 15-20 दिन में बाल झड़ने रुक जाएंगे।

जैसे ही बाल झड़ने शुरू हों, तब से ही इस ओर ध्यान देना चाहिए क्योंकि जितनी देरी होती जाएगी, बालों का उपचार करना उतना ही मुश्किल हो जाएगा।

बालों की समस्या से संबंधित कुछ और टिप्स

आज के आधुनिक जीवन ने शरीर व मन के साथ बालों की भी दुर्गति करने में कोई कसर नहीं रख छोड़ी है। कोई रूखे बालों से परेशान है, तो किसी की रूसी जाती ही नहीं। किसी के बाल झड़ना बंद नहीं होते, तो कोई अपने दोमुंहे बाल छिपाता फिरता है। सोचिए, इसके पीछे क्या कारण हो सकते हैं? सही सोचा आपने—अनुशासित जीवन-शैली का अभाव एवं बेढंगा खान-पान। यदि इन पर ठीक से ध्यान दिया जाए तो बालों की समस्या जड़ से ही दूर हो सकती है।

- प्रतिदिन कई बोतल कोल्ड ड्रिंक पीने वालों को दिन में एक बार दही का सेवन अवश्य करना चाहिए। दही चमकते बालों के लिए वरदान है।
- भोजन के बीच में एक-दो घूंट पानी पीना ठीक है पर भोजन के साथ कई गिलास पानी पीने वालों को यह आदत त्याग देनी चाहिए। भोजन के आधे घंटे पश्चात ही पानी पीएं।
- बार-बार चाय-कॉफी पीने से भी बालों में रूसी व कड़वापन आता है, इस आदत की जगह जूस या दूध पीने की आदत विकसित करें।
- सुबह जल्दी उठना व रात को समय पर सो जाना, आपके बालों का मुफ्त इलाज है।
- दिन में दो बार गुनगुना दूध पीने वालों के बाल जल्दी सफेद नहीं होते व उनमें रूखापन भी नहीं रहता।

- खाली पेट आंवला या आंवले का मुरब्बा अथवा शर्बत पीने वाले दीर्घ समय तक घने काले बालों का सुख पाते हैं।
- बालों की जड़ें मजबूत करने के लिए शहद में मुलहठी, आंवला और केसर का चूर्ण मिलाकर बालों की जड़ों में मालिश करते हुए लगाएं। आधे घंटे बाद गुनगुने पानी से धोकर शैंपू कर लें। महीने में दो बार यह उपाय आजमाने से बाल टूटते-झड़ते नहीं और मजबूत तथा चमकदार बनते हैं।
- नीम हेयर ऑयल गंजेपन को रोकता है, अतः नीम हेयर ऑयल बालों के गिरने की समस्या में लगाएं।

बालों को बढ़ाने के लिए

- गुड़हल के 4 फूलों को 200 ग्राम नारियल के तेल में उबालें। बाद में इसे सिर में लगाया करें। बाल लंबे, चमकीले एवं सुंदर हो जाएंगे।
- चंपा, चमेली और जूही के फूलों को नारियल तेल में उबालकर ठंडा कर छानकर लगाने से बाल एक-दो महीने में घने, कोमल और लंबे हो जाते हैं।

सुंदरता में चार चांद लगा देते हैं लंबे बाल

239

- दो छोटे चम्मच ताजे कागजी नीबू के छने हुए रस में एक छोटी चम्मच उत्तम शहद मिलाकर बालों पर भलीभांति लगाएं तथा पूरी तरह सूख जाने पर बालों को ताजे पानी से धो लें। बाल चमकीले हो जाएंगे।

- काले तिल, छड़छड़ीला, गौरीसर, कूट, कमलगट्टे की गिरी, उत्तम शहद तथा दूध, इन्हें बराबर मात्रा में लेकर एक साथ मिलाएं और भलीभांति खरल करके इसका लेप बालों में तथा बालों की जड़ों में लगाएं, बाल बहुत बढ़ेंगे।

- गुंजा, भृंगराज के स्वरस, छोटी इलायची के दाने, छड़छड़ीला और कूट, इन्हें बराबर मात्रा में पीस लें और उत्तम तिल के तेल में पकाएं। इसके बाद छानकर बालों और बालों की जड़ों में लगाएं, बालों की वृद्धि होगी।

सौंदर्य समस्याएं

किशोरावस्था की आम समस्या : कील-मुंहासे, ब्लैक हैड

कील-मुंहासों की शुरुआत प्रायः किशोरावस्था में ही होती है। इसकी मुख्य वजह यह है कि किशोरावस्था में त्वचा में चिकनाई पैदा करने वाली ग्रंथियां सक्रिय हो जाती हैं या फिर अनियमित रूप से काम करने लगती हैं। इन ग्रंथियों से तेल निकलकर रोमकूपों में इकट्ठा हो जाता है जो मुंहासे होने का कारण बनता है। कील-मुंहासे होने के संदर्भ में खान-पान का भी बहुत असर पड़ता है। रक्त अशुद्ध है तब भी मुंहासे होने का भय बना रहता है। इनसे बचने के कुछ उपाय इस प्रकार हैं—

- प्रातःकाल बासी पानी पीएं। इससे कब्ज की शिकायत दूर होती है।
- शरीर में रक्त संचार तेज करने के लिए व्यायाम अवश्य करें।
- अधिक गरम या ठंडा भोजन न लें।
- सुपाच्य भोजन का सेवन करें।
- त्वचा की नियमित सफाई करें।
- रात में हमेशा मेकअप उतारने की आदत डालें।
- अतिरिक्त विटामिन, कम चिकनाईयुक्त भोजन, सलाद और ताजे फलों व जूस के प्रयोग से भी कील-मुंहासों पर नियंत्रण पाया जा सकता है।
- शरीर में रक्त संचार बढ़ाने के लिए जॉगिंग व तेज चलने जैसे व्यायाम करने चाहिए।
- कील-मुंहासों को कभी दबाकर या नोंचकर न निकालें।
- यदि क्रीम की चिकनाई से आपके चहरे पर कील-मुंहासें निकल आएं हों तो फलों का अर्क, खीरे का रस या शहद लगाएं।
- मेकअप के द्वारा कील-मुंहासे छिपाने का प्रयास करने से बचें।
- शहद, दही और अंडे की सफेदी मिलाकर दिन में एक बार चेहरे पर लगाएं। शहद प्राकृतिक रूप से नमी देता है, दही में लैक्टिक एसिड होने से रंगत निखरती है। अंडे की सफेदी से त्वचा की कोशिकाओं में वृद्धि होती है। इससे चेहरे के दाग-धब्बे व कील-मुंहासे मिट जाते हैं।

- मुंहासों के दाग पर सेब का रस लगाएं। महीने-भर में दाग दूर हो जाएंगे।
- मिठाई, केक, चॉकलेट का प्रयोग कम-से-कम करें।
- दिन में कम-से-कम आठ गिलास पानी पीएं। नीबू पानी का प्रयोग अति लाभकारी होता है।
- प्रतिदिन ताजे फल खाएं व जूस पीएं।

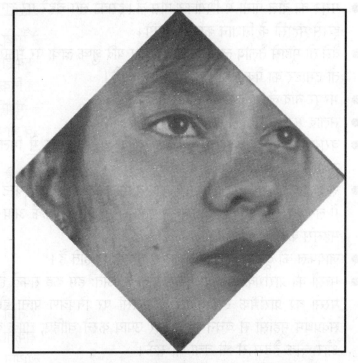

किशोरावस्था में कील-मुंहासों का होना एक सामान्य समस्या है

- मछली, पनीर व दही का प्रतिदिन इस्तेमाल करें।
- दिन में दो बार औषधियुक्त साबुन से मुंह धोएं। नीम के पत्तों को पानी में उबालें, अब इस पानी को ठंडा करके चेहरा धोएं। धीरे-धीरे मुंहासे खत्म हो जाएंगे।
- यदि मुंहासे ज्यादा हों तो नीम की पत्ती का पाउडर, चंदन पाउडर, लौंग, हल्दी, शहद व गुलाब जल का लेप लगाएं।
- चोकर, नीबू का रस, आलू का रस व दूध का लेप लगाने से भी मुंहासे दूर होते हैं।

- सुबह-शाम दूध का लेप करने से भी मुंहासों से छुटकारा पाया जा सकता है।
- कद्दूकस किया हुआ आलू लगाने से मुंहासों के धब्बे दूर हो जाते हैं।
- मुंहासों में यदि पस (मवाद) भर गया हो तो चंदन का लेप लगाएं। ऐसा करने से दर्द भी कम होगा और निशान भी दूर होंगे।
- मसूर की दाल पानी में भिगोकर पीस लें। इसका लेप चेहरे पर लगाएं। इससे मुंहासों के निशान कम हो जाएंगे।
- वैसे तो मुंहासे तैलीय त्वचा पर होते हैं, पर यदि शुष्क त्वचा पर मुंहासे हों तो टमाटर का पैक लगाने से राहत मिलती है।
- भरपूर नींद लें, खुलकर हंसें और तनाव से बचें।
- सलाद भरपूर मात्रा में खाएं।
- बराबर मात्रा में गाजर व नीबू का रस दो चम्मच शहद में मिलाकर सुबह-सुबह खाली पेट लें।
- रात को एक चम्मच मलाई में नीबू का रस मिलाकर फेंट लें। यह पेस्ट रात में लगाकर सो जाएं। प्रातः कुनकुने पानी से मुंह धो लें। फर्क आप खुद महसूस करेंगी।
- जायफल को दूध में पीसकर लगाने से मुंहासे दूर होते हैं।
- मस्सों की प्रारंभिक अवस्था मुहांसे होती है, अतः हम कह सकते हैं कि मस्सों का प्रारंभिक रूप मुहांसे हैं। मस्सों पर नियंत्रण पाना हो तो सर्वप्रथम मुहांसों से बचने के कारगर उपाय करने चाहिए, ताकि कील और ब्लैक हैड्स से भी बचा जा सके।
- त्वचा को स्वच्छ तथा पारदर्शक रखने पर मस्सों की बढ़त रुकती है, इसलिए दिन में दो बार औषधियुक्त साबुन से चेहरा साफ करें।
- किशोरियों, युवतियों को मुहांसे और मस्सों की शिकायत हो तो उन्हें बार-बार स्वच्छ पानी से ही चेहरा धोकर पानी को स्वयं ही सूखने देना चाहिए। चेहरे को तौलिए या रूमाल से अधिक जोर से रगड़कर सुखाना नहीं चाहिए।
- गुलाबजल को रुई के फोहों से हल्के हाथों बिना रगड़े लगाना चाहिए। लगाने के बाद कम-से-कम पन्द्रह मिनट तक चेहरे पर लगा रहने देना चाहिए। तत्पश्चात सादे पानी से धो लेना चाहिए।
- छोटे मस्सों को दूर करने के लिए धनिए को पानी में पीसकर लेप करें।

- अगर मस्सा काफी बड़ा हो गया हो तो घोड़े की दुम का बाल मस्से पर बांध दें। मस्सा अपने आप कटकर गिर जाएगा।
- भुनी हुई फिटकरी एवं काली मिर्च घोटकर लगाने से मस्से मिट जाते हैं।
- सीप की राख सिरके में मिलाकर लगाने से मस्से नष्ट हो जाते हैं।
- चूना और घी बराबर मात्रा में लेकर फेंट लें। दिन में तीन या चार बार लगाने से मस्से दूर होते हैं।
- आजकल ब्यूटी पार्लरों में मस्सों के लिए स्पेशल मास्क बनाया और लगाया जाता है जिससे मस्सों का सफाया हो जाता है।
- भाप देकर मस्से निकालना एक गलत तरीका है। इससे रोमछिद्र बड़े होने की संभावना हो जाती है जो देखने में उतने ही भद्दे प्रतीत होते हैं, जितने कि मुहांसे अथवा मस्से।
- नीबू का रस, बादाम का तेल और ग्लिसरीन बराबर मात्रा में मिलाकर रख लें। सुबह-शाम कुछ बूंदें मुंहासों पर लगाएं।
- किंशुकादि तेल को रात में मुंहासों पर लगाएं। इसके लगातार प्रयोग से चेहरा बेदाग हो जाएगा।
- आंवले का पाउडर पानी में भिगोकर रात-भर भीगने दें। सुबह इसे उबटन की तरह लगाएं। मुंहासे ठीक हो जाएंगे।
- प्रतिदिन प्रातःकाल खाली पेट एक चम्मच त्रिफला चूर्ण लें।
- नीम का तेल लगाने से भी मुंहासे दूर हो जाएंगे।
- चेहरे पर चने की दाल और नीबू के रस को मिलाकर पेस्ट लगाने से फायदा होता है।
- दिन में तीन-चार बार कपूर की एक टिकिया मुंहासों पर मलें।
- चीनी और जैम की जगह गुड़ या शहद का इस्तेमाल करें। बहुत ज्यादा नमकीन भोजन न करें।
- चेहरे पर सप्ताह में एक बार भाप लें। भाप लेने से चेहरे के रोमछिद्र खुल जाते हैं, जिससे कीलों को आसानी से निकाला जा सकता है।
- हमेशा टिश्यू पेपर साथ रखें, आवश्यकता होने पर चेहरा साफ कर लें। इससे चेहरे का अतिरिक्त तेल खत्म हो जाएगा।
- चेहरे पर अच्छे टोनर का इस्तेमाल करें।
- प्रतिदिन ताजा नारियल पानी पीएं।
- किसी भी कॉस्मेटिक का इस्तेमाल न करें।

- नीबू और ककड़ी का रस फ्रिज में रखकर बर्फ बना लें। अब चेहरे को ठंडे पानी से धोकर इस पर यह बर्फ मलें। प्रतिदिन ऐसा करने से आपको फायदा होगा।
- मुल्तानी मिट्टी, आंबा हल्दी पाउडर, नीबू का रस तथा गुलाब जल की बूंदों के साथ एकान्शिया टिंक्चर की 10 बूंद, बर्बरीज एक्वीफोलिन टिंक्चर की 10 बूंद तथा हेमेमालिज टिंक्चर की 10 बूंद—इन तीनों टिंक्चरों को उबटन (होमियोपैथी टिंक्चर) में मिलाकर चेहरे पर दो घंटे तक लगाएं। बाद में चेहरा धो लें। फर्क आपको नजर आ जाएगा।

(उपर्युक्त टिंक्चर किसी होमियोपैथी विशेषज्ञ की देख-रेख में ही प्रयोग करें)

ब्लैक हैड

त्वचा में अधिक तेल बनने से चिकनाहट चेहरे पर जमा होने लगती है। ग्रंथियों के छिद्र बंद हो जाते हैं जिससे तेल त्वचा के अंदर एकत्र होकर कड़ा होकर, काला हो जाता है। इसी को ब्लैक हैड कहते हैं। ब्लैक हैड होने पर इन नुस्खों का प्रयोग करें।

- खूब पानी पीएं।
- चेहरे को प्रतिदिन 8 से 10 बार ताजे पानी से धोएं।
- क्लींजिंग मिल्क से चेहरा साफ करें।
- कच्चा दूध रुई में लगाकर दिन में 6-7 बार चेहरा साफ करें।
- नीबू के रस में अंडा मिलाकर लगाएं।
- जौ के आटे को पानी में मिलाकर लगाएं।
- अपने चेहरे पर पांच-सात मिनट भाप लें व फेशियल टिश्यू या कॉटन वूल से ब्लैक हैड्स को हल्के हाथों से दबाकर निकाल दें। फिर ठंडे पानी से चेहरे को धोकर पोंछ लें और एस्ट्रिंजेंट लगा लें।
- प्रभावित स्थान पर थोड़े-से शहद को गर्म करके लगाएं। दस-पन्द्रह मिनट बाद चेहरे को धो लें।
- ब्लैक हैड्स से होने वाले बड़े छिद्रों से बचने के लिए बटरमिल्क बेहतरीन एस्ट्रिंजेंट है। यह बड़े छिद्रों में कसाव लाने में सहायक होता है। रुई को बटरमिल्क में भिगोकर चेहरे पर थपथपाएं और सात से दस मिनट के लिए ऐसे ही छोड़ दें। फिर ठंडे पानी से चेहरा साफ कर लें।

- ताजे टमाटर का एक टुकड़ा लें और चेहरे पर दस-पन्द्रह मिनट तक घुमाएं। यह त्वचा पर एस्ट्रिंजेंट की तरह प्रभाव डालता है। टमाटर में मौजूद अमीनो एसिड त्वचा को साफ करता है।
- ब्लैक हैड रिमूवर की मदद से ब्लैक हैड को दबाकर निकाल दें।

उपरोक्त विधि नियमित करने से कील-मुंहासे व ब्लैक हैड से छुटकारा मिल जाता है। कील-मुंहासे व ब्लैक हैड अधिकतर तैलीय त्वचा वालों के ही होते हैं, इसलिए तैलीय त्वचा वाले अपनी त्वचा पर गंदगी न जमने दें।

एक्ने

कभी-कभी रोमकूप का मुंह खुला रहता है, जिससे सीबम, बैक्टीरिया और त्वचा की मृत कोशिका त्वचा के अंदर पहुंचकर छोटी-सी लाल फुंसी बना देते हैं जिसे एक्ने कहा जाता है, लेकिन यदि यह संक्रमण ज्यादा भीतर पहुंच जाता है तो इसे पुटी (सिस्ट) कहा जाता है।

- एक्ने अनेक प्रकार के होते हैं, किंतु सबसे आम दो प्रकार के होते हैं—एक्ने सिम्प्लेक्स और एक्ने इन्ड्यूराटा।
- सुव्यवस्थित और नियमपूर्ण उचित उपचार कार्यक्रम का अनुसरण करके एक्ने को उपचारित किया जा सकता है।
- गहरे एक्ने या एक्ने इन्ड्यूराटा के मामलों में दाग भी पड़ सकते हैं। बाह्य और आंतरिक उपचार में औषधियों का उपयोग तैल ग्रंथियों पर निर्भर होता है कि ये किसमें किस हद तक शामिल हैं।
- होम्योपैथिक औषधियां यदि सही समय पर उपरोक्त सावधानियों (जो मुंहासों के उपचार में लिखी हैं) के साथ ली जाती हैं, तो एक्ने को बगैर दाग पड़े ठीक किया जा सकता है।
- **एन्टीमोनियम क्रूडम** : गैस संबंधी गडबड़ी और जीभ पर मोटी सफेद परत के साथ एक्ने, जलन और खुजली।
- **कल्केलिया सिलीकेटा** : धीमे-धीमे बढ़ने वाले एक्ने, जलन और खुजली। एक्ने नीली आभा लिए हुए।
- **बरबेरिस एक्विफोलियम** : त्वचा की औषधि, बाह्य व आंतरिक दोनों प्रकार से उपयोग में लाई जा सकती है। चेहरे और गर्दन पर मुख्यतः शुष्क मुंहासे।

- **एकिनेसिया :** बार-बार होने वाले पस्ट्यूलर एक्ने।
- **हीपर सल्फ :** युवावस्था में पस्ट्यूलर एक्ने, त्वचा अस्वस्थ-सी, अधिक पसीना, पस्ट्यूलर अल्सर के इर्द-गिर्द छोटे-छोटे तमाम मुहांसे।
- **सल्फर :** मुंहासे के साथ त्वचा शुष्क और अस्वस्थ-सी। खुजली और लालपन।
- **टुबरकुलिनम :** किसी दीर्घकालिक बीमारी अथवा टी.बी. से पीड़ित रोगी में चुनिंदा औषधियों के भी सुधार में असफल रहने पर यह दी जाती है। एक्ने सिस्टिक और दीर्घकालीन। बार-बार सर्दी और खांसी।
- **साइक्लामेन :** युवा महिलाओं में खुजली के साथ एक्ने।

नोट : उपर्युक्त दवाइयां होमियोपैथी विशेषज्ञ की देख-रेख में ही प्रयोग करें।

दोहरी ठोड़ी या डबल चिन

डबल चिन यानी दोहरी ठोड़ी चेहरे का सौंदर्य नष्ट कर देती है। चेहरे के सौंदर्य में जितना महत्त्व कपोल, नेत्र, नासिका का है उतना ही ठोड़ी का भी है।

ठोड़ी की सुंदरता के लिए मोटापा अत्यंत घातक होता है। मोटापे से ही ठोड़ी की बनावट पर प्रभाव पड़ता है। वजन ज्यादा होने की वजह से ठोड़ी के नीचे मांस दिखने लगता है। इससे आयु वास्तविकता से ज्यादा प्रतीत होती है और ठोड़ी की वास्तविक आकृति भी छिप जाती है। इस दोष को दूर करने के लिए मोटापा कम करना आवश्यक है।

डबल चिन से मुक्ति के लिए मोटापा घटाना जरूरी

249

दोहरी ठोड़ी कम करने के लिए कुछ व्यायाम

- सीधी खड़ी होकर मुंह को इतना खोलें कि सिर पीछे की ओर झुक जाए। अब निचले होंठ को धीरे-धीरे ऊपरी होंठ की तरफ सटाकर लाएं। इसे 10-12 बार प्रतिदिन करें।

- हमेशा गर्दन सीधी करके व कंधे तानकर बैठें।

- सीधे बैठकर दस-दस बार गर्दन को आगे-पीछे करें।

- गर्दन को पहले दाएं से बाएं, फिर बाएं से दाएं घुमाएं। यह क्रिया लगभग 10 बार करें।

- पहले अपने सिर को धीरे-धीरे पीछे की ओर ले जाएं, फिर धीरे-धीरे आगे लाकर अपनी छाती से भिड़ाने का प्रयास करें। लगभग पांच बार यह क्रिया करें।

- प्रतिदिन क्रीम से अपनी ठोड़ी व गले की मसाज करें। यह मसाज गले से लेकर ऊपर चिन की तरफ करें।

- यदि आप क्रीम से यह मसाज न करना चाहें तो खाली हाथों से भी मसाज की जा सकती है।

- गर्दन को धीरे-धीरे ऊपर-नीचे करें। इस व्यायाम से धीरे-धीरे आपकी डबल चिन कम हो जाएगी।

- एक नर्तकी की भांति अपनी गर्दन को आगे-पीछे करने का प्रयास करें।

- यदि डबल चिन हो तो सोते समय कभी भी तकिया न लगाएं।

- मेज के सामने कुर्सी पर बैठकर दोनों कोहनियां मेज पर टिका लें, फिर बारी-बारी हथेलियों के पिछले भाग से ठोड़ी के नीचे के अतिरिक्त मांस पर 10 बार धीरे-धीरे थपेड़े मारें।

- सीधे तनकर बैठ जाएं, जहां तक संभव हो सिर को पीछे की ओर झुकाएं, फिर सामान्य स्थिति में आ जाएं। यह व्यायाम प्रतिदिन 5 बार से शुरू करके 10 बार तक करें।

डबल चिन को खत्म करने के लिए आप घर पर भी मालिश कर सकती हैं। किसी अच्छी कंपनी की क्रीम का प्रयोग करें। ठोड़ी की उपेक्षा करके स्वयं को अनाकर्षक मत बनाइए।

30 की उम्र में कैसे दिखें खूबसूरत

30 की उम्र युवावस्था को पीछे छोड़ते हुए प्रौढ़ावस्था की ओर बढ़ता कदम है। ऐसे में इस उम्र से गुजर रही सभी महिलाओं की यही तमन्ना रहती है कि वे 20 की उम्र की लगें, यानी उतनी ही जवां व हसीन दिखें जितनी पहले थीं।

बेशक ऐसा संभव है, यदि कुछ बातों को ध्यान में रखा जाए। जब ऐश्वर्या राय, तब्बू, माधुरी दीक्षित, रितु बेरी जैसी प्रमुख हस्तियां अपने को इस उम्र के प्रभाव से बचाकर खूबसूरत बनाए रख सकती हैं तो आप क्यों नहीं? जानिए कुछ ऐसे ही सुझाव—

- नियमित रूप से खेलकूद वाली गतिविधियों में भाग लें, जो कि अपने आप में अच्छी एक्सरसाइज हैं। इसके अलावा शरीर को स्वस्थ बनाए रखने के लिए स्विमिंग, स्क्वाश, जॉगिंग व टेनिस अवश्य खेलें। खान-पान के संबंध में इस बात का विशेष ध्यान रखें कि आपको क्या खाना चाहिए और क्या नहीं? क्योंकि उल्टा-सीधा खाने से आपके लिए वजन पर नियंत्रण करना काफी मुंश्किल हो सकता है, इसलिए ऐसा खाएं जो आपको स्वस्थ बनाए रखे। नमक व चीनी की अधिकता से बचें। ताजे फल अधिक मात्रा में खाएं। पानी भी खूब पीएं।
- आपकी आंखें त्वचा की अपेक्षा चेहरे के आकर्षण का अहम केंद्र हैं, लेकिन आंखों के आसपास बारीक लकीरें पड़ जाएं तो वह चेहरे के आकर्षण को कम कर देती हैं। ये लकीरें त्वचा में शुष्कता की चेतावनी हैं। अगर इनसे बचना चाहती हैं तो अपनी आंखों की विशेष देखभाल करें। सोने से पूर्व रोजाना आंखों के मेकअप को फेसवाश या क्लींजिंग मिल्क से साफ करें। प्रतिदिन सुबह व रात को आंखों पर आई क्रीम अवश्य लगाएं।
- इस उम्र में अधिकांश महिलाओं की गर्दन पर लकीरें पड़ जाती हैं जिसका कारण त्वचा का शुष्क होना, अधिक वजन, एक्सरसाइज न करना, दवाओं का अधिक सेवन, मॉइस्चराइजर न लगाना, सूर्य के प्रभाव में अधिक रहना आदि है। इससे बचने के लिए अपनी गर्दन पर नियमित रूप से सोने से पूर्व बढ़िया नाइट क्रीम लगाएं। दिन के समय मॉइस्चराइजर व सनस्क्रीन लोशन लगाएं।
- डीहाइड्रेशन यानी शरीर में पानी की कमी होना एक गंभीर समस्या है जिसकी वजह से त्वचा शुष्क होने लगती है और उस पर लकीरें पड़ने लगती हैं, इसलिए सोने से पूर्व मेकअप को अच्छी तरह से क्लींजर से अवश्य साफ करें। फिर हल्का-सा एस्ट्रिजेंट लगाएं, लेकिन इसे आंखों के आसपास न लगाएं। फिर मॉइस्चराइजर लगाएं। धूप से त्वचा की नमी को बचाए रखने के लिए सनस्क्रीन लोशन लगाएं। रात को सोने से पूर्व त्वचा पर ओवरनाइट क्रीम लगाएं जिससे त्वचा में प्राकृतिक नमी का संतुलन बना रहेगा।
- इस उम्र में चेहरे पर मेकअप कम ही करें। इससे मेकअप स्वाभाविक लगेगा। चेहरे पर हल्का-सा मॉइस्चराइजर व फाउंडेशन लगाएं। न्यूट्रल शेड्स वाले लाइट आईशैडो का प्रयोग करें। गालों पर लाइट शेड का ब्लशर लगाएं। होंठों पर मैचिंग लिपस्टिक लगाने के बाद हल्का-सा लिपग्लॉस भी लगाएं। रात

के समय चाहें तो आप थोड़ा गहरा मेकअप कर सकती हैं। जितना हो सके अधिक मेकअप करने से बचें, क्योंकि इससे आपकी उम्र और भी अधिक प्रतीत होगी। मुंह के आसपास पड़ी लकीरों को दूर करने के लिए लिपफिक्स का प्रयोग करें।

● नियमित रूप से प्रत्येक 4-6 सप्ताह बाद अपने हेयरड्रेसर के पास जाकर अपने केशों को ट्रिम कराती रहें। अपने केशों के अनुरूप ही शैंपू और कंडीशनर का प्रयोग करें। यदि आपके केश शुष्क हैं तो केशों में नियमित रूप से कंडीशनिंग करें। बेजान केशों में हेयरमास्क का प्रयोग करें। तैलीय केशों को अधिक न बढ़ाएं, बल्कि छोटा हेयरकट अपनाएं जिससे केश साफ व स्वस्थ रहेंगे।

इस तरह उपर्युक्त बातों को ध्यान में रखकर चलेंगी तो आप बढ़ती उम्र के प्रभावों से बची रहेंगी और अपने लुक को फ्रेश और यंग बनाए रख सकेंगी।

कैसा हो चालीस के बाद का मेकअप

जवान और खूबसूरत दिखने की खातिर खान-पान तथा पहनावे के साथ-साथ अपने मेकअप स्टाइल में भी परिवर्तन लाने की जरूरत होती है। यदि आपकी त्वचा की उम्र सोलह वर्ष नहीं है तो फिर मेकअप की टेक्नीक व स्टाइल सोलह वर्ष की उम्र का कैसे लग सकता है। अतः इसमें थोड़ा बदलाव जरूरी है।

- फाउंडेशन की गहरी परत के बाद पाउडर की लेयर चढ़ाने के बजाय दोनों की बिल्कुल हल्की परत लगाएं तो चेहरे को स्वाभाविक खूबसूरती मिलेगी।
- अपना मेकअप मॉइस्चराइजर से शुरू करें और उसे पूरी तरह त्वचा में समा जाने दें, ताकि आपका चेहरा स्निग्ध व कोमल हो जाए, फिर बेस क्रीम को लगाएं। उसके बाद हल्का-सा अल्ट्राफाइन पाउडर इस्तेमाल करें। याद रहे, स्वस्थ त्वचा की खूबसूरती उसकी नमी से झलकती है। क्रीम की शाइन को हल्का करने के लिए ही पाउडर की जरूरत होती है।
- यदि आईलाइनर का शौक है तो मोटी लाइन के बजाय पलकों के पास बारीक-सी लाइन लगाएं। मेकअप आर्टिस्ट की राय में ऊपर की पलकों पर मस्कारा लगाने से आंखों को कोमल लुक मिलता है।
- गहरी लिपस्टिक के बदले सॉफ्ट व ब्राइट कलर अपनाएं। ज्यादा डार्क लिपस्टिक से होंठ सिकुड़े हुए लगते हैं। बेहतर होगा कि मॉइस्चराइजर युक्त लिपस्टिक का प्रयोग करें जो होंठों की नमी को बरकरार रखे, या फिर लिपस्टिक लगाने के बाद नेचुरल रंग का कलर ग्लॉस लगाएं।
- यदि आपको गहरे रंग ही पसंद हैं या गहरे रंग ही आपके चेहरे को सूट करते हैं तो बजाय प्लम शेड्स के बेरी शेड्स की लिपस्टिक बेहतर होती है। लिपस्टिक लगाने के बाद टिश्यू पेपर से एक्सट्रा लिपस्टिक सोख लें। उसके बाद सॉफ्ट फोकस फिनिश के लिए ग्लॉस एप्लाई करें।
- कॉम्पलेक्शन निखारने के लिए ब्लशर जरूर लगाएं। इससे त्वचा फ्रेश और कांतियुक्त लगती है। बढ़ती उम्र के साथ त्वचा की चमक कम होने लगती है इसलिए ब्लशर लगाना जरूरी है, किंतु हल्के व नेचुरल तरीके से, ताकि चेहरा खूबसूरत व सौम्य लगे।

- मैच्योर उम्र में चेहरे के किसी एक अंग को ही मेकअप द्वारा उभारें। बाकी अंगों पर स्वाभाविक व सादगीयुक्त मेकअप खूबसूरती निखारता है।
- हेयर स्टाइल में बदलाव उम्र को पीछे छोड़ सकता है। 10 वर्ष तो आसानी से कम किए जा सकते हैं, किंतु मैच्योर उम्र में पोनीटेल बांधना या चेहरे पर जुल्फों को बिखेर देना आपको यंग लुक देने के बदले आपकी अपरिपक्वता को दर्शाते हैं। चेहरे को सूट करते हुए बालों को हल्का ढीला छोड़ दें। खुला छोड़ना हो तो बालों में लेयर वाली स्टाइल ज्यादा ठीक लगेगी।
- फाउंडेशन का चुनाव मेकअप में अहम भूमिका निभाता है। अतः इसका चुनाव बिल्कुल सही होना चाहिए। मैच्योर त्वचा को यंग लुक देने के लिए नॉर्मल से एक शेड लाइट बेस क्रीम का चुनाव करने से त्वचा खूबसूरत व नेचुरल लगती है।
- इसी प्रकार बालों को कलर करते समय थोड़ा-सा बदलाव लाएं। युवावस्था में नेचुरल शेड से एक शेड गहरा कलर किया जा सकता है, किंतु मैच्योर त्वचा के साथ ऐसा करने से आपका कॉम्पलेक्शन फ्लैट लुक देगा और आंखें दबी-सी छोटी नजर आएंगी। अतः इस उम्र में बेहतर होगा कि आप अपने बालों के स्वाभाविक रंग से दो शेड लाइटर शेड चुनें, तो चेहरे की आभा व आंखों की खूबसूरती प्रभावित नहीं होगी। बालों का सही कलर उम्र के दस वर्ष आसानी से चुरा सकता है।
- सही आकार का आई ब्रो भी चेहरे की खूबसूरती को बढ़ाता है, किंतु ज्यादा पतले या धनुषाकार आई ब्रो चेहरे को प्रौढ़ लुक देते हैं। बेहतर होगा कि आई ब्रो के वास्तविक व स्वाभाविक आकार को थोड़ा और खूबसूरत आकार दें।
- तनावपूर्ण त्वचा पर उम्र के निशान जल्दी दिखाई देते हैं। अतः योगा ऐरोबिक्स अथवा तेज गति से चलना जैसे व्यायाम लाभदायक हैं, कम-से-कम हफ्ते में 3 या 4 दिन 20-30 मिनट व्यायाम करें।
- स्वस्थ और खूबसूरत त्वचा के लिए फेशियल एक अच्छा उपाय है। संभव हो तो पार्लर में फेशियल कराएं।
- दाग-धब्बों और तैलीय त्वचा को दूर करने वाला मास्क और ढीली त्वचा को कसने और पुष्ट करने वाला मास्क अपनाकर भी आप अपने चेहरे की रंगत को बदल सकती हैं।

- **तैलीय त्वचा और दाग-धब्बों को दूर करने वाला मास्क :** एक बड़ा चम्मच बूअर्स यीस्ट पाउडर, एक छोटा चम्मच नीबू का रस, एक छोटा चम्मच नारंगी का रस, एक छोटा चम्मच गाजर का रस, आधा टेबल स्पून दही। सभी सामग्री को भली प्रकार मिलाकर लेप बना लें और चेहरे पर लगाएं। यह रक्त संचार को बढ़ाकर निस्तेज त्वचा को साफ करके उसे निखारने में सहायता देता है।

- **ढीली त्वचा को कसने वाला मास्क :** एक अंडे की सफेदी, आधा छोटा चम्मच शहद, एक बड़ा चम्मच पाउडर वाला सूखा दूध। सब सामग्री को इतना फेंटें की यह अच्छी तरह मिल जाए। अब इसे चेहरे पर लगाएं।

- 40 साल के बाद अच्छी खुराक के अलावा अतिरिक्त आयरन, बी-कॉम्प्लेक्स और कैल्शियम एंटी ऑक्सिडेंट लें।

- इसके अलावा एंटी एजिंग सप्लीमेंट कोएन्जाइम व क्यू 10 भी लें।

- ग्लाइकोलिक एसिड पील से भी त्वचा की झुर्रियां और झाइयां कम होती हैं।

- ग्लाइकोलिक एसिड और रेटिनॉल युक्त क्रीम का प्रयोग करने से झुर्रियों की समस्या कम होती है।

उन्नत वक्षस्थल

स्त्री सौंदर्य में स्तनों का विशेष महत्त्व है। सुंदर नारी भी उन्नत स्तनों के अभाव में सुंदर नहीं कही जा सकती। स्तन स्त्री के आभूषण होते हैं। उन्नत स्तनों वाली स्त्री पुरुषों में विशेष रूप से लोकप्रिय होती है क्योंकि रति क्रिया में स्तनों का अपना अलग ही महत्त्व है। पुरुषों को आकर्षित करने में स्तन विशेष भूमिका निभाते हैं।

गोल, कठोर एवं पूर्ण विकसित स्तन आदर्श स्तन कहे जाते हैं, जिन पर प्रत्येक स्त्री गर्व कर सकती है। उचित देखभाल के अभाव में कई बार स्तन बहुत छोटे रह

जाते हैं या बहुत मोटे हो जाते हैं और लटक भी जाते हैं, जोकि स्त्री के सौंदर्य को नष्ट करके उसमें हीन भावना उत्पन्न करते हैं।

विभिन्न प्रकार के स्तनों को सही आकार में रखने में निम्न उपाय अत्यंत सहायक सिद्ध होते हैं—

- फलों एवं दूध के साथ पौष्टिक आहार लें।
- स्तनों पर हल्के हाथों से नीचे से ऊपर की ओर जैतून के तेल की मालिश करें।
- कुछ इस तरह के व्यायाम करें जिनमें हाथों का उपयोग अधिक हो।
- गहरी सांस लेकर अंदर रोकें और धीरे-धीरे छोड़ें। ऐसा कई बार करें।
- हारमोंस विशेषज्ञ से सलाह लें।
- ऐसी ब्रा का चुनाव करें जिससे स्तन कुछ मोटे दिखाई दें।
- यदि स्त्री मोटी है तो मोटापा दूर करने का उपाय करें, ताकि स्तनों की चर्बी कम हो।
- सलाद व हरी सब्जियों का प्रयोग अधिक करें।
- स्तनों की अधिक मालिश से बचें।
- बच्चों को अपना दूध अवश्य पिलाएं, इससे स्तन सही आकार में रहते हैं।
- रति क्रिया में ध्यान रखें कि पुरुष स्तनों को जोर से न मसलें।
- लड़कियां मासिक धर्म शुरू होते ही उचित नाप की ब्रा पहनना शुरू कर दें।
- अत्यधिक गर्म पानी से स्नान न करें।
- स्तनों को खींचकर बच्चे को दूध न पिलाएं।
- मालिश हमेशा हल्के हाथ से नीचे से ऊपर की ओर करें। नीचे की ओर मालिश करने से स्तन लटक जाते हैं।
- शारीरिक कमजोरी होने पर पौष्टिक आहार लें।
- स्तनों को बहुत ज्यादा न रगड़ें।

ब्रेस्ट इम्प्लांटेशन

अब महिलाएं अत्यधिक, कम अथवा विकसित स्तनों को लेकर कुंठा नहीं पालतीं। वे सीधे कॉस्मेटिक सर्जन के पास जाकर सर्जरी द्वारा अपने वक्षस्थल को सही शेप में ले आती हैं।

- ब्रेस्ट सर्जरी 2 प्रकार की होती है—रिडक्शन मेमोप्लास्टी जिसके तहत बड़े स्तनों को छोटा किया जाता है और ऑगमेंटेशन मेमोप्लास्टी जिसके तहत स्तनों को बड़ा किया जाता है।
- **रिडक्शन मेमोप्लास्टी :** स्तनों को छोटा करते समय इस बात का ध्यान रखा जाता है कि मिल्क डॉट्स खराब न हों, यह ज्यादातर युवा या अविवाहिताओं के लिए है। यदि महिला बड़ी उम्र की है तो स्तनों की सर्जरी से पहले निप्पल उतार दिए जाते हैं, फिर सर्जरी के बाद सही जगह दोबारा ड्राफ्ट कर दिए जाते हैं। इसके बाद मिल्क डॉट्स काम नहीं करते।
- **मेस्टोपैक्सी सर्जरी :** यह सर्जरी तब की जाती है, जब स्तन काफी लंबे या लटके हुए होते हैं, इसमें ब्रेस्ट के टिश्यू को टाइट करके त्वचा के साथ टाइट कर दिया जाता है।

- लाइपोसक्शन द्वारा स्तन छोटे करने के लिए स्तनों की चर्बी को पिघलाकर बाहर निकाला जाता है।
- **स्तनों को बड़ा बनाना :** महिला के डीलडौल के अनुसार उसके स्तनों को तीन प्रकार से बड़ा किया जाता है।
- शरीर के किसी भाग की चर्बी स्तनों में भर दी जाती है।
- सलाइन से इसमें गुब्बारे के समान वाले पदार्थ में पानी भरकर स्तनों में डाला जाता है।
- सिलीकॉन जैल फिल्ड को स्तनों में रोप दिया जाता है। यह तरीका पहले 2 तरीकों से ज्यादा उत्तम है। ब्रेस्ट में मेडिकेटेड सिलीकॉन जैल डालने से किसी प्रकार की कोई बीमारी नहीं होती। इसे ब्रेस्ट में इम्प्लाट करने के बाद बच्चों को फीड कराने में कोई दिक्कत नहीं होती।
- **धंसे हुए निप्पल :** यदि निप्पल धंसे हुए हों तो एक्शन मशीन को निप्पल में लगाकर खींचा जाता है। नियमित रूप से ऐसा करने पर निप्पल ठीक हो जाते हैं।

स्वास्थ्य सौंदर्य

स्वास्थ्य और सौंदर्य का ख्याल रखिए

हमारे देश में वर्ष-भर में छः ऋतुएं आती हैं। इनमें ग्रीष्म ऋतु ऐसी है जिसमें त्वचा की सबसे ज्यादा देखभाल करनी पड़ती है। इस ऋतु में पसीने की वजह से मेकअप बह जाता है, शरीर से दुर्गंध आने लगती है तथा त्वचा झुलसने लगती है। अतः ग्रीष्म ऋतु में अपने शरीर का विशेष ख्याल रखें।

ग्रीष्म ऋतु और आपका सौंदर्य

- गर्मियों के धूल और पसीने से सराबोर मौसम में त्वचा की उचित देखभाल करना बहुत जरूरी है। सूरज की गर्मी, प्रदूषण और धूल-मिट्टी से अच्छी-से-अच्छी त्वचा भी खराब हो जाती है और कील-मुंहासे, झाइयां, काले-भूरे दाग, ब्लैक हैड, घमौरी और पसीने की गंध जैसी बहुत-सी परेशानियां सामने आती हैं।

ग्रीष्म ऋतु में त्वचा को लेकर विशेष सावधानी बरतें

262

- तैलीय त्वचा किसी भी दूसरी तरह की त्वचा से ज्यादा स्वस्थ होती है। उसमें हमेशा नमी दिखाई देती है और सूरज की किरणें भी उस पर ज्यादा असर नहीं कर पातीं। गर्मियों में तैलीय त्वचा पर कम मेकअप लगाएं। त्वचा तैलीय होने की वजह से मेकअप पिघलकर भद्दा दिखाई देगा।

- ग्रीष्म ऋतु तैलीय त्वचा के लिए नुकसानदेह होती है। यदि पेट भी खराब हो तो मुंहासों की समस्या और भी बढ़ जाती है। पेट साफ रखने के लिए संतुलित भोजन करें, रेशेदार और कार्बोहाइड्रेटयुक्त खानपान से पेट सही रहता है।

- नीम के पत्तों को पीसकर उसमें पोदीने का रस मिलाकर चेहरे पर लगाएं, दस मिनट बाद धोकर बर्फ से चेहरे की मसाज करें। इससे तैलीय त्वचा की कांति बनी रहती है।

- किसी भी त्वचा पर टमाटर के रस के बने आइस क्यूब का मसाज फायदेमंद होता है, इससे झुलसी त्वचा को आराम मिलता है, चेहरे की कमनीयता भी बनी रहती है।

- रूखी त्वचा में रोम छिद्र खुले नहीं होते, उस पर मेकअप आराम से किया जा सकता है, मगर उसे बीमारियों और संक्रमण से बचाना भी जरूरी हो जाता है।

- सुबह उठते ही चेहरे को अच्छी तरह धोएं, फिर संतरे के छिलकों के पाउडर में थोड़ा-सा कच्चा दूध मिलाकर चेहरे पर लगाएं। पांच-सात मिनट बाद हल्के हाथ से मालिश करें और ठंडे पानी से मुंह को धोएं।

- रात को सोने से पहले हाथ-पांव और मुंह अच्छी तरह धोएं, ताकि दिन-भर की गंदगी साफ हो जाए। इसके बाद त्वचा पर तेलरहित मॉइस्चराइजर जरूर लगाएं।

- नहाते समय और सोने से पहले हाथों और नाखूनों को अच्छी तरह ब्रश से साफ कर लें। हाथों में गंदगी या धूल लगी न रहने दें, तुरंत साबुन से हाथ धो लें।

- हर पंद्रह दिन बाद ब्यूटीशियन से मैनीक्योर जरूर कराएं, जो नाखूनों को आपकी उंगलियों के मुताबिक शेप देगी और नाखूनों के पास की मृत त्वचा निकालकर अच्छी तरह मालिश करेगी।

- नाखून छोटे रखें। पांवों को साफ करके थोड़ी-सी क्रीम लगाएं, ताकि एड़ियां फटने की नौबत न आए।

- गर्मियों में आरामदेह जूते-चप्पल पहनें। टाइट जूते-चप्पलों से पसीने के कारण 'कॉर्न' होने का डर रहता है। जूते पहनने से पहले पांवों, खासकर उंगलियों में टेल्कम पाउडर जरूर लगाएं।

- गर्मियों में पैडिक्योर जरूर करवाएं, जिससे मांसपेशियां स्वस्थ हों और पांव सुंदर लगें। अगर आप स्कर्ट आदि पहनती हैं तो टांगों की वैक्सिंग जरूर करवाएं।

- चेहरे और आंखों को धूप से बचाकर रखें। गर्मियों में शरीर के खुले हिस्सों पर सनस्क्रीन लगाना बहुत जरूरी है।

- कई कंपनियां दावा करती हैं कि उनके मॉइस्चराइजर में सनस्क्रीन भी मौजूद है, मगर अच्छा होगा कि आप मॉइस्चराइजर के साथ अलग से सनस्क्रीन लोशन भी लगाएं। अगर आप धूप में ज्यादा समय रहने वाली हैं तो सनस्क्रीन लोशन को भलीभांति लगाकर ही बाहर जाएं।

- प्रतिदिन सुबह-शाम स्नान करें और तेज धूप से बचें।

- स्नान के बाद शरीर को रगड़कर पोंछें तथा खुशबूदार पाउडर लगाएं।

- आंखों के नीचे आई क्रीम लगाएं, ताकि वहां की त्वचा में नमी बनी रहे और झुर्रियां न पड़ें। मगर इस क्रीम को सोने से पंद्रह मिनट पहले धो दें, जिससे आंखें सूजी हुई न लगें। क्रीम के कारण त्वचा के रोम छिद्र बंद हो जाते हैं, जिससे त्वचा सांस नहीं ले पाती।

- दिन में प्रदूषण, सूर्य की अल्ट्रावॉयलेट किरणों और धुएं का सामना करते-करते रात तक त्वचा की प्रतिरोधक क्षमता जवाब दे देती है और त्वचा के विटामिन-सी और विटामिन-ई के प्राकृतिक स्रोत लगभग समाप्त होने लगते हैं। नाइट क्रीम त्वचा के अंदर जाकर इन स्रोतों की पूर्ति करती है। मगर ध्यान रखें कि तैलीय त्वचा पर रात-भर क्रीम लगी न छोड़ें, तेलरहित क्रीम का इस्तेमाल करें।

- सूरज की किरणों से त्वचा को होने वाले नुकसान की पूर्ति करने के लिए ए. एच. ए. पदार्थयुक्त क्रीम बहुत उपयोगी साबित होती है। ए. एच. ए. क्रीम त्वचा की उम्र बढ़ाने, मुंहासों और चेहरे के निशानों को कम करने आदि में बहुत सहायक होती है।

- धूप में जाते समय जहां तक हो सके, परफ्यूम या कोई इत्र न लगाएं। धूप से त्वचा जलती है और परफ्यूम के साथ मिलकर इससे आपकी त्वचा पर काले चकते हो सकते हैं।

- बहुत ज्यादा धूप त्वचा के लिए बहुत हानिकारक है। सूरज की सीधी किरणें त्वचा में कोलाजेन और इलास्टिक टिश्यू को नष्ट कर देती हैं और उनका असर बढ़ता ही जाता है। सनस्क्रीन लोशन या सनब्लॉक धूप के इस हानिकारक असर को रोकते हैं।

- बाहर जाते वक्त अपने साथ साफ रूमाल, पेपर नैपकिन या लेमन और यूडीकोलोन में भीगे टिश्यू पेपर जरूर रखें। पसीना आने पर चेहरा पोंछ लें, नहीं तो पसीने पर गंदगी चिपकेगी, जिससे मुंहासे होने का डर रहता है।

- धूप में निकलते वक्त आंखों पर चश्मा लगाएं, जिससे आंखों और उनके नीचे की त्वचा को हानि न पहुंचे। तेज किरणों के कारण देखने में जो असुविधा होती है, उससे भी आप बच सकेंगी।

- धूप में सिर को दुपट्टे या साड़ी के पल्लू से ढक लें। इससे बालों पर सूरज की हानिकारक किरणों का असर नहीं होगा। छाता लेकर जाना बेहतर होता है, इससे सूरज की सीधी किरणों के असर से आपकी त्वचा, बाल, सब बचे रहेंगे। सूरज की किरणें बालों के लिए हानिकारक होती हैं।

खानपान

- गर्मियों में भूख कम लगती है, तली-भुनी चीजें खाने का कम मन करता है। इस मौसम में अगर संतुलित, पौष्टिक आहार न लिया जाए तो शरीर तो बेडौल होता ही है, स्वास्थ्य भी बिगड़ जाता है। डायरिया, फ्लू, डिहाइड्रेशन जैसी बीमारियां इसी मौसम में सिर उठाती हैं। जरूरी है कि आप खानपान पर उचित ध्यान दें।

- खूब पानी पीएं, जिससे शरीर की सारी गंदगी निकलती है, पाचन क्रिया ठीक रहती है और त्वचा भी निखरी रहती है। ध्यान रखें कि शरीर में पानी की कमी न हो। दिन में कम-से-कम आठ से दस गिलास पानी पीएं। इससे लू से बचने में भी सहायता मिलेगी।

- कच्चे प्याज का सेवन करें, इससे भी लू से निजात मिलेगी।

- बाहर जाने से पहले खूब पानी पीएं। पानी को शुद्ध करने के लिए उबालकर इस्तेमाल करें।

- कच्ची सब्जियां और कच्चे फल कभी एक साथ न खाएं, क्योंकि दोनों को पचाने के लिए अलग-अलग तरह के एंजाइम की जरूरत होती है।

265

- विटामिन और खनिज तत्त्वों से भरपूर भोजन करें। पसीने के जरिए शरीर से मैग्नीशियम आदि तत्त्व निकल जाते हैं, जिसके कारण थकान और मांसपेशियों में दर्द हो जाता है।
- गर्मियों में मौसमी फल और हरी सब्जियां भी खूब खाएं। संतुलित आहार लें। इससे पाचन क्रिया ठीक रखने में बहुत मदद मिलेगी।

गर्मियों में मौसमी फल और हरी सब्जियां भरपूर मात्रा में खाएं।

- गर्मियों में विटामिन-बी का जितना हो सके, सेवन करें। इससे मांसपेशियों के दर्द और थकान में राहत मिलती है। साबुत अनाज, बीज, मेवे और अंकुरित दालों में प्रचुर मात्रा में विटामिन-बी होता है।
- दिन में थोड़ा-थोड़ा खाएं, जरूरत से ज्यादा न खाएं, बदहजमी हो सकती है। पालक, ककड़ी, खीरा, अंगूर, तरबूज, खरबूजा, पपीता, संतरा, लौकी, नीबू आदि का सेवन त्वचा के लिए फायदेमंद रहता है। इससे त्वचा को अंदरूनी सुरक्षा मिलती है।
- गर्मियों में पेट में एसिड जल्दी बनते हैं, इसलिए दिन में एक बार चीनी और नमक मिलाकर नीबू का पानी जरूर पीएं, इससे शरीर में नमी रहती है और टॉक्सिन भी बाहर निकल जाते हैं।

266

व्यायाम

- गर्मियों में नियमित रूप से व्यायाम करें। इससे रक्त संचार अच्छा होता है और शरीर की गंदगी पसीने के रूप में बाहर आ जाती है। रस्सी कूदना, तेज चलना, स्विमिंग आदि शरीर में ऊर्जा भरते हैं तथा भूख भी लगती है।

- व्यायाम के बाद ठंडा पानी या फलों का रस पीएं। घंटे-भर बाद संतुलित भोजन करें।

- आप नियमित योग भी कर सकती हैं, इससे शरीर भी स्वस्थ रहता है और मानसिक शांति भी मिलती है।

- दिन की शुरुआत व्यायाम से करें, दिन-भर चुस्त महसूस करेंगी।

- व्यायाम करते समय चेहरे पर मेकअप न हो। इससे त्वचा के रोमछिद्र खुल नहीं पाएंगे और चेहरे की गंदगी बाहर नहीं निकल पाएगी।

- व्यायाम करने के बाद अपनी त्वचा के लिए उपयुक्त क्लींजर से चेहरा जरूर साफ कर लें। बहुत स्ट्रॉन्ग क्लींजर या साबुन का इस्तेमाल न करें, इससे त्वचा की प्राकृतिक नमी छिन जाती है।

पहनावा

- हल्के रंगों की सूती पोशाक इस मौसम के लिए उपयुक्त है। सूती कपड़ों में हवा आसानी से आ-जा सकती है और ये पसीना भी सोख लेते हैं।

- नायलॉन या सिंथेटिक कपड़ों में पसीना सूख नहीं पाता, जिससे त्वचा पर घमौरी और दूसरी बीमारियां हो जाती हैं।

- अगर आप स्कर्ट या छोटी बांहों का कुर्ता या ब्लाउज पहन रही हैं तो ध्यान रखें कि धूप से शरीर का खुला हिस्सा झुलस सकता है, इस हिस्से की नियमित मालिश करवाएं। जरूरत महसूस हो तो ब्लीच भी करवाएं।

- कपड़े ढीले हों। कसे कपड़ों में हवा का प्रवाह रुक जाता है।

- बच्चों को बनियान या कमीज जरूर पहनाएं। इससे त्वचा धूप के सीधे प्रकोप से बची रहती है।

- गर्मी लगने का अर्थ यह नहीं है कि आप बेतुके कपड़े पहनें। आपका पहनावा शालीन होना चाहिए।

गर्मियों में वस्त्र पहनने में विशेष सावधानी बरतें

● गर्मियों में जूते या बंद सैंडिल न पहनें, इससे पांवों में पसीना भरता है और उंगलियां कट सकती हैं। नायलॉन के मोजों की जगह सूती मोजे पहनें।

व्यवहार

● यह माना जाता है कि गर्मियों में लोग चिड़चिड़े और गुस्सैल हो जाते हैं। इसका संबंध गर्म मौसम, पसीने, धूल और गंदगी से है। व्यवहार को संतुलित रखने के लिए जरूरी है कि आप अपनी तरफ से किसी से झगड़ा मोल न लें।

- अगर आपके घर में बिजली-पानी की दिक्कत हो रही है तो दूसरों को कोसने या लड़ने-झगड़ने के बजाय ठंडे दिमाग से समस्या सुलझानी चाहिए।
- गर्मियों में अक्सर बिजली चली जाती है, जिससे बिना पंखे और लाइट के रहना पड़ता है। घर में अगर आप जनरेटर या इन्वर्टर नहीं रख सकतीं तो आपातकालीन लाइट और हाथ से झलने वाला पंखा जरूर रखें।
- शाम ढलते ही घर की खिड़कियां और दरवाजे कुछ देर के लिए बंद कर दें। यही वक्त है, जब मक्खी और दूसरे कीड़े-मकोड़े घर के अंदर प्रवेश करते हैं। जब घर के अंदर बल्ब जलाएं तो बाहर की लाइट बंद कर दें।

दांत और मसूड़ों की सफाई

- प्रतिदिन दांत साफ करें और खाना खाने के बाद कुल्ला करें।
- साल में एक बार दंत चिकित्सक से दांत चैक करवाएं।
- मीठी चीजों से परहेज करें।
- दांत साफ करते समय उंगलियों से मसूड़ों की मालिश करें।

कान की देखभाल

- किसी नुकीली वस्तु से कान साफ न करें। सदैव मुलायम चीज से ही कान की सफाई करें।
- यदि तेज आवाज हो तो रुई से अपने कान बंद कर लें।
- नहाते समय सावधानी से कान साफ करें।

नाक की देखभाल

- खांसते या छींकते समय रूमाल का प्रयोग करें।
- उंगली से नाक साफ करना गलत है, इससे संक्रमण होने का खतरा रहता है।

आंखों की देखभाल

- आंखों पर सूर्य की सीधी किरण न पड़ने दें।
- आंखों को पूर्ण विश्राम दें।
- आंखों के लिए किसी भी सौंदर्य प्रसाधन का इस्तेमाल करने से पहले डॉक्टर की सलाह अवश्य लें।

खान-पान में स्वच्छता

- खान-पान से पूर्व हाथ अवश्य धोएं।
- हमेशा ताजा और गर्म भोजन ही खाएं।
- पीने का पानी सदा शुद्ध बर्तन से ही लें।
- भोजन सदैव शांत और एकाग्र-चित्त से करें।

खानपान में स्वच्छता बरतिए

पेट की देखभाल

- अच्छे स्वास्थ्य के लिए पेट साफ रखना जरूरी है।
- नियम से शौच जाने की आदत डालें।
- प्रातःकाल तांबे के गिलास में पानी पीने से भी पेट साफ रहता है।

निद्रा, विश्राम और व्यायाम

- प्रत्येक वयस्क के लिए 8 घंटे की नींद लेना अनिवार्य है।
- प्रत्येक कार्य के बाद विश्राम भी आवश्यक है।
- प्रातःकाल देर तक सोना स्वास्थ्य के लिए अति हानिकारक है।
- प्रातःकाल व्यायाम करना अपनी दिनचर्या का एक अंग बनाएं।
- कहते हैं 'शरीर फिट तो परिवार फिट' इसलिए व्यायाम की आदत डालें।
- व्यायाम भी उतना ही करें, जितना शरीर सहन कर सके।
- पैदल चलना सबसे अच्छा व्यायाम है।

गर्मियों में स्वास्थ्यवर्धक है संतरा

गर्मियों में संतरा स्वास्थ्यवर्धक फल है। संतरा सेहतमंद ही नहीं खूबसूरत भी बनाता है। इसमें विटामिन 'सी', 'ए', 'बी-2', कोलिक अम्ल, सोडियम, कैल्शियम, लोहा, प्रोटीन और गंधक प्रचुर मात्रा में होते हैं।

- संतरे का नियमित सेवन मोटापा कम करता है।
- संतरे का एक गिलास रस तन-मन की थकान व तनाव से दूर करके चुस्ती-फुर्ती प्रदान करता है।
- संतरे के नियमित सेवन से सर्दी, जुकाम भी नहीं होता।
- अधिक प्यास लगने पर संतरे का जूस अवश्य पीएं। इससे बार-बार प्यास नहीं लगेगी।
- अपच, पेचिश व सूखी खांसी में यह अत्यंत फायदेमंद है।
- संतरे के छिलके पानी में उबालकर, चीनी मिलाकर पीने से भूख खुलकर लगती है।
- यदि दिल का मरीज संतरे के रस में शहद मिलाकर पीएं तो आश्चर्यजनक लाभ होता है।
- बवासीर में रक्तस्राव को रोकने की अद्‍भुत क्षमता होती है संतरे में।

गर्मियों में आपका साज-श्रृंगार

गर्मियां आते ही शरीर और त्वचा की कोमलता को बनाए रखना उतना ही जरूरी है, जितना खान-पान का ध्यान रखना। अपने सौंदर्य की देखभाल घर पर भी की जा सकती है। आइए देखें कि इस मौसम में अपना ख्याल कैसे रखा जाए।

- गर्मियों में त्वचा की कांति कम होने लगती है। अतः इन दिनों त्वचा की नियमित मालिश करें।
- घर से बाहर निकलते समय हमेशा सनस्क्रीन लोशन लगाएं। चेहरे और गर्दन के अलावा हाथों पर भी लगाएं।
- मेकअप बहुत ही हल्का करें।
- धूप से त्वचा काली पड़ जाए तो खीरे या ककड़ी का रस चेहरे पर लगाएं।
- टमाटर और गीली हल्दी का रस भी कालापन दूर करता है।

- कच्चे पपीते के रस में नारियल का तेल मिलाकर चेहरे पर मालिश करें।
- गर्मियों में बाल खुश्क और बेजान रहते हैं, अतः इनमें तेल, कंडीशनर या जैल बराबर लगाते रहें।
- बालों को हमेशा बांधकर रखें।
- गर्मियों के मौसम में नाखून बहुत टूटते हैं, अतः इन पर मजबूती देने वाला लोबान, हफ्ते में एक बार अवश्य लगाएं।
- गर्मियों में हल्के रंग की नेल पॉलिश ही लगाएं।
- गर्मियों में दिन के समय मेकअप कम-से-कम करें।
- लिपस्टिक लगाने से पूर्व लिप बेस या वैसलीन लगा लें।
- लिपस्टिक लगाने से पूर्व उसे फ्रिज में रखकर कड़ा कर लें।
- गर्मियों में शादी, पार्टी के अलावा नेचुरल या प्लेन लिपस्टिक लगाएं जिससे वह न तो ज्यादा झिलमिलाए और न ही फैले।
- इन दिनों 'ऑयल फ्री' मॉइस्चराजर से चेहरे की मालिश करें।
- यदि आई शैडो पपड़ी के रूप में पपोटों पर जम गया हो तो एक बूंद मॉइस्चराजर लगाकर चिकना कर लें।
- अंत में हल्का-सा परफ्यूम या यूडीकॉलोन लगाना न भूलें।

पसीने से बचाव

- शरीर को साफ रखें तथा दिन में दो बार स्नान करें।
- नहानें के लिए नीमयुक्त साबुन इस्तेमाल करें।
- नहाने के तुरंत बाद डिओडरेंट लगाएं, यह पसीने की गंध दबाता है।
- नहाने के बाद टेलकम पाउडर का प्रयोग करें। पाउडर पसीने को ज्यादा सोख लेता है। स्टार्चयुक्त पाउडर से बचें।
- यदि आप कहीं बाहर से आ रहे हैं तो कपड़े बदलकर फैला दें, कपड़े हमेशा धोकर ही अलमारी में रखें।
- पानी में यूडीकॉलोन, लैवेंडर या नीबू का रस डालकर नहाएं।
- अगर आपको ज्यादा पसीना आता है तो बाहर से आने के बाद सिरके वाले पानी से हाथ-पैर धोएं।
- साफ सूती जुराबें पहनें, ताकि वे पसीना सोख लें। जुराबें रोज बदलें।

पसीने की दुर्गंध दूर करने के लिए अच्छे डिओडरेंट का इस्तेमाल करें

- जूते बदल-बदलकर पहनें। चमड़े और कैनवस के जूते सिंथेटिक जूतों से बेहतर होते हैं, क्योंकि उनमें पैरों की त्वचा सांस ले सकती है।
- जूतों से बदबू आए तो उनमें बेकिंग सोडा डालें। पहनने से पहले जूते झाड़कर बेकिंग सोडा निकाल लें।
- व्यायाम के बाद जरूर नहाएं।
- दिन में दो बार साबुन और गर्म पानी से हाथ-पैर साफ करें। तौलिए से पोंछकर टेलकम पाउडर लगाएं। उंगलियों के बीच की त्वचा को सूखा रखें।
- तेज खुशबूदार साबुन के इस्तेमाल से बचें। इससे एलर्जी हो सकती है। इसी तरह औषधियुक्त साबुन से त्वचा शुष्क हो सकती है।
- त्वचा सूखी रखें। अच्छी क्वालिटी का टेलकम पाउडर इस्तेमाल में लाएं, जिससे ताजगी का अहसास हो, हालांकि शरीर की दुर्गंध दूर करने के लिए टेलकम पाउडर भी कोई बहुत अधिक प्रभावकारी नहीं माना जाता।
- जननांगों पर पाउडर न लगाएं। इससे ओवेरियन सिस्ट हो सकता है।
- बिना बांह के या छोटी बांह के कपड़े पहनें, जिससे बगलों में हवा आ-जा सके।

- कभी भी नहाए बिना परफ्यूम या खुशबूदार पाउडर का इस्तेमाल न करें, वरना इसका उल्टा असर होता है। यह पसीने और बैक्टीरिया के साथ प्रतिक्रिया करके बदबू पैदा करता है।
- पसीने की बदबू रोकने के लिए समय-समय पर बगलों के बाल हटाते रहें।
- पसीने की दुर्गंध बगलों से ज्यादा आती हो, तो बेलगिरी तथा आंवले को बराबर मात्रा में लेकर चूर्ण बना लें तथा स्नान के पश्चात् बगलों में एक माह तक नियमित छिड़कें। इससे बगलों में आने वाले पसीने की बदबू दूर हो जाएगी।
- पसीना ज्यादा निकलने पर गंदे हाथों या रूमाल से मुंह पोंछने पर त्वचा के रोमछिद्र बंद हो जाते हैं। नतीजा होता है कील-मुहांसे। इनसे बचने के लिए हमेशा साफ, सूती तौलिए या पेपर नैपकिन का प्रयोग करें।
- हवा में परफ्यूम स्प्रे करके उसके सामने घूम जाएं। आपके पूरे बदन में मादक गंध बस जाएगी।
- स्प्रे कभी कपड़ों पर न करें, इससे कपड़ों पर तो निशान पड़ता ही है, पसीने की गंध भी कम नहीं होती।
- शाम के समय तेज और दिन में फूलों की हल्की महकयुक्त परफ्यूम लगाएं।
- घुटनों के पीछे और टखनों पर भी परफ्यूम लगाएं, तो आपके पूरे शरीर से मादक खुशबू आएगी।
- रात को नहाने के पानी में गुलाब की पत्तियां या संतरे के छिलके डाल दें और सुबह उस पानी से नहाएं।

सनबर्न

- सनबर्न होने पर दिन में 4-5 बार किसी अच्छे स्किन टोनर से चेहरा साफ करें।
- दिन में रोज 15-20 गिलास पानी पीएं और 2-3 गिलास नीबू पानी जरूर पीएं।
- फल व सलाद का अधिक सेवन करें।
- आधी चम्मच अखरोट की गिरी का पाउडर और एक चम्मच चावल का आटा लें, इसमें आधा चम्मच मूली का रस, एक चम्मच छाछ, कुछ बूंदें गुलाब जल मिलाकर पेस्ट बना लें। इस पेस्ट को चेहरे पर लगाएं, सूखने पर ठंडे पानी से धोएं, त्वचा की झुलसन कम होगी।

- मसूर की दाल, संतरे के सूखे छिलके, मुल्तानी मिट्टी, जौ का आटा, चंदन पाउडर में गुलाबजल की कुछ बूंदें डालें और पपीते के गूदे में मसलकर पैक बनाकर चेहरे पर लगा लें। सूखने पर मसलकर धो लें। सनबर्न के स्थान पर फायदा होगा।
- किसी अच्छे कॉस्मेटिक क्लीनिक में जाकर नाइक्रोएबरेजन, लेजर व यंग स्किन मास्क की सिटिंग्स लें, इससे आपको अवश्य फायदा होगा।

बारिश का मौसम और आपका सौंदर्य

ग्रीष्म ऋतु के बाद वर्षा ऋतु का आना एक सामान्य प्राकृतिक चक्र है। वर्षा ऋतु के आने पर भीषण गर्मी से पीछा छूट जाता है। मौसम के बदलते ही मौसम के अनुसार सौंदर्य रक्षा पर विशेष रूप से ध्यान देना आवश्यक हो जाता है। इसके लिए निम्न टिप्स अपनाएं—

- बरसात के दिनों में नमी तथा दूषित पानी की वजह से त्वचा रोग होने की संभावना काफी बनी रहती है। इस मौसम में नीमयुक्त साबुन का प्रयोग करें।
- पानी में नीम की साफ की हुई पत्तियां उबालकर इस पानी से स्नान करें।
- खुजली से बचने के लिए नमक का प्रयोग कम करें।
- खुजली होने पर नाखूनों से न खुजाएं, क्योंकि इससे पकने की संभावना अधिक रहती है।
- कभी-कभी इस मौसम में बालतोड़ या फोड़े भी हो जाते हैं। इनसे बुखार भी आ जाता है।
- सर्दी-जुकाम होने पर भी चेहरा मुरझा जाता है। पानी में गुलाब की पत्तियां डालकर उससे स्नान करने से दिन-भर ताजगी बनी रहती है तथा पानी से बचाव भी होता है।
- बरसात के मौसम में खानपान पर विशेष रूप से ध्यान देकर अनेक बीमारियों से बचा जा सकता है। वस्तुतः संपूर्ण हिफाजत का मौसम होता है बरसात।
- बरसात में सूती कपड़ों को ही पहनना उपयुक्त माना जाता है, क्योंकि इन दिनों वायु में नमी रहती है तथा वातावरण में उमस भी रहती है।

- गहरे हरे, बैंगनी, नीले, चटख मैरुन व नारंगी रंग के कपड़े बरसात के बुझे-बुझे वातावरण को भी रंगीन बना डालते हैं।
- रंग-बिरंगे कपड़ों के साथ रेनकोट भी फैंसी व चटख रंग का ही पहनें और उसी से मेल खाता छाता भी खरीद लें।
- इस मौसम में भड़कीले व चटख रंगों वाले कपड़े ही चुनें।
- बरसात के मौसम में घर से बाहर निकलने से पहले चेहरे पर फाउंडेशन या अन्य कोई फेस क्रीम न लगाएं, क्योंकि बारिश के छींटें चेहरे पर लगी क्रीम को कुछ इस प्रकार धो देते हैं जिससे चेहरे पर कहीं तो क्रीम लगी रह जाती है और कहीं धुल जाती है। नतीजा यह होता है कि चेहरे पर फाउंडेशन और क्रीम बदरंग लकीरों में दिखने लगती है।
- बारिश में केवल लिपस्टिक, रुज, आई ब्रो पेंसिल और हल्के-फुल्के फेस पाउडर से ही अपने मेकअप को संवारें।
- गहरे रंगों वाली लिपस्टिक ही होंठों पर लगाएं। ऊपर से एक हल्की-सी परत वैसलीन या लिप ग्लॉस की भी लगा लें। ऐसा करने से बारिश में भी आपके होंठों पर लगी लिपस्टिक बहेगी नहीं।
- अपने गालों को गुलाबी आभा देने के लिए रुज का इस्तेमाल अवश्य करें।
- रुज को गालों पर इस ढंग से लगाएं कि वह त्वचा में रच-बस जाए और त्वचा का रंग प्राकृतिक लगे, न कि लाल या गुलाबी रंग का मोटा-सा धब्बा थोपा हुआ नजर आए।
- बरसात के मौसम में बाल सीधे और साधारण ही बनाएं।
- बैक कॉम्बिंग जूड़े के नकली स्विच और हेयर कर्ल्स का इस्तेमाल करके बालों को फूले हुए व लहरदार न बनाएं।
- चोटी या सीधा-सादा जूड़ा बनाएं। जूड़े को गजरे या गुलाब की कली से भी सजाया जा सकता है।
- बालों के भीग जाने पर तुरंत सुखाने का प्रयत्न करें।
- ज्यादा देर तक बालों में पानी रहने से जूं पड़ने सहित अनेक तरह की बीमारियां भी लग सकती हैं।
- बालों को सुखाने के लिए एक पोर्टेबल हेयर ड्रायर भी खरीद सकती हैं, जिसे आप बैग में रखकर साथ ले जा सकती हैं। इससे बाल जल्दी तो सूखेंगे ही, रिमझिम बरसते मौसम में भी सुंदर और खिले-खिले बने रहेंगे।

वैसे तो सभी ऋतुओं में अपनी देखभाल करनी चाहिए, परंतु ग्रीष्म ऋतु में सही देखभाल करके कई अनावश्यक परेशानियों से बचा जा सकता है।

सर्दियां और आपका सौंदर्य

मौसम के साथ त्वचा की आवश्यकताएं भी बदल जाती हैं। सर्दियों में त्वचा को खुश्की से बचाने व उसे कमनीय बनाए रखने के लिए हमें इसका खास ध्यान रखना चाहिए। इसके लिए निम्नलिखित सुझाव सहायक होंगे।

- सर्दियों में साबुन से चेहरा न धोएं। इससे चेहरे पर रूखापन बढ़ जाएगा। दिन में दो बार क्लींजिंग मिल्क से त्वचा की सफाई करें, इसके बाद किसी अच्छे मॉइस्चराइजिंग साबुन या फेस वाश से चेहरा धोएं। मॉइस्चराइजिंग साबुन त्वचा को अतिरिक्त नमी प्रदान करेगा।
- आंखों के चारों ओर की त्वचा बहुत कोमल होती है। मुंह धोने के बाद किसी अच्छी कंपनी की अंडर आई क्रीम का इस्तेमाल करें। सर्दियों में आई जैल की बजाय अंडर आई क्रीम ही उपयुक्त होगी।
- चेहरे व गर्दन पर कोई क्रीम बेस्ड मॉइस्चराइजर लगाएं।
- सर्दियों की आम शिकायत है होंठों का फटना। होंठों की सुरक्षा के लिए वैसलीन या किसी चैपस्टिक आदि का प्रयोग करें। आजकल बाजार में मॉइस्चराइजरयुक्त लिपस्टिक उपलब्ध हैं। इनसे होंठ मुलायम रहेंगे।
- रात को सोने से पहले बादाम के तेल, क्रीम या फिर किसी नॉरिशिंग क्रीम से चेहरे की मालिश करें। हर किस्म की त्वचा पर इन दिनों मालिश जरूरी है।
- रात को सोते समय नारियल या जैतून के तेल से हाथों व पैरों के खुले हिस्से पर मालिश करें।
- सर्दी के कारण पूरे शरीर पर खुश्की आ जाती है। नहाने के पानी में दो चम्मच ग्लिसरीन या कुछ बूंदें नारियल के तेल की डाल दें। इससे त्वचा खुश्क नहीं होगी।
- नहाने के बाद शरीर, खासकर हाथों और पैरों पर कोई अच्छा बॉडी लोशन लगाएं। इन दिनों शरीर पर पाउडर का प्रयोग न करें।
- इन दिनों गर्मियों की तुलना में प्यास कम लगती है, परंतु त्वचा में नमी बनाए रखने के लिए छः से आठ गिलास पानी अवश्य पीना चाहिए।

- सर्दियों में धूप बहुत भली लगती है। इससे शरीर को विटामिन-डी भी मिलता है, परंतु धूप में मौजूद अल्ट्रा वायलेट किरणें त्वचा को नुकसान पहुंचाती हैं, जिससे त्वचा खुश्क होने लगती है और रंग भी सांवला हो जाता है, इसलिए धूप में जाने से पहले सन स्क्रीन लोशन का इस्तेमाल अवश्य करें।
- सर्दियों में हरी सब्जियां और ताजे फल बहुत मिलते हैं। इन्हें अपने भोजन में अवश्य शामिल करें। सब्जियों को सूप व सलाद के रूप में भी लिया जा सकता है। गाजर के जूस का सेवन त्वचा के लिए बहुत लाभदायक है।
- सूखे मेवे एवं मूंगफलियों का सेवन त्वचा को चमक प्रदान करता है।

त्वचा की देखभाल

इस मौसम में त्वचा की नियमित देखभाल जरूरी है। सप्ताह में दो बार नीचे दिए गए फेस पैक लगाएं। ये हर किस्म की त्वचा के लिए लाभकारी हैं।

- एक चम्मच बेसन, आधा चम्मच हल्दी और एक चम्मच मलाई में कुछ बूंदें बादाम रोगन की डालें। दूध मिलाकर गाढ़ा पेस्ट बना लें। चेहरा साफ कर इसे लगाएं। बीस मिनट बाद धो दें।
- एक चम्मच ओटमील, कुछ बूंद नीबू का रस और तीन चम्मच दूध मिलाकर गाढ़ा पेस्ट बना लें। इसे चेहरे व गर्दन पर लगाएं। पंद्रह मिनट के बाद चेहरा साफ कर लें।
- एक अंडे की जर्दी, एक चम्मच दूध का पाउडर, एक चम्मच सूजी, एक चम्मच शहद और दही मिलाकर गाढ़ा पेस्ट बनाएं। चेहरे पर लगाकर सुखाएं, फिर मलकर धो लें।
- संतरे के छिलकों को सुखाकर पाउडर बना लें। दो चम्मच पाउडर में मलाई या दही डालकर फेंटें। चेहरे पर लगाएं, सूखने पर धो दें।
- एक चम्मच शहद में एक चम्मच दूध डालकर अच्छी तरह मिलाएं। चेहरे एवं गले पर लगाएं। सूखने पर धो दें।
- एक चम्मच ओटमील, एक अंडे की जर्दी और एक चम्मच जैतून का तेल लें। इन्हें मिलाकर अच्छी तरह फेंटें। चेहरे पर लगाकर सुखाएं। सूखने पर मलकर धो दें।
- त्वचा अधिक खुश्क हो तो फेस पैक लगाने से पहले चेहरे पर कुछ बूंद बादाम के तेल की लगा लें।

- फेस पैक हटाने के बाद मॉइस्चराइजर लगाना न भूलें।
- सर्दियों में त्वचा का रूखापन समाप्त करने के लिए गुलाब जल में डबल रोटी मिलाकर गाढ़ा पेस्ट लगाएं, मास्क को चेहरे पर पूरी तरह सूखने के पश्चात धो लें।
- एक चम्मच अंडे की सफेदी और एक बड़ा चम्मच मिल्क पाउडर मिलाकर लगाएं। उसे तीस मिनट बाद धो लें। आपकी त्वचा कुछ ही दिनों में सुंदर और कोमल हो जाएगी, इस प्रयोग को सप्ताह में कम-से-कम दो बार करें।
- शुष्क त्वचा वाली महिलाओं को स्नान से पूर्व उबटन अवश्य लगा लेना चाहिए। अंडे की जर्दी या जैतून का तेल, छोटा चम्मच मुल्तानी मिट्टी का पाउडर और उसमें गुलाब जल मिलाकर चिकना पेस्ट बनाएं तथा पानी से मुंह को अच्छी तरह धोकर तीस मिनट तक सप्ताह में दो बार करें। आपकी त्वचा मुलायम और चिकनी हो जाएगी।
- सामान्य त्वचा वाली महिलाओं के लिए एक अंडे की जर्दी, एक बड़ा चम्मच सिरका, एक चौथाई सरसों का तेल, इन सबके मिश्रण को जब तक कि यह गाढ़ा न हो जाए, चेहरे पर लगाएं और सूखने पर धो लें। कुछ दिनों बाद आपकी त्वचा पर रौनक आ जाएगी।
- **गर्म ठंडे जल से स्नान :** पहले गर्म जल से स्नान करना चाहिए। इसके बाद ठंडे जल से स्नान करने से त्वचा व महत्त्वपूर्ण आंतरिक अंगों को उत्तेजना प्राप्त होती है। इस तरह के स्नान के फायदे शुरू-शुरू में महसूस नहीं होते, परंतु कुछ दिनों बाद लाभ भी होता है।
- पहले गर्म फिर ठंडे जल स्नान से फोस्ट बाइट, थर्मल अटिकिरिया, एटोपिक डरमेटाइटिस में बहुत लाभ होता है।
- सर्दियों में तैलीय त्वचा और ज्यादा चिकनी और चमकदार नजर आती है, इसके लिए क्लींजिंग स्क्रब का इस्तेमाल करें। एक चौथाई कप मुल्तानी मिट्टी में एक चौथाई कप सूखे संतरे के छिलके का पाउडर और बड़ी चम्मच स्पून चंदन पाउडर या ओटमील मिलाकर अपने बाथरूम में रख लें। नहाने से पहले पानी में एक छोटा चम्मच मिश्रण मिलाकर गाढ़ा पेस्ट तैयार कर लें और चेहरे पर लगाएं। दस मिनट बाद गुनगुने पानी से चेहरा साफ कर लें। ऐसा हर दूसरे दिन नियमित रूप से करें।

- अगर रूखी त्वचा है तो एक कप गुनगुने दूध में एक छोटा चम्मच ग्लिसरीन, एक चौथाई छोटा चम्मच खाने वाला सोडा और एक चौथाई छोटा चम्मच बोरेक्स मिला लें। इस लोशन को चेहरे व गर्दन पर दस मिनट तक लगाएं, फिर गुनगुने पानी से चेहरा धो लें।

- रूखी त्वचा को कोमल व कांतिमय बनाने के लिए यह मॉइस्चराइजर घर पर ही बनाएं। ¾ कप गुलाबजल में ¼ छोटा चम्मच ग्लिसरीन, 1 छोटा चम्मच सिरका और एक चौथाई छोटा चम्मच शहद मिलाकर बोतल में भरकर रख लें। इसे नियमित रूप से क्लींजिंग के बाद लगाएं।

- एक बड़ी चम्मच मिल्क क्रीम में कुछ बूंद ग्लिसरीन, एक चौथाई चम्मच कैस्टर ऑयल और कुछ बूंद गुलाबजल अच्छी तरह मिलाएं। इसे रोजाना रात में सोने से पहले चेहरे, गर्दन व हाथों में लगाएं और रात-भर ऐसे ही छोड़ दें। सुबह ठंडे पानी से चेहरा साफ कर लें।

- **सामान्य त्वचा के लिए यह पैक लगाएं :** एक चौथाई कप दूध में बड़ी चम्मच स्पून मसूर की दाल का पाउडर, छोटा चम्मच स्पून गुलाबजल, एक छोटा चम्मच चंदन पाउडर, आधा छोटा चम्मच शहद मिलाकर पेस्ट तैयार कर लें। इस पैक को हफ्ते में दो बार चेहरे पर लगाएं। सूख जाने पर हल्के हाथों से मलकर छुड़ाएं। इससे त्वचा में चमक तो आती ही है, मृत कोश भी निकल आते हैं।

- **इस घरेलू फेशियल मास्क को भी अपनाएं :** एक चौथाई कप दही, एक छोटा चम्मच शहद, एक बड़ी चम्मच मिल्क पाउडर एक साथ मिला लें और चेहरे पर लगाकर दस मिनट के लिए छोड़ दें। फिर ठंडे पानी से चेहरे को साफ कर लें। ऐसा हफ्ते में एक बार जरूर करें।

थोड़ी-सी देखभाल और सावधानी आपकी त्वचा को सर्दी के मौसम में भी कांतिमय और स्वस्थ बनाए रखती है।

जलन से बचने के टिप्स

यदि शरीर के कुछ अंगों में जलन हो जाती है तो हमारी सुंदरता कुछ कम होती महसूस होती है। घरेलू उपायों के द्वारा शारीरिक अंगों की जलन दूर की जा सकती है।

चेहरे की जलन

- चेहरे की जलन शांत करने के लिए पोदीने के पत्ते पीसकर चेहरे पर 20 मिनट तक लेप करें, फिर ठंडे पानी से धो लें।
- पपीता पीसकर चेहरे पर लेप करने से जलन दूर हो जाती है। चेहरे पर गाय का दूध मलने से भी जलन दूर हो जाती है।

होंठों की जलन

- होंठों पर शुद्ध घी से हल्के-हल्के मालिश करें।
- मलाई लगाने से भी होंठों की जलन शांत होती है।
- बारीक पिसी छोटी इलायची में दो-दो बूंद नीबू व तुलसी पत्तों का रस मिलाकर होंठों पर लगाएं।
- ग्लिसरीन लगाने से भी होंठों की जलन शांत हो जाती है।

आंखों की जलन

- पलकों पर मक्खन लगाने से आंखों की जलन दूर होती है।
- खीरे व आलू के स्लाइस बंद आंखों पर रखने से जलन दूर हो जाती है।
- गुलाब जल आंखों में लगाने से जलन दूर होती है।
- गुलाब जल यदि आंखों में डाला जाए तो आंखों को शीतलता मिलती है।

हाथों-पैरों की जलन

- हाथों-पैरों की जलन दूर करने के लिए लौकी का गूदा रगड़ें।
- पैरों की जलन दूर करने के लिए कच्चा प्याज पीसकर जलन वाले हिस्से पर मलें।

- घी मलने से भी जलन शांत होती है।
- पकी इमली का गूदा हाथ-पैरों पर मलने से भी जलन शांत हो जाती है।
- बकरी का दूध लगाने से जलन में शीघ्र फायदा होता है।

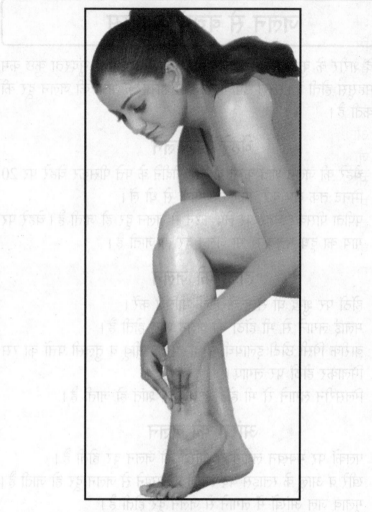

पैरों की जलन में शुद्ध घी की मालिश लाभकारी

तलुओं की जलन

- पैर के तलुओं मे मेहंदी लगाएं।
- करेले के पत्तों का रस लगाने से तलुओं की जलन शांत होती है।
- आम के पत्तों का रस रगड़ने से भी तलुओं की जलन रुकती है।

सिर की जलन

- सिर में मेहंदी लगाने से जलन शांत हो जाती है।
- किसी भी ठंडे तेल या नारियल के तेल में कपूर मिलाकर लगाने से जलन शांत हो जाती है।
- सिर के नीचे फूलों की टोकरी रखकर सोने से भी जलन दूर हो जाती है।

शरीर की जलन

- आंवला, सेब का मुरब्बा खाने से ठंडक मिलती है।
- जौ का सत्तू भी जलन को दूर करता है।
- सौंफ का चूर्ण दूध में डालकर पीने से भी शरीर की जलन दूर होती है।
- मक्खन, मिश्री खाने से भी जलन शांत होती है।
- सूखा धनिया व चावल बराबर मात्रा में भिगो दें। सुबह पीसकर घोल बनाएं और गरम करके पीएं। शरीर की जलन दूर हो जाएगी।
- गाजर, टमाटर का रस पीने से भी जलन शांत होती है।
- ठंडे पानी में शहद घोलकर पीने से भी शरीर में ठंडक आती है।

283

सौंदर्य निखारने के कुछ विशेष टिप्स

कांतिमय काया के लिए जरूरी है नींद

किसी भी हालत में नींद से समझौता नहीं करना चाहिए। मेडिसन और सुंदरता के क्षेत्र में चल रहे शोध से यह सिद्ध हो चुका है कि भरपूर नींद सुंदरता का एक बहुत ही आवश्यक अंग है। सुंदरता और नींद के बीच एक बहुत ही गहरा संबंध है। आजकल लोग सुंदरता की तलाश में तरह-तरह के उपाय अपना रहे हैं और बेहद पैसा खर्च कर रहे हैं। कोई योग के द्वारा तो कोई मेडिटेशन और कोई व्यायाम के जरिए सुंदर बनना चाहता है। निःसंदेह ये सभी चीजें सुंदरता में सहायक हैं, लेकिन इनमें से कोई भी रात की नींद का विकल्प नहीं बन सकता।

- रात की भरपूर नींद चिंता दूर भगाने में ही सहायक नहीं है, बल्कि आपके पूरे शरीर को नियंत्रित करने में महत्त्वपूर्ण योगदान देती है।
- मानसिक रूप से परेशान लोगों को ज्यादा नींद की जरूरत होती है।
- जैसे ही आपको नींद आती है, आपके शरीर की मशीन काम करना कम कर देती है। सभी अंग शिथिल पड़ जाते हैं, इसलिए जब आप सोकर उठते हैं तो तरोताजा महसूस करते हैं।
- सोते समय ही नई कोशिकाएं जन्म लेती हैं और एंटी बॉडीज उत्पन्न होते हैं।
- अक्सर लोगों की आंखों के नीचे गहरे रंग के धब्बे हो जाते हैं जो आंखों के साथ-साथ चेहरे की सुंदरता को भी कम कर देते हैं। ये धब्बे तभी पड़ते हैं, जब आंखों से ज्यादा काम लिया जाए और उनको भरपूर विश्राम न मिले। इनको मिटाने के लिए भरपूर नींद बेहद जरूरी है।
- नींद पूरी न होने से त्वचा पर भी दुष्प्रभाव पड़ता है। धीरे-धीरे त्वचा ढीली, रूखी और निस्तेज हो जाती है। कांतिमय त्वचा के लिए सोना बहुत जरूरी है।

- हर एक की नींद की जरूरत अलग-अलग होती है। छोटे बच्चों को 18 घंटे की नींद चाहिए तो बड़ों के लिए 5 से 10 घंटे की नींद ही काफी है। बीमार और गर्भवती महिलाओं को भी ज्यादा नींद की जरूरत होती है।

- 20 ग्राम चमेली के फूलों को 600 मि.ली. पानी में उबालें और फिर उस पानी से नहाएं, इससे अच्छी नींद आएगी और मन भी प्रफुल्लित रहता है।

- सोने से पहले गर्म दूध पीने से भी अच्छी नींद आती है, अगर इस दूध में थोड़ा-सा शहद मिला लिया जाए तो और भी अच्छा है। शाम के समय चाय, कॉफी और अल्कोहल का सेवन नहीं करना चाहिए।

- सोने का समय नियत कर लेना चाहिए और उसी समय पर सोने की कोशिश करनी चाहिए। रोज थोड़ी देर व्यायाम करना भी जरूरी है।

- आप जिस कमरे में सोते हों, कोशिश करें कि उसको केवल सोने का कमरा ही रखा जाए, उसको स्टडी या टी.वी. रूम न बनाया जाए। चावल और आलू जैसी गरिष्ठ चीजों को शाम के समय खाने से बचना चाहिए।

- लंबे समय तक पर्याप्त नींद न लेते रहने से आपकी याद्दाश्त तो प्रभावित होती ही है, साथ ही चेहरे पर जल्दी उम्र भी झलकने लगती है। इसलिए त्वचा के लिए सोना जरूरी है।

- प्रातः जल्दी उठने का प्रयास करें। नित्य कर्मों से निवृत्त होकर मॉर्निंग वॉक करें।

- सोते समय चाय, कॉफी या शराब का सेवन न करें। यह मादक द्रव्य आपकी नींद को दो घंटे पीछे धकेल देते हैं।

- अपनी छाती पर जो एक्युप्रेशर प्वाइंट है, उस पर थोड़ी मालिश करें। इससे तनाव से तो मुक्ति मिलेगी ही, साथ ही पाचन शक्ति भी बढ़ेगी।

- शाम को 7 या 8 बजे तक रात्रि भोजन कर लेने से भोजन को पचने का वक्त मिल जाता है और आप शरीर को हल्का महसूस करते हैं।

- अपने भोजन या नाश्ते में कुछ विशेष तरह के कार्बोहाइड्रेट वाली चीजें, जैसे गेहूं, पास्ता, अंकुरित चना व मूंग की दालें आदि शामिल करें। यह सेरोटॉनिन नामक तत्त्व उत्पन्न करता है, जिससे नींद भी अच्छी आती है।

खाने में विटामिन का विशेष ध्यान रखें

- भोजन में दही का सेवन करने से नींद जल्दी आती है।
- पानी जीवन का एक प्रमुख अंग है। छः से आठ गिलास पानी रोज पीने से शरीर के विषैले तत्त्व शरीर से बाहर निकल जाते हैं और इससे त्वचा कांति और ताजगी से भर जाती है।
- संतुलित भोजन और नियमित व्यायाम से त्वचा स्वस्थ और निखरी-निखरी दिखाई देती है।
- चेहरे का कम उम्र में ही उम्र से ज्यादा दिखाई देने का एक मुख्य कारण धूप भी है। चाहे गर्मी हो या सर्दी, तेज धूप त्वचा के लिए नुकसानदेह है। अतः तेज धूप से बचें।
- अपने भोजन में विटामिन-ए, विटामिन-बी, विटामिन-सी और विटामिन-ई की मात्रा बढ़ा दीजिए।
- धूम्रपान और मदिरा से परहेज रखिए। ये दोनों चीजें त्वचा के कई पोषक तत्त्वों को नष्ट कर देती हैं। इनसे त्वचा उम्र से पहले ढलने लगती है।
- अपने सारे शरीर की इस तरह मालिश कीजिए कि शरीर में रक्त संचार तेज हो। इससे त्वचा चमकदार बनी रहेगी।

- अपनी आंखों का ध्यान रखिए, क्योंकि आंख और उसके इर्द-गिर्द की त्वचा से सबसे पहले ढलती उम्र और तनाव का अहसास होता है। तनाव कम करने के लिए तथा आंखों को तरोताजा रखने के लिए ठंडे खीरे या आलू के गोल टुकड़ों को बंद आंखों के ऊपर रखा जा सकता है।
- यह नहीं भूलना चाहिए कि गर्दन और सीने की त्वचा भी उतनी ही महत्त्वपूर्ण है जितनी कि चेहरे की। इस पर उम्र का प्रभाव ज्यादा तेज पड़ता है। अतः इन हिस्सों की त्वचा की देखभाल भी चेहरे की त्वचा की तरह ही होनी चाहिए।
- झुर्रियों या झुर्रियों के निशानों को ठीक करने के लिए विटामिन-ई का प्रयोग करें। यह सत्य है कि विटामिन-ई शरीर के नष्ट हुए ऊतकों को फिर से ठीक कर सकता है। मालिश के लिए विटामिन-ई के कैप्सूल के साथ तेल का भी प्रयोग करें।
- बढ़ती उम्र का हाथों की त्वचा पर भी तेज असर पड़ता है, इसलिए हाथ की त्वचा की उचित देखभाल जरूरी है। गर्मी में तेज धूप से और सर्दियों में ठंड से उसकी रक्षा करें। घरेलू कामों के दुष्प्रभावों से भी हाथ की त्वचा को बचाएं। इसके लिए बार-बार हैंड क्रीम का इस्तेमाल करें।
- उभरी हुई नसों के लिए विटामिन-ई युक्त तेल या बादाम के तेल से हल्की मालिश करें। यदि मालिश से विशेष फायदा न हो तो किसी सौंदर्य विशेषज्ञा से सलाह लें।
- बढ़ती उम्र का अहसास आदमी के चलने-फिरने, उठने-बैठने आदि से भी होता है। सीधे खड़े होइए और यह प्रयास कीजिए कि चलते समय सिर आगे न झुका हो और कंधे गोल न दिखाई दें। झुके कंधों से आदमी की उम्र ज्यादा दिखाई देती है। नियमित व्यायाम करने से शरीर में लचीलापन और आकर्षण पैदा किया जा सकता है।
- शृंगार-प्रसाधनों का इस्तेमाल जितना कम हो, उतना अच्छा है, क्योंकि गहरे फाउंडेशन और ज्यादा पाउडर से चेहरे की रेखाएं और झुर्रियां छिपने की जगह ज्यादा उभर आती हैं। आंखों के आस-पास ज्यादा मेकअप से बचें।
- आई पेंसिल से आंखों का रेखांकन करें और पलकों के ऊपर झुर्रियों को छिपाने के लिए ब्रश द्वारा आईशैडो का प्रयोग करें।
- यदि आपके बाल सफेद हो रहे हैं तो बालों को ज्यादा काला करने के बजाय हल्के काले रंग का प्रयोग करें। यह ज्यादा स्वाभाविक लगेगा।

- मुंह के चारों ओर छोटी-छोटी रेखाओं में लिपस्टिक फैलने से भी बढ़ती उम्र साफ दिखलाई देती है। इसको रोकने के लिए होंठों पर पहले फाउंडेशन का प्रयोग करें, फिर पेंसिल से होंठों की आउटलाइन बनाएं और ब्रश से इसे कुछ हल्का कर लें। ब्रश से लिपस्टिक लगाएं और टिश्यू पेपर से इसे सुखा लें।
- मेकअप की आधुनिकतम विधियों की जानकारी रखें। गाल की हड्डियों की जानकारी रखें। गाल की हड्डियों के ऊपर पट्टी में ब्लशर का प्रयोग न करें। ब्रश जितना बड़ा होगा उसका उतना ही हल्का प्रभाव होगा।
- अपने आपको भीतर से युवा महसूस करें और जवान दिखाई देने की कोशिश करें। अच्छी मात्रा में गहरी नींद लेकर शरीर को तरोताजा रखें। सोने के तुरंत पहले चाय, कॉफी या एल्कोहल आदि का प्रयोग न करें।
- उम्र के खास पड़ाव में पहुंचकर जमाने के नए-नए फैशनों से दूर नहीं हो जाना चाहिए। अपने पहनावे में नए फैशनों का समावेश कर फैशन के साथ चलें। अच्छे स्टाइल से बने कपड़े हर किसी पर अच्छे लगते हैं।
- होंठों को सूखने से बचाने के लिए उपयुक्त लिप बाम का प्रयोग करें। इसे आप लिपस्टिक के साथ मिलाकर भी प्रयोग कर सकती हैं।
- आंवले का चूर्ण प्रतिदिन सुबह-शाम एक-एक चम्मच सेवन करने से सौंदर्य को चिरकाल तक बनाए रखा जा सकता है।
- बरगद का दूध रात को सोते समय और सुबह स्नान से पूर्व चेहरे पर हल्के-हल्के रगड़ें। यह दूध क्लींजिंग मिल्क का काम करता है तथा चेहरे को निखारता है।
- नीम की पत्तियों को बारीक काटकर, पानी में उबालकर, पानी को ठंडा कर बोतल में भरकर रखें। प्रतिदिन रुई के फोहे से मुंहासे वाले स्थान पर लगाकर सोएं। सप्ताह-भर में ही मुंहासे गायब हो जाएंगे।
- बालों को रासायनिक ट्रीटमेंट देने से बचें।
- यदि आपके चेहरे पर झुर्रियां ज्यादा हों तो मॉइस्चराइजर क्रीम, ककड़ी व संतरे के रस का मिश्रण तैयार करके मसाज करें। मसाज के बाद ऑलिव ऑयल व तिल का तेल दोनों एक चम्मच लेकर चेहरे पर पांच मिनट मसाज करें। भाप लेकर चेहरा साफ कर लें। अब मुल्तानी मिट्टी, ककड़ी, चंदन, मंजिष्ठ तथा अश्वगंधा का पेस्ट बनाकर चेहरे पर दस मिनट लगाकर धोएं। कुछ दिनों के नियमित प्रयोग से झुर्रियां नष्ट हो जाएंगी।

- हरड़, कूट और पान, तीनों को पानी में पीसकर लेप बनाएं व इससे स्नान करें।
- गले की खराश होना एक आम बात है, अतः नमक मिले कुनकुने पानी से गरारें करें।
- प्रातः काल एक गिलास ताजा पानी पीएं। ऐसा करने से आपको पेट-संबंधी विकार नहीं होंगे जो आपके सौंदर्य के लिए घातक होते हैं।
- यदि चेहरे पर फोड़े-फुंसियां हों तो सरसों के तेल में बराबर मात्रा में दही मिलाकर लगाएं।

ये छोटे-छोटे टिप्स कभी भी प्रयोग में लाए जा सकते हैं। इन्हें करने में कोई परेशानी नहीं होती तथा ये शीघ्र ही लाभ भी पहुंचाने लगते हैं।

संभलकर करें डायटिंग

सुंदर शरीर की चाहत सभी को होती है, किंतु शरीर को सुंदर बनाना या बनाए रखना काफी कठिन कार्य है। खान-पान में लापरवाही बरतने से कई बार शरीर स्थूल होने लगता है तथा शारीरिक सौंदर्य भी नष्ट होने लगता है। आज की स्त्रियां अपने शरीर की सुंदरता बनाए रखने के लिए कम खाना, डायटिंग पिल्स का सेवन, कभी-कभी उपवास रखने जैसे तरीके अपनाती हैं, किंतु इन तरीकों को अपनाते समय काफी संभलकर चलने की जरूरत होती है।

जब शरीर में सेल्यूलाइड इकट्ठे हो जाते हैं, यानी शरीर के निचले भागों जैसे जांघों, कूल्हों और कमर में काफी वसा जमा हो जाती है तब हम जो भी आहार ग्रहण करते हैं उसे हमारा शरीर वसा में परिवर्तित कर त्वचा की परत के नीचे इकट्ठा करता है जिससे शरीर को ऊर्जा मिलती है। अतः जितनी अधिक मात्रा में वसा इकट्ठा होगी, उतना ही शरीर फूलता जाएगा।

स्त्रियों में पुरुषों की तुलना में दोगुनी वसा होती है जो कि गर्भावस्था व स्तनपान के दौरान बढ़ी हुई जरूरतों को पूर्ण करती है। जब यह वसा बहुत बढ़ जाती है तब उन्हें चिंता सताने लगती है और वे डायटिंग करने लगती हैं। ऐसी स्त्रियां पूरे दिन भूखी रहती हैं जिससे उनका चेहरा भी लटकने लगता है। ऐसे उपाय नुकसानदायक होते हैं। सब कुछ खाते रहने के बाद भी आप स्लिम ट्रिम बनी रह सकती हैं। इसके लिए आपको यह जानना चाहिए कि सभी खाद्य-पदार्थों में कैलोरी होती है, किसी में कम तो किसी में ज्यादा। 24 घंटे शरीर की क्रियाओं में कैलोरी की खपत होती रहती है। 1 पौंड चर्बी कम करने के लिए 300 कैलोरी कम होनी आवश्यक है। ऐसा तभी हो सकता है, जब प्रतिदिन शरीर की कैलोरी कम हो। इसके लिए कम खाएं व अधिक मेहनत करें। अधिक परिश्रम से अधिक ऊर्जा खर्च होगी, उतनी ही शरीर की चर्बी भी कम होगी।

आजकल महिलाओं में मोटापे की समस्या इसलिए भी बढ़ रही है क्योंकि उनकी घरेलू क्रियाएं समाप्त हो गई हैं। झाडू-पोंछा, बर्तन साफ करना, कपड़े धोना आदि सभी कार्य नौकर करने लगे हैं। अगर आप वाकई फिट रहना चाहती हैं तो नौकरानी की छुट्टी कर दें। आजकल फिटनेस को फैशन माना जाता है। आजकल रोगों से

अपने आप में संपूर्ण व्यायाम है स्विमिंग

बचने के लिए सुबह-शाम सैर जरूरी हो गई है। यदि सैर के लिए वक्त नहीं है तो घर पर ही योगासन करें, रस्सी कूदें, एरोबिक करें। कुछ न आता हो तो संगीत पर नृत्य करें।

फिटनेस के लिए जरूरी है उचित आहार। भोजन ऐसा लें जिसमें प्रोटीन, विटामिन, वसा, कार्बोहाइड्रेट की उचित मात्रा शरीर को मिले। सलाद, रेशेदार फल ज्यादा लें। मैदा, चीनी, नमक, दूध व चावल से बने पदार्थ कम लें, परंतु भूखे रहना क्रैश डायटिंग करना बिल्कुल गलत है। थोड़ा-थोड़ा सब कुछ खाएं, व्यायाम करें, शरीर अपने आप ही सही हो जाएगा।

स्वस्थ शरीर के लिए प्रकृति की हर वस्तु आवश्यक है, परंतु एक विशेष अनुपात और मात्रा में डायटिंग के दौरान भी भोजन के किसी एक अंग को बिल्कुल छोड़ देने से स्वास्थ्य पर प्रतिकूल प्रभाव पड़ता है।

- डायटिंग के दौरान कार्बोहाइड्रेट्स को भी एक निर्धारित सीमा से कम या बंद कर देने से मनुष्य के गुर्दों पर प्रतिकूल प्रभाव पड़ता है।
- चॉकलेट आपके मुंह में 2 मिनट रहकर स्वाद देता है। आमाशय में यह तीन घंटे रहता है, परंतु चर्बी के रूप में यह सारी उम्र आपकी कमर में चिपका रहता है।
- जो भी खाद्य पदार्थ आपके मुंह में प्रवेश करता है, उसकी कैलोरीज का ध्यान रखें, क्योंकि चलते-फिरते खाई गई चीजों को आप बड़ी आसानी से भूल जाएंगे। अच्छा हो सलाद व हरी सब्जियां खाएं।
- परीक्षणों से पता चलता है कि दिमाग को वास्तव में पेट के भरने के 20 मिनट बाद पेट भरने की सूचना मिलती है। उस समय मनुष्य सोचता है कि काश मैंने थोड़ा कम खाया होता। इसलिए खाना बहुत धीरे-धीरे खाएं और थोड़ा भूखे रहें।
- आंकड़ों से पता चलता है कि खाली रहने वाले निठल्ले व्यक्ति अधिक भोजन करते हैं। नियमित व्यायाम करने वालों को अपेक्षाकृत कम भूख लगती है। स्वस्थ रहने के लिए अपने आपको किसी-न-किसी काम में व्यस्त रखें।
- डायटिंग के दौरान व्यायाम करना आवश्यक व लाभकारी है। इससे एक तो डायटिंग के परिणाम जल्दी स्पष्ट होंगे, दूसरे वजन घटाने पर त्वचा में शिथिलता नहीं आएगी, रौनक बनी रहेगी।
- पानी में कोई कैलोरी नहीं होती, इसका भरपूर प्रयोग हर दृष्टि से लाभकारी होता है।
- सुबह चाय के स्थान पर नीबू मिलाकर ताजा पानी पीएं। अधिक सोना बंद कर दें। सर्वाधिक खाना दोपहर का और उससे कम रात का होना चाहिए।
- डायटिंग के दौरान आने वाले शरीर के हल्केपन को कमजोरी का लक्षण न मानें।

मोटापा घटाने के कुछ अनमोल नुस्खे

वजन और मोटापा कम करने के लिए क्या ऐसा संभव है कि हम भूखे भी न रहें और इन परेशानियों से छुटकारा भी मिल जाए? जी हां, ऐसा संभव है। ऐसे कम कैलोरी वाले आहार हैं जिन्हें भरपेट खाने के बाद भी आपका वजन बढ़ेगा नहीं, उल्टे कम होगा। हां, इसके लिए आपको एक अलग तरह का आहार-आयोजन करना पड़ेगा।

मोटापा घटाएं, आकर्षक दिखें

अगर आप अपने दैनिक आहार में अति संतृप्त पदार्थों (Highly Satiated) का समावेश करें तो एक दिन में कम-से-कम 300 कैलोरी की कमी ला सकते हैं।

इसका मतलब है आप सप्ताह में 200 ग्राम से 400 ग्राम तक अपना वजन कम कर सकते हैं। इस तरह के आहार का सबसे अच्छा पहलू यह है कि इससे कैंसर, हृदय-रोग और पाचन-संस्थान संबंधी रोगों को ठीक करने में मदद मिलती है। इससे आप न केवल सुंदर दिखेंगे बल्कि स्वस्थ अनुभव भी करेंगे।

शाकाहारी भोजन

अधिक वजन और कम कैलोरी वाले आहार आपको सुंदर तो बनाते ही हैं, साथ-ही-साथ आपको रोग-मुक्त भी करते हैं। ऐसे पदार्थों में सबसे अच्छे हैं—फल, साग-सब्जियां और अनाज। ये पदार्थ आपकी थाली में ज्यादा जगह घेरते हैं जिससे आपको लगता है कि आपको पर्याप्त पोषण मिल रहा है। अधिकांश मामलों में शाकाहारी भोजन का आकार मांसाहारी भोजन की तुलना में दुगना होता है, इसलिए अधिक मात्रा में खाने के बावजूद कैलोरी कम ही रहती है।

द्रव्य पदार्थ

हर तरह के भोजन का द्रव्य रूप ठोस-रूप की अपेक्षा कम कैलोरी वाला होता है। सूप, जूस तथा इसी तरह के अन्य द्रव्य रूप भोजन चॉकलेट की अपेक्षा अधिक संतृप्त होंगे। टमाटर का सूप एक अद्भुत चीज है। भोजन के पहले इसका सेवन करने से आप कम खाना खाएंगे।

अधिक रेशेदार भोजन

वजन और मात्रा से रहित फाइबर (रेशा) युक्त आहार, खासतौर से फल, साग-सब्जियां, अनाज और फलियां भी आपकी भूख कम कर सकती हैं। पौधे अपने आकार के लिए फाइबर पर निर्भर करते हैं। फाइबर आपकी आंतों में जमा होकर पेट को खाली करने की क्रिया को धीमा कर देते हैं जिससे आपको भूख जल्दी नहीं लगती। अधिक रेशे वाले पदार्थ के खाने से भूख कम लगने का एक कारण यह भी है कि उनमें कम रेशे वाले पदार्थों की तुलना में अधिक टेक्श्चर (तंतुविन्यास) होता है। पॉलिश किए हुए चावल की तुलना में बिना पॉलिश किया हुआ चावल अधिक लाभदायक होता है। इसी तरह भुने आलू उबले आलू से ज्यादा अच्छे होते हैं। अपने

दैनिक भोजन में एक सेब, एक संतरा और एक कप मसूर शामिल करें और अंतर खुद देखें।

मसालेदार भोजन

फाइबर से भरपूर भोजन को अधिक स्वादिष्ट बनाने के लिए मसालों का इस्तेमाल करें। मसाले भोजन को रुचिकर बना देते हैं, पर इनका इस्तेमाल कम चर्बी वाले और कम कैलोरी वाले पदार्थों के लिए ही करें। स्वाद बढ़ाने वाली कोई भी चीज आपको आवश्यकता से अधिक खाने के लिए प्रेरित कर सकती है।

रंगीन भोजन

लाल, नारंगी और गुलाबी रंग भोजन का स्वाद बढ़ाते हैं। हरी मिर्च की जगह लाल मिर्च और सामान्य अंगूर की तरह काले अंगूर का इस्तेमाल करके आप कम कैलोरी वाले भोजन को स्वादिष्ट बना सकते हैं। हरा, नीला रंग खाने की इच्छा को कभी कम नहीं करते।

सुखद भोजन

सामान्य भोजन में चर्बी की मात्रा कम करके उसे अधिक तृप्तिकारक बनाया जा सकता है। दूध या मक्खन के बदले छाछ का सेवन किया जा सकता है। इनके सेवन से आपकी कैलोरी भी नहीं बढ़ेगी और आपको भूख भी महसूस नहीं होगी, इसके अलावा आप अपने भोजन में ऐसे पदार्थों को शामिल कर सकते हैं जिनमें चर्बी की मात्रा कम और प्रोटीन से भरपूर हो।

मोटापे को नियंत्रित करने हेतु कुछ उपयोगी टिप्स

- भोजन में नमक की मात्रा कम करें, जिन पदार्थों में नमक की मात्रा ज्यादा होती है उन्हें न खाएं। नमक से शरीर में पानी जम जाता है, जिससे शरीर फूलने लगता है।
- रोजाना अपनी डाइट में पूरे दिन में एक चम्मच पिसी हुई अलसी शामिल करें। ये शरीर के उन हार्मोन्स को नियंत्रित करता है जिनमें मोटापा व कब्ज होता है।
- कई बार ज्यादा भूख लगने पर जल्दी-जल्दी खाना छोड़ दें। जल्दी-जल्दी खाने से भोजन के साथ-साथ वायु भी पेट में चली जाती है, जिससे मोटापा बढ़ता है।

- भोजन तभी करें जब आप शांत हो, क्रोध या चिंता की अवस्था में यदि आप भोजन करते हैं तो पाचन ठीक से नहीं हो पाता, जिससे मोटापा तो बढ़ता ही है, साथ ही पेटदर्द की समस्या भी होती है।
- अपने फाइबर जोन को पहचानें। बहुत ज्यादा फाइबर भी मोटापे का कारण होता है और बहुत कम भी, इसलिए फाइबर जोन में संतुलन बहुत जरूरी है। इसके लिए आप अपना परीक्षण स्वयं कर सकती हैं।

वजन कम करने के 3 सरल व्यायाम

- पीठ के बल लेट जाएं, दोनों पैर ऊपर की ओर सीधे तने हों, अपने नितंब फर्श से थोड़ा उठाएं। इसके बाद अपना दायां नितंब जितना हो सके बाईं ओर घुमाएं। फिर दाईं ओर घूमें। बारी-बारी से 30 बार दोहराएं।

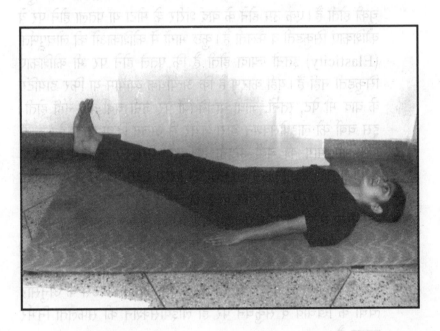

- पीठ सीधी करके फर्श पर बैठ जाएं। दोनों पैर सामने और थोड़े मुड़े हों। पांवों में एक्सरसाइज बैंड फंसाएं। किनारों को अपनी ओर खींचें। इस दौरान कंधे एक-दूसरे की ओर सिकोड़ें। बांहों को आगे आने दें। इस क्रिया को 20 बार दोहराएं।

- सिर को तकिए पर टिकाकर एक करवट के बल लेट जाएं। हाथ का कंधे के पास का हिस्सा छाती के बगल में हो और कोहनी से 90 अंश के कोण पर मुड़ा हो। हाथ में 2-3 पौंड वजन हो। अब वजन जमीन की ओर ले जाएं। कोहनी शरीर से सटी हो। अब अपनी बांह को घुमाकर पहले की स्थिति में लाएं। दोनों ओर 20-20 बार दोहराएं।

मोटापा कैसे घटाएं

महिलाओं को अक्सर यह शिकायत रहती है कि उनके नितंबों पर चर्बी इकट्ठी हो गई है। जब व्यायाम करने पर भी कोई फर्क न पड़े तो लाइपोसक्शन के द्वारा शरीर की अतिरिक्त वसा या चर्बी को शरीर से अलग कर दिया जाता है। चर्बी त्वचा के बिल्कुल नीचे होती है, यह त्वचा और मांसपेशियों के बीच अपनी जगह बना लेती है।

- किशोरावस्था में चर्बी की कोशिकाएं अपनी अधिकतम संख्या तक पहुंच चुकी होती हैं। एक उम्र होने के बाद शरीर के मोटा या पतला होने पर ये कोशिकाएं सिकुड़ती व फैलती हैं। कुछ भागों में कोशिकाओं की लोचपूर्णता (Elasticity) इतनी ज्यादा होती है कि पतले होने पर भी कोशिकाएं सिकुड़ती नहीं हैं। यही कारण है कि अत्यधिक व्यायाम या फिर डायटिंग के बाद भी पेट, स्तनों, जांघों या नितंबों पर जमी चर्बी कम नहीं होती। इस चर्बी को लाइपोसक्शन द्वारा शरीर से अलग किया जाता है।

- जिस भी भाग की चर्बी हटानी हो वहां चीरा लगाकर उसमें पतली खोखली नली डाली जाती है। नली का दूसरा सिरा वैक्यूम से जुड़ा होता है, जिसके जरिए अतिरिक्त वसा को चूसने की क्रिया की जाती है।

- इस क्रिया से पूर्व शरीर में एंजाइम चर्बी को पिघलाकर ढीला करने में मदद करते हैं और वैक्यूम के दबाव में चर्बी फटकर नली द्वारा बाहर आ जाती है। एक बार में 2 लीटर चर्बी पिघलाकर निकाली जा सकती है।

- इस क्रिया में किसी प्रकार का रक्तस्राव नहीं होता। डॉक्टरों के अनुसार त्वचा के खिंचाव व संकुचन पर ही लाइपोसक्शन की सफलता निर्भर करता है।

- जितना संकुचन त्वचा में होगा उतना ही उत्तम लाइपोसक्शन होगा। शरीर के अलग-अलग भागों का लाइपोसक्शन कुछ समय बाद कराया जा सकता है। 24 घंटे आराम करने और 10 दिनों तक सावधानी बरतने के बाद व्यक्ति बिल्कुल फिट हो जाता है।

पैदल चलें, फिट रहें

बहुत-से लोग कम खाने-पीने तथा समय से उठने-जागने को ही फिट रहने की गारंटी समझते हैं। यह सोच ठीक नहीं है। फिट रहने के लिए व्यायाम करना अति आवश्यक है, हालांकि अधिकतर व्यायाम ऐसे होते हैं जो ज्यादा उम्र के स्त्री-पुरुष नहीं कर सकते, लेकिन पैदल चलना एक ऐसा व्यायाम है जो सभी व्यक्ति कर सकते हैं। स्त्रियों के लिए तो यह व्यायाम सबसे उपयुक्त है।

'पैदल चलना' फिट रहने के लिए एक ऐसा व्यायाम है, जिसमें न तो किसी चीज की आवश्यकता पड़ती है और न ही अधिक परिश्रम की आवश्यकता है। आप किसी भी उम्र के हों, पैदल चलना आपकी रोजमर्रा की जिंदगी का हिस्सा बन सकता है। कसरत करने के कई फायदे हैं, जिसका सबसे ज्यादा फ़ायदा है लंबी उम्र पाना।

कसरत से न केवल शारीरिक स्वास्थ्य ही प्राप्त होता है, अपितु आपका सौंदर्य भी बरकरार रहता है। ज्यादातर लोग अपने को फिट बनाए रखने के लिए खाना छोड़ देते हैं या अपराध बोध से ग्रस्त हो जाते हैं, जैसे कि उन्होंने कितना खा लिया? इस प्रकार का अपराध बोध उनके लिए हानिकारक भी सिद्ध हो सकता है।

आप जितना ज्यादा पैदल चलेंगे, उतना ज्यादा खा सकते हैं और अपराध बोध से मुक्त हो सकते हैं। चलने से एक सुकून-सा महसूस होता है। चलने से आपको शांति प्राप्त होगी और आपकी मांसपेशियों को भी मजबूती मिलेगी।

पैदल चलने का एक फायदा यह भी है कि आप अपने को प्रसन्नचित्त महसूस करेंगे। यदि हफ्ते में तीन बार भी पैदल सैर की जाए तो आप तीन हफ्तों में ही अपने आपको फिट व आत्मविश्वास से भरपूर पाएंगे। पैदल चलने से पूर्व आपके द्वारा कुछ तैयारियां की जानी आवश्यक है।

- प्रारंभ में धीरे-धीरे चलना शुरू करें, फिर अपनी रफ्तार बढ़ाते जाएं।
- कोई भी फिटनेस प्रोग्राम शुरू करने से पहले अपने डॉक्टर से परामर्श अवश्य लें।
- सैर पर जाने से पहले और बाद में एक गिलास पानी अवश्य पीएं।
- जरूरत के अनुसार अपनी चाल तेज करें, इतनी भी न करें कि सांस फूलने लगे।

- हफ्ते में तीन बार कम-से-कम तीन किलोमीटर तक चलने की योजना बनाएं।
- सैर करने के लिए किसी खास उपकरण की आवश्यकता नहीं होती, केवल एक जोड़ी आरामदेह जूते की और एक जोड़ी सही किस्म का पहनावा भर ही चाहिए होता है।

यह भी ध्यान रखें

- सुबह जल्दी उठने की आदत डालें। इससे सेहत भी अच्छी रहेगी और उम्र भी बढ़ेगी।
- प्रातःकाल ताजे पानी के गिलास में एक नीबू निचोड़कर पीएं।
- वक्त पर सोएं और वक्त पर उठें। आपको राहत महसूस होगी।
- गुस्सा जहां तक संभव हो, करें ही नहीं। चेहरा तरो-ताजा रहेगा।
- घर के ज्यादातर काम स्वयं करने की आदत डालें, इससे शरीर सेहतमंद रहेगा।
- बेमतलब की बातें कभी न करें। हमेशा कम व आवश्यक बातें ही करें।
- परिवार के सदस्यों को हमेशा अपने हाथों से बना भोजन खिलाएं, मगर प्यार से।
- कपड़े साफ-सुथरे पहनें। इससे व्यक्तित्व में निखार आएगा।
- प्रतिदिन सुबह-शाम नहाने की आदत डालें। शरीर में कोई भी बीमारी नहीं होगी।
- नहाने से पहले शरीर पर हल्के से तेल की मालिश करें, इससे ताजगी आएगी।
- आंखों पर रोजाना ठंडे पानी के छींटें मारें, इससे आंखें साफ रहेंगी।
- दिमाग को लालच, गुस्से व चुगली की आदत से दूर रखें।
- ज्यादा गर्म व ज्यादा ठंडी चीजें न खाएं। इससे गले की बीमारी की आशंका बनी रहती है।
- रात को सोते समय सारी समस्याओं को भूलकर आराम से सोएं।
- प्रतिदिन सुबह नंगे पांव घास पर चलने की आदत डालें।
- तेज धूप व तेज हवा (लू) से बचें।
- अपनी आवश्यकता ज्यादा न बढ़ाएं, सीमित रखें, इससे दिमागी सुकून मिलेगा।

- शारीरिक स्वच्छता के लिए नीबू, दही, बेसन, मुल्तानी मिट्टी का खूब प्रयोग करें। इससे शरीर की चमक बनी रहेगी।
- शारीरिक ताकत से ज्यादा काम न लें।
- जब भी बोलें धीमी आवाज में ही बोलें।
- जितना हो सके पानी पीएं। कम-से-कम 8 गिलास पानी तो जरूर ही पीएं।
- खाना चबाकर ही खाएं और धीरे-धीरे खाएं, इससे हाजमा भी अच्छा रहेगा और दांत भी मजबूत होंगे।
- पैरों में ज्यादा पसीना आए तो पाउडर लगाकर जूते पहनें। इससे पैरों में से बदबू नहीं आएगी।
- भोजन आवश्यकतानुसार ही करें।
- धूप में निकलने से पूर्व छतरी व चश्मा अवश्य लें।
- प्रतिदिन 15 मिनट तक किया गया हल्का व्यायाम दिन-भर के लिए चुस्ती-फुर्ती प्रदान करता है।
- कृत्रिम पेय पदार्थों का प्रयोग कम करें व ताजे फलों का जूस ही ज्यादा लें।
- फैशन की अंधी दौड़ में शामिल होने से बचें।
- समय पर सोने और जल्दी उठने की आदत डालें।
- दोनों वक्त खाना खाने की नियमित आदत डालें।

गर्भावस्था में आपका स्वास्थ्य व सौंदर्य

गर्भावस्था में अधिकांश महिलाओं की त्वचा पहले से अधिक चिकनी, चमकदार और साफ हो जाती है, पर कुछ महिलाओं को गर्भधारण के बाद त्वचा की कई समस्याएं उत्पन्न हो जाती हैं। उनकी त्वचा तैलीय या रूखी हो जाती है। ऐसी हालत

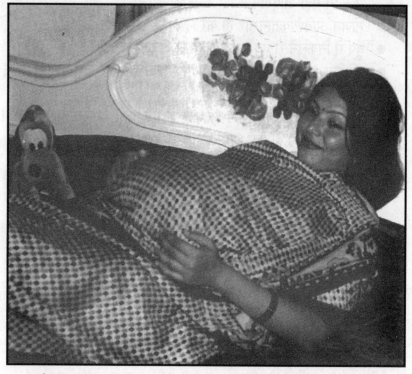

गर्भावस्था में आराम के साथ-साथ स्वास्थ्य व सौंदर्य की देखभाल भी जरूरी

में त्वचा की चिकनाहट, नमी और ताजगी बनी रहे, इसका उपाय करना जरूरी हो जाता है। रात में सोने से पहले और सुबह सोकर उठने के बाद अपनी त्वचा की देखभाल इस प्रकार करें—

● हमेशा सोने से पहले मेकअप उतार लें। ऐसा न करने से त्वचा के छिद्र बंद हो जाते हैं, जिससे उस पर दाग-धब्बे पड़ जाते हैं।

- हर रोज रात को चेहरे को अच्छी तरह क्लींज करें, ताकि उस पर मेकअप का कोई निशान, मैल, धूल आदि न रह जाए।
- सुबह मेकअप करने से पहले क्लींज करें, ताकि आपकी त्वचा तरो-ताजा, साफ-सुथरी और चिपचिपाहट रहित रहे।
- क्लींजिंग के बाद हल्का टोनर या फ्रेशनर इस्तेमाल करें, ताकि त्वचा के रोमछिद्र बंद हो जाएं और क्लींजर का निशान न रहे। इससे आपकी त्वचा स्वच्छ रहेगी।
- त्वचा के रूखेपन को रोकने के लिए व उसे नम और चिकनी बनाए रखने के लिए मॉइस्चराइजर का प्रयोग करें। इससे आपकी त्वचा पर झुर्रियां नहीं पड़ेंगी और वह जवां दिखाई देगी। यह सच है कि आप अपनी त्वचा की नमी को बढ़ा नहीं सकतीं, पर आप उसकी कुदरती नमी को बनाए रख सकती हैं।
- अपनी त्वचा के अनुरूप प्रसाधन चुनें और जरूरी हो तो गर्भावस्था के दौरान अपनी त्वचा के अनुसार उन्हें बदलें। यहां यह ध्यान रखना जरूरी है कि गर्भावस्था के दौरान पूरे नौ महीने आपकी त्वचा एक जैसी नहीं रहती, इसलिए उसमें आए बदलाव के अनुसार आप अपने प्रसाधन भी बदलती रहें।
- गर्भावस्था के दौरान पड़ने वाली झाइयों से बचने के लिए अपने खानपान व त्वचा की देखभाल की तरफ ध्यान दें। झाइयों को स्थायी रूप से ठीक करने के लिए लेजर ट्रीटमेंट और गैल्वेनिक ट्रीटमेंट उपलब्ध हैं। किसी अच्छी हर्बल डीपिगमेंटेशन क्रीम का नियमित रूप से इस्तेमाल करें।
- गर्भावस्था में पड़ने वाले स्ट्रेच मार्क्स से बचने के लिए गर्भ के चौथे महीने से व्हीटजर्म ऑयल पेट व पेडू पर हल्के हाथों से लगाएं तो स्ट्रेच मार्क्स नहीं होंगे। विटामिन 'ई' ऑयल की नियमित मालिश से भी लाभ होगा।
- एक चम्मच पानी में घुला हुआ रसौत, एक चम्मच शहद, एक चम्मच मुल्तानी मिट्टी तथा एक चुटकी कपूर को मिलाकर चेहरे पर लगाने से झाइयां समाप्त होती हैं।

आहार और आपकी त्वचा

आप जो भोजन करती हैं, उसका सीधा असर आपकी त्वचा पर पड़ता है। आपकी त्वचा आपके आंतरिक स्वास्थ्य को दर्शाती है। गर्भावस्था में महिला को आमतौर से अच्छा आहार दिया जाता है, यही कारण है कि उसकी त्वचा पहले से

अधिक जवां और चमकदार हो जाती है। त्वचा संबंधी कई समस्याएं गलत आहार और सही देखभाल न करने की वजह से पैदा होती हैं। गर्भावस्था के दौरान भोजन में पर्याप्त ताजे फल, तरकारियां, साबुत अनाज, वनस्पति तेल, सेम, दालें, अंडा, दूध, पनीर, मछली आदि को शामिल करना चाहिए।

रेशेदार पदार्थ आपके शरीर के अंदर से विषाक्त पदार्थों को निकाल देते हैं, जिससे आपकी त्वचा की रंगत साफ हो जाती है। दिन में कम-से-कम 6-7 गिलास पानी जरूर पीना चाहिए। इससे भी त्वचा का रंग साफ होता है।

स्वस्थ और सुंदर त्वचा के लिए विटामिन जरूरी

- **विटामिन 'ए'** : इसकी कमी से त्वचा रूखी हो जाती है, उसमें धारियां पड़ जाती हैं और त्वचा के छिद्र बड़े हो जाते हैं। पीले फल, सब्जियां, गाजर, हरी पत्तेदार तरकारियां, मछली का तेल, अंडे और कलेजी विटामिन 'ए' के अच्छे स्रोत हैं।
- **विटामिन 'बी'** : विटामिन 'बी' त्वचा में रक्त प्रवाह बढ़ाता है और अतिरिक्त चिकनाहट को कम करता है। ऐसा पाया गया है कि त्वचा की अधिकांश समस्याओं की जड़ विटामिन 'बी' की कमी होती है। साबुत अनाज, कलेजी, हरी पत्तेदार सब्जियां, मछली, अंडा आदि विटामिन 'बी' के अच्छे स्रोत हैं।
- **विटामिन 'सी'** : स्वस्थ, चमकदार व सुंदर त्वचा के लिए विटामिन 'सी' जरूरी होता है। इसके इस्तेमाल से त्वचा ढीली नहीं होती, बल्कि जवां बनी रहती है। खट्टे फल, स्ट्रॉबेरी, हरी पत्तेदार सब्जियां, टमाटर और भुने आलू विटामिन 'सी' के अच्छे स्रोत हैं।
- **विटामिन 'ई'** : यह त्वचा के वृद्ध होने की गति को धीमी करता है। इससे त्वचा में रक्त प्रवाह तेज होता है। विटामिन 'ई' की कमी से त्वचा में असमय ही झुर्रियां पड़ जाती हैं। हरी पत्तेदार सब्जियों, साबुत अनाजों और वनस्पति तेलों में विटामिन 'ई' पर्याप्त मात्रा में पाया जाता है।
- **खनिज द्रव्य** : उपरोक्त विटामिनों के साथ-साथ कुछ खनिज पदार्थ भी आपकी त्वचा की कुदरती खूबसूरती को बढ़ाने में मदद करते हैं—

- **आयोडीन** : आयोडीन की कमी से त्वचा रूखी हो जाती है और उसमें झुर्रियां पड़ जाती हैं। इसकी कमी को सी साल्ट, सेलफिश, प्याज और लिग्यूम (शिम्ब) से पूरा किया जा सकता है।

- **सिलेनियम** : इसके सेवन से त्वचा पर झुर्रियां नहीं पड़तीं और उसका लचीलापन बना रहता है। यह लहसुन, खमीर, कलेजी, अंडे, टमाटर और गोभी में पर्याप्त मात्रा में पाया जाता है।

- **गंधक** : स्वस्थ त्वचा के लिए गंधक बहुत जरूरी है। इसकी कमी से त्वचा में पपड़ियां पड़ जाती हैं। इसकी कमी को पूरा करने के लिए अंडे, हरी सब्जियां, मछली और सेम का सेवन करना चाहिए।

- **जस्ता** : स्वस्थ त्वचा के लिए जस्ता सबसे महत्त्वपूर्ण खनिज है। गर्भावस्था के दौरान त्वचा में पड़ने वाली भद्दी लकीरों को रोकने के लिए यह खासतौर से उपयोगी होता है। समुद्री आहार, मांस, साबुत अनाज और लिग्यूम में जस्ता पर्याप्त मात्रा में पाया जाता है।

नाखूनों की खूबसूरती के लिए क्या करें?

नाखूनों को खूबसूरत बनाने के लिए आपको किसी महंगे सैलून में जाने की जरूरत नहीं। यह आप घर में ही आधे घंटे से भी कम समय में कर सकती हैं।

- रुई को किसी अच्छे ऑयलयुक्त रिमूवर में भिगोकर नाखून पर लगी पुरानी नेलपॉलिश को साफ कर दें।

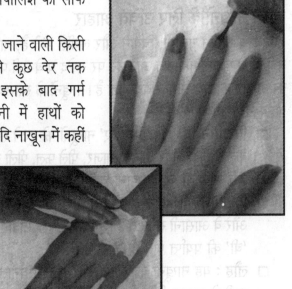

- त्वचा पर लगाई जाने वाली किसी अच्छी क्रीम से कुछ देर तक मालिश करें। इसके बाद गर्म साबुनयुक्त पानी में हाथों को डुबोकर रखें। यदि नाखून में कहीं मैल हो तो मुलायम नेल ब्रश से साफ कर दें।

- नाखून के पास की त्वचा को पीछे की ओर खिसकाने और कहीं मृत त्वचा हो तो उसे हटाने के लिए रुई लगी हुई तीली का इस्तेमाल करें। हाथों को सुखाकर उन पर क्रीम लगाएं।
- अब अगर आप चाहें तो नेल पॉलिश लगा सकती हैं। यदि आपके नाखून टूटते हों तो उन पर नेल स्ट्रेंथनर का बेस कोट लगाएं। इसके सूख जाने पर नेल पॉलिश लगाएं। गहरे रंग की पॉलिश लगाने से नाखून ज्यादा लंबे दिखाई देते हैं।
- नेल पॉलिश पूरी तरह सूख जाने पर ही उस पर दूसरा कोट लगाएं।

गर्भावस्था के दौरान जिस तरह त्वचा में विभिन्न बदलाव आते हैं, उसी तरह नाखूनों में भी बदलाव आते हैं। कुछ महिलाओं के नाखून अधिक कमजोर हो जाते हैं और वे टूटने लगते हैं। यदि आप चाहती हैं कि आपके हाथ और नाखून गर्भावस्था में भी खूबसूरत बने रहें तो निम्न बातों पर ध्यान दें—

- झाड़-पोंछ और साफ-सफाई करते समय रबर के दस्ताने पहनें।
- हर रोज हाथों में मॉइस्चराइजिंग क्रीम लगाएं, खासतौर से जाड़े के दिनों में और हाथों को धोने के बाद।
- अपने हाथों और नाखूनों को सप्ताह में एक बार मैनीक्योर करें।

स्वस्थ नाखूनों के लिए उचित आहार

स्वस्थ नाखून गुलाबी, चिकने और लचीले होते हैं, यानी वे आसानी से टूटते नहीं हैं। वे खुरदरे नहीं होते और उन पर सफेद धब्बे नहीं पड़ते। नाखूनों के स्वास्थ्य का आहार के साथ सीधा संबंध होता है। नाखूनों के स्वास्थ्य के लिए आगे दिए गए पोषक द्रव्य आवश्यक हैं—

- **विटामिन 'ए'** : विटामिन 'ए' नाखूनों को टूटने से रोकता है। इसके लिए कलेजी, कॉडलीवर ऑयल, गाजर, पीले फल, पीली सब्जियां, सूखे फल और हरी सब्जियां ज्यादा खानी चाहिए।
- **विटामिन 'बी'** : इसकी कमी से नाखून खुरदरे और बेतरतीब हो जाते हैं और वे आसानी से टूटते हैं। हर रोज उचित मात्रा में दही खाने से विटामिन 'बी' की पर्याप्त पूर्ति हो जाती है।
- **लौह** : यह नाखूनों को स्वस्थ और गुलाबी बनाता है। आहार में इसकी कमी से नाखून पीले और कमजोर हो जाते हैं। अंडे, साबुत अनाज और हरी पत्तेदार सब्जियां खाने से इसकी पर्याप्त पूर्ति हो जाती है।

- **जस्ता :** इसकी कमी से नाखूनों पर सफेद दाग-धब्बे पड़ जाते हैं। इस कमी को पूरा करने के लिए ढेर सारी हरी सब्जियां, साबुत अनाज, मांस और समुद्री आहार लेना चाहिए।
- **कैल्शियम :** कैल्शियम से नाखून मजबूत और स्वस्थ दिखाई देते हैं।
- **प्रोटीन :** कैल्शियम नाखूनों का प्रमुख घटक है। इसकी पूर्ति के लिए हमें अपने आहार में ऐसी चीजें शामिल करनी चाहिए, जिनमें भरपूर प्रोटीन पाया जाता है।

गर्भावस्था में बालों की समस्याएं

बालों का झड़ना

गर्भावस्था में हार्मोन के बदलाव के कारण कुछ महिलाओं के बाल गिरते हैं और बच्चे के जन्म के बाद भी उनका गिरना जारी रहता है, पर बाद में वे पहले से ज्यादा घने आने लगते हैं। कभी-कभी जस्ते की कमी के कारण भी बाल अधिक मात्रा में झड़ते हैं। आहार में जस्ते की मात्रा बढ़ा देने से बालों का गिरना बंद हो जाता है और नए बाल उग आते हैं।

दोमुंहे बाल

बाल जब बहुत ज्यादा रूखे हो जाते हैं तो वे ऊपर से फटकर दोमुंहे हो जाते हैं। इससे छुटकारा पाने के लिए बालों की ट्रिमिंग (किनारे से थोड़ा काटना) और इसके बाद मॉइस्चराइजरयुक्त कंडीशनर का इस्तेमाल करें। बालों को धूप और गर्मी से बचाएं। गर्भावस्था में पर्मिंग नहीं करनी चाहिए, क्योंकि उस दौरान आपके हार्मोन कुछ अधिक अनियमित हो जाते हैं। ऐसी हालत में आपके बालों पर पर्मिंग का क्या असर होगा, कहा नहीं जा सकता। बच्चा पैदा होने के 3 से 6 माह बाद आपके हार्मोन दोबारा पहले वाली स्थिति में आ जाते हैं, तब आप अपने बालों की पर्मिंग करवा सकती हैं।

केश सज्जा

गर्भावस्था के दौरान खासतौर से गर्भावस्था के अंतिम चरण में अधिकांश महिलाओं को अपने बालों की साज-संवार काफी तकलीफदेह और उबाऊ लगती है। ऐसी हालत में सादा हेयर स्टाइल उपयुक्त होता है। अपने बाल छोटे रखें और यदि बड़े रखने हों तो उन्हें साधारण स्टाइल में रखें। यदि आपके बाल रूखें हों तो रबर बैंड का इस्तेमाल न करें। इससे वे दोमुंहे हो जाएंगे।

- गर्भावस्था के दौरान अमूमन बाल अच्छे और स्वस्थ दिखाई देते हैं, लेकिन बच्चा होने के बाद बाल झड़ने की समस्या आम है।
- ब्रेस्ट फीड के बाद भी लगभग पचास प्रतिशत महिलाएं अचानक ही बाल झड़ने की समस्या से ग्रस्त हो जाती हैं।
- गर्भावस्था के दौरान बालों में प्रोटीन बिल्कुल न के बराबर रह जाता है, इस कारण बाल रूखे और सख्त हो जाते हैं।
- इसके लिए कंडीशनिंग ट्रीटमेंट लिया जाना आवश्यक है।
- गर्भावस्था में आप कलरिंग करवा सकती हैं।
- अपने भोजन में दही ज्यादा-से-ज्यादा शामिल करें।
- कोई भी हेयर ट्रीटमेंट करवाने से पहले अपने डॉक्टर की राय ले लें।
- मेहंदी लगाने के बाद बालों को अच्छी तरह से साफ कर लें।
- मेहंदी लगे बालों को धूप में एक्सपोज न करें।
- स्विमिंग करने के तुरंत बाद बालों को साफ पानी से अच्छी तरह धोएं जिससे सॉल्ट और क्लोरीन अच्छी तरह से निकल जाएं।
- रंगे गए बालों में हिना शैंपू जरूर करें। इससे बालों में चमक आती है।
- शैंपू और कंडीशनर का प्रयोग सुनहरे, सफेद या केमिकल द्वारा ट्रीट किए बालों पर न करें।

गर्भावस्था के विशेष व्यायाम

1. गर्भावस्था में पीठ सीधी रखते हुए फर्श पर बैठ जाएं। दोनों पैरों के तलवों को शरीर के पास एक साथ मिलाएं। बैठने में दिक्कत हो तो पीठ से दीवार का सहारा ले सकती हैं। दोनों हाथों से दोनों पैरों के पंजों को पकड़ लें। अब गहरी सांस खींचें, फिर छोड़ें और उसी के साथ पीठ का निचला हिस्सा ढीला करें। इसी तरह सांस खींचते समय रीढ़ को ढीला करें। इस व्यायाम से गर्भ द्वार चौड़ा होता है और पीठ को आराम मिलता है।

सर्वप्रथम चटाई पर सीधी बैठें, दोनों पांवों के तलवे आपस में जोड़ें, एड़ियां आपस में जोड़ें, एड़ियां योनिद्वार को छुएं, हाथ पांवों के ऊपर रखें, निगाहों की एकाग्रता नाक के सिरे पर हो।

2. चटाई पर पैरों के बल बैठें, अब दोनों हाथों की उंगलियों पर बल देते हुए आगे झुकें, एड़ियां और घुटने जमीन से ऊपर रखें, पांवों व हाथों के पंजों पर वजन डालने की कोशिश करें, फिर पूर्व स्थिति में आ जाएं।

309

3. पहले सीधी खड़ी हो जाएं, दोनों पांवों के मध्य 1 ½ फुट का फासला रखें, अब दायां हाथ दाएं घुटने पर टिकाएं और बाएं हाथ को सिर के ऊपर ले जाएं, इसी क्रिया को दूसरी ओर दोहराएं।

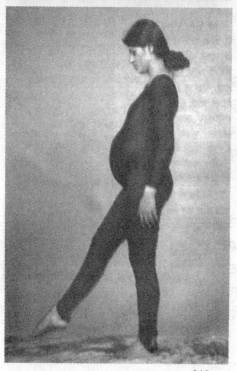

4. इस व्यायाम से पहले सीधी खड़ी हो जाएं, दाईं टांग को बाईं टांग से लगभग 1 फुट आगे सीधा तानकर 20 सें.मी. के घेरे में पांव को दाएं से बाएं और फिर बाएं से दाएं घुमाएं, 10 बार ऐसा करें, फिर इसी प्रक्रिया को दूसरे पांव से भी दोहराएं।

5. सीधी खड़ी होकर दोनों बांहें सामने की ओर सीधी करें, अब धीरे-धीरे घुटने मोड़ें, फिर टांगें सीधी करें, फिर धीरे-धीरे घुटने मोड़ें, 3 से 4 बार इसी क्रिया को दोहराएं।

6. फर्श पर सीधी बैठ जाएं। दोनों पैरों को एक दूसरे से जितनी दूर फैला सकें, फैलाएं। चाहें तो पीछे दीवार का सहारा ले लें। सांस खींचकर छोड़ते हुए, जांघों और गर्भद्वार (योनि) को ढीला करें।

यह व्यायाम जांघों की मांसपेशियों को बढ़ाता है और आराम पहुंचाता है।

7. फर्श पर उकडूं बैठ जाएं। दोनों पैरों को थोड़ा दूर रखें। नमस्कार की मुद्रा में हाथों को मोड़कर कोहनियों से पैरों के घुटनों को धीरे-से धकेले रखें। चाहे तो पीछे दीवार का सहारा ले सकती हैं। यह व्यायाम योनि प्रदेश को खोलता है, जिससे प्रसव काल में आसानी होती है।

8. किसी साथी की दोनों कलाइयों को दोनों हाथों से पकड़ लें। साथी भी आपकी दोनों कलाइयों को पकड़े रहे। अब आप अपनी कोहनियों को सीधा रखते हुए और साथी को अपनी ओर खींचते हुए फर्श पर उकडूं बैठें। कुछ सेकंड बाद आप कलाई पकड़े हुए ही खड़ी हों। यह क्रिया तीन बार करें।

9. फर्श पर हाथों और पैरों के पंजों के सहारे बैठ जाएं। कुछ देर इसी प्रकार बैठी रहें। इससे योनि प्रदेश की मांसपेशियों को बल मिलता है, साथ ही उन्हें आराम भी पहुंचता है। इस व्यायाम की एक मुद्रा और भी है। इसके लिए घुटनों के बल फर्श पर बैठ जाएं और सामने फर्श पर सिर को दोनों हाथों पर रख लें। पीछे नितंब उठे रहें।

सुगम प्रसव के लिए सरल व्यायाम

प्रसव से पूर्व भी महिलाएं अगर व्यायाम करती रहें तो प्रसव में आसानी होती है, साथ ही शरीर सुडौल भी बना रहता है।

प्रसव के बाद भी शरीर अनुपात में रहता है और उसका आकर्षण बना रहता है।

1. फर्श पर पीठ के बल सीधी लेट जाएं। दोनों पैरों को एक-दूसरे से थोड़ा दूर रखें। घुटनों को थोड़ा मोड़ लें। एक हाथ को बगल में शरीर से थोड़ी दूर रखें। दूसरा हाथ मोड़कर पीठ के निचली जगह में रखें। पीठ को थोड़ा उठाते हुए इस जगह को बढ़ाएं। इससे आप पेट में हल्का-सा तनाव महसूस करेंगी।

2. फर्श पर पीठ के बल लेट जाएं। घुटनों को मोड़ लें। सीने को ऊपर उठाते हुए पीठ के नीचे जगह बनाएं और दाएं घुटने को आगे सीने की ओर लाएं। इस अवस्था में थोड़ी देर रुकें।

अब दूसरे घुटने को भी वहीं ले आएं। इस अवस्था में छह सेकंड तक रहें। फिर पैरों को धीरे-धीरे वापस ले जाएं।

3. घुटनों को नरम फर्श पर रखें। हाथों को फर्श पर सीधा रखें। सिर को झुकाकर दोनों हाथों के बीच में ले जाएं।

पीठ को तानकर रखें। इस अवस्था में छह सेकंड रहें। फिर सामान्य अवस्था में आ जाएं।

4. घुटनों को मोड़कर फर्श पर पीठ के बल लेट जाएं। हाथों को पेट पर रखें। सिर और कंधों को ऊपर उठाएं और आगे की ओर झुकें। अगर आपका पेट उभर आता है तो हाथों से उसे ठीक से पकड़कर रखें।

5. सीधी पीठ वाली कुर्सी पर बैठ जाएं। हाथों को विपरीत दिशा वाले घुटनों पर रखें।

यानी दाएं हाथ को बाएं घुटने पर और बाएं हाथ को दाएं घुटने पर रखें। हाथों से जोर लगाकर घुटनों को फैलाने की कोशिश करें। ऐसा करते हुए आपको पेट में खिंचाव महसूस होना चाहिए। इस अवस्था में छह सेकंड रुकें। फिर सामान्य हो जाएं।

6. फर्श पर पीठ के बल लेट जाएं। घुटने मुड़े रहें। सिर और कंधो को ऊपर उठाएं और हाथों से घुटनों को छुएं। फिर कुछ क्षण बाद वापस लेट जाएं।

7. फर्श पर पीठ के बल लेट जाएं। घुटनों को मोड़ें। अब नितंबों को धीरे-धीरे ऊपर उठाएं। इतना ऊपर उठाएं कि कंधे और सिर ही फर्श पर रहें। पुल-सा बन जाने पर इस अवस्था में छह सेकंड तक रहें, फिर कंधों को धीरे-धीरे नीचे लाएं और उसके बाद पहले की तरह फर्श पर पीठ और नितंबों को भी ले आएं।

इस बात का हमेशा ध्यान रखें कि इन व्यायामों को करने में जोर-जबरदस्ती बिल्कुल न करें। यदि कोई व्यायाम सुगमतापूर्वक न हो पा रहा हो तो उसे न करें। केवल वही व्यायाम करें। जिन्हें करने में कोई परेशानी न होती हो।

प्रसव के बाद सुन्दर तथा सुडौल बनाने वाले व्यायाम

बच्चे को जन्म देने के बाद महिला का शरीर बेडौल हो जाता है। खासतौर से पेट थुल-थुल हो जाता है। शरीर ढीला हो जाता है।

शरीर को सामान्य बनाने के लिए यहां कुछ आजमाए हुए व्यायाम दिए जा रहे हैं। इन व्यायामों को बहुत सावधानी और आराम से करना चाहिए। जरा भी थकान लगे तो आराम कर लें।

1. पैरों की कसरत : फर्श पर चित सीधा लेट जाएं। दोनों पैरों को एक-दूसरे से थोड़ा दूर रखें।

एक पैर घुटने से मोड़ लें, फिर दूसरा पैर मोड़ें और पहले का मुड़ा हुआ पैर सीधा कर लें। दोनों पैरों के साथ यह व्यायाम 5-5 बार करें। इससे पैर अपनी पूर्व अवस्था में आ जाते हैं।

2. पेट की कसरत : सिर के नीचे तकिया रखकर फर्श पर पैरों को एक-दूसरे से थोड़ा दूर रखते हुए चित लेट जाएं।

दोनों पैरों को एक साथ मोड़ें। हाथों पर जोर देते हुए नितंब, कमर तथा पसलियों को ऊपर उठाएं।

फिर सांस छोड़ते हुए नितंब, कमर और पसलियों को नीचे लाएं। थोड़ा-सा आराम करने के बाद यही व्यायाम फिर करें। इसे 5 बार दोहराएं।

3. पीठ के बल फर्श पर सिर के नीचे तकिया लगाकर लेट जाएं। पैरों को एक-दूसरे से अलग रखते हुए घुटने से मोड़ें। पेट की मांसपेशियों को सिकोड़ते हुए नितंबों को ऊपर उठाएं।

फिर पेट को ढीला करके नितंबों को नीचे लाएं। इस क्रिया को भी 5 बार दुहराएं।

4. पीठ के बल लेटकर सिर के नीचे दोनों हथेलियां रख लें। पैरों को फर्श पर एक-दूसरे से थोड़ा दूर रखते हुए घुटने से मोड़ें, फिर सांस अंदर खींचते हुए हाथ के सहारे सिर और कंधों को फर्श से ऊपर उठाएं। इसके बाद सांस छोड़ते हुए वापस पूर्व अवस्था में आएं। इसे तभी तक करें, जब तक आपको थकान महसूस न हो। बाद में अभ्यास होने पर इस कसरत को 5 बार करें।

5. फर्श पर पीठ के बल सीधे लेट जाएं। हाथों को सीने से थोड़ा नीचे रखें। घुटनों को जरा-सा मोड़कर और एक-दूसरे से मिलाकर दाईं ओर झुकाएं। इन्हें झुकाते हुए फर्श को छुएं।

अब हाथों को कंधों के बराबर फैला लें। घुटनों को मोड़कर पेट की ओर लाएं। फिर उन्हें दूसरी ओर ले जाकर फर्श को छुएं।

इसके बाद दुबारा घुटनों को पेट की ओर मोड़कर दाईं ओर फर्श पर ले जाएं, लेकिन इस बार चेहरे को बाईं ओर मोड़ लें।

इस कसरत को बिना अतिरिक्त जोर लगाए सावधानी से करना चाहिए। यह व्यायाम डिलीवरी के दो हफ्ते बाद ही करें।

व्यायाम और आहार : सात सप्ताह में सौंदर्य

कचनार-सी काया, हर महिला चाहती है। इसके लिए वह तरह-तरह के प्रयास करती हैं। कुछ महिलाएं डायटिंग का सहारा लेती हैं, जो नितान्त गलत है। डायटिंग का शाब्दिक अर्थ आहार नियमन है, लेकिन 90 के दशक में इसका अर्थ भूखा रहना मान लिया गया है। भूखे रहने से शरीर का वजन तो निश्चित रूप से कम होता जाता है, परन्तु सौंदर्य, वजन के अनुपात से भी अधिक तेजी से नष्ट होता है। स्वस्थ एवं सुन्दर रहने के लिए आहार नियमन के साथ, सक्रिय दिनचर्या बहुत आवश्यक है। वैज्ञानिक अध्ययनों से भी इस बात की पुष्टि हो चुकी है कि दुबले-पतले लोग मोटे व्यक्तियों की अपेक्षा अधिक कैलोरीज लेने पर भी चुस्त-दुरुस्त बने रहते हैं। स्पष्ट है कि शारीरिक स्थूलता का सम्बन्ध अधिक खाने से नहीं, बल्कि जीवनचर्या के नियमन से है।

अक्सर देखा गया है कि मोटे लोग गरिष्ठ भोजन करते हैं और आहार से प्राप्त ऊर्जा का पर्याप्त उपयोग नहीं कर पाते और परिणामस्वरूप शरीर के अंग-प्रत्यंग पर चर्बी बढ़ती रहती है। पहले से ही मांसलयुक्त अंग अधिक थुल-थुल हो जाते हैं तथा सौंदर्य को नष्ट करने में कोई कसर नहीं छोड़ते। एक स्वस्थ महिला या व्यक्ति को जीवित रहने के लिए 1400 कैलोरी की आवश्यकता होती है। चलने-फिरने, दौड़ने-भागने के लिए अतिरिक्त कैलोरी की आवश्यकता होती है, अतः जीवित रहने तथा शारीरिक सक्रियता के लिए कैलोरी की निश्चित मात्रा आपकी दिनचर्या पर निर्भर करती है। बैठकर कार्य करने वालों को 300 कैलोरी

की अतिरिक्त ऊर्जा की आवश्यकता होती है, जबकि मेहनत-मजदूरी करने वालों को 600-700 कैलोरी अतिरिक्त ऊर्जा चाहिए। यदि शरीर की आवश्यकता के अनुसार सन्तुलित भोजन लिया जाए तथा नियमित दिनचर्या अपनाई जाए तो शारीरिक सौंदर्य को अलौकिकता प्रदान की जा सकती है। यहां पर सात सप्ताह का ब्यूटी चार्ट दिया जा रहा है, जिसमें समुचित आहार एवं नियमित व्यायाम प्रमुख हैं।

पहला सप्ताह

यदि आपकी हर समय कुछ-न-कुछ खाते रहने की आदत है तो इसे त्याग दें। इस सप्ताह में तथा बाद के सप्ताहों में आप नाश्ता, लंच तथा डिनर निश्चित समय पर ही लें। अधिक तले हुए व्यंजन, वसायुक्त मीठे पदार्थ, केक और पुडिंग, क्रीम वाले सॉस, मीठे पेय पदार्थ आदि का कम-से-कम सेवन करें। इनके स्थान पर हरी सब्जियां, ताजे, और सूखे फलों की मात्रा बढ़ा लें। यदि आप मांसाहारी हैं तो लाल मांस की जगह सफेद मांस या मछली का प्रयोग करें। ठन्डे पेय पदार्थों की जगह फलों का ताजा रस लें।

सप्ताह का टिपः सप्ताह में एक बार अपना वजन लेकर डायरी में नोट कर लें। फिर कार्यक्रम पूरा होने तक वजन न मापें।

दूसरा सप्ताह

पर्याप्त मात्रा में पानी का सेवन करें। पानी, टॉक्सिन को शरीर के बाहर निकाल देता है और मूत्र प्रणाली को स्वस्थ रखता है। व्यायाम के पहले, व्यायाम के दौरान और व्यायाम के बाद पर्याप्त मात्रा में पानी पिएं। इससे निर्जलीकरण का डर नहीं रहता। घर में, ऑफिस में और सफर में हमेशा पानी की एक बोतल साथ रखें।

इस सप्ताह का टिपः व्यायाम के दौरान आप अपनी किसी मित्र को प्रतिस्पर्धी बनाएं, इससे आपका उत्साह बढ़ेगा और मन भी लगेगा।

317

तीसरा सप्ताह

ब्रेड, पिस्ता, चावल, खाद्यान्न और आलू आदि ये पदार्थ शक्तिदायक होते हुए भी वसा रहित होते हैं। आपके शरीर के क्रिया-कलाप सुचारु रूप से संपन्न हों, इसके लिए जरूरी ईंधन इन्हीं पदार्थों से प्राप्त होता है। इनमें से कुछ अपने दैनिक आहार में शामिल करें। नाश्ते में टोस्ट, दोपहर के भोजन में पिस्ता और शाम के भोजन में दाल-चावल और सलाद खाएं।

इस सप्ताह का टिप: अपने शरीर की भाषा जानिए। यदि आपको व्यायाम करना कष्टपूर्ण लगे तो उसे तुरन्त बंद कर दें। यदि किसी अंग में चोट लग गई हो तो जब तक वह अच्छी तरह ठीक न हो जाए, उस अंग का व्यायाम न करें। इस दौरान उसके बदले कोई और व्यायाम करें।

चौथा सप्ताह

अपने दैनिक आहार में विटामिन, खनिज और फाइबर से युक्त साग-सब्जियों का समावेश करें। उनकी पौष्टिकता को बनाए रखने के लिए उन्हें उबालकर इस्तेमाल करें।

सप्ताह का टिप: इस सप्ताह में आपको पर्याप्त आराम करने की आवश्यकता है, ताकि व्यायाम द्वारा आई थकान चली जाए। यदि आपको अस्वस्थता महसूस हो तो व्यायाम हर्गिज न करें।

पांचवां सप्ताह

इस सप्ताह नाश्ते में एक गिलास संतरे, अंगूर या सेब का जूस लें। प्रतिदिन लगभग पांच ताजे फल लें, यदि आर्थिक रूप से सम्पन्न हैं तो घर में एक फूड प्रोसेसर रखें, जिससे फलों और सब्जियों का रस निकाला जा सके।

सप्ताह का टिप: स्वयं को पक्षी की तरह हल्का-फुल्का और प्रसन्न महसूस करें।

छठा सप्ताह

मांस, मछली सूखे सेम और फलियों से प्राप्त प्रोटीन अच्छे स्वास्थ्य के लिए आवश्यक होते हैं, किन्तु प्रोटीन को कार्बोहाइड्रेट्स और सब्जियों के साथ लेना चाहिए। लाल मांस का सेवन कम-से-कम करें।

सप्ताह का टिप: अपनी क्षमता को ध्यान में रखकर ही व्यायाम करें, बहुत कठोर व्यायाम न करें। ध्यान रहे, आप प्रत्येक दिन स्वयं को समान रूप से शक्तिशाली अनुभव नहीं कर सकतीं। आपका उत्साह कम-ज्यादा होना स्वाभाविक है।

सातवां सप्ताह

आपके स्वास्थ्य के लिए वसा सीमित मात्रा में होनी चाहिए। वसा हमें शक्ति देती है, पर वसा की मात्रा सीमित रखें तो अच्छा है। वसायुक्त मांस, मक्खन और सूअर की चर्बी का अधिक सेवन न करें, उनके बदले जैतून का तेल, वनस्पति जन्य वसा का प्रयोग करें।

सप्ताह का टिप: अब जबकि आपने यह कार्यक्रम पूरा कर लिया है। आप अपने पंसदीदा भोजन से इसे 'सेलिब्रेट' कीजिए। अब आपके खान-पान की आदत स्वास्थ्य के लिए लाभकारी हो चुकी है, लेकिन व्यायाम नियमित जारी रखें।

व्यायाम का साप्ताहिक कार्यक्रम

निम्नलिखित व्यायामों में से कोई एक व्यायाम चुनें—

1. 30 मिनट तक टहलना।
2. 20 मिनट तक साइकिल चलाना।
3. 20 मिनट तक कदमताल।
4. एक सप्ताह से चार सप्ताह तक चयनित व्यायाम सप्ताह में हो या तीन बार करें।
5. पांचवें, छठे और सातवें सप्ताह तक चयनित व्यायाम प्रत्येक दिन करें।

मालिश का सौंदर्य वृद्धि में योगदान

वास्तव में सौंदर्य का तात्पर्य केवल अच्छे नैन-नक्श एवं गोरा होना ही नहीं है। अपितु सौंदर्य के कुछ मापदंड होने चाहिए। प्रस्तुत हैं कुछ विचारणीय बिन्दु—

- सर्वप्रथम स्वस्थ होना, इस हेतु सतत प्रयत्नशील एवं जागरूक रहना।
- सुगठित एवं सुडौल शरीर का होना।
- पर्याप्त लंबाई एवं भार का होना।
- त्वचा सुंदर, कांतिमान एवं ओजयुक्त होना।
- बाल स्वस्थ, सुंदर, चमकदार एवं घने होना।

उपरोक्त जो सौंदर्य की कसौटी दी गई है, उसमें आप तभी खरे उतर सकते हैं, जब संतुलित जीवन शैली अपनाएं। इस हेतु सुव्यवस्थित दिनचर्या, ऋतुचर्या एवं रात्रिचर्या होना अत्यंत आवश्यक है।

दिनचर्या में जितना महत्त्व प्रतिदिन किए जाने वाले कार्यों, आहार, व्यायाम का है, उतना ही मालिश का भी है।

संपूर्ण शरीर या किसी अंग विशेष पर हाथों से दबावपूर्वक किसी द्रव या बिना किसी द्रव से की जाने वाली क्रिया मालिश कहलाती है। बोलचाल की भाषा में मालिश का अर्थ तेलादि से हाथों के द्वारा की जाने वाली क्रिया से होता है। विधिपूर्वक मालिश करना एक कला है, जिसका ज्ञान जन सामान्य को कराना हमारा कर्त्तव्य है।

- मालिश एवं व्यायाम से हम शरीर की ऊर्जा का उचित उपयोग कर सकते हैं और वृद्धावस्था को भी पीछे कर सकते हैं।
- मालिश करने से मांसपेशियों की संकुचन-आकुंचन क्षमता बढ़ती है। उनमें चयापचय का कार्य सुचारु रूप से होने लगता है तथा शरीर में बन रहे फ्री रेडीकल्स को भी हटाया जा सकता है।
- अधिक श्रम करने से जो मांसपेशियों में थकावट होती है, वह भी दूर हो जाती है।
- मालिश करने से नाड़ी व संस्थान का कार्य सुचारु रूप से चलता है।

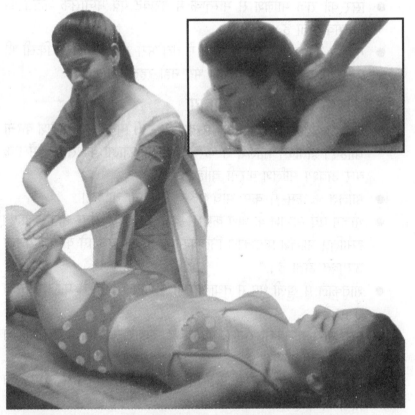

सम्पूर्ण शरीर की उचित मालिश त्वचा को कोमल और निरोगी बनाती है

- आंखों की रोशनी बढ़ती है तथा अंधत्व देरी से आता है।
- मालिश करने से नींद अच्छी आती है।
- मालिश से त्वचा कोमल, चमकदार एवं दृढ़ बनती है। नित्य मालिश करने से रक्त संचार बढ़ जाता है, जिससे त्वचा रोग नहीं होते।
- मालिश के समय लंबी-लंबी सांसें लेना अति उत्तम है। इससे शरीर का विकार बाहर निकलेगा और शरीर में चेतना आएगी।
- रोज मालिश करने से रोग प्रतिरोधक क्षमता बढ़ती है।
- चोट-मोच आने पर विशेष कष्ट नहीं होता।
- रोज मालिश करने वाली महिला का रूप प्रिय लगता है, क्योंकि रंग निखर आता है और विशेष प्रकार की चमक पैदा हो जाती है।
- रोजाना पैरों की मालिश करने से पैरों में खुरदरापन, रुक्षता, कड़ापन, स्तब्धता, बिवाई फटना आदि विकार नहीं होते।

- सिर की रोज मालिश से मस्तिष्क में तरावट एवं मानसिक शक्ति का अनुभव होता है।
- मालिश के कारण त्वचा के छिद्रों में तेल भरा रहने के कारण किसी भी प्रकार के जीवाणु के प्रवेश का भय नहीं रहता।

मालिश संबंधी आवश्यक सावधानियां

- प्रतिदिन संपूर्ण शरीर पर कम-से-कम 20-30 मिनट तक मालिश करनी चाहिए। प्रतिदिन मालिश न करने वाली महिलाओं को सप्ताह में एक बार अवश्य मालिश करनी चाहिए।
- मालिश के कम-से-कम आंधे घंटे बाद नहाना चाहिए।
- भोजन एवं मालिश के बीच कम-से-कम 3 घंटे का अंतर होना चाहिए। इसीलिए मालिश प्रातःकाल नित्यकर्मों से निवृत्त हो जाने के बाद करना उपयुक्त होता है।
- शीतकाल में खुली धूप में तथा गर्मियों में शीतल छाया में मालिश करना उत्तम है।
- ऐसी नारी जो किसी रोग से पीड़ित हो, बुखार से ग्रस्त हो उसे मालिश नहीं करनी चाहिए।
- प्रत्येक अंग पर कम-से-कम 5 मिनट तक मालिश करने से उत्तम लाभ प्राप्त होता है।
- ध्यान रखें, जिस स्थान या अंग पर मालिश करें, वह साफ हो।

मालिश करने का तरीका

- विधिपूर्वक की गई मालिश ही संपूर्ण लाभ प्रदान करती है।
- सबसे पहले सिर में गुनगुना तेल लगाकर उंगलियों के पोरों से धीरे-धीरे मालिश करनी चाहिए। सिर पर मालिश करते समय ही कान के पीछे का भाग तथा ऊपर के भाग (कनपटी वाले स्थान) पर भी विशेष रूप से मालिश करनी चाहिए।
- गर्दन की मालिश ऊपर से नीचे व पीछे से आगे की ओर करें।
- चेहरे की मालिश करते समय विशेष ध्यान देना चाहिए। सर्वप्रथम संपूर्ण चेहरे पर अच्छी तरह से तेल लगा लें, तत्पश्चात माथे से शुरू करें। माथे के मध्य भाग पर दोनों हाथों की उंगलियां रखकर पार्श्व की ओर मालिश करें। गाल एवं ठुड्डी की मालिश हथेलियों के द्वारा नीचे से ऊपर की ओर

करनी चाहिए। गाल के उभरे हुए भाग (कपोल) तथा आंखों के चारों ओर पलकों में गोलाकार मालिश करनी चाहिए।

- इसके पश्चात छाती, उदर प्रदेश तथा पीठ की मालिश करनी चाहिए। छाती एवं उदर प्रदेश की मालिश अनुलोम दिशा में यानि ऊपर से नीचे की ओर हल्के-हल्के हाथों से करनी चाहिए।
- दोनों भुजाओं पर ऊपर से नीचे समान गति से मालिश करनी चाहिए। भुजाओं के वे स्थान, जहां संधि हो, जैसे कोहनी, कलाई आदि वहां पर गोलाई में मालिश करनी चाहिए।
- इसी प्रकार उक्त विधि से मालिश पैरों में भी करनी चाहिए।
- पैरों में पादतल तथा हथेलियों पर मालिश से विशेष लाभ होता है।

मालिश के लिए तेल

- मालिश के लिए साधारणतः तिल के तेल, सरसों के तेल तथा नारियल के तेल का उपयोग करना चाहिए।
- चेहरे पर विशेष रूप से चमक लाने के लिए इसमें केसर मिला लें।
- आकर्षक एवं कमनीय त्वचा के लिए मालिश करना अत्यंत श्रेष्ठ विधि है। अतः मालिश दिनचर्या का आवश्यक अंग होना चाहिए।

माथे की मालिश

- दोनों अंगूठों को भौंहों के ऊपर माथे के बीच में रखें। बाकी उंगलियां सिर के दोनों ओर रखें। मालिश बिल्कुल हल्के हाथों से होनी चाहिए, क्योंकि चेहरे की त्वचा बेहद नाजुक और संवेदनशील होती है।
- धीरे-धीरे अंगूठों से मालिश करते हुए कनपटी की ओर ले जाएं, फिर कानों के साइड में मालिश करें। यह क्रिया दो-तीन बार करें।

गालों की मालिश

- दोनों हथेलियों की तर्जनियों को नाक के आसपास कुछ सेकंड तक रखें और थोड़ा दबाव दें। यह मालिश आपको तनावमुक्त करने के साथ ही साइनस में भी राहत पहुंचाती है।
- धीरे-धीरे उंगलियों को नीचे कान की ओर ले जाएं, फिर उंगलियों को

उठाकर नाक के नीचे रखें और उंगलियों को थोड़ा घुमाव देते हुए कान के नीचे जॉ बोन तक लाएं।

- इस क्रिया को हर बार हल्का-सा घुमाव देते हुए दोहराएं और उंगलियों को जॉ लाइन से होते हुए ठुड्डी तक लाएं।

ठुड्डी की मालिश

- यह मालिश जॉ लाइन को टोन करने के साथ ऊर्जा का प्रवाह बढ़ाती है।
- अंगूठों को ठुड्डी पर रखें, बाकी उंगलियों से जबड़े को सपोर्ट दें।
- अंगूठों से ठुड्डी पर नीचे व बाहर की ओर हल्के हाथों से मालिश करें। इस क्रिया को 6-7 बार दोहराएं।

गर्दन की मालिश

- गले व कंधे पर जहां तक आप मालिश करना चाहती हों, फेशियल ऑयल लगाएं। कानों के साइड से होते हुए कंधों तक धीरे-धीरे हाथों से मालिश करें। यहां आप दोनों हाथों से बड़े स्ट्रोक ले सकती हैं, जिससे कंधे और गर्दन सभी हिस्सों पर मालिश हो सके।
- इस क्रिया को हर बार हल्का-सा घुमाव देते हुए दोहराएं और उंगलियों को जॉ लाइन से होते हुए ठुड्डी तक लाएं।

सावधानी : चेहरे पर मालिश करने से पहले चेहरा अच्छी तरह साफ कर लें।

समझें शरीर की बनावट

- मालिश करवाने से पहले शरीर की बनावट को समझना जरूरी है। आपको अपने विभिन्न अंगों की जानकारी होनी चाहिए, जिससे यह ज्ञात हो जाए कि मालिश का प्रेशर कितना हो और दिशा किस ओर हो।
- मालिश करवाते हुए हमें किस-किस प्वाइंट पर कितना दबाव डलवाना है यह अलग-अलग शरीर पर निर्भर करता है। विभिन्न अंगों के हिसाब से प्रेशर होना चाहिए, इसके नियम बनाए गए हैं। मांसपेशियों की कुदरती बनावट को ध्यान में रखकर की गई मालिश गुणकारी और सर्वोत्तम रहती है।
- मालिश के लिए तेल का इस्तेमाल बेहतर है, लेकिन शारीरिक स्थिति,

मौसम आदि के हिसाब से संतरा, खीरा, टमाटर या आलूबुखारा जैसे फलों के रस का भी इस्तेमाल किया जाता है।

- तेल का चुनाव आप अपनी आवश्यकतानुसार कर सकती हैं, जैसे मछली का तेल, बादाम का तेल, नारियल का तेल, ऑलिव ऑयल, मलाई, मक्खन, दूध और टेलकम पाउडर से भी मालिश की जाती है।

शांत व स्वच्छ हो स्थान

- मालिश करने का स्थान स्वच्छ और शांत होना चाहिए। एकाग्रता से की गई मालिश शरीर में नई चेतना, जान, स्फूर्ति पैदा करती है।
- मालिश करवाते समय इस बात का ध्यान रखें कि मालिश हमेशा लेटकर ही करवाएं। इससे काफी आराम मिलता है।
- मालिश हमेशा नीचे से शुरू करके ऊपर की ओर करवाएं। इस प्रकार की गई मालिश से शिराओं को ताकत और शरीर को स्फूर्ति तथा ताजगी मिलती है।
- किसी भी हड्डी पर दबाव डालकर मालिश न करवाएं। सीधे रीढ़ पर मालिश करवाने से भी बचें।
- मालिश कराते समय अपने शरीर को शिथिल अवश्य छोड़ दें।
- गर्भधारण के दिनों में मालिश न कराएं।
- मालिश खुद करें तो झटके से न करें, बल्कि हल्के दबाव के साथ करें।

हर देश में प्रचलित है मालिश

मालिश का प्रचलन भारत में ही नहीं विदेशों में भी बहुत है। विदेशों में तो मालिश की कुछ ऐसी पद्धतियां प्रचलित हैं जो चौंका देने वाली हैं। आइए जानें किन-किन जगहों में मालिश किन-किन तरीकों से की जाती हैं—

- भारत में मालिश करने का ढंग है शरीर पर अंगूठे और उंगलियों का गहरा दबाव, शरीर पर रगड़ द्वारा मालिश और संपूर्ण सुकून देने वाली चंपी मालिश। इस मालिश में सिर, कंधे, गर्दन और चेहरे की मिली-जुली मालिश हो जाती है। विशिष्ट जड़ी-बूटियों वाले तेलों और मालिश के साथ विशेष स्ट्रोक देकर कैराली मसाज की जाती है। भारतीय पद्धति में हर्बल तेलों और हाथों के स्पर्श का विशेष महत्त्व है।

- रोम और ग्रीक में स्वीडिश मालिश बहुत ही लोकप्रिय है। इस मालिश में रबिंग एंड पिंचिंग, नीडिंग की जाती है, जिससे मांसपेशियों में शक्ति और निखार आता है।
- तुईना चाइनीज मसाज का एक रूप है जो मेरेडियन सिस्टम पर आधारित है। इस मालिश में विभिन्न प्रकार से हाथों की गतिविधियों द्वारा मालिश की जाती है। इससे पूरे शरीर को आराम मिलता है।
- जापानी मालिश का उपयोग शरीर के पृष्ठ भाग को आराम देने और तनाव से मुक्ति दिलाने में होता है।
- अमेरिका में प्रचलित मालिश जिन शिन डू के द्वारा मांसपेशियों को क्रॉनिक स्ट्रेस तथा तनाव से मुक्ति मिलती है।

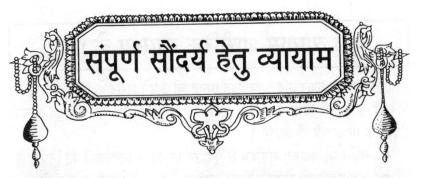

संपूर्ण सौंदर्य हेतु व्यायाम

कुछ व्यायाम शारीरिक स्वास्थ्य के लिए

प्रतिदिन प्रातःकाल यदि आप पंद्रह मिनट भी अपने शरीर के लिए व्यायाम हेतु निकालें तो कुछ ही दिनों में आपकी खूबसूरती तो बढ़ ही जाएगी, साथ ही आपकी तंदुरुस्ती भी अच्छी हो जाएगी।

- सबसे पहले प्रातः सूर्योदय से पूर्व उठकर अपने नित्यकर्मों को निपटा लें।
- अब एक खुले स्थान को चुनें जहां हवा, धूप की अच्छी सुविधा हो।
- सबसे पहले एक जगह खड़े होकर जॉगिंग करें।
- फिर सीधी खड़ी हो जाएं, अपने दोनों हाथों को पहले दाएं, फिर बाएं घुमाएं। ऐसा 20 बार करें। ध्यान रहे आपका पूरा शरीर न घूमे।
- अब दोनों पैर थोड़े चौड़े कर लें। अब थोड़ा झुककर दाएं हाथ से बाएं पैर का अंगूठा छूने का प्रयास करें व बाएं हाथ से दाएं पैर का अंगूठा छूने का प्रयास करें। यह व्यायाम दस-दस बार करें।
- आराम मुद्रा में खड़े हो जाएं। अपने दोनों हाथ कमर पर रखकर पहले बाईं ओर धीरे-धीरे झुकें फिर दाईं ओर झुकें। ऐसा दस-दस बार करें।
- अब सीधे लेट जाएं व धीरे-धीरे अपनी गर्दन ऊपर उठाने का प्रयास करें।
- अपनी आंखों को बंद करके दस-दस बार पहले दाईं ओर फिर बाईं ओर घुमाएं।
- लंबी-लंबी श्वास लेकर धीरे-धीरे छोड़ें।
- नंगे पैर घास पर टहलें।
- दोनों पैरों को खोलकर सीधी खड़ी हों। अब दाएं हाथ से बायां पैर छुएं व बाएं हाथ से दायां पैर छुएं।
- फर्श पर सीधी बैठें। दोनों पैरों को जोड़कर सीधा रखें। अब दोनों हाथों को सिर पर ले जाते हुए नीचे लाकर पैर का अंगूठा छूने की कोशिश करें।
- दोनों पैरों को जोड़कर सीधी खड़ी होकर पंजों के बल खड़ा होने का प्रयास करें। दोनों हाथ कान से सटे हुए सीधे होने चाहिए।
- पंजे के बल सीधी खड़ी होकर दोनों हाथों को सीधा करके हाथ की उंगलियां एक दूसरे में फंसाकर पहले दाईं ओर झुकें, फिर बाईं ओर।

328

ये व्यायाम नियमित करने से काया छरहरी बनी रहती है। प्रारंभ में व्यायाम करने में कुछ परेशानी हो सकती है, परंतु प्रतिदिन करने से आदत बन जाती है।

व्यायाम हमारे संपूर्ण स्वास्थ्य का आधार हैं

सुदृढ़ वक्षस्थल के लिए व्यायाम

प्रकृति ने नारी की संरचना बहुत ही कोमलता से की है, जिसकी स्पष्ट झलक उसके अंग-प्रत्यंग से झलकती है, इसीलिए स्त्री को कोमलांगी जैसे विशेषणों से नवाजा जाता है। स्त्री के सबसे कोमल अंग स्तन ही माने गए हैं। किसी भी पुरुष को आकर्षित करने में सुडौल, सुदृढ़ वक्षस्थल एक अहम भूमिका निभाता है। स्तन यौन आकर्षण का भी केंद्र बिंदु माने गए हैं, मगर इसके लिए जरूरी नहीं कि स्तन बड़े-बड़े ही हों, यह महज एक भ्रांति है। छोटे मगर दृढ़ व सुडौल स्तनों वाली महिला भी आकर्षक दिख सकती है, जरूरी है सही 'पोस्चर' का अपनाया जाना। यदि आप सिर उठाकर, तनकर चलेंगी, तब चाहे स्तन छोटे ही क्यों न हों आप आकर्षक लगेंगी।

शरीर के किसी अंग के लिए व्यायाम करने से पहले उस अंग की विस्तृत जानकारी होना बहुत जरूरी है।

अचानक ही वजन का कम होना (डायटिंग या किसी अन्य बीमारी के कारण) स्तनों पर एकत्रित वसा को घोल देता है, जिस कारण वे लटक जाते हैं।

आगे दिए गए व्यायामों द्वारा इन्हें वापस अपने आकार में लाया जा सकता है,

329

लेकिन कोई भी व्यायाम बिना डॉक्टर की सलाह लिए न करें। कौन-सा व्यायाम कब, कितने समय तक करना चाहिए, इस पर ध्यान अवश्य दें।

● जमीन पर सीधी खड़ी होकर बांहों को कोहनियों से मोड़ते हुए वक्षस्थल के सामने लाएं व दोनों हाथों से कलाइयों को मजबूती से पकड़ लें और धीरे-धीरे दबाव बढ़ाते जाएं जिससे कि आपके वक्षस्थल में खिंचाव उत्पन्न होने लगे। 10 से 12 तक गिनते हुए दबाव बढ़ाएं व फिर इसी स्थिति में रहते हुए दबाव ढीला छोड़कर दोबारा दोहराएं। इसी स्थिति में रहते हुए अब हाथों के द्वारा कोहनियां पकड़ें व बांहों को सिर के ऊपर सीधा ले जाकर ऊपर की तरफ खींचने की कोशिश करें। इस प्रक्रिया में भी वक्षस्थल की मांसपेशियों में दबाव व खिंचाव उत्पन्न होता है, जिसके फलस्वरूप वक्षस्थल सुदृढ़ होता है।

● बांहों को कोहनियों से मोड़कर हाथों की हथेलियों द्वारा विपरीत दिशा में बांहों के ऊपरी भाग को मजबूती से पकड़ लें व हथेलियों द्वारा बांहों पर विपरीत दिशा में जोर लगाएं। इस प्रक्रिया को 1 मिनट तक करें।

● जमीन पर सीधी खड़ी होकर बांहों को कोहनियों से मोड़ते हुए हाथों की हथेलियों को गर्दन के पीछे टिकाएं व सिर को पीछे ले जाकर हथेलियों पर गिरा दें। इसी अवस्था में रहते हुए कोहनियों को आगे-पीछे करें। इससे शरीर के संपूर्ण ऊपरी भाग में रक्त संचार तीव्र होता है जिसके फलस्वरूप वक्षस्थल को विशेष लाभ मिलता है।

● जमीन पर सीधी खड़ी होकर बांहों को सिर के ऊपर लें व हथेलियों को एक-दूसरे पर टिकाते हुए शरीर के ऊपरी भाग को ऊपर की तरफ खींचते हुए कमर से दाईं ओर झुकाएं। 4 तक गिनकर फिर बाईं ओर घुमाएं। पुनः

मध्य में आकर बारी-बारी से दाएं-बाएं घुमाएं। इस प्रक्रिया को बार-बार करें।

- जमीन पर पीठ के बल लेट जाएं व बांहों को कोहनियों से मोड़कर सिर के नीचे रखें। अब हाथों से सिर को उठाते हुए अपने ऊपरी भाग को जमीन से 8 तक गिनते हुए उठाए रखें व फिर सिर जमीन पर टिका दें। इस प्रक्रिया को दोबारा दोहराते हुए 5 से 6 बार तक करें।

- एक छोटे तौलिए को हाथों द्वारा मजबूती से पकड़कर वक्षस्थल के सामने सीधी अवस्था में रखें व हाथों द्वारा दोनों किनारों को अपनी दिशा में जोर लगाकर खींचें। तौलिए को आप जितना जोर से खींचेंगी, उतनी ही जोर से वक्षस्थल व कंधे की मांसपेशियों में खिंचाव उत्पन्न होगा, जो वक्षस्थल को नीचे लटकने से बचाकर उनके आकार को सुदृढ़ बनाता है। 10 तक गिनने के बाद इस अवस्था में रहते हुए बांहों को पूरा खोलकर सिर के ऊपर ले जाएं व तौलिए को इसी प्रकार दोनों हाथों से अपनी दिशा में खींचें। इस प्रक्रिया को दोनों अवस्था में 3-3 बार करें।

- जमीन पर पीठ के बल लेट जाएं व हाथों की मुट्ठियां भींचकर, बांहों को जमीन से ऊपर उठाकर मुट्ठियों को जितना अधिक दबाकर दबाव उत्पन्न कर सकते हैं, करें। इस अवस्था में 10 तक गिनने के बाद बांहों को कोहनियों से मोड़कर विपरीत कंधों पर मुट्ठियों को टिकाएं, 10 तक गिनने के बाद पुनः हाथों को खोलकर पहले वाली अवस्था को दोहराएं। इस व्यायाम को दोनों तरह से 5-5 बार तक करें।

नारी के शरीर में कमर, पेट और नितंब का स्थान बड़ा महत्त्वपूर्ण है। नितंबों का तो सौंदर्य में इतना महत्त्वपूर्ण स्थान है कि उसकी प्रमाणयुक्त स्थिति यानी सही आकार शारीरिक सौंदर्य में चार चांद लगा देता है। न तो अंदर की ओर दबे हुए और न ही बाहर की ओर निकले हुए नितंब अच्छे लगते हैं। अंगों की सही रचना और गठन ही शरीर को शोभा प्रदान करते हैं। यहां हम कुछ व्यायामों को बता रहे हैं, जिन्हें अपनाकर आप अपने नितंबों को सही आकार प्रदान कर सकेंगी।

- एक कुर्सी लेकर उसके समकोण खड़ी हो जाएं। कुर्सी के पिछले हिस्से को सहारे के लिए थाम लें। अब बाईं टांग को घुटने से मोड़ते हुए पांव को दाएं घुटने के करीब लाएं। इसके पश्चात बाईं टांग को बाहर की तरफ जितना ले जा सकती हैं, ले जाएं। बाहर की ओर झटके से ले जाते समय ध्यान रहे कि शरीर एकदम सीधा रहे। टांग को थोड़ा नीचे करते हुए फिर से घुटना मोड़ें व 10 बार झटके से किक करें। टांग बदलकर यह व्यायाम दोहराएं।

- नितंबों को सही आकार में लाने व मांसपेशियों को मजबूत करने के लिए करवट लेकर लेट जाएं। टांगें मिलाकर फैला लें, पंजे अंदर की तरफ उठे हुए, एड़ियां खिंची रहें। अब दायां हाथ जांघों पर रखें। दाएं पांव के घुटने को सीधा रखते हुए, उसी पांव को आगे व पीछे तेजी से ले जाएं। पैरों को नितंबों से ही हिलाएं। एड़ियों को सीधा, नीचे स्ट्रेच करें, पंजे ऊपर की तरफ रखें। यह प्रक्रिया दोनों पांवों से आगे-पीछे 10 बार दोहराएं।

- यही व्यायाम अब बैठकर टांगों को पहले ऊपर, फिर नीचे ले जाकर करें। पांवों को टखने से पकड़ें व जितना ऊपर ले जा सकती हैं, ले जाएं। इसे 20 बार दोहराएं।

- पेट के बल लेट जाएं और कोहनियों को मोड़ लें। बारी-बारी से एक टांग को सीधा रखते हुए ऊपर से नीचे तैरने की मुद्रा में ले जाएं। ऐसा 7 बार दोहराएं। यदि पेट के निचले या पिछले हिस्से में दर्द महसूस हो तो पेट के नीचे तकिया रखकर यह व्यायाम करें।

- बाईं तरफ करवट लेकर लेट जाएं। बाईं कोहनी सिर के नीचे मोड़कर रखें। दायां हाथ सहारे के लिए जमीन पर रखें। दोनों टांगों को 7 बार इस प्रकार चलाएं जैसे कि साइकिल पर पैडल मार रही हों। इस दौरान शरीर को एकदम सीधा रखें, बीच में एक बार भी न मुड़ें। लेटकर साइकिल चलाने की मुद्रा में पैर चलाना, नितंबों के लिए अति उत्तम व्यायाम है।

- जमीन पर सीधी बैठ जाएं। टांगों को सामने की ओर फैलाते हुए हाथों को पीछे की ओर रखें। ध्यान रहे उंगलियां बाहर की ओर इशारा करती हुई हों और सिर एकदम सीधा रहे। अब उल्टी टांग को इस तरह मोड़ें, जिससे आपका पैर दाएं घुटने के ऊपर आए। अब दाईं तरफ मुड़ें, जिससे बायां पैर जमीन को छुए। यह व्यायाम नितंबों से अतिरिक्त चर्बी घटाने में सहायक है।

- एड़ी के बल बैठकर चलें। हाथों को सामने की ओर सीधा फैलाएं और चलने का प्रयास करें। जितना नीचे की ओर झुकी रहकर चल सकें, उतना ही यह व्यायाम मांसपेशियों को मजबूत बनाएगा। बैठकर चलते समय एक पैर से आगे की ओर झटका मारें। 10 स्टेप आगे व 10 पीछे की ओर लें।

- मनोरंजन और व्यायाम साथ-साथ हों और साथ ही अत्यधिक चर्बी का नाश भी हो तो कहने ही क्या। सीधी खड़ी हो जाएं, नितंबों को अंदर की ओर कर सिर ऊपर उठाएं व कंधे नीचे की ओर ही करें। हाथों को नितंबों पर टिकाएं व बारी-बारी से एक टांग से दूसरी टांग पर पंजों के बल कूदें। कूदते समय पहली टांग जो इस समय ऊपर की तरफ है, उसे दूसरी टांग के घुटने के पीछे की तरफ आराम से ले जाएं। दोनों पांवों से 10 बार कूदें।
- करवट लेकर लेट जाएं। एक बाजू को तकिया की तरह सिर के नीचे और दूसरी को हथेली के बल पेट के साथ जमीन पर रखें। ऊपर वाली टांग को काफी ऊपर तक ले जाएं, फिर वापस नीचे ले आएं, किक मारते हुए। इस तरह 7 बार किक दोहराएं व घुटने बिल्कुल भी न मोड़ें। नितंबों की अत्यधिक चर्बी घटाने के लिए यह व्यायाम उत्तम है।

आंखों, होंठों व गालों के व्यायाम

- दोनों भौंहों के बिल्कुल बीच में माथे पर दोनों हाथों की दोनों उंगलियां रखकर पहले माथे के मध्य में बिंदी की जगह पर दबाव दें। उसके बाद भौंहों के किनारों पर दबाव दें। इसी प्रकार केशों की रेखा के पास माथे पर उंगलियां रखकर दबाव दें। अब उंगलियों को खिसकाते हुए माथे के नीचे किनारों पर लाकर दबाव दें।
- आंखों के ऊपरी भाग के अंदरूनी किनारों पर उंगलियां रखकर दबाएं व उंगलियों को हल्के दबाव से फिराते हुए आंखों के बाहरी किनारों पर ले आएं। 3 तक गिनते हुए दोबारा इस क्रिया को 4 बार करें। ध्यान रहे, दोनों ही क्रियाओं में यह दबाव आंखों के आसपास की हड्डी पर पड़ना चाहिए।
- अपने दोनों हाथों की 1-1 उंगली को माथे के दोनों किनारों पर रखें व 3 तक गिनते हुए दबाव देकर छोड़ दें। इसे 4 बार दोहराकर अंगूठे को दोनों भौंहों के बीच में रखकर 5 तक गिनते हुए दबाव देकर छोड़ दें। दबाव के ये दोनों केंद्र सिर के ऊपरी भाग के स्थान हैं, जिसे 'रिलैक्सिंग प्वाइंट' कहते हैं। इससे तनाव व थकान दूर होती है।
- आंखों के अंदरूनी हिस्से के नीचे नाक के दोनों तरफ उंगली रखकर 3 तक गिनते हुए दबाएं और फिर आंखों के बाहरी किनारों पर उंगलियां रखकर इसी प्रकार 3 तक गिनते हुए दबाएं। इस क्रिया को अंदरूनी व बाहरी किनारों पर बारी-बारी से 3-3 बार दोहराएं।

- निचले होंठ के बिल्कुल बीच में ठोड़ी पर अपना अंगूठा रखें और उस पर जोर से दबाव देते हुए 3 तक गिनें। इसी प्रकार ऊपरी होंठ के ऊपर व नाक के नीचे अंगूठा रखकर जोर से दबाएं। इस क्रिया को 6 से 7 बार दोहराएं। इससे होंठों में रक्त संचार तीव्र होता है व उनके रंग में सुधार होता है।
- मुंह के ऊपर गालों पर दोनों अंगूठों को टिकाते हुए दबाव दें व 3 तक गिनकर अंगूठों को गालों के मध्य में ले जाएं व दबाव दें। इस क्रिया को 8 से 10 बार दोहराएं।

टखनों, पिंडलियों व कमर के व्यायाम

आइए, अब हम आपको घर बैठे कुछ ऐसे सरल व्यायामों के बारे में जानकारी दे दें, जिन्हें आप जब भी समय मिले, कर सकती हैं। इन्हें करने में समय व मेहनत, दोनों ही कम लगेंगे।

ये व्यायाम खासतौर पर उन अंगों के लिए बेहद असरदार हैं, जो या तो बढ़ती उम्र के कारण दुर्बल होने लगते हैं या फिर शरीर का भार बढ़ने के कारण फैलने लगते हैं, जैसे पेट, जांघ, बाजुओं का पिछला हिस्सा, कमर आदि।

इन व्यायामों के जरिए परिणाम बेहतरीन ही होंगे। हर वर्ग का व्यायाम 12 मिनट से अधिक समय नहीं लेगा और यकीनन आपको परिणाम शीघ्र ही दिखाई देंगे।

किसी भी व्यायाम को शुरू करने से पहले वार्म-अप करना बेहद जरूरी है। यह मसल्स यानी मांसपेशियों में अकड़न नहीं आने देता। आइए देखें कि वार्म-अप होने के लिए क्या करना चाहिए।

- दोनों पैरों को कुछ फासले पर खोलकर खड़ी हो जाएं। हाथों को सीधा रखते हुए पेट अंदर की ओर खींच लें। अब कंधों को गोलाई में पहले आगे की तरफ, फिर पीछे की तरफ 8 बार घुमाएं। इसके पश्चात् सिर को पहले बाईं, फिर दाईं तरफ घुमाएं। इसे 4 बार दोहराएं।
- दोनों पांव मिलाकर खड़ी हो जाएं और धीरे-धीरे पंजों पर उठने का प्रयास करें, फिर पुनः सीधी खड़ी हो जाएं। ऐसा 20 बार करें।

टखनों व पिंडलियों के व्यायाम

वार्म-अप होने के बाद अब व्यायाम शुरू करें। सबसे पहले टखनों व पिंडलियों के लिए आपको क्या करना चाहिए, आइए जानें इन व्यायामों के जरिए।

- घुटने एक साथ जोड़कर एक कुर्सी के किनारे बैठ जाएं, पैरों के बीच की दूरी 1½ फीट हो। ध्यान रहे, पंजे अंदर की ओर इशारा करते हुए हों। अब पंजों को जितना ऊपर उठा सकती हैं, उठाएं। फिर नीचे लाएं। इसे 16 बार दोहराएं।
- अब पैरों को बाहर की ओर मोड़ते हुए, घुटने मिलाकर पैरों में फासला रखते हुए एक बार फिर 16 बार उठाएं।
- अंत में एड़ियों को जमीन पर जमाते हुए दोनों पैरों को जमीन के

साथ रगड़ते हुए अंदर की ओर लाएं। अब पांवों को स्वीप करते हुए बाहर की ओर लाएं और दोबारा उठाएं। इसे 16 बार दोहराएं।

इसके बाद आइए आपको एक बहुत ही सरल व्यायाम की जानकारी दे दें, जिससे नितंबों पर जमी अतिरिक्त वसा को घटाने में सहायता मिलती है। साथ ही यह जांघों के बाहरी हिस्से व नितंबों को शक्ति भी प्रदान करता है।

- बाईं तरफ करवट लेकर लेट जाएं। टांगों को एक-दूसरे पर रखें। अब धीरे-धीरे शरीर के ऊपरी हिस्से को

घुमाएं जिससे चेहरा जमीन की तरफ हो। माथे को हथेलियों के पिछले हिस्से पर टिकाएं। ध्यान रहे कि शरीर का निचला हिस्सा बाईं तरफ ही रहे, बेशक एड़ियां जमीन को न छुएं।

अब टांगों को सीधा रखते हुए दाईं यानी ऊपरी टांग को कुछ ऊंचा उठाएं, कुछ क्षण रुकें व वापस लाएं। इसे 12 बार दोहराएं। अब टांग को झुकाते हुए 2 इंच ऊपर तक ले जाएं। इसे 12 बार दोहराएं।

अब इन दोनों व्यायामों को दूसरी तरफ से दोहराएं।

335

- बाईं तरफ करवट लेकर लेट जाएं। टांग को एकदम सीधा रखते हुए पांव को मोड़ लें। दाईं टांग को 12 इंच तक ऊपर उठाएं। एक क्षण रुकें, फिर 12 इंच ऊपर उठाएं। कुछ क्षण रुकें, फिर नीचे लाएं। इसे 16 बार करें। ध्यान रहे कि इस दौरान नितंबों का लेवल बना रहे। अब इसे दूसरी तरफ से दोहराएं।

सपाट पेट व कमर को सही आकार देने के लिए व्यायाम

- पीठ के बल लेट जाएं व हाथों को सिर के पीछे ले जाएं। टांगें मोड़ते हुए पैरों के तलवों से जमीन पर दबाव डालें जिससे कि दोनों टांगों के बीच कुछ फासला आ जाए। अब बाईं कोहनी को ऊपर की ओर उठाएं (सिर के पीछे हाथ रखे रहें) व दाएं घुटने की तरफ झुकें, फिर वापस जाएं। इसे 12 बार दोहराएं।
- अब दाएं पांव को जमीन से 2 इंच ऊपर की ओर उठाएं और बाईं कोहनी को दाएं घुटने की तरफ सामने 16 बार लाएं।
  अब इन व्यायामों को दूसरी तरफ से दोहराएं।
- पीठ के बल लेट जाएं। दोनों टांगों को ऊपर की ओर उठाते हुए घुटनों को 90° पर मोड़ लें। टखनों को क्रॉस कर लें व घुटनों के बीच करीब ½ इंच का फासला रखें।
  अब धीरे-धीरे शरीर के निचले हिस्से को जितना ऊपर उठा सकती हैं, उठाने का प्रयास करें।
  सर्वोत्तम परिणाम के लिए पेट को व्यायाम के दौरान अंदर की ओर रखें।
- जांघों की मजबूती के लिए हम आपको एक बहुत ही सरल व उपयोगी व्यायाम बता रहे हैं। इसके लिए सबसे पहले शरीर के ऊपरी हिस्से को कोहनी पर टिकाते हुए बाईं तरफ करवट लेकर लेट जाएं। अब दाईं टांग को इस तरह मोड़ें जिससे घुटना ऊपर की तरफ इशारा करता हुआ हो। फिर पेट अंदर की तरफ रखते हुए दाएं पांव को हल्के मुड़े घुटने के पीछे

ले आएं। ध्यान रहे बायां पांव छत की तरफ इशारा करता हुआ हो। बाईं टांग को काफी ऊंचा उठाएं। इसे 24 बार दोहराएं। अब इसे दूसरी तरफ से करें।

● ऊपरी बाजू में वही पहले जैसा खिंचाव व सही शेप देने के लिए यह व्यायाम बहुत ही कारगर सिद्ध हो सकता है। कुर्सी के किनारे बैठ जाएं व दोनों हाथों से कुर्सी के किनारे थाम लें। कुर्सी पर बैठे-बैठे ही आगे की तरफ बढ़ें, जब तक कि आप कुर्सी से नीचे न आ जाएं। अब बाजुओं को मोड़ते व सीधा करते हुए धीरे-धीरे शरीर के ऊपरी भाग को ऊपर व नीचे ले जाएं, (कुर्सी पकड़े रहें)। इसे 12 बार दोहराएं।

अब जबकि आप सारे व्यायाम कर चुकी हैं तो क्यों न 'स्ट्रेच आउट' भी कर लिया जाए। हम आपको बता दें कि कोई भी व्यायाम चाहे कितनी भी कम अवधि का क्यों न हो, उसके बाद किया गया 'स्ट्रेच आउट' मांसपेशियों को सुदृढ़ बनाता है, साथ ही आप आराम भी महसूस करती हैं।

बैक स्ट्रेच : पेट के बल लेट जाएं। कोहनियों पर जोर देते हुए धीरे-धीरे उठने का प्रयास करें। जितना उठ सकती हैं, उठें। कोशिश करें कि शरीर के निचले हिस्से पर दबाव न पड़े। यदि ऐसा महसूस करती हैं तो यह व्यायाम दोबारा शुरू करें। इसे 4 बार दोहराएं।

शरीर के निचले हिस्से व बाहरी जांघों के लिए स्ट्रेच : बाईं तरफ करवट लेकर लेट जाएं और दाईं बाजू को सामने की ओर मोड़ लें। सिर को बाईं बाजू पर टिकाएं। अब दाईं टांग को मोड़ते हुए, घुटने को छाती के पास लाने का प्रयास करें। इस मुद्रा में 10 तक गिनते हुए रहें। अब दूसरी तरफ इस व्यायाम को दोहराएं।

घुटने के पीछे की नस के लिए : पीठ के बल लेट जाएं। पांवों को जमीन पर फैलाते हुए घुटने मोड़ें। अब दाएं घुटने को अंदर की तरफ लाते हुए, हाथों को घुटने के पीछे एक-दूसरे से पकड़ लें। धीरे-धीरे छाती की तरफ लाने का प्रयास करें।

अब धीरे-धीरे दाईं टांग को सीधा करें और 20 गिनने तक इसी अवस्था में रहें। यह व्यायाम दूसरी टांग से दोहराएं।

337

पिंडली व एड़ी के लिए : दोनों पांव समरूप रख खड़ी हो जाएं व बाईं टांग से एक कदम आगे बढ़ाएं। इस तरह जिससे शरीर का समस्त भार पिछली यानी दाईं टांग पर टिक सके। अब दाईं टांग को मोड़ें व धीरे-से साथ ही बाईं टांग को भी जरा-सा मोड़ें। पीठ एकदम सीधी रखें व थोड़ा-सा आगे की ओर झुकें।

इस अवस्था में 10 गिनने तक रहें और टांग बदलकर इसे दोहराएं।

पिछली बाजू के लिए : सीधी खड़ी होते हुए बाईं बाजू को ऊपर की ओर मोड़ें। अब उल्टी बाजू को सिर के पीछे रखें। अब दाईं बाजू की कोहनी को आराम से सिर के सामने से नीचे व पीछे ले जाएं। 5 तक गिनते हुए इसी मुद्रा में रहें। अब दूसरी बाजू से इसे दोहराएं।

इन आसान व उपयोगी व्यायामों को आजमाकर देखिए। ये शरीर को फिट भी रखेंगे व आप स्वयं भी अंदरूनी तौर पर एक नई स्फूर्ति का अनुभव करेंगी। पैसा व मेहनत दोनों की बचत तो होगी ही, साथ ही आप पा सकेंगी एक सुगठित देह।

व्यायाम करने के कुछ विशेष तरीके

हममें से अधिकांश खुद को चुस्त-दुरुस्त तो रखना चाहते हैं, लेकिन व्यायाम के लिए निश्चित समय तय करना और उस पर हर रोज अमल करना आज की भागदौड़ भरी जिंदगी में कठिन तो होता ही है, रुटीन हो जाने के कारण बोरिंग भी बहुत हो जाता है, लेकिन अगर वर्कआउट दिन-भर में बंटा हो और बाकी कामकाज के साथ हो तो फिर यह इतना मुश्किल नहीं रह जाता। यहां एक ऐसा ही फिटनेस प्रोग्राम दिया जा रहा है जो आपके रुटीन वर्क के साथ ही होता चलेगा।

सुबह आठ बजे

जब आप बालों को ड्रायर से सुखा रही हों तो बांहों की मांसपेशियां मजबूत बनाने के लिए एक बहुत उपयोगी व्यायाम कर सकती हैं। कुछ देर के लिए ब्लो ड्राई करना रोकें, जिस भी हाथ में ड्रायर हो, उसे जमीन के समानांतर रखें। अंदर की ओर सांस लेते हुए कोहनी से हथेली तक के हिस्से को तब तक धीमे-धीमे मोड़ें जब तक कि बांह 90 डिग्री कोण की स्थिति में न आ जाए। अब सांस छोड़ें तथा धीरे-धीरे बांह

को पहले वाली स्थिति में लाएं और फिर से बालों को ब्लो ड्राई करने लगें। ब्लो ड्राई करते हुए यह प्रक्रिया छह से दस बार करें। कुछ दिनों बाद जब अभ्यास हो जाए तो दूसरे हाथ में कंडीशनर की बोतल लेकर दोनों हाथों को पहले से आधे समय में मोड़ें।

सुबह दस बजे

ऑफिस या कॉलेज की सीढ़ियां चढ़ते हुए सही तरीके से हर कदम रखकर आप पैरों और नितंबों की एक्सरसाइज कर सकती हैं। हर सीढ़ी पर पूरा पैर फ्लैट रखें। ध्यान रखें कि जब आपका पैर सीढ़ी पर पड़े तो आपका पंजा आपके घुटने के ठीक नीचे हो। अगली सीढ़ी पर चढ़ने के लिए एड़ियों पर पूरा बल दें।

एक बजे दिन में

जब आप क्लास में या ऑफिस में कुर्सी पर बैठी हों तो थोड़ा आगे आकर कुर्सी के किनारे पर बैठें। घुटने मुड़े रहें। पैर जमीन पर सीधे और घुटनों के ठीक नीचे हों। जांघों, घुटनों और पैरों की मांसपेशियों को अंदर की ओर सिकोड़ें, फिर नितंबों की मांसपेशियों को सिकोड़ने की कोशिश करें, सांस छोड़ते हुए पेट भी अंदर की ओर सिकोड़ें। इस तरह आप कुर्सी से हल्का-सा ऊपर उठ जाएंगी। कल्पना करें कि आप सिर से छत छूने की कोशिश कर रही हैं। 10 सेकंड तक इसी अवस्था में रहें, फिर शरीर को ढीला छोड़ दें। इस प्रक्रिया को पांच बार दोहराएं। इससे जांघों, नितंबों और पेट के निचले हिस्से की एक्सरसाइज होती है।

तीन बजे

जब दोस्तों के साथ या अकेले लॉन में समतल जमीन पर बैठी हों तो पेट की मांसपेशियों के लिए यह व्यायाम करें। दोनों पैर सामने की ओर फैलाकर बैठ जाएं। अब पेट की मांसपेशियां अंदर की ओर सिकोड़ें, कल्पना करें कि आपकी नाभि रीढ़

की हड्डी से चिपक गई है। दस सेकंड तक इसी अवस्था में रहें। फिर गहरी सांस लें और शरीर को एकदम ढीला छोड़ दें। ऐसा कम-से-कम तीन बार करें।

छः बजे शाम

शाम को घर लौटने के बाद अगर आपको किसी से फोन पर बात करनी हो तो बैठकर नहीं, खड़ी होकर बात करें। इस बीच अपनी एड़ियां मिलाकर पंजे लगभग तीन इंज की दूरी पर रखकर सावधान की मुद्रा में खड़ी रहें। तीन गिनते हुए पंजों के बल जमीन से उठने की कोशिश करें। ध्यान रहे कि एड़ियां अलग न हों। फिर तीन तक

गिनते हुए धीरे-धीरे एड़ियां जमीन पर लाएं। कल्पना करें कि आप एड़ियों से कोई पैडल चला रही हैं। इससे आपके पैरों की पूरी एक्सरसाइज हो जाएगी।

कुछ और तरीके

आइए जानें कुछ दूसरे तरीके भी।

कम-से-कम दो घंटे तक बिना रुके विंडोशॉपिंग करें। कुछ खरीदें नहीं। इस तरह आप इतनी कैलोरी खर्च कर लेंगी जितनी आधे घंटे की लेग एक्सरसाइज क्लास में करतीं।

अपने 'पेट' के साथ भागने-दौड़ने का फन जिम में वॉकर पर चलने से ज्यादा आनंददायक है। इससे टहलने से खर्च होने वाली कैलोरी की लगभग दोगुना कैलोरी खर्च होती है।

हॉस्टल में सहेलियों के साथ या घर में बहन के साथ सोने से पहले तकियों से लड़ने का अपना आनंद तो है ही, साथ ही इसका असर उतना ही होगा, जितना 10 मिनट की वाटर एरोबिक्स का होता है और अगर आप सब हंस रही हों तो असर और भी बढ़ जाएगा।

बैग, अटैची या ब्रीफकेस जैसा सामान उठाने में संकोच न करें। इस तरह आपकी अपना काम करने की आदत तो बनी ही रहेगी, साथ ही उतनी कैलोरी भी खर्च होगी जितनी कि आप कल्पना भी नहीं कर सकतीं।

सुडौल चेहरे के लिए व्यायाम

जिस तरह शरीर के अन्य अंगों को स्वस्थ और सुडौल बनाए रखने के लिए आप व्यायाम करती हैं, उसी प्रकार आप चेहरे को भी व्यायाम के द्वारा सुडौल बना सकती हैं। इसके लिए आपको थोड़ी मेहनत, समय व मार्गदर्शन की आवश्यकता होती है। तो आइए, मार्गदर्शन हम किए देते हैं और मेहनत आपकी।

● अपनी तर्जनी उंगली को माथे पर हल्के-से टिकाएं, फिर उसे कनपटी तक ले जाते हुए दबाएं, ऐसा दस बार करें। इससे कनपटी का तनाव कम होगा।

- अपने दोनों हाथों को दोनों गालों पर इस तरह रखें कि आपकी उंगलियां गालों की हड्डियों को छुएं। यह भी ध्यान रहे कि आपकी दोनों कलाइयां एक-दूसरे को स्पर्श करें। फिर 'ॐ' बोलें। इस प्रकार दस बार करें। आपके गाल राहत महसूस करेंगे।
- अपना एक हाथ सीधी तरफ से माथे पर तथा दूसरा हाथ ठोड़ी पर रखें। फिर माथे और ठोढ़ी को हाथों से हल्का-हल्का धक्का दें। यह ध्यान रखा जाए कि इस क्रिया के दौरान आपके कंधे सीधे व आराम की स्थिति में रहें। 5-7 बार ऐसा करने से गर्दन का तनाव कम होगा।
- उंगलियों को भवों से ऊपर माथे पर रखें व अंगूठे को गालों से लगाएं। फिर भवों को ऊपर-नीचे करें। दस बार की गई यह क्रिया माथे को स्वस्थ रखती है।
- अपना मुंह आधा खुला रखें व हथेलियों को अपने दोनों जबड़ों से टिकाएं। ऐसे में आपकी उंगलियां आपके गालों की हड्डी छूती रहेंगी। कम-से-कम आधा मिनट तक यह स्थिति यूं ही बनाए रखें। इससे आपकी गर्दन मजबूत और सीधी रहेगी।
- दर्पण के सामने बैठकर होंठों को पहले अंदर की ओर सिकोड़ें। फिर मुंह से हवा भरकर फुलाएं। अब हंसने की चेष्टा करें इससे गाल पुष्ट होंगे। होंठों को सिकोड़ कर गालों में हवा भरकर फुलाएं। अब दोनों तरफ गालों पर तीन-तीन उंगलियां रखकर धीरे-धीरे दबाएं लेकिन मुख से हवा न निकले। 7-8 मिनट तक ऐसा करने पर मुंह व गालों का संपूर्ण व श्रेष्ठ व्यायाम हो जाएगा।

इस प्रकार सही तरीके से किए गए व्यायाम, चेहरे को सुडौल व पुष्ट तो बनाएंगे ही, साथ ही रक्त संचार भी सही होने से चेहरे की त्वचा चमकती रहेगी।

सेक्सी बनने के छः व्यायाम

बेसिक कर्ल

जमीन पर घुटने मोड़कर सीधी लेट जाएं। अपने दोनों हाथ पैरों पर रखें और धीरे-धीरे गर्दन और पीठ को ऊपर उठाएं। साथ ही हाथों से घुटनों को छूने की कोशिश करें। कुछ सेकंड इसी स्थिति में रहें और फिर धीरे-धीरे पहले वाली स्थिति में आ जाएं। यह क्रिया एक मिनट तक करें।

एडवांस कर्ल

सीधे लेट जाएं। दोनों हाथ सिर के नीचे रखें। अब धीरे-धीरे गर्दन ऊपर उठाएं। यह क्रिया एक मिनट तक करें।

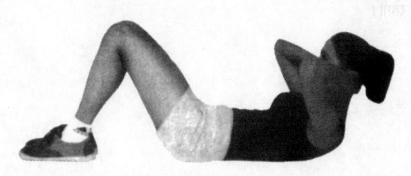

344

ट्विस्ट्स

जमीन पर घुटने मोड़कर सीधे लेट जाएं। बायां पांव मोड़कर दाएं पांव के घुटने पर रखें। बायां हाथ जमीन पर टिका रहे और दायां हाथ सिर के नीचे रखें। अब दाईं कोहनी को बाएं घुटने की ओर ले जाते हुए दायां कंधा जितना उठा सकें, उठाएं। यह क्रिया एक मिनट तक करें। दूसरी तरफ से भी यही क्रिया दोहराएं।

रिवर्स कर्ल

जमीन पर सीधे लेट जाएं। घुटनों को मोड़कर दोनों पांव ऊपर उठाएं। अब इसी स्थिति में लेटे हुए धीरे-धीरे कूल्हे को ऊपर उठाने की कोशिश करें। फिर धीरे-धीरे कूल्हे को नीचे लाएं। यह क्रिया एक मिनट तक करें। यह एक्सरसाइज पेट के निचले हिस्से की चर्बी को घटाने में मदद करती है।

डबल रिवर्स कर्ल

रिवर्स कर्ल की तरह ही सीधे लेटकर घुटने मोड़कर दोनों पांव ऊपर उठाएं। दोनों हाथ सिर के नीचे रखें। अब घुटने और कूल्हे को ऊपर उठाएं, साथ ही सिर और कंधे भी ऊपर उठाएं। कुछ इस तरह कि आपका शरीर वक्राकार नजर आए। यह क्रिया भी एक मिनट तक करें।

कैट कर्ल

जमीन पर दोनों हाथ टेककर घुटनों के बल इस तरह झुक जाएं कि पीठ, गला, सिर और कंधा एक सीध में हों। अब सांस अंदर की तरफ लेते हुए पेट को अंदर की ओर खींचें, ठीक बिल्ली की तरह। दो सेकंड इसी स्थिति में रहें। कुछ सेकंड रुककर फिर यही क्रिया दोहराएं। एक मिनट तक यह एक्सरसाइज करें।

एरोमाथैरेपी से सौंदर्य निखारें

एरोमा का अर्थ है खुशबू और थैरेपी क़ा अर्थ है उपचार। यानी खुशबू के द्वारा उपचार। खुशबू प्राप्त करने का साधन है हमारा मस्तिष्क और स्नायुतंत्र तथा खुशबू वाली वस्तुएं हैं—फल, फूल, पेड़, पौधे, जड़, तना, पत्ती, सब्जियां, मसाले। इन सबसे जो अर्क निकाला जाता है वह 'एसेंशियल ऑयल' कहलाता है। कुशल ब्यूटीशियन प्रायः इस थैरेपी की सलाह देती हैं क्योंकि एक तो यह आपको कुदरती खूबसूरती प्रदान करता है, दूसरे इसका साइड इफेक्ट भी नहीं होता।

आपको यदि थैरेपी लेनी है तो पहले एरोमा ऑयल लगाने का तरीका सीखें। चूंकि एरोमा ऑयल त्वचा में आसानी से समा जाता है अतः आप रिफ्लेक्सोलोजी यानि एक्यूप्रेशर के प्वाइंटों को अच्छी तरह दबाव देना सीख जाएं। सभी एरोमा ऑयल बाजार में भी उपलब्ध होते हैं। ये एंटीसेप्टिक, गाढ़े व एंटीबैक्टीरियल होते हैं, अतः खरीदने से पूर्व इनकी शुद्धता की जानकारी अवश्य प्राप्त कर लें।

एरोमा ऑयल स्किन टॉनिक

रूखी त्वचा के लिए : दस गुलाब के फूलों को 500 मि.लि. पानी में उबालकर उसका 200 मि.लि. सत निकालें। एक बूंद रोज ऑयल, एक बूंद पामारोज एरोमा ऑयल, एक बूंद चंदन तेल मिलाकर चेहरे पर लगाएं।

तैलीय त्वचा के लिए : संतरे के फूलों से 200 मि.लि. पानी बनाएं। एक बूंद संतरे का एरोमा ऑयल, एक बूंद नैरोली ऑयल मिलाकर चेहरे पर लगाएं।

कोमल त्वचा के लिए : 100 मि.लि. गुलाब जल, एक बूंद कैमोमाइल एरोमा ऑयल, एक बूंद लैवेंडर ऑयल मिलाकर लगाएं।

आंखों के आसपास काले घेरे व झुर्रियों के लिए एरोमाथैरेपी

25 मि.लि. एलमंड ऑयल, एक कैप्सूल विटामिन 'ई' दो बूंद लेपन ऑयल, तीन-चार कैरट ऑयल, चार बूंद लैवेंडर ऑयल, पांच बूंद जोजोबा ऑयल, इन सभी को एक साथ मिलाएं व सोते वक्त रोजाना आंखों के नीचे से हल्के हाथों से पांच मिनट मालिश करें।

मजबूत नाखूनों के लिए एरोमाथैरेपी

10 मि.लि. ग्रेपसीड ऑयल, पांच बूंद जोजोबा ऑयल, पांच बूंद कैरट ऑयल, तीन बूंद रोजमेरी, दो बूंद लेमन ऑयल, इन सभी को मिलाएं तथा प्रतिदिन नाखूनों की मालिश करें।

गर्दन की देखभाल के लिए एरोमाथैरेपी

20 मि.लि. जोजोबा ऑयल, 20 मि.लि. व्हीट जर्म ऑयल, 20 मि.लि. बादाम का तेल, 20 मि.लि. एवोकोडा ऑयल, पांच बूंद लेमन ऑयल, पांच बूंद ऑरेंज आयल, 15 बूंद कैरट ऑयल, पांच बूंद रोज ऑयल, पांच बूंद बेसिल ऑयल, पांच बूंद पामारोज ऑयल व पांच बूंद संदल ऑयल। इन सभी को मिलाकर प्रतिदिन रात को सोने से पहले गर्दन की मालिश करें।

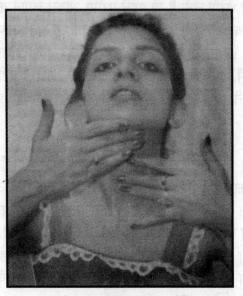

गर्दन की प्रतिदिन मालिश करें

एरोमाथैरेपी एक्यूप्रेशर पर भी आधारित है, अतः जब भी मसाज करें चेहरे के सभी प्वाइंट्स को धीरे-धीरे चार-पांच बार दबाएं व छोड़ें। आप चाहें तो मैग्नेट भी इस्तेमाल कर सकती हैं।

एरोमाथैरेपी हमेशा कुशल ब्यूटीशियन से ही करवाएं। ऑयल भी कुशल ब्यूटीशियन की देखरेख में ही लें।

- **स्फूर्तिदायक मालिश का तेल :** एक चम्मच दालचीनी, युक्लिप्टस और पिपरमिन्ट का तेल, 2 कप जैतून का तेल, इन सब तेलों को मिलाकर हिलाएं और बोतल में भर दें। समय-समय पर इससे मालिश करें।

- **शांतिदायक तेल :** लैवेंडर गुलाब और कारनेशन के फूल (यदि मिल जाएं तो) 1 कप बादाम का तेल, 1 कप खुबानी का तेल, 1 चम्मच लेनोलिल। किसी शीशे के बर्तन में फूलों को डालकर तेल से ढक दें। कुछ दिनों तक किसी गर्म स्थान में रखें, फिर फूल-पत्तियों को छानकर तेल निकालें। अब तेल को हल्का करके इसमें लेनोलिन मिलाकर चलाएं और बोतल में भर दें। इसे त्वचा पर लगाएं।

- **हर्बल लेप :** 2 बड़े चम्मच काली मिर्च का चूरा, 8 तेज पत्ते, 2 बड़े चम्मच कद्दूकस किया अदरक, 2 कप जैतून का तेल, ¾ कप औषधि में प्रयोग होने वाला टरपेंटाइन, 1 चम्मच कपूर का तेल। टरपेंटाइन को छोड़कर सब सामग्री जैतून के तेल में मिलाकर बहुत जल्दी आंच पर दिन-भर पकाएं। फिर छानकर इसमें टरपेंटाइन मिलाकर कुछ अर्क भी मिलाएं और किसी बोतल में भर दें।

- **मुलायम त्वचा के लिए चोकर से स्नान :** एक कप गेहूं का चोकर, थोड़ा-सा लैवेंडर ऑयल या गुलाबजल। किसी कड़ाही में चोकर को उबालें। किसी बारीक छलनी से इसे छानें और फिर लैवेंडर ऑयल या गुलाबजल डालकर किसी शीशी में रख लें। नहाते समय पानी में दो-तीन ढक्कन भरकर यह मिश्रण मिला दें। यह त्वचा को चिकना करने और त्वचा से निकलने वाले तेल को नियंत्रित करने का एक अच्छा प्रसाधन है।

सेंट या परफ्यूम का प्रयोग

सेंट या परफ्यूम की भीनी खुशबू सभी के मन को भाती है, इसलिए तो इनका चलन आम है, पर क्या आप इनके इस्तेमाल के फायदे जानती हैं। आइए जानें कुछ टिप्स—

- सर्दियों के मौसम में तेज खुशबू वाला इत्र इस्तेमाल करें।
- अगर नया सेंट खरीदने जा रही हैं तो स्प्रे करने के बाद 10 मिनट रुकें। खुशबू बनी रहे तभी खरीदें।
- जब परफ्यूम लगाना हो तो डिओडरेंट सोप का इस्तेमाल न करें।

- त्वचा के रसायन के अनुरूप हर परफ्यूम अलग-अलग व्यक्तियों पर अलग-अलग तरह का असर छोड़ता है, इसलिए हर परफ्यूम को अपने ऊपर आजमाएं, तभी खरीदें। दूसरे की देखा-देखी परफ्यूम खरीदना ठीक नहीं।

- हर व्यक्ति के शरीर में एक प्राकृतिक गंध मौजूद होती है, उससे मिलती-जुलती सुगंध वाला परफ्यूम खरीदना ही ठीक रहता है।

- परफ्यूम लगाने का बेहतरीन समय है नहाने के तुरंत बाद। इस समय आपके रोमछिद्र पूरी तरह खुले रहते हैं जो किसी भी खुशबूदार चीज को पूरी तरह सोख लेते हैं।

- अगर आपकी त्वचा रूखी है तो ज्यादा मात्रा में परफ्यूम छिड़कें। परफ्यूम को त्वचा में रचने-बसने के लिए तेल की जरूरत होती है जो सूखी त्वचा में कम होता है।

- परफ्यूम हमेशा दिन में खरीदें, जब आपकी गंध तंत्रिकाएं सक्रिय रहती हैं।

- परफ्यूम को कभी मोती या दूसरे गहनों पर स्प्रे न करें। जरीदार साड़ियों को भी इससे दूर रखें। परफ्यूम मोती की चमक और गहनों की रंगत खराब कर सकता है।

- साल-भर एक ही तरह के परफ्यूम का इस्तेमाल न करें। तापमान के हिसाब से परफ्यूम की सुगंध प्रभावित होती रहती है।

- एक बार में एक ही परफ्यूम का इस्तेमाल करें। अगर दो-तीन खुशबुएं मिक्स करेंगी तो आपकी गंध तंत्रिकाएं उलझन में पड़ जाएंगी।

आकर्षक व्यक्तित्व

अपना व्यक्तित्व संवारिए

अपने व्यक्तित्व को लंबे समय तक आकर्षक बनाए रखने की इच्छा सभी की होती है तथा सभी इसके लिए सतत् प्रयास भी करते हैं। यदि कुछ बातों को ध्यान में रखा जाए तो अपने व्यक्तित्व को संवारना कोई ज्यादा कठिन कार्य नहीं है। व्यक्तित्व संवारने के लिए परिश्रम और अच्छा स्वभाव जरूरी है। तो आइए जानें कुछ टिप्स 'इंप्रूव योर पर्सनैलिटी' के विषय में।

परिश्रम और अच्छे स्वभाव से संवरता है व्यक्तित्व

- सबसे पहले आप दूसरों का आदर करना सीखें। बड़ों को इज्जत दें व छोटों को प्यार करना सीखें।
- जीवन संघर्षशील है, अतः भाग्य के सहारे ही न बैठें। अनवरत अपने प्रयास व कर्म करते रहना चाहिए।
- अपनी बुराइयों व गलतियों को तहे-दिल से स्वीकार करें।
- स्वयं को आत्मनिर्भर बनाएं।
- जब भी किसी से बात करें तो इस बात का ध्यान अवश्य रखें कि आपके चेहरे पर व आपकी बातों में आपका भरपूर आत्मविश्वास झलके।
- 'नहीं' या 'असंभव' जैसे शब्दों को अपने जीवन के शब्दकोश की डायरी से सदा के लिए निकाल दें।
- कोई भी व्यक्ति अपनी बातों से यदि आपका विश्वास हिलाना चाहे तो स्वयं के ऊपर अपने विश्वास को और भी मजबूत करें।
- जीवन में कर्म की महत्ता को स्वीकारें।
- फुरसत के क्षणों में या अकेलेपन में, दिल को खुशी देने वाली अपनी बीती यादों का पिटारा अवश्य खोलकर बैठें।
- आपकी चाल में सभ्यता महसूस होनी चाहिए यानी जब भी चलें, नाप-तौल कर ही कदम बढ़ाएं, लंबी-लंबी डग भरना आपको असभ्य दर्शाता है।
- जब भी बात करें, सोच-समझकर ही बोलें। कड़वी बात मुंह से न निकालें।
- अपनी वाणी को मधुर रखें।
- किसी सभा व समूह में जब भी बैठें, सलीके से बैठें, अपनी सभ्यता न भूलें।
- हमेशा अपनी ही बात न करें। दूसरे की भी बात सुनें।
- कभी भी किसी की बात बीच में ही न काटें।
- किसी से मिलते वक्त होंठों पर हमेशा एक मुस्कान रखें।
- भले ही आज आधुनिक परिवेश है किंतु अपनी मर्यादा व अपने संस्कारों को अनदेखा न करें।
- आधुनिकता की होड़ में अपने वस्त्रों का चयन करते समय विशेष रूप से सावधानी बरतें। अपनी उम्र, पर्सनैलिटी, अवसर, मौसम का ध्यान अवश्य रखें।
- प्राकृतिक सुंदरता तथा आपका सौम्य व्यवहार ही आपकी सुंदरता है।
- दूसरों के साथ वैसा ही व्यवहार करें, जैसा आप उनसे अपने प्रति चाहते हैं।
- जब भी बोलें धीरे-धीरे बोलें।
- उम्र चाहे कोई भी हो, खुद को आकर्षक बनाए रखें।

- आपके उठने, बैठने, चलने आदि में आपका सलीका दिखना चाहिए।
- जीवन में भय को कभी भी खुद पर हावी न होने दें।
- 'जीने के लिए खाएं, खाने के लिए न जिएं' इस मंत्र को अपना एक उसूल बनाकर अपना लें।
- अपना 'सेंस ऑफ ह्यूमर' बनाए रखें।
- हर क्षेत्र की जानकारी रखना सीखें।
- किताबों को अपना दोस्त बनाइए। ऐसा करने से आपको कभी भी अकेलेपन का अहसास नहीं होगा।
- खुद को हमेशा चुस्त व उत्साहित महसूस करें।
- खुशमिजाज बनने का प्रयास करें।
- अपनी भावनाओं को चेहरे पर प्रकट न होने दें और दूसरों की भावनाओं को गहराई से समझें, यानी 'Face Reader' बनने की कोशिश करें।
- दूसरों की तारीफ करना सीखिए।
- समय के पाबंद बनिए।
- दूसरों की भावनाओं को समझकर उनकी कद्र करना सीखिए।
- अपनी 'इच्छाशक्ति' को मजबूत कीजिए।
- अपने अंदर गुणों को विकसित कीजिए।
- अनुशासनप्रिय बनिए एवं अनुशासन को जीवन का ही एक अंग बनाइए।
- अपने गुस्से पर नियंत्रण रखना सीखिए।
- स्वास्थ्य के लिए स्वच्छता भी जरूरी है, यह ध्यान रखिए।
- खुद को हमेशा टिप-टॉप रखें।
- किसी की बुराई न करें। जो जैसा है उसे वैसा ही स्वीकार करने का प्रयास करें।
- कभी किसी को छोटा समझकर उसकी उपेक्षा न करें।
- दूसरे को बुरा कहने से पहले अपने गिरेबां में झांकें।
- शिष्टाचार के बिना आपका ज्ञान व शिक्षा अधूरी है, अतः व्यक्तित्व के इस आधार स्तंभ को दृढ़ बनाएं।
- व्यवहार कुशल बनें।
- हकीकत में जीना सीखें, ख्वाबों की दुनिया में न जिएं।
- जीवन की सच्चाई सहर्ष स्वीकार करें।
- अपना स्वाभिमान बनाए रखें।

- वाक कला में पटु बनें।
- अपने लक्ष्य व उद्देश्य ऊंचे रखें।
- कभी-कभी स्वयं का अवलोकन भी करें।
- अनायास ही आ गए कार्य-भार को पूरा करने की क्षमता उत्पन्न करें।
- हाजिर जवाब बनें।
- दूसरों से अधिकारपूर्वक कार्य करा सकने की कुशल क्षमता उत्पन्न करें।
- अपनी स्मरण शक्ति को तेज बनाएं।
- किसी भी क्षेत्र में आगे होने के लिए आपका सामान्य ज्ञान लाजवाब हो, साथ ही वर्तमान समयानुरूप आप जागरूक हों।
- किसी भी कार्य को हाथ में लेने पर, उसे किसी भी तरह पूरा करने का गुण विकसित करें।
- दूसरों की मदद करना अपनी 'हॉबी' बनाएं। इससे आप एक आत्मसंतुष्टि महसूस करेंगे।
- दूसरों को आगे बढ़ते तथा अपने को पिछड़ते देख हम हमारी किस्मत व वक्त को दोष देते हैं, जबकि गलती हमारी ही होती है क्योंकि हर आने वाला वक्त हमें एक सुनहरा अवसर प्रदान करता है, हम ही उसे पहचान नहीं पाते। इसलिए इसे अपनी पर्सनैलिटी का एक अहम हिस्सा बनाइए कि वक्त पर आपकी पकड़ हमेशा मजबूत रहे। खूब परिश्रम करें तथा मौकों का लाभ उठाएं।

विभिन्न रंगों के कपड़े और आपका व्यक्तित्व

कपड़े व्यक्तित्व का आईना होते हैं। स्त्री का स्वभाव, उसका मूड बहुत हद तक उसके द्वारा पहने गए कपड़ों के रंगों पर निर्भर करता है।

- लाल, पीला, नीला, ये तीन विशेष रंग होते हैं। इन्हीं तीनों के अलग-अलग भाग मिलाने से नए-नए रंग बनते हैं। अगर आप ये जानना चाहती हैं कि कौन-सा रंग आप पर ज्यादा फबता है तो कपड़ों के रंगों के शेड्स अपने चेहरे पर लगाकर देखें। जिन रंगों से आपके चेहरे पर निखार और आंखों में चमक उभरती हो, वह रंग आप पर खिलेगा।
- सफेद, हल्का गुलाबी, नीले रंग के सभी शेड्स व जामुनी रंग ठंडे रंगों के अंतर्गत आते हैं। ये रंग शाम के समय पहनने चाहिए। साथ ही इन रंगों का प्रयोग हल्की-फुल्की पार्टियों में करना चाहिए।

- यदि आप मेजबान हों तो ठंडे रंगों का प्रयोग न करें। इन रंगों से सादगी व सौम्यता झलकती है।

- काला, लाल, पीला, मजेन्टा, मस्टर्ड, नारंगी, बसंती, रस्ट, खाकी, ब्राउन आदि गर्म रंगों की श्रेणी में आते हैं। ये रंग आप बड़ी पार्टियों में और शाम की रौनक बढ़ाने में इस्तेमाल कर सकती हैं।

- चटकीला लाल, चमकदार गुलाबी, मैरुन रंग के सभी शेड्स, नारंगी रंग के सभी शेड्स, मेटल ब्लू, पिंक ब्लू, चमकीला हरा, ये सारे चटक रंग हैं। इन रंगों का इस्तेमाल कम उम्र की महिलाओं या युवतियों को करना चाहिए। शाम की भव्य पार्टियों में इन रंगों से अपने व्यक्तित्व को निखारें।

- क्रीम, पीच, टेराकोटा, तरबूजी, हल्का हरा, मूंगिया रंग, हल्का लेमन, ग्रे हरा, खाकी, पिंक ब्राउन, ये सभी सौम्य रंग हैं। इन रंगों का प्रयोग सावधानी से करना चाहिए, क्योंकि इन रंगों से शोक या दुख प्रकट होता है।

- शरीर की रंगत के अनुसार व्यक्तित्व निखरे, इसके लिए जरूरी है कि त्वचा के रंग के अनुसार जंचने वाले कपड़े ही पहनें।

- गोरे रंग पर सभी रंग फबते हैं, चाहे वह गाढ़े हों या हल्के। चटक रंग जहां गोरे रंग में शोखी भर देते हैं, वहीं हल्के रंग इनमें सौम्यता और शालीनता लाते हैं।

- सांवली रंगत पर चटक रंग नहीं फबते, क्योंकि ये रंग सांवली रंगत को और दबा देते हैं। इसलिए सांवली त्वचा के लिए रंगत निखारने वाले रंगों का चयन करना चाहिए। ये रंग हैं—गुलाबी, स्लेटी, पीच, बादामी आदि।

- गेहुंए रंग पर प्रायः सभी रंग खिलते हैं फिर भी आसमानी, जामुनी, लाल, क्रीम रंगों का जादू उनके व्यक्तित्व में चार चांद लगा देता है।

- आयु के अनुरूप रंगों का प्रयोग व्यक्तित्व में शालीनता लाता है। युवावस्था में सभी रंग अच्छे लगते हैं, पर अधेड़ावस्था में आपकी वेशभूषा से गंभीरता प्रकट होनी चाहिए। इस उम्र में चटक रंग व्यक्तित्व में ओछापन लाते हैं।

- गर्मी के मौसम में गहरे और चटक रंग नजरों को चुभते हैं और अधिक गर्मी का अहसास कराते हैं। इसलिए गर्मी में हल्के रंगों के वस्त्र पहनें, जो आंखों को ठंडक दें।

- सर्दियों में गहरे रंग के कपड़ों का चयन उचित रहता है। लाल, काले रंग ऊष्मा के कुचालक होते हैं, इसलिए इन रंगों के कपड़े पहनने से शरीर की गर्मी बाहर नहीं निकल पाती।

- अगर आपकी त्वचा सांवली, पर हल्का गेहुंआपन लिए हुए है तो आप सौम्य रंगों का प्रयोग अधिक करें।
- अत्यधिक गोरी और बेजान रंगत पर चटक नीले व सौम्य रंगों का अधिक प्रयोग करें।
- गुलाबीपन लिए हुए गोरी त्वचा पर सभी रंग खिलते हैं, पर गर्म तथा चटकीले रंगों की खूबसूरती ही कुछ और नजर आती है।

दूसरे देशों में रूप सौंदर्य का राज

पर्शियन औरत के चेहरे की चमक या स्पेनिश ब्यूटी, अफ्रीकन सौंदर्य या खूबसूरत चिकना इटेलियन चेहरा व हाथ, जापानी गुड़िया-सी हल्की-फुल्की स्लिम ट्रिम फिगर व बेदाग जवां चेहरे को देखकर आप भी उनके सौंदर्य का राज जानने को उतावली होंगी। यहां दिए जा रहे टिप्स को अपनाकर आप भी सौंदर्य की मलिका बन जाएंगी।

- अफ्रीकन ब्यूटी टिप्स हैं जोजोबा ऑयल का उपयोग। वे इसका अपनी त्वचा व बालों की कंडीशनिंग के लिए एक प्रभावी बाथ ऑयल के रूप में प्रयोग करते हैं।
- इटालियन सॉफ्ट स्किन ब्यूटी का टिप्स है त्वचा व हाथों पर ऑलिव ऑयल का प्रयोग, जो उनकी त्वचा को आश्चर्यजनक रूप से मुलायम व बेदाग बनाता है। वहां खाने में लोग हर्ब का प्रयोग अवश्य करते हैं जो उनके सौंदर्य को बढ़ाता है।
- जापानी गुड़िया के सौंदर्य का राज है हरी चाय जो जापानी महिलाओं के लिए चमत्कारी पेय है। यह उनकी कैलोरी को तेजी से जलाती है, जिससे चेहरे में कोई झुर्री नहीं पड़ती। सबसे बड़ी बात है वहां लोग फ्रेश फूड, फ्रेश लुक के हिमायती हैं।
- पर्शियन ब्यूटी व ग्लो का राज है नमक। एक कप समुद्री नमक में आधा कप पिपरमेंट चाय मिलाकर बनाए गए पेस्ट को नहाने से पहले रगड़ने से निस्तेज त्वचा तो साफ होती ही है, साथ ही उसमें अद्भुत चमक भी आ जाती है।
- गहरे, काले, घने बालों वाली स्पेनिश सुंदरियों के बालों का रहस्य है क्रेनबेरी रस जिसका उपयोग वे शैंपू के बाद आखिरी रिन्स में करती हैं।

सदैव मुस्कराने की आदत डालें

मुस्कान खुशी, आनंद व हर्ष का प्रतीक है। कहा जाता है कि मुस्कान अनगिनत अनकहे शब्दों को कह जाती है। विज्ञान में कहा गया है कि जब हम मुस्कराते हैं तब केवल 2 मांसपेशियां इस्तेमाल होती हैं। इसके विपरीत गुस्सा करने में 32 मांसपेशियां काम करती हैं।

एक मुस्कान सौ समस्याओं का समाधान

सुंदरता के लिए केवल यही जरूरी नहीं है कि आप खूबसूरत वस्त्र पहनें या सज-संवरकर तैयार हो जाएं। आपकी सुंदरता आपके चेहरे से प्रकट होती है। अर्थात एक सौम्य, शालीन हंसी आपकी पूरी सुंदरता का पैमाना बन सकती है। इसके लिए

358

यह जरूरी है कि आप सदैव मुस्कराते रहें। मुस्कराना भी एक कला है। अतः जरूरी है कि इस कला में निपुण होने का प्रयास किया जाए। आइए जानें कुछ टिप्स सदा मुस्कराते रहने के लिए।

- जब भी हंसें, खुलकर हंसें।
- अपने चहरे पर सदैव एक सौम्य-सी मुस्कान रखें।
- हमेशा ऐसी बात ही सोचें जो आपको अच्छी लगे।
- सकारात्मक सोच के पक्षधर बनें।
- कभी किसी से ज्यादा अपेक्षाएं न करें। जो मिल जाए वही सर्वोत्तम समझें।
- स्वयं को दूसरे के अनुरूप बनाने का प्रयास न करें। अपनी पहचान अलग बनाएं।
- जब भी झगड़ा होने लगे, मुस्कराते जाइए, गुस्सा तुरंत शांत हो जाएगा।
- हमेशा जिंदादिल व्यक्तियों का साथ रखें और खिल-खिलाते रहें।
- स्वयं को काम में व्यस्त रखना सीखें।
- यदि कोई आपकी परवाह न करे तो इसी चिंता में खुद को डुबोए न रखें। आगे बढ़ने के प्रयास करें।
- भूतकाल में क्या हुआ, भविष्य में क्या होगा, इस चिंता में अपना वक्त बर्बाद न करें। वर्तमान में जिएं।
- छोटी-छोटी बातों से खुश होना सीखें।
- खुद को हमेशा पुस्तकों, संगीत या अन्य किसी शौक में व्यस्त रखें।
- विकट परिस्थितियों में भी अपना मानसिक संतुलन बनाए रखें।
- शांत स्वभाव व धैर्य अपनाएं।
- त्याग करना सीखें। त्याग से ही आत्मसंतुष्टि प्राप्त होती है।
- अपना स्वर और स्वभाव अधिक-से-अधिक मधुर और विनोद-प्रिय बनाने का प्रयास करें।
- स्वयं को विनोद-प्रिय बनाएं तथा जीवन में हास्य रंग अपनाएं।
- कभी भी प्रशंसा के पीछे न भागें क्योंकि खूबसूरती तो मन में होती है और इसका अहसास आपको होना चाहिए।
- जीवन में कभी भी हतोत्साहित न होएं।
- जितना संभव हो सके स्वयं को चिंताओं से दूर रखें।
- अपनी हर गलती से, भूल से एक नया सबक सीखें।
- जीवन में आशावादी दृष्टिकोण लेकर चलें।

- अपनी सोच हमेशा ऊंची और पवित्र रखें।
- कभी-कभी खुद में या 'रूटीनवर्क' में कुछ परिवर्तन भी करें।
- अपने पुराने दोस्तों को भी याद किया करें। उनसे संपर्क भी बनाए रखें।

अपनी पुरानी सहेलियों को न भूलें

- किसी के काम में या जीवन में दखल न देने की आदत डालें।
- अपने दुख व कष्टों को, दूसरों के मुकाबले छोटा व कम ही समझने का प्रयास करें।
- प्रकृति ने, सृष्टिकर्ता ने आपको जैसा भी बनाया है, ठीक बनाया है, ऐसा सोचें और हर हाल में खुश रहना सीखें।

मन की सुंदरता भी जरूरी

तन की सुंदरता और मन की सुंदरता, दोनों एक ही सिक्के के दो पहलू हैं या यह भी कह सकते हैं कि दोनों का सही तालमेल ही एक संपूर्ण व्यक्तित्व बनाता है।

अगर आप किसी का मन जीतना चाहते हैं तो केवल तन और चेहरे की सुंदरता ही काफी नहीं होती, जीवन जीने के लिए मन की सुंदरता भी आवश्यक है। अर्थात जब तक आपका मन अच्छा नहीं होगा, आप चाहे कितने भी खूबसूरत हों, आपकी खूबसूरती पर पानी फिर जाएगा। यदि आपके मन में मैल है, द्वेष है तो आपकी सुंदरता फीकी पड़ सकती है, इसलिए जरूरी है कि अपनी दिनचर्या में कुछ बातें, कुछ नियम बनाएं ताकि तन की सुंदरता के साथ-साथ आप अपने मन को भी सुंदर बना सकें।

मन की सुंदरता से आपकी खूबसूरती में चार चांद लग सकते हैं

361

- हमेशा सकारात्मक व आशावादी बने रहने का प्रयास करें।
- अपने क्रोध को समाप्त करें या उसे मिटाने की कोशिश करें।
- सभी के लिए अच्छा ही सोचें।
- निराशावादी लोगों की संगत से दूर रहिए।
- रोजाना व्यायाम करें। इससे मन में शुद्धता व पवित्रता आती है।
- आलोचना भरी बातों से दूर रहिए।
- असंभव कुछ भी नहीं है, यह सोचकर आगे बढ़ते जाएं।
- बड़ों की बातों का व उनके गुणों का अनुसरण करें।
- अब तक जो भी किया उसे भूल जाइए, आगे एक मंजिल आपका इंतजार कर रही है, सिर्फ यही सोचिए।

यह बात सच है कि अपने अलावा कभी-कभी दूसरों के बारे में भी सोचना चाहिए, लेकिन अपने मन की बात भी सुननी चाहिए। कभी-कभी अपने आपको जानने के लिए पहले अपने मन के अंदर झांकिए। यदि आप तरह-तरह के प्रयोगों के द्वारा अपने को खूबसूरत तो बना लेती हैं किंतु आपका मन व आपके विचार गंदे हैं तो आपकी सुंदरता धूमिल पड़ जाएगी।

मन की सुंदरता के लिए जरूरी है कि आपके विचार भी खूबसूरत हों। दुनिया को खूबसूरत नजरों से देखें। दूसरों के प्रति मन में सकारात्मक भाव रखें।

कहते हैं न कि 'आप भले तो जग भला' यानी आप अच्छे हैं तो दूसरे लोग भी आपको अच्छे ही लगेंगे अर्थात आपका मन अच्छा है, आपके विचार अच्छे हैं तो आपके लिए पूरा जग ही खूबसूरत है। अतः आपके लिए अपने तन की खूबसूरती के साथ-साथ मन की खूबसूरती पर भी ध्यान देना जरूरी है।

कुछ टिप्स खास अवसरों के लिए

कई बार लाख चाहने पर भी यह तय नहीं हो पाता कि अपना शृंगार कैसे किया जाए। ऐसे में झुंझलाहट-सी होने लगती है।

यदि आपको किसी खास अवसर पर तैयार होना हो तो परेशान न हों, इन टिप्स को ध्यान में रखें।

- यदि आपको शाम के समय किसी फंक्शन में जाना हो तो अपने कपड़ों का चयन पसंद, मौसम व अवसर के अनुकूल ही करें।
- यदि आपको शादी में जाना हो तो 'पारंपरिक' साड़ी या लहंगा-चुन्नी ही पहनें। ये पोशाकें ऐसे मौकों पर ही जंचती हैं।
- अपना मेकअप ऑयल बेस्ड कभी न करें।
- रात के समय डार्क कलर को ही वरीयता दें, चाहें मेकअप हो या आपकी पोशाक।
- कपड़ों से मैचिंग करती चूड़ियां ही पहनें। विपरीत रंग की चूड़ियां पहनने से चूड़ियों और ड्रेस दोनों का ही आकर्षण कम हो जाता है।
- अपनी आंखों पर डार्क आईशैडो ही लगाएं। शादी-विवाह के अवसर पर आंखों पर डार्क आईशैडो ही फबती है।
- लिपस्टिक भी गहरी लाल, मैरून व डार्क ब्राउन ही लगाएं।
- यदि संभव हो तो जेवर भी अपनी ड्रेस से मैच करते हुए आर्टिफिशियल ही पहनें।
- यदि किसी त्यौहार पर आपको तैयार होना है तो अपनी 'ट्रेडिशनल ड्रेस' ही पहनें।
- त्यौहार पर मेहंदी लगाना यूं तो शगुन माना जाता है किंतु आजकल मेहंदी एक जबरदस्त फैशन बन गया है। विभिन्न डिजाइन से मेहंदी लगाकर अपना आकर्षण बढ़ाया जा सकता है।
- अपने बालों में गजरा अवश्य लगाएं।
- अब आप एक सौम्य-सी मुस्कान बिखेरती हुई, खास अवसर के लिए एकदम तैयार हैं।

व्यक्तित्व की तमाम खूबियां दर्शाएं

जैसा कि विदित है कि एक चित्रकार ही चित्रपट पर अपने चित्रों का चितेरा होता है, वह जैसे चित्र बनाएगा उसे देखकर ही आप या हम अपनी मानसिक विचारधारा बनाएंगे। ठीक इसी प्रकार आपका यह शरीर भी एक चित्रपट है और आप स्वयं एक चित्रकार सदृश हैं, अब देखना यह है कि आपका व्यक्तित्व रूपी चित्र आपके द्वारा वेशभूषा, केश, प्रसाधन, रूपसज्जा आदि से कितनी कुशलता से संवारा जाता है।

अपने व्यक्तित्व को खास बनाएं

- इसमें सबसे पहली बात तो यह है कि आपने अपने इस चित्र (शरीर) को संतुलित रूप से बनाया है या नहीं?
- दूसरी बात, चित्र में आपने शारीरिक सुडौलता और हावभाव कैसे और किस आधार पर तैयार किए हैं?
- क्या आपको कलात्मक ढंग से अपने प्रसाधनों और वेशभूषा में रंग संतुलन बनाना आता है? आप में समयानुसार और मौसमानुकूल वस्त्र चयन की दक्षता है?
- अब बारी आती है, बड़ी ही चतुराई से अपनी वेशभूषा और सौंदर्य प्रसाधन से, मामूली से नयन नक्श वाले चेहरे को चांद-सा बनाकर एक सौम्य-सी मुस्कान लाने की। इसके साथ ही यह भी जरूरी है कि आप अपने शरीर को सुडौल बनाए रखें क्योंकि एक नारी की सुंदरता उसकी सुगठित देहयष्टि तथा उसकी कमनीय काया से ही आंकी जाती है। कमनीय काया के लिए प्रतिदिन व्यायाम करने और संतुलित भोजन लेने की आवश्यकता होती है।

इस प्रकार एक आम-सी भाषा में, आम जिंदगी में यदि इन बातों को गहराई से समझा जाए तो ये बातें आपको और आपके इस आम से व्यक्तित्व को 'खास' बना देंगी।

यह भी ध्यान रखें

- अपने शारीरिक संतुलन के अनुसार व अपनी पसंद के रंगों के अनुसार ही वेशभूषा का चयन करें।
- सौंदर्य प्रसाधन का तात्पर्य केवल उसे चेहरे पर थोपना ही नहीं होता अपितु बड़ी कुशलता से अपने चेहरे के दोषों को छिपाना भी होता है।
- सौंदर्य प्रसाधनों में फाउंडेशन बहुत महत्त्व रखता है। हमेशा फाउंडेशन दो रंग के चुनें। एक अपनी त्वचा के रंग से मेल खाता हुआ और दूसरा गहरे रंग का शेड। अब चेहरे के जिस हिस्से को आप ज्यादा आकर्षक बनाना चाहें, वहां अपनी त्वचा से मेल खाता शेड लगाएं और जिस हिस्से को आप सबकी नजरों से बचाना या छिपाना चाहें। वहां गहरे रंग का शेड लगाएं।
- इसके बाद बारी आती है रूज की, यह चेहरे की रंगत बढ़ाने के लिए गालों पर तथा कनपटी पर लगाया जाता है।

- आंखों की खूबसूरती में आज तक कवियों, साहित्यकारों, गीतकारों और प्रेमियों ने न जाने कितने कसीदे पढ़े हैं? किसी ने इन्हें झील-सी सुंदर कहा है तो किसी ने मदिरा से भी ज्यादा नशीली। अतः आंखों की खूबसूरती बढ़ाने के लिए यदि आप थोड़ी-सी मेहनत करें तो आप भी 'मृगनयनी' बन सकती हैं।

  सबसे पहले आप अपनी वेशभूषा और आंखों के रंग के अनुसार मिलता आई शैडो लगाएं, लेकिन इससे पहले आई ब्रो के रंगानुसार (भूरी या काली) उन्हें पेंसिल से सही आकार देना न भूलें। अब आंखें बंद करके पलकों के किनारे आई लाइनर से एक पतली लाइन बनाएं तथा मस्कारे से अपनी ऊपरी व निचली पलकों को घनी बनाएं। अंत में आई ब्रो पेंसिल या काजल से आंखों के नीचे किनारे पर हल्की या गहरी जैसी भी चाहें, एक लाइन बनाएं। लीजिए आपकी खूबसूरत आंखें दूसरों को आकर्षित करने के लिए तैयार हैं।

- यूं तो लिपस्टिक लगाना हर युवती जानती है, किंतु इसे लगाना भी कला है। अपने होंठों व भौंहों की आकृति में सामंजस्य बनाए रखें। सबसे पहले होंठों पर वेसलीन लगाएं, फिर हल्का-सा पाउडर लगाएं। अब गहरे रंग की पेंसिल से या गहरी लिपस्टिक से बारीक ब्रश द्वारा होंठों को सही शेप देकर, गहरी या हल्की जैसे भी रंग की आप चाहें, थोड़े-से चौड़े ब्रश की मदद से लिपस्टिक भरें, अंत में दोनों होंठों के बीच टिश्यू पेपर रखकर अतिरिक्त लिपस्टिक हटा दें।

- अंत में बारी आती है खुद को महकाने की। अपनी कलाई की नब्ज पर, कानों के पीछे, दोनों बगलों में और गर्दन के नीचे इत्र भी लगाएं। अब खुद को आईने में देखकर आपके मुख से बरबस ही निकल उठेगा, वाह!

सौंदर्य धारणाएं कुछ सही, कुछ गलत

धारणाएं अनगिनत होती हैं। जीवन के हर क्षेत्र में धारणाएं अपना प्रभाव दिखाती हैं। सौंदर्य का क्षेत्र भी इसका अपवाद नहीं। आइए जानें वास्तविकता क्या है—

- टांगों पर शेव करने से बाल अधिक उगने लगते हैं।
- ➲ **गलत :** यह एक आम धारणा है जो बिल्कुल गलत है। शेव करने के बाद जो नए बाल उगते हैं वे पहले जैसे कोमल और महीन नहीं लगते क्योंकि वे बीच से कटे होते हैं। शेव करने से बालों की संख्या में कतई वृद्धि नहीं होती।
- रोज एक सेब खाएं, डॉक्टर को दूर भगाएं।
- ➲ **सही :** लोक कथाओं में भी सेब के स्वास्थ्य और सौंदर्यवर्द्धक होने का जिक्र है। हालांकि खाते वक्त इसमें एसिड होता है जो शरीर में पहुंचने पर इसे एल्केलाइन में बदल देता है जो पाचन क्रिया को स्वस्थ रख बदहजमी रोकता है।
- नाखूनों पर सफेद धब्बे, भोजन में कैल्शियम की कमी से होते हैं।
- ➲ **गलत :** यह चिंता का विषय नहीं है। यह सच है नाखूनों को मजबूत बनाने में कैल्शियम की आवश्यकता होती है, पर कभी-कभार जो सफेद धब्बे नजर आते हैं, वे नाखून उगते समय चोट लग जाने से भी हो सकते हैं। आप उन धब्बों को नेल-पॉलिश से ढक सकती हैं।
- एक सफेद केश तोड़ने से उसकी जगह कई केश उग आते हैं।
- ➲ **गलत :** केशों के प्रत्येक रोमछिद्र से सिर्फ एक ही केश उगता है।
- नियमित छंटाई से केश तेजी से बढ़ते हैं।
- ➲ **सही :** ट्रिम करने से केशों के बेकार, सूखे छोर कट जाते हैं, जिससे वे मजबूत हो जाते हैं पर इससे उनकी बढ़ोतरी पर कोई असर नहीं पड़ता। हां! यह सच है कि सिर की हल्की मालिश करने से केश अधिक उगते हैं और यह भी कि सर्दियों की अपेक्षा गर्मियों में केश अधिक तेजी से बढ़ते हैं।

- एस्ट्रिंजेंट से त्वचा के पोर बंद हो जाते हैं।

➲ **गलत :** त्वचा के छिद्र खिड़की की तरह खोले या बंद नहीं किए जा सकते। एस्ट्रिंजेंट त्वचा को उकसाते हैं, जिससे छोटी-छोटी मांसपेशियां उभरकर तन जाती हैं। इससे रोमछिद्र कुछ देर के लिए दिखाई नहीं देते। अधिकांश एस्ट्रिंजेंटों में अल्कोहल का अंश होता है, इसलिए त्वचा का तेल और पानी सूख जाता है। खुले छिद्रों को किसी कोमल बेस से ढकना चाहिए।

- चॉकलेट खाने से चेहरे पर दाग-धब्बे पड़ जाते हैं।

➲ **गलत :** विशेषज्ञों के अनुसार चेहरे पर दाग-धब्बों व झांइयों का चॉकलेट खाने से कोई संबंध नहीं है। इसका असल कारण है हारमोंस, जो चर्बी उत्पन्न करने वाले ग्लैंड में अधिक मात्रा में तेल उत्पन्न करने लगते हैं, जिससे रोमछिद्र बंद हो जाते हैं और त्वचा में संक्रमण हो जाता है। पौष्टिक भोजन निश्चय ही दमकती हुई त्वचा का रहस्य है। संतुलित भोजन लीजिए जिसमें पर्याप्त मात्रा में ताजे फल, सब्जियां, दालें, अन्न, मछली तथा अंकुरित दालें शामिल हों।

- रोजाना 100 बार कंघी करने से केश घने और चमकीले होते हैं।

➲ **सही भी गलत भी :** अच्छी तरह से कंघी करने से केशों में जमे धूल के कण निकल जाते हैं और सिर के रक्त संचार में सुधार होता है। इससे सीबम अर्थात केशों में प्राकृतिक तेल का उत्पादन होता है। फिर कंघी करते रहने से यह चिकनाहट या तेल केशों में फैल जाती है और वे चमकीले तथा घने लगते हैं फिर भी हल्के हाथ से थोड़ी देर की गई कंघी 100 बार करने से ज्यादा लाभदायक है।

अच्छे परिणाम के लिए अच्छा-सा ब्रश या कंघी लें। पहले केशों को सुलझाते हुए कंघी करें, फिर ऊपर से नीचे तक कंघी करें। गीले केशों पर कभी कंघी न करें। इससे केशों को नुकसान पहुंचने का अंदेशा रहता है।

- मासिक-धर्म के दौरान सिर धोना या नहाना नहीं चाहिए।

➲ **गलत :** स्त्रियों की स्वास्थ्य संबंधी धारणाओं में यह सबसे गलत धारणा है जो मासिक धर्म से संबंधित है। बेफ्रिक रहिए, मासिक धर्म के दौरान सिर धोने या नहाने से आपको कोई नुकसान नहीं हो सकता। अगर आप टैंपून प्रयोग करती हैं तो आप तैराकी भी कर सकती हैं।

- मध्य रात्रि से 1 घंटा पहले सोना, मध्य रात्रि के 2 घंटे बाद सोने के बराबर है।

➲ **गलत :** आप किस प्रकार सोती हैं, यह ज्यादा महत्त्वपूर्ण है न कि आप कब और कितनी देर तक सोती हैं। अगर आप गहरी नींद सोती हैं तो 4 घंटे की नींद से ही आप तरोताजा महसूस करेंगी, जबकि करवटें बदल-बदलकर 8 घंटे सोने के बाद भी आप थकान महसूस करेंगी। अतएव करवटें बदल-बदलकर 8-10 घंटे सोने के बजाय 4 घंटे गहरी नींद सोना पर्याप्त है।

- गाजर खाने से नेत्र ज्योति बढ़ती है।

➲ **सही :** गाजर में बीटाकेरॉटिन पाया जाता है, जो विटामिन 'ए' का ही एक प्रकार है। अच्छी नेत्र ज्योति इसी विटामिन की पूर्ति पर निर्भर है, क्योंकि इससे आंखों में 'विजुअल पर्पल' नाम का पिगमेंट बनता है, जो आंखों को बदलती रोशनी का आदी बनाने में मदद करता है। कई मामलों में इस पिगमेंट की कमी के कारण रतौंधी हो जाती है।

- केशों की नियमित कंडीशनिंग से दो-मुंहे केश ठीक हो जाते हैं।

➲ **सही :** कंडीशनिंग से केशों को पोषण मिलता है और दो-मुंहे केश भी कुछ हद तक सुलझ जाते हैं, पर वे ठीक नहीं हो सकते। इस समस्या को सुलझाने का एकमात्र तरीका यह है कि खराब केशों को काट दिया जाए। केश हर 4-6 हफ्तों बाद थोड़े से ट्रिम करा लेने चाहिए, जिससे वे व्यवस्थित रहें।

- अधिक देर खड़े रहने से नसों में सूजन आ जाती है।

➲ **गलत :** हालांकि यह समस्या अधिकतर आनुवंशिक होती है, फिर भी लंबी अवधि तक खड़े रहने पर भी यह बीमारी होती है। जब आप खड़े होते हैं तो रक्त प्रवाह को ऊपर चढ़ने के लिए अधिक मेहनत करनी पड़ती है। पैरों की नसों के वाल्व इस रक्त को वापस आने से रोकते हैं। इस प्रकार कुछ समय बाद पैर सूज जाते हैं। सूजी हुई शिराओं से बचने के लिए अपने वजन पर नजर रखें, नियमित शिरासन करें और बीच-बीच में आराम करती रहें। तंग कपड़ों व जूतों से भी रक्त-संचार में बाधा आती है।

- त्वचा के लिए टैनिंग स्वास्थ्यकर है।

➲ **गलत :** किसी भी किस्म की टैनिंग स्वास्थ्यकर नहीं है।

- तैलीय त्वचा वाले लोगों को मॉइस्चराइजर की जरूरत नहीं पड़ती।
- **गलत** : कुछ किस्म की तैलीय त्वचाओं को भी मॉइस्चराजर की जरूरत पड़ती है। पानी और तेल के बीच भ्रम की स्थिति नहीं होनी चाहिए।
- विटामिन 'ई' से दाग-धब्बे दूर होते हैं।
- **गलत** : इस तरह के प्रभाव का कोई वैज्ञानिक अध्ययन या उदाहरण नहीं है।
- ज्यादा पानी पीने से त्वचा पर अच्छा असर होता है।
- **सही** : इसका असर त्वचा की नमी पर होता है जो नष्ट होने से बच जाती है।
- भारतीय महिलाएं गोरी त्वचा वाले देशों की महिलाओं की तुलना में बेहतर स्थिति में हैं।
- **सही** : भारतीय महिलाओं की सांवली त्वचा उनके लिए बहुत बड़ी राहत है। उस पर उम्र का असर धीमा होता है। वस्तुतः एशियन महिलाएं बहुत गरिमामय ढंग से बूढ़ी लगनी शुरू होती हैं। इसकी वजह है उनका सोया से भरपूर भोजन करना।

जड़ी-बूटियों द्वारा हुस्न निखारें

पेड़-पौधों के विभिन्न अवयवों से चिकित्सा सम्बन्धी उपयोगी तत्वों के निर्माण का एक रोचक इतिहास रहा है। प्राचीन सभ्यताएं अपने को निरोग रखने के लिए पूर्णतया प्रकृति से प्राप्त विभिन्न औषधीय तत्वों पर निर्भर थीं। ये भी सत्य है कि प्राचीन मानव प्रकृति पर पूरी तरह आश्रित था, क्योंकि उसके पास कोई दूसरा विकल्प नहीं था। लेकिन हम विभिन्न वैज्ञानिक अनुसंधानों एवं अनुभवों के आधार पर इस तथ्य से भली-भांति परिचित हो चुके हैं कि प्रकृति ही सर्वोत्तम विकल्प है।

प्राकृतिक चिकित्सा के पुनरुत्थान का सबसे प्रमुख प्रभाव सौंदर्य प्रसाधन के क्षेत्र में पड़ा है, जहां पौधों से प्राप्त अवयवों से सौंदर्य सुरक्षा व उसकी समस्याओं के निराकरण के लिए विभिन्न प्रकार के प्रसाधन बनाए जा चुके हैं। इन प्राकृतिक औषधियों से मुख्य लाभ यह होता है कि इनके अवयव त्वचा में काफी गहराई तक जाकर इनकी सूक्ष्मतम इकाइयों पर प्रभाव डालते हैं। प्राकृतिक पदार्थों की आश्चर्यजनक औषधीय क्षमता तथा त्वचा पर इनका कोई दुष्परिणाम न होने के साथ-साथ इनकी त्वचा सुरक्षा सम्बन्धी अद्भुत ताकत से ही इन प्राकृतिक पदार्थों (दवाइयों) की मांग में एकाएक इतनी अधिक वृद्धि हुई है।

'सौंदर्य व स्वास्थ्य एक दूसरे के पर्याय हैं' यह आधुनिक विश्वास प्रकृति की ओर वापस लौटने की दिशा में काफी सहायक सिद्ध हुआ है। यह विश्वास या विचार इस दृष्टिकोण पर आधारित है कि सच्ची सुन्दरता कृत्रिम रूप से थोपे गए 'मेकअप' की अपेक्षा, त्वचा व बालों की वास्तविक सुन्दरता व स्वास्थ्य से अधिक झलकती है। कॉस्मेटोलाजी (सौंदर्य विज्ञान) आज सिर्फ त्वचा को उचित सुरक्षा व उसकी सही देखभाल करने के लिए ही नहीं, अपितु बेरौनक हो चुकी (अधिक उम्र) त्वचा के कायाकल्प के लिए भी बहुत उपयोगी सिद्ध हो रही है।

प्राकृतिक औषधियों (जड़ी-बूटियों आदि) में त्वचा व बालों से सम्बन्धी रोगों के उपचार की अद्भुत क्षमता होती है। उनके परिणाम बहुआयामी होते हैं, जो किसी की भी व्यक्तिगत आवश्यकताओं की पूर्ति कर सकते हैं।

प्राकृतिक अवयव, सौंदर्य के दो आयामों 'उचित देखभाल' व 'त्वचा का कायाकल्प' में बेहतर तरीके से कारगर सिद्ध हुए हैं। उचित देखभाल से आशय

त्वचा की समस्याओं के पूर्वानुमान और उसके प्रति समय पर बरती जाने वाली सुरक्षा से है। इसके लिए व्यक्तिगत रूप से जागरूक होना भी आवश्यक है, ताकि अपनी त्वचा के स्वभाव के अनुरूप उचित कॉस्मेटिक सामग्रियों का चयन किया जा सके। सही संतुलन तथा बालों और त्वचा के अच्छे स्वास्थ्य के प्रति जाग्रत रहकर ही हम अनेक सौंदर्य समस्याओं से दूर रह सकते हैं।

उदाहरण के तौर पर तैलीय त्वचा, जिसमें 'सीवम' की अतिरिक्त मात्रा होती है, साथ ही बड़े रोमछिद्रों से युक्त यह त्वचा चेहरे पर धब्बों, मुंहासों व संक्रमण के लिए उत्तरदायी होती है, अतः ऐसी त्वचा को साफ करने के लिए धूल मुक्त रखकर इसके रोमछिद्रों को खुला रखने के लिए सही कॉस्मेटिक सामग्री का प्रयोग अत्यन्त आवश्यक होता है। साथ ही त्वचा के (अम्लीय-क्षारीय) संतुलन को भी नियन्त्रित करना आवश्यक है।

तैलीय व रोगयुक्त त्वचा के लिए प्रसाधनों में चंदन, लौंग, यूकेलिप्टस, कपूर, नीबू, खीरा, गुलाब, पुदीना इत्यादि का निचोड़ होता है। इनमें सिर्फ औषधीय गुण ही नहीं होते, बल्कि यह प्रत्यक्ष रूप से त्वचा को प्रभावित करता है। यह दर्द में भी राहत देता है। कैमोमाइल एक ऐसी जलन-रोधी औषधीय बेल है जिसमें हानिकारक तत्व न के बराबर होते हैं। इसका तेल बहुत हल्का व ताजा होता है, जो कई प्राकृतिक औषधियों के साथ प्रयुक्त होता है। इन सौंदर्य प्रसाधनों में दो या इससे अधिक औषधियों का बेजोड़ मेल होता है। वास्तव में अधिकांश जड़ी-बूटियों से अधिक फायदे हैं। कैमोमाइल तेल ढाई सौ वर्ष पहले से जले की दवा के रूप में इस्तेमाल होता आ रहा है।

चंदन, यूकेलिप्टस, लौंग इत्यादि से घाव भरने के गुणों से दर्द व त्वचा संबंधी परेशानियों में यह बहुत उपयोगी सिद्ध होते हैं। फिर चाहे सिर पर तैलीय बाल हों या रूसी। कुछ जड़ी-बूटियों से रूखी त्वचा पर अच्छा प्रभाव पड़ता है, जबकि अन्य दूसरी प्राकृतिक एस्ट्रिंजंट के रूप में उपचार कर अत्यधिक पसीने के स्राव को रोकती है।

चंदन

भारत में लोकप्रिय प्रसाधनों में चंदन सर्वाधिक प्रयोग होता है। भारत के प्राचीन ग्रंथों में कहा गया है कि चंदन के गुणों से सौंदर्य व त्वचा दोनों की रक्षा होती है। यह न सिर्फ जलन व खरोंचें दूर करता है, बल्कि त्वचा पर उम्र कम दिखने के

चमत्कारी प्रभाव भी देता है। यह सभी प्रकार की त्वचा के लिए आदर्श है। चूंकि यह हल्का एस्ट्रिंजंट होता है इसलिए रूखेपन का भी इलाज करता है। चंदनयुक्त क्रीम, त्वचा को प्रदूषण, सूर्य की तेज किरणों इत्यादि से बचाती है। चंदन का तेल कई प्रसाधनों में प्रयुक्त होता है।

गुलाब

गुलाब का अर्क एक ऐसा दूसरा प्रसाधनों का अवयव है जिसे उपचार व मनमोहक खुशबू के लिए वर्षों से इस्तेमाल किया जा रहा है। परफ्यूम व सुगंधित स्नान के लिए गुलाब आवश्यक अवयव के रूप में प्रयुक्त होता है। इसकी महक का नसों पर सीधा प्रभाव पड़ता है, जो थकान दूर करने में उपयोगी है। सभी जानते हैं कि शरीर व मन का निकट संबंध है जिसे गुलाब के संबंध से आराम मिलता है। इस प्रकार यह मन को प्रफुल्लित कर त्वचा को भी निखारता है। गुलाब हर प्रकार की त्वचा पर लाभकारी है। इससे परिपक्व त्वचा में नई जान और गुलाबीपन आता है, वहीं जलन व खुजली भी दूर होती है। संवेदनशील त्वचा के लिए यह क्लींजर का भी कार्य करता है।

गुलाब से आंखों के चारों ओर नाजुक त्वचा को भी लाभ होता है। इससे जलन व थकान दूर होती है। गुलाब के अर्क को रूई के फाहे से आंखों के नीचे लगाने से दीर्घकालिक लाभ तो मिलते ही हैं, तुरंत ताजगी का अहसास होता है। इसके अर्क में विटामिन 'ई' पाया जाता है।

एलोय वेरा

त्वचा के ढलने का प्रमुख कारण तेज सूर्य की किरणें, रूखा वातावरण व त्वचा का अत्यधिक नमी खोना है। ऐसे हमलों से त्वचा पर झुर्रियां पड़ जाती हैं, साथ ही उसका स्वाभाविक खिंचाव भी कम हो जाता है। शुष्क व झुर्रीदार त्वचा के लिए पुनः नमी व चमक प्रदान करने वाले उत्पाद बनाए गए हैं।

त्वचा की सफाई की प्रचलित प्रक्रिया से स्वाभाविक नमी खो सकती है, जो असंतुलन उत्पन्न करती है। दूसरी ओर एलोय-वेरा, कैक्टस व नीबूयुक्त क्लींजिंग क्रीम नमी का संतुलन रखते हुए अशुद्धियां दूर करती हैं। एलोयवेरा मॉश्चराइजर में पड़ने वाला महत्वपूर्ण अवयव है जिसमें शक्तिशाली औषधीय

गुण भी होते हैं। पुराने समय में एलोय के अर्क से घावों का उपचार होता था। यह नई कोशिकाओं के संवर्द्धन में सहायक तो है ही, एंस्ट्रिंजेंट व एन्टीबायोटिक का कार्य भी करता है।

जबसे एलोय-वेरा जेल बनी है, तभी से इसका विभिन्न प्रकार की त्वचा के प्रसाधनों में उपयोग होने लगा है। एलोय की एक मुख्य विशेषता यह भी है कि यह नमी खोने वाली त्वचा को सील कर देता है। क्लींजर व मॉश्चराइजर में एलोय होने से तीव्र नमी की कमी को पुनः पाया जा सकता है। यह त्वचा की मृत कोशिकाओं को भी प्रभावित करता है। एलोय इन मृत कोशिकाओं को नर्म कर इन्हें हटाने का काम करता है जिससे उसका स्थान अधिक नर्म त्वचा ले सके। त्वचा की कार्यप्रणाली में भी सुधार आता है। एलोय से सूर्य से हुई हानि व ब्लैक हेड्स होने पर भी इलाज होता है।

चमेली

चमेली के तेल में विटामिन 'ई' होता है जिसकी उम्र बढ़ने के साथ अधिक आवश्यकता होती है। स्वास्थ्यवर्धक क्रीम में चमेली का तेल उपयोगी अंश है। भारत में गुलाब की तरह चमेली भी अत्यधिक लोकप्रिय रही है। इसकी मनमोहक तासीर तंत्रिकाओं का तनाव दूर करती है। चमेली शुष्क व संवेदनशील त्वचा के लिए लाभदायक है, विशेषरूप से जब उस पर लाल रंगत व खरोंचे हों।

हल्दी

त्वचा को नरमी प्रदान करने वाली हल्दी से भी उपचार होता है। यह हल्की एन्टीसेप्टिक व प्राकृतिक ब्लीच भी है।

फेशियल मास्क में उपयोगी पौधे

कई औषधीय पौधों का इस्तेमाल 'फेशियल मास्क' में भी होता है। मास्क का उपयोग त्वचा की बाह्य देख रेख के लिए आवश्यक है। इससे न सिर्फ त्वचा की बेहतर सफाई होती है, बल्कि इससे सौंदर्य की देखभाल भी आसान होती है। इससे त्वचा की सतही कोशिकाएं अधिकाधिक हट जाती हैं जिससे वह चिकनी, नर्म व साफ हो जाती है। इसके नियमित इस्तेमाल से

रक्तसंचार बढ़ता है। एक आदर्श मास्क पॉउडर वह है, जो सभी प्रकार की त्वचा के लिए उपयोगी हो व उसमें विविध जड़ी-बूटियों के अर्क व तेल हों। यह खुले रोम छिद्रों, खरोंचों, कील-मुंहासों, झुर्रियों, शुष्क त्वचा, ब्लैक हेड आदि होने पर उपचार करने में कारगर हो।

समुद्री मोथा : समुद्री मोथा भी उपचार के लिहाज से बहुत मूल्यवान है। त्वचा को नवयौवन व नई चमक प्रदान करने की इसकी क्षमता नमी बनाए रखती है।

ब्राह्मी : औषधीय पौधों से बने उत्पादों से सिर की त्वचा के रोगों का भी उपचार होता है जिससे बालों का अच्छा स्वास्थ्य व सौंदर्य कायम रहे। भारत में बहुत विशाल स्तर पर आयुर्वेद में ब्राह्मी का उपयोग होता रहा है। यह जलन दूर करने व संक्रमण रोकने में लाभकारी है। इसकी तासीर तंत्रिकाओं को ठंडक व आराम देती है। संवेगात्मक दबावों से संबद्ध बाल झड़ने की समस्या का ब्रह्मी ने चमत्कारिक निदान किया है। तंत्रिका की टॉनिक व उदासीनता दूर करने की क्षमता के कारण यह जड़ी-बूटी आत्मविश्वास जगाकर आशावादी बनाती है। ब्राह्मी त्वचा व सिर की खाल का अम्लीय-क्षारीय संतुलन बनाए रखती है। इसका इस्तेमाल बालों के कंडीश्नर के रूप में आंवला, हिना, चंदन, शिकाकाई के साथ होता है। आंवला बाल भूरे होने से रोकते हैं तो हिना सबसे अधिक प्राकृतिक कंडीश्नर है। हिना व आंवले का उपयोग हर्बल शैंपू में होता है, जिससे काफी हद तक रूसी व बाल झड़ने की समस्या दूर होती है। दूसरी ओर शिकाकाई प्राकृतिक रूप से सिर की खाल की अम्लीय परत को छेड़े बिना अच्छी तरह बालों की सफाई करता है।

नीबू की महत्ता

सर्दियों के मौसम में नीबू का प्रयोग श्रेयकर रहता है। प्राचीन काल की महिलाएं त्वचा की शुष्की दूर करने के लिए नीबू के रस का इस्तेमाल करती थीं। वास्तव में सौंदर्य के क्षेत्र में नीबू बहुत उपयोगी है। सौंदर्य वृद्धि के लिए नीबू का प्रयोग निम्न तरीकों से किया जा सकता है।

नीबू का रस : यह फल व सब्जी दोनों ही रूप में देखा जाता है। यह त्वचा की चिकनाई और बालों की जड़ों को मजबूत करने के लिए गुणकारी है।

विरंजक के रूप में : शुष्कता से शरीर पर पड़े दाग दूर करने के लिए नीबू के टुकड़े को कोहनियों, एड़ियों और पैर की उंगलियों पर रगड़ें। फिर पानी से धो डालें।

हाथों के लोशन के रूप में : नीबू के रस को गुलाब जल के साथ मिलाइए और हाथों

को चिकना रखने के लिए इस मिश्रण को मलिए। हाथों में चीनी लगाकर उन पर नीबू तब तक रगड़िए, जब तक चीनी के दाने घुल न जाएं। फिर पानी से धो डालिए। एक माह तक ऐसा करने से हाथों का खुरदरापन दूर हो जाएगा।

बाल धोने के लिए : चाय के उबले और छने पानी में नीबू का रस मिलाइए। बालों को शैम्पू करने के बाद इस मिश्रण से तुरंत धो डालिए। यह बालों को चमक प्रदान कर उन्हें कोमल बनाता है। सुबह टमाटर का गर्म जूस दो-तीन बूंद नीबू के रस के साथ लें और इसके बाद नाश्ता लें। नए साल में अपने अंदर नई-नई अच्छी आदतें समाहित कीजिए। यानी सुन्दर बनिए और सुन्दर रहिए।

पुदीना : पुदीने के अर्क का उपयोग भी बाल व त्वचा की देखभाल करने वाले प्रसाधनों में बहुतायत से होता है। यह शीतलता देकर खुजली व खरोंचों से निजात दिलाता है। इसके तेज प्रभाव के कारण इसे दूसरे औषधीय पौधों के साथ मिलाकर हल्का किया जाता है। यह त्वचा व सिर की खाल पर बैक्टीरिया के संक्रमणों को दूर करने में प्रभावी है। यह त्वचा को तेजवान बनाता है, इसलिए प्रायः इसका उपयोग तेल व हेयर कंडीश्नर में होता है।

हर्बल सौंदर्य प्रसाधनों ने आधुनिक महिलाओं को आकर्षक भविष्य सौंपा है।

1. झाइयां, मुहांसे दूर करने हों तो पोदीने की कुछ पत्तियां पानी में पीसकर सोने से पहले हर रोज रात में लगाएं, इससे जरूर लाभ होगा।

2. दो चम्मच जई का पॉउडर, चौथाई चम्मच पोदीने की पत्तियां, चौथाई चम्मच सूखा हुआ पोदीना, इनमें गर्म पानी डालकर पेस्ट बना लें और चेहरे पर लगाएं। सूख जाने पर इसे ठण्डे पानी से साफ कर लें।

एल्कोहल : इसमें सिरका एण्टीसेप्टिक पाया जाता है, जो हमारी त्वचा को छिलने से बचाता तथा निखारता है।

एलैन्शन : यह वनस्पति से बना एक पदार्थ है। इसका प्रयोग उन विभिन्न उत्पादों के लिए होता है, जो होंठ और त्वचा की रक्षा करते हैं।

बादाम : बादाम का प्रयोग चेहरे पर फैलाकर लगाने के लिए होता है। बादाम बारीक पीसकर या घिसकर चेहरे पर लगाने से चेहरा चिकना और चमकदार बनता है। लगाने से कुछ देर बाद, जब घोल सूखने लगे तो चेहरा धो लेना चाहिए। इससे चेहरे की सफाई होती है।

बादाम रोगन : इसका प्रयोग अधिक किया जाता है। इसे घर में तैयार कर इससे त्वचा की देखभाल कर सकते हैं। जो बादाम पीसने और घिसने से बचना चाहते हैं, वे बादाम रोगन का इस्तेमाल कर सकते हैं।

फिटकरी : यह एक सफेद पीले रंग का स्ट्रेजिन पॉउडर है। इसका लोशन बनाया जाता है, जो पैर फटने पर लगाया जाता है। इसका प्रयोग शैम्पू को सुखाने में किया जाता है।

फेशियल मास्क में उपयोगी पदार्थ

खीरा : यह खुले रोमों को बन्द करता है। सूर्य की किरणों से काले पड़े चेहरे पर ठण्डक पहुंचाता है। जो लोग सौंदर्य उपचार के नैसर्गिक तरीके को पसन्द करते हैं, उनके लिए तो यह बहुत ही महत्त्वपूर्ण सिद्ध होगा। ताजे खीरे का छह चम्मच रस, छः चम्मच ड्रिस्टिल्ड विच हेजल, दो चम्मच पानी, इन सबको लेकर मिला लें। मिलाने के बाद तरल घोल को शीशी में डालकर, फ्रिज या ठण्डी जगह में रख दें। इसे लगाने से पहले हिला लें।

रस निकालने के लिए आधा खीरा लेकर उसे कुचलें। उसके बाद उसे आग पर रखकर थोड़ा गर्म करें, पर उबालें नहीं। गर्म करके उसे नायलोन के मोजे से छान लें। खीरे में से रस निकालकर उसमें एक-चौथाई नीबू का रस और गुलाब जल मिलाएं। चेहरे पर इसे पन्द्रह मिनट तक लगा रहने दें। यह तैलीय और बुझी-बुझी त्वचा के लिए बहुत उम्दा होता है। यह त्वचा की सफाई के लिए बहुत आवश्यक है।

काली सांवली त्वचा को निखारने के लिए एक चम्मच खीरे के रस में नीबू के रस की कुछ बूंदें और टर्मिरिक (हल्दी) पॉउडर मिलाकर चेहरे और गले पर आधे घण्टे तक लगाएं।

एक-एक चम्मच खीरे का रस व दूध और गुलाब जल की कुछ बूंदें मिलाकर, चेहरे पर लगाने से निखार आएगा।

गाजर : यह न सिर्फ स्वास्थ्य, बल्कि त्वचा के ऊपरी (बाह्य) उपचार के लिए भी सर्वोत्तम है।

गाजर को उबालकर ठण्डा होने पर त्वचा पर फैला दें। 30 मिनट बाद चेहरा, गला बांहें, साफ कर लेनी चाहिए।

आलू :

1. यह त्वचा को निखारता है। कोमल बनाता है, आंखों की सूजन दूर करता है।

2. कच्चा आलू काटकर चेहरे, हाथों व गले पर फेरें, आंखों पर रखें, गर्म-थके पैरों पर मालिश करें और सूखने पर ठण्डे पानी से धो डालें।

3. आलू के रस को चेहरे और गर्दन पर लगाएं और सुबह उठकर पानी में 'विच हेज़ल' मिलाकर उसे धो डालें। इससे त्वचा निखरकर चमकने लगेगी।

पपीता : एक चम्मच कच्चा पपीता कुचला हुआ, चेहरे और गर्दन पर पन्द्रह मिनट तक लगाएं। इससे त्वचा कोमल, चिकनी, चमकदार होकर निखरती है। साथ ही मुंहासें भी साफ हो जाते हैं।

नाशपाती : इनके छोटे-छोटे टुकड़े करके चेहरे पर फेरें या रस निकालकर 1/4 नीबू और टमाटर का रस मिलाकर, गले और चेहरे पर पन्द्रह मिनट तक लगा रहने दें। यह त्वचा को सुन्दर बनाता है।

नाशपाती का छिलका उतारकर कुचल लें और एक अण्डे की सफेदी का झाग उठाकर दोनों को मिला लें। फिर इसे शेविंग ब्रश से चेहरे पर लगाएं। करीब 20-30 मिनट बाद ठण्डे पानी से धो डालें।

तरबूज : इसके पतले-पतले टुकड़े करके चेहरे पर रगड़ें या रस निकालकर चेहरे और गर्दन पर खूब अच्छी तरह से रगड़ें। लगभग 15 मिनट तक इसे लगा रहने दें। इससे आपको बहुत ठण्डक और ताजगी महसूस होगी। तरबूज का गूदा और इसके बीज त्वचा को साफ एवं हल्का बनाते हैं।

संतरा : संतरे के छिलकों को पानी में उबालकर, ठण्डा करके, स्किन टॉनिक की तरह प्रयोग किया जा सकता है।

ताजे संतरे के छिलके को चाकू से काटकर बांहों व गले पर मलने से त्वचा कोमल होगी।

दो बादाम भिगोकर पीस लें तथा उसमें 2 चम्मच दूध, 1-1 चम्मच गाजर और संतरे का रस मिलाकर, चेहरे और गर्दन पर गाढ़ा-गाढ़ा लेप करें। इसे आधे घण्टे तक रहने दें। इससे झाइयां दूर होगी और त्वचा भी चिकनी व कोमल हो जाएगी।

सेब : यह एक प्राकृतिक अम्लीय फल है। यह त्वचा के लिए लाभदायक है। यह तैलीय त्वचा के लिए एक बहुत बढ़िया टॉनिक है।

1. सेब को काटकर, टुकड़े-टुकड़े करके चेहरे पर लगाएं, उस समय आप सीधा लेट जाएं! लगभग 15 मिनट बाद चेहरा अच्छी तरह धो लें।

2. एक चम्मच सेब का रस 1/4 चम्मच नीबू का रस मिलाकर भी आप चेहरे पर लगा सकती हैं।

3. एक बड़े सेब का छिलका और बीच वाला सख्त भाग निकालकर कुचल लें। इसमें दो चम्मच खट्टे दूध की क्रीम मिला लें। यह लेप चेहरे पर अच्छी तरह मलें। 20 मिनट बाद गुनगुने पानी से धोएं और इसके बाद ठण्डे पानी से।

सेब मुरब्बा : यह त्वचा पर जमकर सीरप की भांति काम करता है ।

पत्ता गोभी : दो पत्तों का रस, 1/4 चम्मच जौ का आटा लें फिर इसमें एक चम्मच शहद मिलाकर, चेहरे और गले पर लगाएं, फिर 15 मिनट बाद पानी में भीगी हुई रूई के फाहे से साफ कर लें । यह झुर्रियों और सूखेपन को दूर करता है ।

अण्डा

1. एक ताजा अण्डा, 2 चम्मच अधिक चिकनाई वाली क्रीम, 1/2 चम्मच रस या ब्राण्डी ले लें । अण्डे के पीले भाग को क्रीम में डालकर अच्छी तरह मथ लें । सफेदी को रस या ब्राण्डी में डालकर खूब फेंटें, फिर चारों चीजों को मिलाकर ब्रश के साथ चेहरे पर लगाएं । इसे तीस मिनट तक लगा रहने दें । फिर ठण्डे पानी से धो डालें ।

2. एक अण्डे का पीला भाग, 1 चम्मच ग्लिसरीन दोनों को मिलाकर एक कर लें, फिर इसे चेहरे पर थपथपाएं और सूख जाने पर गुनगुने पानी से धो डालें । इससे त्वचा साफ हो जाती है ।

3. दो अण्डों की सफेदी में चुटकी-भर बोरिक पॉउडर मथकर खोपड़ी और बालों पर मलें, इससे बाल बहुत साफ और चमकीले हो जाते हैं ।

4. दो अण्डे, एक गिलास रम (शराब) में फेंटकर बालों पर पन्द्रह मिनट लगा रहने दें, फिर हल्के गुनगुने पानी से धो डालें । बाल साफ होंगे ।

नारियल : इसके पानी को मलने से त्वचा खूब साफ निखरती है ।

जौ

1. जौ का थोड़ा-सा पॉउडर, दो चम्मच नीबू का रस, थोड़ा-सा दूध, इन सबको मिलाकर चेहरे पर लगाएं । इसे सूखने पर ही धोना चाहिए । इससे चेहरे का रक्त संचार भी ठीक होता है और त्वचा भी साफ-सुथरी हो जाती है ।

2. एक औंस शहद, एक अण्डे की सफेदी, एक चम्मच ग्लिसरीन, थोड़ा-सा पिसा हुआ जौ का पॉउडर, इन्हें मिलाकर हाथों पर मलें, इससे हाथ कोमल हो जाएंगे ।

स्ट्राबेरी : तीन चम्मच स्ट्राबेरी का गूदा और टैलकम मिलाकर चेहरे पर मलें । इसे मलने के बीस मिनट बाद गुनगुने पानी से धो डालें । यह त्वचा का बढ़िया टॉनिक है ।

सिरका : यदि आपके सिर में रूसी है तो आधा कप सिरका, आधा कप पानी मिलाकर इसे बालों की जड़ों में रूई के फाहे से लगाएं । सिर धोने से पहले इस घोल को नियम से लगाया जाए तो कुछ ही हफ्तों में रूसी दूर हो जाती है ।

सलाद : सलाद के दो पत्ते, एक गुलाब का फूल, कुछ बूंदें नीबू का रस मिलाकर तैलीय त्वचा पर लगाना चाहिए । इससे चिपचिपापन दूर होता है ।

मेहंदी : इसे बालों में लगाने के अलावा, इससे पैरों की जलन भी मिटाई जाती है। स्त्रियां इससे अपने हाथ-पैरों में सुन्दर नमूने भी बनाती हैं। इसकी पत्तियों को पानी में उबालें, फिर ठण्डा करके पानी में डाल लें। इससे चेचक के दाग, घमौरी और खुजली दूर हो जाती है।

चाय

1. चाय की पत्ती को पानी में उबालकर, इससे बाल धोने पर निश्चित रूप से वे गिरना बन्द हो जाते हैं। बालों को चमकदार करने के लिए उस पानी में थोड़ा-सा नीबू भी डाल लें।

2. रूई के फाहे को चार चम्मच नीबू के रस और बर्फ के पानी में भिगोकर आंखों पर रखेंगी तो थकान दूर हो जाएगी।

3. तैलीय त्वचा पर नीबू के रस और बर्फ के पानी को मिलाकर मालिश करने से चिपचिपाहट समाप्त हो जाती है।

4. एक अण्डे के पीले भाग में नीबू का रस और 'ओलिव ऑयल' (जैतून का तेल) की कुछ बूंदें मिलाकर लगाने से सूखी त्वचा चिकनी हो जाती है।

दूध : त्वचा को कोमल बनाता है तथा स्किन टॉनिक का काम करता है।

विभिन्न प्रकार के तेल

नहाने से पहले दो चम्मच ओलिव ऑयल (जैतून का तेल) और कोलोन पानी में डालें, इससे पूरा शरीर चिकना और सुगन्धित हो उठता है।

1. सरसों का तेल बहुत उपयोगी होता है। सर्दियों में नहाने से पहले इसकी मालिश करने से त्वचा फटती नहीं है। शरीर के किसी भी भाग की त्वचा फट गई है, तो वहां पर सरसों के तेल में नमक मिलाकर लगाना चाहिए, त्वचा चिकनी हो जाएगी।

2. फटे होंठ, झुर्रियों वाली कोहनी तथा खुश्क चेहरे पर बेबी ऑयल लगाएं। यह कमजोर नाखूनों को भी मजबूत बनाता है, लेकिन सफेद आयोडीन मिलाकर लगाएं।

3. सर्दियों में खुश्क हवा से त्वचा फट जाती है। कैस्टर ऑयल (अरण्ड का तेल) से आधी मात्रा में गुलाब जल मिलाकर, खुरदरी त्वचा पर लगाने से त्वचा कोमल होती है। अक्सर महिलाओं की एड़ियां बहुत फटती हैं, उन्हें चाहिए कि वे एड़ियां साबुन से साफ करके तथा पौंछकर कस्टर ऑयल मलें। इससे त्वचा समतल हो जाएगी। ओलिव ऑयल (जैतून का तेल) की मालिश त्वचा को ठंडक प्रदान करती है।

4. अण्डे का पीला भाग, आधा चम्मच ओलिव ऑयल और नीबू के रस की कुछ बूंदें मिलाकर चेहरे पर पन्द्रह मिनट तक लगा रहने दें। सूखने पर पहले गर्म, फिर ठण्डे, फिर गर्म पानी से धो डालें, इससे त्वचा चिकनी होगी।

इत्र : सुबह उठकर ताजे खुशबूदार फूल एकत्र कर लें और इन फूलों की पंखुड़ियों को शीशे की चौड़े मुंह वाली बोतल में एक परत पंखुड़ी की और एक परत रूई के छोटे-छोटे टुकड़ों की रखें। रूई के फाहों को ओलिव ऑयल में भिगो लेना चाहिए।

इसके बाद बोतल को कसकर बन्द कर, लगभग 15 मिनट तक धूप में रखें। फिर रूई और पंखुड़ियों को निचोड़कर एक शीशी में इकट्ठा कर लें। इस खुशबूदार परफ्यूम को कपडों पर न लगाएं, दाग पड़ जाते हैं। आप अपनी हथेली, कलाई, गले और कान के पीछे इसे लगा सकती हैं। विवाह पार्टी आदि में जाने पर इसका प्रयोग करें।

एंग्लिका : यह एक ऐरोमैटिक (सुगन्धयुक्त) पेड़ है, जो बाग में होता है। इसकी पत्तियां तिकोनी होती हैं। इसका फूल सफेद हल्का पीला होता है। यह भी सौंदर्य प्रसाधन वनस्पति है। इसका प्रयोग गले की त्वचा को सुन्दर बनाने में किया जाता है। इसके वृक्ष में एल्कोहल पदार्थ भी पाया जाता है।

खूबानी : इसमें विटामिन 'ए' पाया जाता है। इसका प्रयोग चेहरे को गुदगुदा बनाने में किया जाता है। खूबानी का तेल वसा युक्त होता है, इसलिए इसका प्रयोग नैरेशिंग क्रीम में किया जाता है।

एस्कोरबिक लवण : इसमें विटामिन 'सी' पाया जाता है। इसको पीसकर चेहरे पर हल्के हाथ से लेप के रूप में लगाने से त्वचा के विकार हटते हैं। चेहरा स्वच्छ और चमकदार बनता है।

ऐवोकेडो : इसमें त्वचा को सुन्दर व कोमल बनाने वाला विटामिन पाया जाता है। इसका लेप चेहरे को नर्म-मुलायम बनाता है और इसका तेल क्रीम बनाने में प्रयोग किया जाता है।

बेबी ऑयल : यह एक बिना मिश्रण का अच्छा तेल होता है, जो त्वचा पर मला जाता है। इससे त्वचा कोमल और मुलायम हो जाती है। विचारकों का कहना है कि यह एक ऐसा तेल है, जो सब्जी की भांति है, अतः यह अन्य तेलों से ज्यादा त्वचा के लिए गुणकारी है। इसका प्रयोग लोशन व क्रीम बनाने में किया जाता है।

केला : इसका प्रयोग मुखौटा (फेस मास्क) बनाने में होता है। पके केले के गूदे को मलकर लेप की तरह कर लें तथा चेहरे पर लगाएं। सूखने पर मास्क रूप में पूरी परत उतार दें। चेहरा साफ, चमकदार बन जाएगा।

बरगद : यह जंगलों और कम नमी वाली जमीनों में बहुतायत से पाया जाता है।

यह घना और चौड़ी पत्तियों वाला, अधिक आयु वाला पेड़ होता है। इसमें विटामिन 'बी' व विटामिन 'ई' बहुतायत से पाया जाता है। इसका प्रयोग हर्बल दवाओं में होता है। यह त्वचा को स्वास्थ्यवर्द्धक बनाता है। इसका सीरप त्वचा पर मलने के लिए उपयोगी माना जाता है।

तुलसी : ये ऐरोमैटिक वनस्पति है। इसमें सफेद फूल पाए जाते हैं। इसकी पत्ती का आकार अण्डाकार होता है, जो चमकीली होती है। तुलसी की सुगन्ध दवाइयों के लिए जमा की जाती है। तुलसी का सीरप लाभकारी सिद्ध होता हैं। इसका असर उत्तेजक एवं गठीला होता है। इसकी पत्ती से दवाएं, लोशन, सौंदर्य लेप आदि तैयार किए जाते हैं।

बीयर (जौ की मदिरा) : इसके लोशन का प्रयोग मुंह धोने व बालों को सही करने के लिए किया जाता है। यह त्वचा की रक्षा करता है।

मधुमोम : इसका प्रयोग भारी मात्रा में किया जाता है। विचारकों का कहना है कि यह चेहरे की क्रीम के लिए लाभदायक है।

लोहबान : यह एक वृक्ष से बनता है, एण्टीसेप्टिक और सुरक्षित है। टिंचर, बेन्जोइक व तरल पदार्थ करके इससे क्रीम व त्वचा का सीरप बनाया जाता है।

बेन्जोइक लवण : यह एक सुरक्षित लवण है। इसको चेहरे के कील-मुंहासों से रक्षा के लिए इस्तेमाल किया जाता है।

बोरगामेट : यह एक ऐरोमैटिक वनस्पति है। बोरगामेट का तेल व चमेली का तेल मिलाकर इत्र बनाया जाता है। यह चेहरे की सुन्दरता के लिए सहायक है।

बिटोनी : यह बैंगनी रंग के फूल वाला पौधा है। इसका प्रभाव ठण्डा है। यह प्राकृतिक दर्द व सिर दर्द के लिए बड़ा ही कारगर है।

धावन सोडा : यह एक अम्लीय लवण है। धावन सोडा का मिश्रण दांतों की सफाई व चमक लाने के लिए लाभकारी है।

काली रसभरी : रसभरी एक स्वादिष्ट फल तो है ही, रक्ताल्पता के लिए भी बहुत उपयोगी है। इसकी पत्तियों से सीरप बनाया जाता है, जो एपरिसे व एकरीटेड का मिश्रण है। इसकी पत्तियों से लोशन भी बनाया जाता है, जो हर मौसम में त्वचा की रक्षा के लिए उपयोगी है। रसभरी में बड़ी मात्रा में विटामिन 'सी' पाया जाता है।

बोरग : यह एक विशेष आकृति और नीले फूल वाला चमकीला वृक्ष है। यह चरागाह में पाया जाता है, यह बहुत ऊंचाई पर पैदा होता है। यह लगभग 20 फुट लम्बा होता है। यह सफेद कड़े बालों के पत्तों से ढका रहता है। बोरग का रस त्वचा को सुकोमल बनाता है।

चोकर : इसका प्रयोग चेहरे को चिकना करने में किया जाता है। यह लेप बनाकर चेहरे पर मुखौटे की तरह लगाया जाता है। इससे त्वचा कोमल और स्निग्ध होती है।

खमीर : इसमें काफी मात्रा में प्रोटीन व विटामिन 'बी' पाया जाता है। यह त्वचा को खुश्की से बचाए रखती है। इसका पॉउडर व लेप मुखौटे की भांति लगाया जाता है।

मक्खन : इसका प्रयोग चेहरे की ब्लीचिंग के लिए होता है। इससे त्वचा वसायुक्त रहती है।

गोभी : इसमें विटामिन व खनिज लवण पाया जाता है। इसके पानी से मुंह धोने से त्वचा चिकनी होती है।

कैलेण्डुला : इसके पत्ते और फूल एक्जिमा से ग्रस्त रोगी त्वचा के लिए लाभकारी हैं। खोई हुई ताकत को लाना इसका दावा है।

कैमोमाइल : यह बंजर जमीनों पर पाया जाता है। इसका फूल सुन्दर होता है। पत्ती सुरमई और हरी होती हैं। वृक्ष बड़ा होता है और उसमें से सेब की भांति खुशबू आती है। इसकी पत्ती, डंठल व फूल दवाइयां बनाने के लिए इस्तेमाल में आते हैं। कोमाइल का प्रयोग एड़ी फटने, थकावट और अन्य त्वचा की बीमारियों में किया जाता है। इस वनस्पति का उपयोग चेहरे की सुन्दरता बनाए रखने, बालों को सही करने में होता है। कोमाइल एक टॉनिक है, इसको शहद में मिलाकर मीठा किया जाता है।

कैलामाइन लोशन : नीबू, पानी, ग्लिसरीन, जिंक ऑक्साइड और कैलामाइन का मिश्रण कैलामाइन लोशन कहलाता है। यह लोशन त्वचा को सुन्दर बनाता है।

कैम्फर (कपूर) : यह एक एण्टीसेप्टिक है। कैम्फर तेज दर्द के लिए उपयोगी है तथा मांसपेशियों के दर्द में इसकी मालिश की जाती है।

केलेनडाइन : यह जीवाणुओं से रक्षा करता है। कुछ वनस्पतिशास्त्री मानते हैं कि यह दूध और पानी के गुण वाला पौधा है।

क्लेवर्स : यह छोटे आकार का पेड़ है। इसका फूल सफेद होता है। इसके फल का आकार गोल होता है। यह बालों के रोगों के लिए बहुत उपयोगी है। इस वनस्पति का लोशन त्वचा के लिए टॉनिक का काम करता है। यह त्वचा के कैंसर और कोढ़ रोग से रक्षा करता है।

लौंग : यह मसाले के रूप में प्रयोग होती है। त्वचा की रक्षा करती है। इसका सीरप बनता है तथा मुखौटा बनाने में भी इसका प्रयोग होता है।

कोम्को बटर : कोको के फल से निकली चिकनाई कोम्को बटर कहलाती है। इससे क्रीम बनती है। इसकी बनी क्रीम त्वचा के सूखेपन के लिए विशेष लाभकारी है।

कम्फरी : यह रेशम के आकार का होता है। कम्फरी के वृक्ष गुफाओं के किनारों पर पाए जाते हैं। इसके फूल घण्टी के आकार के होते हैं। इसका रंग गुलाबी, नीला व बिस्कुटी होता है। यह बड़े दिन के पेड़ के नाम से भी जाना जाता है। हड्डी टूटने में इसका विशेष उपयोग होता है। आंखों के लिए इससे क्रीम तैयार की जाती है।

मक्का का तेल : मक्का या मकई अनाज दाना से मक्का का तेल बनता है। इसमें विटामिन 'ए' और मैग्नीशियम पर्याप्त मात्रा में मिलता है।

डेन्डीलामन : यह सुनहरे पीले रंग का चमकदार पौधा होता है। डेन्डीलामन त्वचा सम्बन्धी दवाइयां बनाने में इसका प्रयोग होता है। यह किडनी की शिकायत के लिए लाभप्रद है। इसे सलाद रूप में भी प्रयोग किया जाता हैं। इसका रस त्वचा की देखभाल नोरेशिंग क्रीम की तरह करता है।

सूखा दूध : इसका प्रयोग त्वचा को कोमल बनाने में किया जाता है। इसके पॉउडर से मास्क तैयार किया जाता है।

इलेडर : इसका समस्त भाग प्रयोग होता है। इसकी पत्तियों में शहद मिलाकर तैयार मिश्रण को चेहरे पर लगाया जाता है। यह त्वचा को नरम बनाता है। इसके फूल सर्दी में फटने वाली त्वचा की रक्षा करते हैं। इसका प्रयोग जले-कटे पर भी लाभकारी है।

आई ब्राइट : जैसा कि नाम से प्रकट है, आंखों की सुन्दरता, चमक के लिए यह वनस्पति बहुत उपयोगी होती है। यह चरागाहों में पाई जाती है। इसके पीले व सफेद फूल होते हैं। इसकी पत्तियों का आकार अण्डाकार होता है, जो नीचे झुकी रहती हैं। इस वनस्पति का प्रयोग ऑपथेलमिक के रोग के लिए उपयोगी है। इसके रस से आखों की चमक हेतु अच्छा लोशन बनता है। एक चम्मच टिंचर, आधा चम्मच सालिन का पानी मिलाकर उबालें और फिर ठण्डा करें। उसमें इसका रस डालकर आंख धोने के काम में लाएं, आंखों की चमक और ज्योति बढ़ेगी।

फेनल : यह एक ऐसी वनस्पति है जो त्वचा को मौसम के बुरे प्रभाव से बचाती है। इसको उबालकर उसकी भाप चेहरे पर लेते हैं। इसके पानी की भाप से त्वचा की अतिरिक्त वसा छंटती है।

मुल्तानी मिट्टी : इस मिट्टी का रंग हल्का पीला होता है। इसमें खनिज लवण पर्याप्त मात्रा में होते हैं। इसका मुखौटा बनाकर चेहरे पर लगाते हैं। चेहरा मुलायम और साफ होता है। तैलीय त्वचा की चिकनाहट हटाने में भी इसका प्रयोग होता है।

लहसुन : यह आयुर्वेदिक वनस्पति है। सूखी त्वचा की रक्षा करती है।

गैलेटाइन : इसमें काफी मात्रा में प्रोटीन पाया जाता है। इसका प्रयोग बालों को रेशम-सा मुलायम बनाने में किया जाता है। इससे त्वचा का लोशन भी बनाया जाता है। नाखूनों की वृद्धि और सुरक्षा के लिए भी इसकी क्रीम बनाई जाती है।

ग्लिसरीन : इसकी क्रीम व लोशन का प्रयोग चेहरे पर लगाने में किया जाता है। यह सर्दी का बुरा प्रभाव चेहरे पर नहीं पड़ने देती।

अंगूर : यह एक लवणयुक्त फल है। इसका प्रयोग चेहरे की ब्लीचिंग व बाल साफ करने में किया जाता है।

अखरोट का तेल : यह पर्वतीय क्षेत्र में उगने वाला एक फल है। इसकी गिरी से निकले तेल से क्रीम बनती है, जो चेहरे को मुलायम रखती है। इसका लोशन शरीर पर मला जाता है।

हॉली होक्स : इससे सीरप बनता है, जो त्वचा के लिए अत्यंत उपयोगी है।

हाउसलीक : लोशन बनाकर इसका प्रयोग त्वचा को निरोगी व कोमल बनाता है।

कॉलिन : यह एक सफेद रंग की मिट्टी है। इसका प्रयोग त्वचा को गोरा बनाने में होता है।

कल्प : यह एक प्रकार का खनिज लवण है। त्वचा को सूखने और झुर्रियों से रक्षा के लिए यह उपयोगी है।

कोहूल : इसका प्रयोग आंखों में मस्कारा लगाने में होता है।

लेनोलिन : यह त्वचा को फूलने से बचाता है। इसका प्रभाव त्वचा को रेशमी व सुकोमल बनाने में होता है।

लैवेण्डर : यह एक छोटे सुगन्धित पौधे से तैयार रस कहलाता है। इसकी सुगन्ध काफी समय तक सुरक्षित रहती है। नहाने के टब में कुछ बूंदें डालने से इसकी खुशबू से त्वचा को ताजगी मिलती है। इसका मिश्रण मालिश के भी काम आता है।

लैक्टिन पॉउडर : यह एक पीले रंग का पॉउडर है जिसे धी, अण्डे की जर्दी और सोयाबीन से तैयार किया जाता है।

चुकन्दर : इसमें खनिज लवण, लोहा और विटामिन पर्याप्त मात्रा में होते हैं। इसका गुण ठण्डा और त्वचा को ताजगी देने वाला होता है।

गेंदा : नारंगी रंग के गेंदे का पुष्प ज्यादा गुणकारी होता है। इसके रस से सूखी त्वचा में ताजगी आती है। इसके रस में त्वचा की हर प्रकार से रक्षा का गुण होता है।

मार्श्च मैरो : यह बंजर जमीन पर उगता है। इस वनस्पति की पत्तियां नीचे झुकी रहती हैं। यह त्वचा की गुथी हुई नसों को सुलझाने में उपयोगी होता है।

तरबूज : तरबूज फल का गूदा और इसके बीज त्वचा को साफ व ताजा बनाते हैं।

मिनरल ऑयल : यह रंगहीन तेल होता है। क्रीम बनाने में यही तेल उत्तम पाया जाता है।

कस्तूरी : यह हिरण की नाभि में पाई जाती है। त्वचा की सुगन्ध व खूबसूरती के लिए इसका इस्तेमाल होता है, यह अत्यंत गुणकारी है।

मेरी : इसका प्रयोग एसेन्स बनाने में होता है। यह एक प्रकार का फूल होता है, जिससे रस निकाला जाता है। इससे तैयार सीरप त्वचा की रक्षा करता है और स्वस्थ एवं सुंदर बनाता है।

नेटल : यह बंजर भूमि पर झाड़ियों की शक्ल में होता है। चरागाह के मैदानों में भी यह पौधा पाया जाता है। यह श्रेष्ठ औषधीय गुणों वाला होता है। यह खून का दौरा सही रखता है। त्वचा रोगों के लिए गुणकारी होने के साथ त्वचा में स्निग्धता भी लाता है।

ओक : यह एक लम्बा वृक्ष है। ओक की पत्तियों को पानी में पकाकर उससे नहाना त्वचा के लिए लाभकारी है। यह त्वचा को सुकोमल बनाती है।

जई का आटा : यह त्वचा के लिए बहुत गुणकारी है। यह एक प्रकार के अनाज का आटा होता है। पानी में मिलाकर इसका मुखौटा (मास्क) बनाया जाता है। यह परचून की दुकानों पर मिल जाया करता है।

औलेइक एसिड : यह एक लाभकारी तरल पदार्थ है, जो छूत के रोगों से रक्षा करता है।

जैतून का तेल : इसे जैतून के पेड़ की पत्तियों और छाल से तेल तैयार किया जाता है। इसका प्रयोग नैरेशिंग क्रीम बनाने में होता है।

सूरजमुखी का तेल : इसमें त्वचा को नमी पहुंचाने के अद्भुत गुण होते हैं। इसका तेल लू से रक्षा करता है। यह सभी औषधीय गुणों से युक्त है। इसके तेल से नैरेशिंग क्रीम तैयार की जाती है।

प्याज : प्याज के रस से मुंह धोने से मुंहासें खत्म हो जाते है। प्याज के रस में शहद मिलाकर वैसलीन बनाई जाती है।

अजमोदा : यह एक मौसमी फल है। इसका रस त्वचा के लिए गुणकारी होता है।

आड़ू : इस फल का गूदा त्वचा के लिए लाभकारी होता है, जिसे मुखौटा बनाकर चेहरे पर लगाया जाता है। इससे धोने से बाल मुलायम रेशम की तरह चिकने हो जाते हैं।

पिपरमैंट : यह एक उत्तेजक पदार्थ है। इसकी थोड़ी मात्रा मुखौटा बनाने व सीरप बनाने में प्रयुक्त की जाती है।

पेट्रोलियम जैली : इससे त्वचा साफ करने की क्रीम बनाई जाती है। नाखून तथा हाथ-पैर साफ करने की क्रीम भी इससे बनती है।

पिम्परनेल : एक छोटा पेड़ होता है। इसका फूल बसन्त ऋतु में खिलता है। इसकी पत्ती का आकार अण्डाकार होता है। इसकी टहनी झुकी हुई व फूल चमकीले होते हैं। इसका प्रयोग आंखों के नीचे की झुर्रियां मिटाने में होता है। यह कीटाणुओं से रक्षा करता है। इसका उपयोग लोशन बनाने में होता है, जो बालों की जड़ों को मजबूत करता है।

चीड़ : एक लम्बा पेड़ होता है। इसका तेल निकाला जाता है, जिसके औषधीय गुण होते हैं। इसका तेल दर्दनाशक होता है। नहाने के पानी में इसके तेल को डालकर नहाना गुणकारी होता है और त्वचा चिकनी होती है।

बेर : स्वास्थ्य के लिए उपयोगी फल है। इसका इस्तेमाल क्रीम में, सीरप रूप में व मुखौटा बनाने में किया जाता है।

रूहबर्ब : इसकी जड़ का प्रयोग बालों को नरम बनाने में किया जाता है। यह हमें सुनहरे रंग का शहद प्रदान करती है।

राजिप्स : इसमें विटामिन 'सी' पाया जाता है। इसका सीरप बनाया जाता है। यह आंखों के नीचे पड़ने वाली झुर्रियों को मिटाता है।

रोजमेरी : इस वनस्पति की हरी पत्तियों का अर्क निकालकर इत्र बनाया जाता है। यह दवाइयों के रूप में भी प्रयोग होता है। यह हृदय, जिगर व जोड़ों के दर्द में भी उपयोगी है। इस वनस्पति का शहद के साथ बनाया गया मिश्रण त्वचा के लिए अत्यंत लाभकारी सिद्ध होता है। रोजमेरी एक सीरप के नाम से जानी जाती है, जो त्वचा के लिए सुरक्षा का कार्य करती है। इसके अर्क से कंडीशनर शैम्पू तैयार किए जाते हैं। यह त्वचा पर खुश्क लकीरें नहीं पड़ने देती। इसकी पत्ती व फूलों के जूस से मुंह धोने का लोशन बनाया जाता है। इसको लगाने के पश्चात मुंह नहीं धोते, यह प्राकृतिक रूप से स्वयं सूख जाता है। इसके लोशन से लगातार मुंह धोने से त्वचा सदा युवा बनी रहती है।

साबूदाना : इसके पौधे के फूल सुरमई व हरे होते हैं। इससे मुंह धोने का साबुन भी बनाया जाता है। यह ऋतुओं से त्वचा की रक्षा करता है। इसका लोशन एड़ी फटने से बचाता है।

नमक : यह त्वचा को खुलने और सिकुड़ने में सहायता करता है।

शीशम : शीशम के पेड़ की छाल से तेल तैयार होता है। इसका तेल धूप से त्वचा की रक्षा करता है। धूप के जीवाणु त्वचा पर बुरा प्रभाव नहीं डाल पाते।

फ्लैक्स : इसके साबुन से कीटाणु के प्रभाव रुकते हैं तथा त्वचा निर्मल होती है।

सोडियम : यह पॉउडर एक मिश्रण है, जिसे पानी में मिलाकर त्वचा के लिए प्रयोग किया जाता है। इसे नहाने के साबुन में भी कुछ मात्रा में डाला जाता है।

स्पेयर मेस्टी : यह एक सफेद मोम है। इसका प्रयोग मक्खियों के दुष्प्रभाव को रोकने के लिए किया जाता है।

स्टेमरिक एसिड : यह प्राकृतिक तौर पर मोटा लवण है। यह क्रिस्टलन, सफेद मोम का मिश्रण है। यह त्वचा को खुश्क लकीरों से बचाता है। इससे हाथ और शरीर की क्रीम भी बनाई जाती है।

स्टोटेक्स : यह वृक्ष संबंधित दवाएं बनाने के काम आता है।

चीनी : चीनी और नीबू का रस त्वचा को साफ और चमकीला बनाता है।

सल्फर (गंधक) : यह त्वचा की रक्षा करता है। दानों से बचाव के लिए भी इसको चेहरे पर लगाते हैं।

टोटेजन : यह एक झाड़ीदार वनस्पति है। यह बहुत सुगंधित होती है। इसका प्रयोग त्वचा का टॉनिक व लोशन बनाने में किया जाता है।

चाय : इसमें निकोटीन पाया जाता है। चाय का अर्क एड़ी फटने से बचाता है। बालों में चमक पैदा करने के लिए भी इसका प्रयोग किया जाता है।

थाइम : यह पौधा नदी के सूखे किनारों पर उगता है। इसकी पत्तियां सख्त होती हैं। थाइम सूखी त्वचा को तरोताजा व साफ सुरक्षित रखता है। इसकी पत्तियों के रस से ट्यूब बनाया जाता है, जो कीटाणुओं से रक्षा करता है।

शलजम : यह त्वचा की आकृति सुरक्षित रखती है। इसको उबालकर त्वचा के लिए मुखौटा बनाया जाता है।

टरटल का तेल : इसमें अधिकांश विटामिन मिलते हैं। इसका प्रयोग नैरेशिंग क्रीम में होता है।

विच हेजल : इस वृक्ष की फोंगल कांटेदार होती हैं। इसका सीरप बनता है, जो त्वचा की रक्षा करता है।

मैटो : यह झुण्ड वाला वृक्ष है। यह सड़कों के किनारे उगा होता है। इसकी पत्तियां देखने में डेलिया के फूल की तरह होती हैं और सुगन्ध भी उसी तरह की होती है। यह त्वचा को सुरक्षित रखने का कार्य भली-भांति करता है।

आदिवासी और जड़ी-बूटियां

बिहार, मध्य प्रदेश और उड़ीसा के पर्वतीय अंचलों में उरांव, मुंडा परधान, माड़िया, मुरिया, हो, संथाल, खरवार, परहिया आदिवासी निवास करते हैं।

प्राचीन समय में आदिवासियों में जड़ी-बूटियों के जानकार कम न थे। जंगल की जड़ी-बूटियों का मिश्रण बनाकर तरह-तरह की दवाइयां तैयार करते थे। कोई भी बीमारी ऐसी न थी, जिसकी चिकित्सा न की जाती रही हो। इनका चिकित्सा ज्ञान विस्तृत था, किन्तु जानकार लोग किसी अन्य व्यक्ति को जड़ी-बूटियों का ज्ञान देने से हिचकते थे। इसके पीछे जो भी कारण रहा हो, लेकिन उनकी इस प्रवृत्ति के कारण यह ज्ञान लुप्त होता गया। अब तो डाक्टरी चिकित्सा पर ही अधिकतर लोग अवलंबित हैं।

आदिवासियों में आज भी जड़ी-बूटियों के जानकार कम नहीं हैं। कोरकुओं में 'पढ़ियार', भारिया में 'भोमका', अबुक्षमाढ़ में 'गायता', बैगाचक में 'दिवार', भीलों के 'बड़वा, हो, मुंडा, खरवार, चेरो, उरांव, परहिया और संथाल के ओझा तथा ओझा मति आदिवासियों के चिकित्सक हैं। जानकार, मरीज की नाड़ी देखते हैं और बीमारी का पता लगाते हैं। बीमारी समझ में आने पर विभिन्न जड़ी-बूटियों से रोगी का इलाज करते हैं। जड़ी बूटियों का इनका अपना ज्ञान अलग ढंग का होता है। आदिवासियों द्वारा उपयोग में लाई जाने वाली जड़ी-बूटियां इस प्रकार हैं—

मरोड़फली, ऐंठी : इसका एक बड़ा पौधा होता है। इसके फूल नारंगी होते हैं तथा फल ऐंठी हुई फलियां होती हैं। बिहार और उड़ीसा में रहने वाले आदिवासी इस पौधे की शाखा को प्रसूता की झोपड़ी के द्वार पर लगा देते हैं। उनकी यह धारणा है कि ऐसा करने से प्रसव सुगम हो जाता है।

काली पहाड़ : यह एक कोमल वल्लरी पौधा है। उड़ीसा में रहने वाली जन जातियों

का विश्वास है कि इस पौधे का छोटा-सा टुकड़ा धागे में बांधकर, माला या ताबीज की तरह पहनने से सिर का दर्द हमेशा के लिए दूर हो जाता है।

पुंजकी : यह पौधा सघन वनों में पाया जाता है। इस पौधे की जड़ को कान में पहनने से सिर का दर्द हमेशा के लिए दूर हो जाता है।

शतवरी : इसका पौधा भी भारत में बहुतायत में पाया जाता है। आदिवासियों में ऐसा विश्वास है कि आम की गुठली के दो दलों के बीच में इस पौधे की शाखा को रखकर, भूत-प्रेतों से प्रभावित व्यक्ति के शरीर को छुआकर फेंक दिया जाए तो भूत-प्रेत दूर हो जाते हैं।

बुखार आने पर इस पौधे की छाल को पीसकर पानी के साथ पीते हैं। शरीर के जोड़ों में दर्द होने पर इसकी जड़ को पीसकर पानी के साथ गर्म करते हैं, फिर उसे दर्द वाली जगह पर लेप करने से आशातीत लाभ होता है।

धान : मध्य प्रदेश के आदिवासी क्षेत्र में विशेषकर बिस्तर में मुरिया, माडिया, हल्बा, भतरा जनजाति के लोग धान के दानों से वर-वधू के परस्पर प्रेम संबंधों के विषय में 'जोग' देखते हैं। एक थाली में पानी भरकर उसमें धान के छह दाने डालते हैं। तीन दाने वर के और तीन दाने वधू के प्रतीक होते हैं। धान के दाने जल में डूबते समय यदि तैरकर निकट आ जाएं तो 'जोग' अच्छा समझा जाता है।

महुआ : यह एक सुपरिचित वृक्ष है, जो देश के अनेक क्षेत्रों में होता है। मध्य प्रदेश के आदिवासी क्षेत्र में अप्रैल माह में ऋतु तथा फसलों के विषय में भविष्यवाणी करने के लिए पुजारी अनुष्ठान करते हैं। अनुष्ठान में महुवे के फलों पर मंत्र पढ़कर विधिवत पूजन करते हैं, तदुपरांत पुजारी, वर्षा तथा फसल की दशा के विषय में भविष्यवाणी सुनाता है।

काली तुलसी : यह पौधा प्रायः खेतों में पाया जाता है। बिहार और उड़ीसा के आदिवासी किसी भी शुभ कार्य के लिए जाते समय इस पौधे की शाखा को पगड़ी में लगाना शुभ मानते हैं।

गोरखमुंडी : यह पौधा कटे खेतों या नम भूमि में उगता है। मध्य प्रदेश के आदिवासी इसके फलों की माला चेचक के रोगी को पहनाते हैं। रोग पर अचूक असर पड़ता है। इसका फल लाल-जामुनी रंग का गोल होता है।

ग्वलन फल : जंगलों में इसकी लंबी बेल होती है। इसका फल सेब फल जैसा होता है। गोंड और कोरकू आदिवासी मवेशियों की पेट संबंधी बीमारियों में इस फल के गूदे का काढ़ा बनाकर पशुओं को पिलाते हैं।

उंदर बेल : यह बेल गेहूं के खेतों में बहुतायत में पाई जाती है। मध्य प्रदेश के गोड़,

कौरकू और भील आदिवासी दाद, खाज एवं अन्य शारीरिक रोगों में इसका लेप लगाते हैं। दाद, खाज के लिए यह रामबाण औषधि है।

पडार फली : मध्य प्रदेश में बहुतायत से पडार फली पाई जाती है। मवेशियों की कई प्रकार की बीमारियां तथा पेट फूल जाना, मूत्र न आना, मवेशी का चारा न चरना आदि में इस फली को पशु को खिलाने से आशातीत लाभ होता है।

चेडल फल : आंख संबंधी रोग में यह फली बहुत ही लाभप्रद है। इसके काले बीजों के भीतर से पीले दाने निकालकर कांसे की थाली में पीसकर पॉउडर बनाया जाता है, फिर इस पॉउडर को आंख में एक चावल के दाने के बराबर डालते हैं। पहले जलन होती है, लेकिन दो-चार बार प्रयोग करने से आंखें बिल्कुल ठीक हो जाती है।

भिलवां फल : आकस्मिक चोट लगने पर, शरीर के किसी अंग में दर्द होने पर इस औषधि में छेद करके उसका तेल निकालकर, लकड़ी की सहायता से चोट के स्थान पर बिंदी रख दी जाती है। सीने के दर्द में भी इस तेल की मालिश की जाती है।

टेमरु : मध्य प्रदेश के आदिवासियों में ऐसा विश्वास है कि टेमरु वृक्ष की जड़ को यदि बांझ स्त्री को खिलाया जाए तो वह पुत्रवती होती है। गर्भधारण के लिए जंगली केले का कंद (मूल) भी उपयोगी है। पान की जड़ खिलाने से भी स्त्री गर्भवती हो जाती है। स्त्री के रजस्वला होने के चार-पांच दिन बाद जड़ खिलाना सर्वसम्मत है। आधा सिरदर्द में टेमरु वृक्ष की एक मोटी और एक छोटी शाखा लेकर अपने शरीर अर्थात चोटी से लेकर ऐड़ी तक सात बार उतारा देकर अपने सिर की छाया में जमीन में गाड़ने से आधा सिरदर्द हमेशा के लिए दूर हो जाता है।

इमली : इसका वृक्ष सभी जगह पाया जाता है। बिच्छू के काटने पर इमली के बीजों को पीसकर लगाने से बिच्छू के दंश का प्रभाव नहीं होता, दर्द में भी राहत मिलती है।

धामन : धामन वृक्ष की जड़ को पानी में भिगोकर कूट-छानकर दस्त होने वाले रोगी को पिलाने से अचूक व तुरंत लाभ मिलता है।

ग्वार पाठा : आंख संबंधी रोगों में ग्वार पाठे का गूदा आंखों पर बांधा जाता है। इससे आंखों में ठंडक पहुंचती है एवं आंखों का लालीपन दूर होता है। शरीर हृष्ट-पुष्ट बनाने के लिए ग्वार पाठे की छाल व गूदे को कूटकर उसका पॉउडर बनाया जाता है। पॉउडर को शुद्ध घी में भूनकर उसमें शक्कर मिलाकर लड्डू बनाए जाते हैं। प्रातः काल सूर्योदय से पहले सेवन करने से शारीरिक शक्ति में अद्भुत लाभ होता है।

अकाव : यदि पैर में कांटा लग गया हो तो आक या अकौआ का दूध लगाने से दर्द कम हो जाता है, घाव नहीं होता, अतिशीघ्र आराम मिलता है।

तीनस : धारदार हथियार से शरीर में चोट लगने पर तीनस वृक्ष की छाल का लेप लगाने से आशातीत लाभ मिलता है।

मुई वृक्ष : कान दर्द या कान में मवाद आने पर मुई वृक्ष की छाल का घोल कान में डालने से कान का दर्द दूर होकर मवाद आना बंद हो जाता है।

पपीता : दाढ़ या दांतों के दर्द में पपीते की जड़, कटासले की जड़ को समभाग लेकर पॉउडर बनाकर लगाने से निश्चित लाभ होता है।

नीबू : बरैया (ततैया) के काटने पर यदि तुरंत नीबू रस लगाया जाए तो दर्द में राहत मिलती है और सूजन भी नहीं आती तथा अचूक लाभ होता है। यह अनुभूत है।

हल्दी : एक पाव हल्दी या इच्छानुसार हल्दी की गांठों को किसी भी दिन जंगल में जाकर नीम वृक्ष की मोटी शाखा में छिद्र बनाकर हल्दी की गांठों को उनमें रखकर छिद्र को लकड़ी के पटिए से बंद कर दिया जाए और एक वर्ष पश्चात उन गांठों को निकालकर उनका पॉउडर बना लिया जाए तो किसी भी दमा या श्वास वाले रोगों को शहद के साथ यह हल्दी पॉउडर खिलाने से रोग हमेशा के लिए दूर हो जाता है।

हल्दी शहद नियमित प्रातःकाल ही खिलाना चाहिए। दमा के रोगी के लिए यह अत्यंत लाभदायक औषधि है।

जड़ी बूटियों को आमंत्रण

जड़ी-बूटियों के विशेषज्ञ इन जड़ी-बूटियों को विशेष विधि द्वारा पूजन कर व आमंत्रित करके लाते हैं। मध्य प्रदेश के होशंगाबाद जिले के ग्राम टेमलाबाड़ी के एक जानकार ने बताया कि किसी भी शनिवार या मंगलवार की शाम को जंगल में जाकर इच्छित जड़ी को पीले चावल से आमंत्रण देते हैं। दूसरे दिन सूर्योदय से पूर्व जड़ी को लाया जाता है। जड़ी यदि नर प्रजाति की है तो कुमकुम, हल्दी, चावल और एक नारियल तथा एक शीशी दारू (मदिरा) पूजन में चढ़ाई जाती है। यदि मादा किस्म की जड़ी है तो उसे स्त्री का पूरा श्रृंगार दिया जाता है। पूजन के पश्चात जानकार, जड़ी से प्रार्थना करता है कि 'हे अमुख जड़ी ! मैं तुम्हें अमुक कार्य के लिए ले जा रहा हूं, तुम मेरे इस कार्य में मदद करो।' इतना कहने के बाद जानकार जड़ी को हाथ से उखाड़ लेता है। प्राचीन काल में जड़ी उखाड़ने का कार्य जानकार जड़ी के मूल में अपने सिर की लंबी चोटी बांधकर उखाड़ते थे, किन्तु इस प्रकार के प्रयोग

से कई जानकार भूलवश अपनी जानें गवां बैठे। नवदुर्गा में भी इच्छित जड़ी-बूटी को नौ दिन तक शाम को दीपक दिखा, दसवें दिन सूर्योदय से पूर्व जड़ी का पूजन कर ले आते हैं और विभिन्न रोगों पर जड़ी का प्रयोग करते हैं। इस विधि को 'जड़ी जगाना' कहते हैं। आदिवासियों की मान्यता है कि विधिवत पूजन करने के बाद किसी भी जड़ी को लाने से वह विभिन्न बीमारियों में पूर्ण काम करती है, ऐसा न करने से जड़ी द्वारा कार्य करने में संदेह रहता है। जब रोगी पूर्ण स्वस्थ हो जाता है, तब जानकार के निर्देशानुसार किसी देव स्थल पर एक नारियल, दारू और मुर्गे या बकरे की बलि अवश्य देता है, जिसे पूजा कहते हैं।

प्रकृति आपकी 'सिंगार मेज' पर

सौंदर्य के प्रति ललक सृष्टि के प्रारम्भ से ही चली आ रही है, मगर उस समय नारी के पास कृत्रिम सौंदर्य प्रसाधन नहीं थे। वह प्रकृति प्रदत्त उपहारों को ही सौंदर्य प्रसाधनों के रूप में इस्तेमाल करती थी और अधिक स्वस्थ एवं सुन्दर नजर आती थी। आजकल के कृत्रिम सौंदर्य प्रसाधनों ने साथ-साथ समस्या भी अधिक है। यदि बरसों पुराने प्राकृतिक नुस्खों को अपनाया जाए तो चेहरे की नायाब रौनक लौट सकती है। यह सब नुस्खे बहुत सरल एवं सस्ते रहते हैं। ऐसे चन्द नुस्खे आप भी अपना सकती हैं।

अंडा

एक अंडे का पीला भाग, एक चम्मच ग्लिसरीन दोनों को मिलाकर एक करें। अब इसे चेहरे पर थपथपाएं और सूख जाने पर गुनगुने पानी से धो डालें, इससे त्वचा साफ होगी।

एक ताजा अंडा, दो चम्मच चिकनाई वाली क्रीम, आधा चम्मच रम या ब्राण्डी ले लें। अब अण्डे के पीले भाग को लें। सफेदी को रम या ब्राण्डी में खूब अच्छी तरह फेटें खूब अच्छी तरह फिट जाने पर ब्रश से चेहरे पर लगाएं और आधा घण्टे बाद ठंडे पानी से धो लें।

दो अंडे, एक गिलास रम में फेट कर बालों पर लगा दें। बाद में गुनगुने पानी से धो डालें। कुछ दिनों के प्रयोग से बालों में स्वाभाविक चमक जाग उठेगी, साथ ही बाल आकर्षक भी हो उठेंगे।

एक अंडे की जर्दी और सफेदी निकालकर अच्छी तरह फेंट लें। अब इसमें

394

थोड़ा-सा शहद और दूध का पॉउडर मिलाकर पेस्ट बना लें और त्वचा पर लेप करें। सूखने के बाद इसे पानी से धो लें। ऐसा कुछ दिनों तक सप्ताह में दो बार करने से त्वचा चमकने लगती है। ठंड के मौसम में त्वचा रूखी-सूखी हो जाती है, जिसके कारण चेहरा भद्दा लगने लगता है। ऐसे में शहद, दूध और चने का बेसन मिलाकर उबटन बनाएं। इस उबटन के प्रयोग से त्वचा की शुष्कता दूर हो जाती है तथा त्वचा कोमल हो जाती है।

टमाटर

हाथ खुरदरे हो गए हों तो एक पके टमाटर का रस, नीबू का रस व ग्लिसरीन बराबर मात्रा में मिलाकर हाथ में मलें। इससे त्वचा खूब कोमल हो जाएगी।

एक टमाटर का रस और बादाम का चूरा दोनों को मिलाकर चेहरे पर 15-20 मिनट तक लगा रहने दें, इसके बाद ठंडें पानी से चेहरे को धो लें।

दो चम्मच दूध की क्रीम और दो चम्मच ताजे टमाटरों के रस को मिलाकर शीशी में भरकर ठंडी जगह रख दें। इसे रूई के फाहे से चेहरे पर लगाएं। करीब 15 मिनट तक लगा रहने के बाद पानी से धो लें। यह सनबर्न (सूर्य की किरणों से जलने के निशान) दूर करता है। टमाटर में त्वचा संबंधी नाना प्रकार के विटामिन साइट्रिक एसिड, खनिज, क्षार आदि विद्यमान होने के कारण टमाटर एक प्रकार का सौंदर्य विशेषज्ञ है। टमाटर के सूप में काली मिर्च डालकर नियमित पीने से कब्ज दूर होती है, जिससे चेहरे पर चमक और शरीर में चुस्ती बरकरार रहती है।

टमाटर दूषित रक्त का शोधन करके चेहरे की त्वचा को गुलाबी आभा प्रदान करता है। टमाटर का जूस पीने से बाल चमकदार होते हैं। बड़े टमाटर की मोटी-मोटी फांकें काट कर गालों और आंखों के नीचे रखने से इससे झाइयां और आंखों के काले घेरे मिट जाते हैं। टमाटर के रस में शहद मिलाकर हाथ-पैर पर लगाने से त्वचा कोमल होती है और उसमें निखार आता है। टमाटर गुणकारी होने के बावजूद अत्यधिक मात्रा में सेवन करने से शरीर को हानि पहुंचाता है। टमाटर ही क्या प्रत्येक चीज की अति खराब होती है। पथरी के रोगियों को टमाटर का सेवन नहीं करना चाहिए।

जौ

जौं का थोड़ा-सा पॉउडर, दो चम्मच नीबू का रस तथा थोड़ा-सा दूध इन सबको मिलाकर चेहरे पर लगाएं। इसे सूखने पर धोना चाहिए। इससे रक्त संचार ठीक होता है और त्वचा भी साफ-सुथरी हो जाती है।

एक औंस शहद, एक अंडे की सफेदी, एक चम्मच ग्लिसरीन, थोड़ा-सा पिसा हुआ जौ का पॉउडर मिलाकर हाथों में मलें। इससे वे बहुत कोमल हो जाएंगे।

नीबू

एक नीबू के रस में चार चम्मच नारियल का दूध डालकर सिर पर मलने से बालों का टूटना रुक जाता है। ऐसा हफ्ते में एक बार करें। यह घोल सिर धोने से एक घंटा पहले लगाना चाहिए।

ताजे नीबू का रस दो चम्मच, एक चम्मच ग्लिसरीन, एक चम्मच एल्कोहल और डिस्टिल्ड बिच हेजल को मिलाकर चेहरे पर लगाएं। इससे रोम बंद हो जाते हैं।

यदि आप दांत चमकीले रखना चाहती हैं तो नीबू के रस में नमक मिलाकर रगड़ें। दो चम्मच नीबू का रस दो चम्मच जिंजर (अदरक) का जूस मिलाकर सिर पर मलने से जूएं खत्म हो जाती हैं।

तैलीय त्वचा पर नीबू के रस और बर्फ के पानी को मिलाकर मालिश करने से चिपचिपाहट समाप्त हो जाती है।

एक अंडे के पीले भाग में नीबू का रस और ओलिव ऑयल की कुछ बूंदें मिलाकर लगाने से सूखी त्वचा चिकनी हो जाती है।

दूध

दो चम्मच दूध और एक चम्मच नमक मिलाकर लगाएं। चिरौंजी, दूध और दही बराबर भागों में मिलाकर कम-से-कम 15-20 मिनट तक लगा रहने दें।

दो चम्मच दूध की क्रीम, एक चम्मच बादाम रोगन, कुछ बूंदे गुलाब जल की मिलाकर चेहरे पर आधा घंटा लगाना चाहिए।

नीम

इसकी पत्तियों को पानी में उबालकर नहाने के पानी में मिला दें। इससे चेचक के दाग, खुजली, घमौरी आदि दूर हो जाते हैं।

चाय

चाय की उबली पत्तियों को बर्फ के चूरे के साथ मिलाकर कपड़ों में लपेटकर दोनों आंखों पर रख लें, इससे थकान दूर हो जाएगी, साथ ही आंखें भी चमकीली आभा से दमक उठेंगी।

शहद

प्रतिदिन शहद को चेहरे और बदन पर मलकर आध-पौन घण्टे के बाद साफ पानी से नहाने से सौंदर्य बरकरार रहता है। यही कारण है कि आजकल अच्छी क्वालिटी के साबुनों के निर्माण में शहद का भी उपयोग होने लगा है।

नहाने से पहले दूध की मलाई और शहद समान मात्रा में मिलाकर चेहरे पर लेप करें और कुछ देर बाद पानी से धो डालें। ऐसा कुछ सप्ताह तक नियमित रूप से करने से चेहरे पर वक्त से पहले उभर आने वाली झाइयां दूर हो जाती हैं।

चेहरे को भाप से साफ करने के बाद दो भाग शहद में एक भाग नीबू का रस मिलाकर लेप करें। पन्द्रह-बीस मिनट के बाद पानी से धो लें। ऐसा कुछ दिन तक करने से मुंहासों से मुक्ति मिल जाती है।

सन्तरे के छिलकों को छाया में सुखाने के बाद पीसकर चूर्ण (पॉउडर) बना लें। दो चम्मच शहद में थोड़ा-सा सन्तरे का रस चूर्ण में मिलाकर उबटन की तरह प्रयोग करें। ऐसा कुछ दिनों तक करने के बाद त्वचा निखर जाती है।

सोने से पहले चेहरे पर शहद हल्के से मल लें। इस तरह एक सप्ताह के प्रयोग से त्वचा कोमल होती है तथा चेहरा चमक उठता है।

शरीर के जले हुए हिस्से पर शहद लगाकर उस पर रुई का फाहा बांध लें। कुछ दिनों तक ऐसा करने से त्वचा का रंग सामान्य हो जाता है।

शहद और गुलाब जल समान मात्रा में मिला लें। इस मिश्रण को सोने से पहले होंठों पर लगाएं। इससे आपके होंठों का फटना बन्द हो जाएगा तथा उस पर प्राकृतिक लालिमा आ जाएगी।

शहद और चूने के स्वच्छ रंगहीन पानी को समान मात्रा में मिलाकर त्वचा पर लगाएं, फिर पन्द्रह-बीस मिनट के बाद पानी से धो डालें। ऐसा करने से आपकी त्वचा का रंग निखर जाएगा।

दो चम्मच शहद और आधा चम्मच नीबू के रस को पानी के साथ मिलाकर सुबह खाली पेट सेवन करें। डेढ़-दो महीने तक इस नुस्खे के सेवन के बाद आपका रक्त साफ हो जाएगा तथा आपकी त्वचा प्राकृतिक रूप से निखर जाएगी।

शहद और जामुन को पुराने सिरके में मिलाकर दांतों पर मलने से दांत चमचमाने लगते हैं। इससे मसूढ़ों की तकलीफ भी दूर हो जाती है तथा नई शक्ति आ जाती है। एक भाग शहद और दो भाग नीबू के रस को मिलाकर बालों की जड़ों पर लगाएं, अंगुलियों से हल्के-हल्के मसलें और पंद्रह-बीस मिनट बाद साफ पानी से धो डालें। ऐसा करने से कुछ ही दिनों में बालों का झड़ना बन्द हो जाएगा।

रसोईघर में मौजूद सौंदर्योपचार

प्रकृति को आपने बोनसाई के रूप में ड्राइंगरूम की टेबल पर और सलाद के रूप में डाइनिंग टेबल पर अक्सर देखा होगा। क्या आपको मालूम है कि यही प्रकृति आपकी ड्रेसिंग-टेबल (शृंगार मेज) के लिए भी विशेष महत्त्व रखती है।

टमाटर, नीबू चाय आदि से आप अपनी शृंगार मेज तो नहीं सजा सकतीं, पर इनका इस्तेमाल आप शृंगार के लिए अवश्य कर सकती हैं।

टमाटर

समान मात्रा में ताजे टमाटरों का रस और दूध की मलाई मिलाकर लेप तैयार करें। इसे कुछ देर चेहरे पर लगाकर ठंडे पानी से मुंह धो लें। यह सनबर्न दूर करता है। चेहरे के दाग-धब्बे दूर करने के लिए टमाटर और मूली का रस मिलाकर लगाएं। हाथ खुरदरे हों तो टमाटर के गूदे में नीबू और ग्लिसरीन मिलाकर लगाएं।

हल्दी

थोड़ी हल्दी और थोड़ा-सा बारीक कपूर तथा कुछ बूंद सरसों का तेल बेसन में मिलाकर पानी के साथ लेप तैयार कर लें। इसका उबटन लगाकर नहाने से त्वचा रोग दूर होते हैं व रंग निखरता है।

हल्दी की गांठ को पानी के साथ सिल पर पीसकर लेप बनाएं। इस लेप का प्रयोग भी नहाने से कुछ समय पूर्व करें।

अण्डा

एक अंडे का पीला भाग और एक चम्मच ग्लिसरीन लें और दोनों को मिला लें। अब इसे चेहरे पर लगाकर थपथपाएं और सूख जाने पर धो लें। इससे त्वचा साफ हो जाती है।

चाय

चाय की पत्ती को पानी में उबालकर, उससे बाल धोएं तो निश्चित रूप से बाल गिरने बंद हो जाएंगे साथ ही बालों में चमक भी रहेगी।

ठंडे किए हुए चाय के पानी में रुई भिगोकर आंख पर रखने से आंख की थकान-दूर होती है।

यह तो आप भी जानती होंगी कि चालीस की उम्र तक पहुंचने के बाद आपकी ऊर्जा और आपके स्वास्थ्य में धीरे-धीरे गिरावट आने लगती है। यह एक प्राकृतिक प्रक्रिया है।

इच्छा तो सभी की होती है कि वह आजीवन युवा, स्वस्थ और सुंदर बना रहे, लेकिन इस स्वाभाविक प्रक्रिया को पूरी तरह कोई भी रोक नहीं सकता। हां, यह जरूर है कि वैज्ञानिकों ने ऐसे पोषक पदार्थों और चिकित्सा उपायों का पता लगाया है, जिनसे बढ़ती उम्र के असर को बहुत हद तक कम किया जा सकता है। इन सौंदर्य विशेषज्ञों का दावा है कि खान-पान और रहन-सहन में बदलाव लाकर हम अधेड़ उम्र में भी युवा और आकर्षक रह सकते हैं। ये चमत्कारी पदार्थ मनुष्य के लिए एक तरह से प्राकृतिक वरदान हैं। हालांकि लोगों का ध्यान इन पदार्थों की ओर अब जा रहा हे, लेकिन इनकी पहचान प्राचीन काल में ही कर ली गई थी।

शहद

शहद सिर्फ स्वाद में ही मीठा नहीं होता अपितु अपने अन्य गुणों में भी यह अतुलनीय है। इसमें अनेक महत्त्वपूर्ण विटामिन, खनिज, हार्मोन्स, अमीनो एसिड और एन्जाइम मौजूद रहते हैं। इसका एक प्राकृतिक गुण यह भी है कि इसके तत्व सीधे हमारे रक्त में पहुंच सकते हैं, इसलिए यह न केवल हमें तत्काल शक्ति प्रदान करता है, बल्कि अनेक बीमारियों से भी हमें बचाता है, साथ ही इससे हमारी पाचन शक्ति भी मजबूत होती है। चिकित्सा की दृष्टि से भी यह हमारे लिए बहुत उपयोगी है। हमारे मस्तिष्क और भावनाओं पर भी इसका चमत्कारी प्रभाव पड़ता है, जिससे

मन को शांति मिलती है। तंत्रिका प्रणाली को विश्राम देकर तनाव का कम करता है। गुनगुने पानी में थोड़ा शहद डालकर पीने से अनिद्रा की बीमारी में लाभ होता है। इतना ही नहीं शहद शरीर की प्रतिरोध क्षमता को मजबूत करता है, जिससे यह हमें अनेक बीमारियों से बचाता है।

दही

दही भी ऐसा ही एक प्राकृतिक भोज्य पदार्थ है, जो हमें बढ़ती उम्र में भी युवा और आकर्षक बनाए रखने में सहायक है। विटामिन 'ए' और 'बी', कैल्शियम, लौह, पोटेशियम, फास्फोरस आदि से युक्त दूध से बना होने से यह बिना कोई नुकसान पहुंचाए हमारे प्रोटीन की जरूरतों को भी पूरा करता है। इस तरह यह अधिक उम्र के ऐसे लोगों के लिए एक आदर्श भोजन है, जो मांस खाने से बचना चाहते हैं।

दही एक प्राकृतिक एंटीबायोटिक भी है। यह पाचन प्रणाली में हानिकारक बैक्टीरिया को खत्म करता है और पाचन शक्ति को ठीक रखता है। बीमार लोगों के लिए भी दही बहुत उपयोगी है, क्योंकि यह अत्यंत सुपाच्य है और इससे शरीर बलवान होता है। दूध की अपेक्षा यह ज्यादा सुपाच्य है और इसमें भरपूर पोषक तत्व होते हैं।

गेहूं का चोकर

प्रौढ़ावस्था से कुछ साल पहले भी युवाओं वाला आकर्षण एवं शक्ति, स्फूर्ति बनाए रखने के लिए विटामिन 'ई' का पता लगाया गया है। यह विटामिन खोई हुई जवानी वापस ला सकता है। विटामिन 'ई' हृदय संबंधी अनेक बीमारियों से हमें बचाता है। त्वचा शुष्क और ढीली पड़ गई हो तो इस विटामिन के प्रयोग से लाभ होता है। त्वचा की चमक वापस आ जाती है। गेहूं के चोकर में विटमिन 'ई' की मात्रा बहुत ज्यादा होती है। यह भी बहुत आसानी से उपलब्ध है, लेकिन दुर्भाग्य से आजकल बाजार में मिलने वाले आटे से चोकर निकाल दिया जाता है और हमें बिना चोकर वाली रोटियां, बिस्कुट, केक आदि खाने पड़ते हैं। इन्हें खाने में मजा तो आता है, लेकिन हम चोकर के गुणों से वंचित रह जाते हैं।

चोकर में सिर्फ विटामिन 'ई' ही नहीं, बी-कॉम्पलेक्स और विटामिन 'ए' के अलावा कैल्शियम, सोडियम, पोटेशियम जैसे खनिज भी होते हैं। इसमें अमीनो एसिड की भी पर्याप्त मात्रा होती है।

फल का रस

सेब आदि फलों का उपयोग हम नियमित रूप से करें तो 50-55 की उम्र में भी हमारा सौंदर्य बना रहेगा तथा त्वचा में चमक बरकरार रहेगी और हम युवाओं जैसी ऊर्जा से भरे होंगे। इन फलों का पूरा लाभ लेने के लिए सबसे अच्छा तरीका है, इनका जूस निकालकर पीना। गाजर, पालक और पत्ता गोभी का जूस हमें सिर्फ विटामिन और खनिज ही नहीं देते, बल्कि अनेक फलों का फ्लेवर डालकर इसे और भी स्वादिष्ट बनाया जा सकता है। नीबू का रस भी बहुत लाभदायक होता है।

घरेलू सौंदर्य प्रसाधन

आपको शायद यह जानकर हैरानी होगी कि अपना सौंदर्य विशेषज्ञ खुद बनना और अपने सौंदर्य प्रसाधन और क्रीम को घर में तैयार करना संभव है, जिसमें उन वस्तुओं का इस्तेमाल किया जाता है जो प्रायः अधिकांश घरों में पाई जाती हैं।

आसानी से तैयार सामान, जिन्हें आप अपनी रसोई में मिला सकती हैं, आपके सौंदर्य कार्यक्रम की जबर्दस्त कायापलट कर देंगे।

हमेशा याद रखें कि अपनी क्रीम और सौंदर्य प्रसाधनों की थोड़ी मात्रा को ही मिलाएं; क्योंकि घरेलू नुस्खों में अक्सर व्यावसायिक उत्पादनों में इस्तेमाल किए जाने वाले रक्षक रसायन नहीं होते।

इस अध्याय में जो सरल घरेलू नुस्खें बताए गए हैं, उनका पीढ़ी-दर-पीढ़ी बराबर इस्तेमाल किया जाता रहा है। इनकी लोकप्रियता की वजह यह है कि ये

वाकई असरदार हैं। वर्षों पहले रंग-पुती महिला को 'बुरी औरत' समझा जाता था और अधिकतर औरतें अपनी खराबियों को सौंदर्य प्रसाधनों की मदद से छिपाती नहीं थीं।

आकर्षक बने रहने के लिए औरतों की त्वचा अच्छी होनी चाहिए। अच्छी त्वचा का राज यह है कि उस औरत ने कई तरह के घरेलू नुस्खे अपनाए हैं।

जब आपको पता चलेगा कि वाकई ये पुराने रहस्य कितने मददगार हैं तो अपने सौंदर्य की मूलभूत देखभाल करने में उनका शायद आप अधिक-से-अधिक इस्तेमाल करने लगें।

रात में लगाने वाली क्रीम

● **पहला उपाय**

2 छोटे चम्मच लैनोलिन।

2 छोटे चम्मच कोको।

3 छोटे चम्मच बादाम-तेल।

2 छोटे चम्मच गुलाबजल।

पहली तीन वस्तुओं को कांच के कटोरे में रखें। कटोरे में गर्म पानी लेकर उसे कम आंच पर गर्म करें। जब तक कि उसके अवयव चिकने पेस्ट के रूप में पिघल न जाएं। मिलाने के लिए लकड़ी के चम्मच का इस्तेमाल करें। कभी भी धातु के चम्मच का इस्तेमाल न करें, क्योंकि ये पदार्थ धातु के साथ प्रतिक्रिया करेंगे और रासायनिक परिवर्तन होने लगेंगे।

गर्म पानी से कटोरे को निकालकर उसमें गुलाब जल डालकर अच्छी तरह मिलाएं।

इसे ऐसे बर्तन में जमा करें, जो किसी धातु का न हो।

सोने के लिए जाने से तुरंत पहले इसका इस्तेमाल करें।

यह क्रीम चेहरे और कंठ पर पड़ी रेखाओं से मुक्ति पाने के लिए भी अच्छी है।

● **दूसरा उपाय**

1 छोटा चम्मच अंकुरित गेहूं का तेल।

1 छोटा चम्मच खूबानी गिरी का तेल।

3 छोटे चम्मच उबला पानी।

8 छोटे चम्मच लेसिथिन (पानी से हटाया जाने वाला)।

2 छोटे चम्मच एवोकेडो (नाशपाती जैसा एक उष्ण कटिबंधीय फल) तेल।

2 खाने वाले चम्मच सूर्यमुखी का तेल।

2 छोटे चम्मच अखरोट का तेल।

1 छोटा चम्मच अरारोट पाउडर।

मनपसंद इत्र की कुछ बूंदें।

सभी वस्तुओं को कांच के कटोरे में अच्छी तरह मिलाएं। दानेदार लेसिथिन इस्तेमाल नहीं करें, वरना आपकी क्रीम असरदार नहीं बनेगी। ये मिश्रण कांच के मर्तबान में रखें।

कोमलता से चेहरे और गर्दन पर इस क्रीम की मालिश करने के बाद रात-भर छोड़ दें।

त्वचा पोषक क्रीम

- **पहला उपाय**

20 मिलीलीटर डिस्टिल वाटर।

20 मिलीलीटर गुलाबजल।

1/2 चाय का चम्मच सुहागा पाउडर।

18 ग्राम मधुमक्खी का मोम।

12 ग्राम लैनोलिन।

70 मिलीलीटर बादाम तेल।

4 कैपसूल विटामिन 'ए'।

4 कैपसूल विटामिन 'ई'।

बेंजोइन अर्क की कुछ बूंदें।

डिस्टिल वाटर को गर्म करें, उसमें सुहागा पाउडर और गुलाब जल को मिलाएं।

दूसरे बर्तन में लैनोलिन, सफेद मोम और मधुमक्खी के मोम को एक साथ गर्म करें। इसके लिए आपको सबसे पहले तीनों को कांच के कटोरे में रखकर उस कटोरे को गर्म पानी से भरे बर्तन में रखकर गर्म करना होगा। दोनों मिश्रणों को मिलाएं और जब तक ये मिश्रण ठंडा न हो जाए तब तक अच्छी तरह मिलाती रहें। इसमें बेंजोइन अर्क को मिलाएं और तब इस क्रीम में पिन से विटामिन वाले कैपसूलों को फोड़कर अच्छी तरह मिलाएं, फिर इस मिश्रण को कांच के मर्तबान में रखें।

- **दूसरा उपाय**

2 औंस गिलसरीन।

2 औंस लैनालिन।

2 औंस गुलाब जल।

2 औंस कोको बटर।

गर्म पानी से भरे बर्तन में कांच का कटोरा रखकर उसमें इन वस्तुओं को पिघलाएं। जब तक ठंडा न हो जाए थपथपाती जाएं। कांच के मर्तबान में जमा करें।

याद रखें, पूरी त्वचा को संवारना पड़ता है। केवल चेहरे पर ही लगाकर न छोड़ें। हाथों, गले और कंधों पर भी इस क्रीम को अच्छी तरह फैलाकर लगाएं।

बहुउद्देश्यीय मॉश्चराइजिंग क्रीम

● **पहला उपाय**

4 चम्मच खूबानी गिरी।

2 चम्मच पानी (डिस्टिल या शुद्ध किया हुआ)।

2-4 बूंदें पसंदीदा इत्र।

सभी वस्तुओं को कांच के कटोरे में अच्छी तरह मिलाएं, जब तक कि चिकना पेस्ट न बन जाए।

इसे चेहरे, गर्दन, बांहों, पैरों और तलवे पर लगाएं।

यह लोशन मेकअप का बेहतरीन आधार भी है।

गर्मी के तपते महीनों में खीरा आधारित क्रीम

● **पहला उपाय**

1/2 किलो छिले हुए खीरे।

1/2 किलो सफेद सूअर की चर्बी।

1/2 प्वाइंट (तीन छटांक) दूध।

1/2 किलो खरबूजे का गूदा।

खीरों को छोटे-छोटे टुकड़ों में कतरें। सभी वस्तुओं को एक ऐसे कटोरे में रखें, जो धातु का न हो। इसके बाद कम आंच पर गर्म पानी के कटोरे में डालें। दस या बारह घंटे तक गर्म करें, लेकिन इस मिश्रण को बिल्कुल उबलने न दें। पनीर लपेटने वाले महीन कपड़े में इसे रखकर दबाएं। मिश्रण के ठंडा होने पर जमने दें और कांच के मर्तबान में रखें। बाद में इसका इस्तेमाल करें।

● **दूसरा उपाय**

1/2 छिला और कतरा हुआ खीरा

3 बूंद विच हेजल का सत्त।

1 चाय का चम्मच शहद।

2 एक चम्मच दूध।

1 बूंद पिपरमैंट तेल।

1 चाय का चम्मच ठंडा पानी।

सभी वस्तुओं को अच्छी तरह से मिलाएं और चेहरे पर लगाएं। आपकी त्वचा को मुलायम बनाने और पोषण पहुंचाने के अलावा खीरे का यह आवरण आपको ठंडक और ताजगी देता है। इसे चेहरे पर लगाकर 5-10 मिनट तक छोड़ दें, फिर खूब ठंडे पानी से धो दें।

रंग निखारने के लिए

● पहला उपाय

1/2 कप लैनोलिन।

1 कप कतरा हुआ सफेद सलाद।

2 बूंद पसंदीदा इत्र।

लैनोलिन को कांच के कटोरे में रखें। फिर इस कटोरे को बहुत गर्म पानी से भरे बर्तन में रखकर तब तक गर्म करें, जब तक यह बिल्कुल तरल न बन जाए। तरल बनने के बाद सलाद के कतरे हुए पत्ते मिलाएं और कुछ मिनटों तक गर्म करें। बर्तन से पानी निकाल दें और ठंडा होने के लिए छोड़ दें। इस बीच लकड़ी के चम्मच से इसे फेंटते रहें। ठंडा हो जाने पर चेहरे पर लगाएं, फिर 10-15 मिनट बाद धो दें। बची हुई सामग्री को मर्तबान में रख दें। सलाद त्वचा की सफाई करता है। इसमें पौष्टिकता से पूर्ण और शांत करने वाले (सूदिंग) गुण भी हैं।

● दूसरा उपाय

1 टुकड़ा ताजा पका पपीता।

पपीते को खूब मसलें, जब तक कि उसका गूदा न बन जाए।

आंख के पास वाले हिस्सों को बचाते हुए इसे चेहरे पर लगाएं। 10-15 मिनटों तक लगा रहने दें, फिर हल्के गर्म पानी से धो दें।

इसे सप्ताह में दो बार लगाएं। यह आपकी त्वचा को ताजगी और स्फूर्ति से भर देगा। ताजा पपीता त्वचा में नवयौवन भर देता है, जो पुरानी त्वचा के नीचे छिपा होता है।

● तीसरा उपाय

1/2 कप ताजे धूप में पकी स्ट्रॉबेरी।

1 खाने वाला चम्मच जई का आटा।

स्ट्रॉबेरी को चूरा कर पेस्ट बना लें और उसमें जई का आटा मिलाएं।

आंख के पास वाले हिस्सों को छोड़कर इसे चेहरे पर लगाएं। 15-20 मिनट बाद धो दें। बहुत पहले से ही औरतें चेहरे पर कांति लाने के लिए स्ट्रॉबेरी का इस्तेमाल करती रही हैं।

● चौथा उपाय

4-6 गोलियां यीस्ट।

1 चम्मच या ज्यादा डिस्टिल्ड वाटर।

गोलियों को पीसकर इतना पानी मिलाएं कि मुलायम पेस्ट बन जाए, जो आपके चेहरे से ढलककर गिरने न पाए।

इसे 15-20 मिनट तक लगाए रखें, फिर मामूली गर्म पानी से धोकर साफ करें।

यीस्ट का मास्क त्वचा के रंध्रों को कस देता है, जिससे त्वचा के पोषण के लिए खून फिर से भर जाता है। सर्दियों में यह खासतौर से अच्छा है, जब ठंड की मार से त्वचा सूख जाती है। यीस्ट एक सर्वश्रेष्ठ सौंदर्य आहार है। विटामिन 'बी' और प्रोटीन के साथ मिलाकर इसे खाना बहुत लाभकारी है।

झुरियां हटाने वाली क्रीम

● पहला उपाय

50 ग्राम शुद्ध शहद।

25 ग्राम सफेद मोम।

50 ग्राम चूरी हुई सफेद कुमुदिनी (लिली)।

50 ग्राम प्याज का रस।

सभी वस्तुओं को ऐसे बर्तन में रखें, जो धातु का न हो और कम आंच पर गर्म करें। उस समय तक अच्छी तरह मिलाएं, जब तक मोम गल न जाए। ठंडा होने दें और अच्छी तरह मिलाएं। इसे चेहरे और गर्दन पर लगाएं। गालों और गर्दन पर ऊपर की ओर फेरते हुए लगाएं।

झुरियां हटाने वाला फेशियल मास्क

● पहला उपाय

4 अंडों की सफेदी।

8 ग्राम बादाम का तेल।

25 मिलीलीटर गुलाबजल।

12 ग्राम फिटकरी पाउडर।

अंडों की सफेदी को फेंटें, जब तक कड़ी (सख्त) न हो जाएं, फिर ऐसे बर्तन में ढालें, जो धातु का न हो, फिर इसमें गुलाब जल मिलाएं और आधा मिनट तक उबालें। फिर इसमें बादाम तेल और फिटकरी का पाउडर मिलाएं।

सभी वस्तुओं को अच्छी तरह मिलाकर बोतल में भर लें।

त्वचा की आभा, शक्ति और पौष्टिकतावर्द्धक मास्क

● **पहला उपाय**

समुद्री नमक।

गर्म पानी आवश्यकतानुसार।

गर्म पानी में समुद्री नमक को तब तक मिलाती जाएं, जब तक वह गीले बाल जैसा न हो जाए।

समुद्री नमक को 'सौंदर्यवर्द्धक मालिश करने वाला' कहा जाता है। यह त्वचा के रंध्रों को सिकोड़ता है तथा दमक और प्यारी ताजगी देता है। नमक के मास्क को लगाने से पहले चेहरे पर भाप लें और 15-20 मिनट बाद गुनगुने पानी से धोकर नम करें।

● **दूसरा उपाय**

1 अंडे की सफेदी।

1 खाने वाला चम्मच शहद।

अंडे की सफेदी को तब तक फेंटें, जब तक वह कड़ी न हो जाए, फिर अब उसमें शहद अच्छी तरह मिलाएं।

चेहरे और गर्दन पर इसे थपथपाकर लगाएं, लेकिन आंख के पास वाले हिस्सों को छोड़कर। 10 मिनट के लिए लगा रहने दें। जब आप त्वचा के तनाव और खिंचाव को महसूस करें तब ठंडे पानी से धो डालें। बचा हुआ अतिरिक्त मिश्रण फ्रिज में कई दिन तक रखा जा सकता है। आपको केवल इतना ही करना होगा कि इस्तेमाल करने से पहले एक मिनट तक इसे फेंटना होगा।

● **तीसरा उपाय**

2 चम्मच दूध।

1 नीबू का रस।

1 चम्मच ब्रांडी।

इस मिश्रण को अच्छी तरह मिलाएं, फिर रुई के फाहे से इसे चेहरे और गर्दन पर लगाकर 10-15 मिनट तक लगा रहने दें। फिर ठंडे पानी से धो दें।

● **चौथा उपाय**

1/2 कप दूध का पाउडर।

1 चम्मच गर्म पानी।

3/4 चम्मच दूध।

इन सभी वस्तुओं को मिलाकर पेस्ट बनाएं और चेहरे तथा गर्दन पर फैलाकर इसे लगाएं। दाढ़ी बनाने वाले ब्रश से इसे कोमलता से अपने चेहरे पर लगाया जा सकता है, जब तक कि त्वचा पर ललाई न आ जाए इसे लगा रहने दें, फिर गर्म पानी से धो दें। फिर लगाएं और 5-10 मिनट के लिए छोड़ दें। पहले गर्म, फिर ठंडे पानी से धोएं।

● **पांचवां उपाय**

1 अंडे की जर्दी।

1 चाय का चम्मच दूध।

1 चम्मच अंकुरित गेहूं।

तीनों वस्तुओं को अच्छी तरह मिलाकर मुलायम पेस्ट बना लें, लेकिन ध्यान रहे कि पेस्ट ऐसा बनाएं जो आपके चेहरे से ढलकने न पाए। आंख के पास वाले हिस्सों को छोड़कर इसे चेहरे पर लगाकर 10-15 मिनट बाद ठंडे पानी से धो दें। यह मास्क आपकी त्वचा को प्रोटीन (ए वर्ग का), विटामिन 'सी' को छोड़कर सभी विटामिन और महत्त्वपूर्ण खनिजों की आपूर्ति करता है।

● **छठा उपाय**

2 चम्मच जई का आटा।

2 चाय का चम्मच गुलाब जल।

1/2 कप दूध।

जई के आटे और दूध को एक साथ मिलाएं, फिर कम आंच पर गर्म करें, ताकि मुलायम पेस्ट बन जाए। इसमें गुलाबजल मिलाएं। जब पेस्ट थोड़ा गर्म ही हो, तभी इसे चेहरे और गर्दन पर लगाकर 20 मिनट के लिए छोड़ दें। बुढ़ापे और दागदार त्वचा के लिए यह मास्क बहुत ही अच्छा है।

● **सातवां उपाय**

1 अंडे की सफेदी।

1/2 चाय का चम्मच जैतून या मक्का का तेल।

खनिज जल (मिनरल वाटर) की कुछ बूंदें।

तीनों को अच्छी तरह मिलाकर चेहरे और गर्दन पर लगाएं तथा 15-20 मिनट

के लिए लगा रहने दें, फिर ठंडे पानी से साफ कर दें और फिर दोबारा लगाएं तथा 5-7 मिनट के लिए लगा रहने दें। इसके बाद धो दें।

यह मास्क खासतौर से कहवे के बीजों जैसी रंगत का असरदार होता है, जिसके कायाकल्प की जरूरत पड़ती है।

● **आठवां उपाय**

1 अंडे की सफेदी।

2 चम्मच क्रीम।

अंडे की सफेदी और क्रीम को अच्छी तरह मिलाकर मुलायम पेस्ट बनाकर इसे चेहरे और गर्दन पर लगाएं तथा 20-30 मिनट तक लगा रहने दें, फिर कुनकुने पानी से धो दें। यह मास्क चेहरे की लकीरों को मिटाता है।

● **नौवां उपाय**

1 चाय का चम्मच मेंथलयुक्त गिलसरीन।

2 चाय के चम्मच जई का आटा।

1 चाय का चम्मच मुल्तानी मिट्टी।

1 चाय का चम्मच टेल्क पॉउडर।

6 बूंद बेंजोइन का सत्त।

4-6 चाय के चम्मच विच हेजल।

सभी वस्तुओं को पर्याप्त विच हेजल के साथ मिलाकर आसानी से फैलने वाला पेस्ट बनाकर इसे चेहरे और गर्दन पर लगाएं तथा 30 मिनट तक लगा रहने दें, फिर ठंडे गीले तौलिए से पोंछ दें या धोकर साफ कर दें।

● **दसवां उपाय**

3 औंस पिसा हुआ जौ।

1 औंस शहद।

1 अंडे की सफेदी।

जौ और शहद को पर्याप्त अंडे की सफेदी के साथ मिलाकर मुलायम पेस्ट बनाकर इसे चेहरे और गर्दन पर लगाएं तथा 10-15 मिनट के लिए लगा रहने दें, फिर ठंडे पानी से धो दें।

● **ग्यारहवां उपाय**

3 चम्मच पोला-अनसैचुरेटिड तेल (जैसे मक्का का तेल)।

1 चम्मच सेब साइडर सिरका।

1 अंडा।

सभी वस्तुओं को मिलाकर चेहरे और गर्दन पर रुई से थपथपाकर लगाएं। करीब 20 मिनट के लिए लगा रहने दें। फिर गुनगुना पानी छिड़कर साफ करें। शुद्ध शहद या केले का मलीदा बनाकर त्वचा पर लगाना, त्वचा के लिए काफी पौष्टिक होता है।

क्लींजिंग मास्क

● **पहला उपाय**

2 चम्मच जई का आटा।

मट्ठा या खीरे का रस।

दोनों वस्तुओं को मिलाकर चिकना पेस्ट बना लें।

आंख के पास वाली जगह को छोड़कर इसे चेहरे पर लगाकर 10 मिनट के लिए छोड़ दें, फिर ठंडे पानी से साफ करें।

● **दूसरा उपाय**

12 ग्राम मधुमक्खी का मोम

1/4 लीटर गुलाब जल।

50 ग्राम मुल्तानी मिट्टी।

100 ग्राम लैनोलिन।

लैनोलिन और मधुमक्खी के मोम को गर्म करके पिघलाएं, लेकिन सीधी आंच पर नहीं (बेहतर होगा कांच के कटोरे में रखकर उसे बहुत गर्म पानी से भरे बर्तन में रखें)। गुलाबजल डालकर अच्छी तरह मिलाएं। फिर इसमें मुल्तानी मिट्टी को अच्छी तरह मिलाएं, जब तक कि मिश्रण चिकना न हो जाए। वायुरुद्ध (एयर टाइट) बर्तन में रख दें।

क्लींजिंग क्रीम

● **पहला उपाय**

5 चम्मच बादाम का तेल।

10 ग्राम सफेद मोम।

20 ग्राम लैनोलिन।

1 चम्मच गुलाबजल।

2-3 बूंद पसंदीदा फूल का सत्त।

सफेद मोम और लैनोलिन को पिघलाएं, लेकिन सीधी आंच पर नहीं। उसमें धीरे-धीरे गुलाब जल और बादाम का तेल मिलाते हुए चलाती जाएं, फिर ताप से

हटाकर ठंडा करने के लिए छोड़ दें और फूल का सत्त मिलाकर मर्तबान में इकट्ठा करें। चेहरे की सफाई के लिए फेस टिशू या रुई से पोंछने से पहले अच्छी तरह मालिश करें।

हाथ का लोशन

● **पहला उपाय**

1/4 पाउंड जई का आटा।

1/2 चम्मच नीबू का रस।

1/2 क्वार्टर गर्म पानी।

1/2 चाय का चम्मच घुला अमोनिया।

1/2 चाय का चम्मच जैतून का तेल।

1/2 चाय का चम्मच गुलाबजल।

1/2 चाय का चम्मच गिलसरीन।

जई के आटे को रात-भर गर्म पानी में भीगने के लिए छोड़ दें। सुबह आटे को गूंदे और फिर दूसरी वस्तुओं को मिलाकर जितनी बार चाहें इसे हाथों पर लगाएं। बचे हुए अधिक लोशन को कांच की बोतल में भरकर रख दें।

हाथ की क्रीम

● **पहला उपाय**

1 अंडे की सफेदी।

2 औंस सफेद मोम।

4 औंस बादाम का तेल।

1 दाना फिटकरी।

सभी वस्तुओं को खरल में कूटकर अच्छी तरह मिलाकर कांच के मर्तबान में भर दें और जितनी ज्यादा बार हो सके, इसका इस्तेमाल करें।

● **दूसरा उपाय**

1 औंस शहद।

1 चाय का चम्मच गिलसरीन।

1 अंडे की सफेदी।

थोड़ा-सा पिसा हुआ जौ।

पहली तीन वस्तुओं को कांटे की मदद से फेंटकर इतना जौ मिलाएं कि पेस्ट बन जाए, फिर रात में इसे हाथों में रखकर रगड़ें और रात-भर के लिए लगा रहने दें।

त्वचा का टॉनिक

- **पहला उपाय**

1 गुच्छा हरे अंगूर।

अंगूरों को मसलकर गूदा बनाएं और चेहरे पर लगाकर 15-20 मिनट बाद ठंडे पानी से धो दें।

- **दूसरा उपाय**

1 छोटी बंदगोभी।

बंदगोभी को बहुत महीन कतरकर पनीर रखने वाले कपड़े के छोटे चौकोर टुकड़े पर रखें। फिर इसे दबाकर करीब एक चम्मच रस निकालें और चेहरे पर थपथपाकर इसे रुई से मुख और गर्दन पर लगाएं। थोड़ी देर सूखने के बाद ठंडे पानी से धो दें।

रंगत लाने वाली क्रीम खासतौर से तैलीय त्वचा के लिए फायदेमंद है। यह पीली त्वचा पर चमक लाती है।

मुंहासों के लिए

- **पहला उपाय**

मुट्ठी-भर गेंदे के पत्ते।

पत्तों को पीस कर नम गूदा तैयार करें और सीधे मुंहासों पर लगाएं।

- **दूसरा उपाय**

1 चाय का चम्मच पिसी हुई फिटकरी।

1 चाय का चम्मच नीबू का रस।

2 चम्मच विच हेजल।

4 कतरे हुए मंझोले आकार के खीरे।

4 अंडे की सफेदी।

1 बड़ी टिकिया कपूर।

10 बूंद पिपरमैंट।

अंडे की सफेदी को फेंटें, जब तक वह कड़ी न हो जाए, फिंर कपूर की टिकिया को पीसें। खीरे की कतरन और पिसे हुए कपूर को अंडे की सफेदी में मिलाएं। अच्छी तरह मिलाने के बाद शेष सभी वस्तुओं को मिलाकर इस क्रीम को सीधे मुंहासों पर लगाकर 20-30 मिनट तक लगा रहने दें। बची हुई क्रीम को कांच के मर्तबान में रख दें।

तैलीय त्वचा की धुलाई

● पहला उपाय

मुट्ठी-भर गेंदे की पंखुड़ियां।

1 कप खौलता पानी।

फूल की पंखुड़ियों को एक कप खौलते पानी में डालकर 5-10 मिनट तक छोड़ दें, जब पानी सिर्फ छूने लायक गर्म रह जाए तब पानी से पंखुड़ियों को निकालकर उनका गूदा बनाकर इसे साफ त्वचा पर लगाएं और 5-7 मिनट के लिए लगा रहने दें, जब तक कि यह सूख न जाए। फिर ठंडे पानी से धो लें।

गर्दन की क्रीम

● पहला उपाय

1 औंस लैनोलिन।

1 औंस कोको बटर।

दोनों वस्तुओं को डबल बॉयलर में गर्म पानी पर रखकर फेंटें, जब तक कि यह मुलायम न हो जाए। फिर हटाकर ठंडा होने दें।

गर्दन पर नीचे से ऊपर की ओर इसकी मालिश करें।

इस क्रीम को कंधों और बांहों पर भी लगा सकती हैं।

इसे रात में ही लगाएं और रात-भर लगा रहने दें।

नहाने के तेल

● पहली विधि

1 चम्मच नीबू का रस।

1 चम्मच हल्का शैंपू।

1 कप सूर्यमुखी का तेल।

1 कप अखरोट का तेल।

इन सबको अच्छी तरह मिलाएं।

हर बार नहाते वक्त केवल दो चम्मच तेल पूरे शरीर पर मलें। इस तेल को बोतल में भरकर रखें।

● दूसरी विधि

1 कप खाने वाला सोडा।

1 कप समुद्री नमक।

1 कप एपसम सॉल्ट (मैग्नीशियम सल्फेट जिसका इस्तेमाल सूजन कम करने के लिए किया जाता है।)

1/4 कप सल्फर फ्लावर पाउडर।

इन चारों वस्तुओं को अच्छी तरह मिलाकर बोतल में भरकर रख लें। हर बार नहाते वक्त तीन चम्मच लेकर इसका इस्तेमाल करें।

नहाने के लिए फूलों का तेल

● पहली विधि

4 औंस एल्कोहल।

1 औंस अमोनिया।

1 ड्रम पसंदीदा फूल की खुशबू।

सभी वस्तुओं को अच्छी तरह मिलाकर बोतल में भरकर रख लें। हर बार नहाते वक्त इस मिश्रण को 2 चम्मच लेकर इस्तेमाल करें। यह तेल पानी को खूब चिकना बना देता है।

● दूसरी विधि

4 औंस बादाम का तेल।

1 औंस गुलाब जल।

अच्छी तरह मिलाएं। हर बार नहाते वक्त करीब दो चम्मच इस्तेमाल करें।

त्वचा की ब्लीचिंग और झुलसन हटाने वाला लोशन

● पहला उपाय

1 मंझोले आकार का ताजा खीरा।

1/2 चाय का चम्मच ग्लिसरीन।

1/2 चाय का चम्मच गुलाबजल।

1 खाने वाला चम्मच नीबू का रस

खीरे को बिना छिलका उतारें बहुत महीन कतर लें। पनीर वाले महीन चीज क्लॉथ का चौकोर टुकड़ा लें। उसमें खीरे की कतरनों को रखें और दबाकर रस निकालें। सभी वस्तुओं को अच्छी तरह मिलाएं। रुई के फाहे को इस मिश्रण में डुबोकर उसे चेहरे और बांहों पर लगाएं तथा 10-12 मिनट तक लगा रहने दें, फिर हल्के गुनगुने पानी से धो दें। बचे हुए मिश्रण को कांच की बोतल में भर लें। दो दिन तक यह खराब नहीं होगा।

● **दूसरा उपाय**

1 चम्मच जई का आटा।

गर्म पानी।

आधे नीबू का रस। सभी वस्तुओं को मिलाकर चिकना पेस्ट बना लें, जो आपके चेहरे से टपककर गिरे नहीं। चेहरे और बांहों पर इसे लगाएं। 15-20 मिनट तक सूखने के लिए छोड़ दें, फिर ठंडे पानी से धो दें।

● **तीसरा उपाय**

1 औंस ग्लिसरीन।

14 औंस गुलाबजल।

4 ड्रम सुहागे का बुरादा। इन सभी वस्तुओं को अच्छी तरह मिलाकर चेहरे और बांहों पर इस मिश्रण को थपथपाकर लगाएं और 15-20 मिनट तक सूखने के लिए छोड़ दें, फिर गुनगुने सील गर्म पानी से अच्छी तरह धो दें। बचे हुए घोल को कांच की बोतल में रख दें।

भूरी पड़ गई त्वचा के लिए

● **पहला उपाय**

1 कप बटर मिल्क।

एक नीबू का रस। दोनों वस्तुओं को अच्छी तरह मिलाकर रुई के फाहे को इस घोल में भिगोकर चेहरे पर थपथपाकर लगाएं और 15-20 मिनट तक सूखने के लिए छोड़ दें, फिर ठंडे पानी से धो दें।

● **दूसरा उपाय**

1 कप क्रीम निकाला हुआ दूध का पाउडर।

3 नीबू का रस।

थोड़ा सा पानी। इन सारी चीज़ों को मिलाकर चिकना, आसानी से फैलने वाला पेस्ट बना लें, फिर इस पेस्ट को त्वचा पर फैलाते हुए लगाएं और 20 मिनट तक सूखने के लिए छोड़ दें। सूखने के बाद ठंड़े पानी से धो दें।

● **तीसरा उपाय**

1 उबला शलजम।

2 गाजर। गाजर को कतरें और शलजम के गूदे के साथ मिलाकर चिकना पेस्ट बनाएं। अपने चेहरे पर फैलाते हुए लगाएं और 20 मिनट तक सूखने के लिए छोड़ दें, फिर ठंडे दूध से धो दें। शलजम की जगह टमाटर का भी इस्तेमाल किया जा सकता है।

● चौथा उपाय

2 चम्मच तरबूज के बीज का चूरा।

2 चम्मच कुम्हड़ा के बीज का चूरा।

2 चम्मच कद्दू के बीज का चूरा।

2 चम्मच खीरे के बीज का चूरा।

थोड़ा शहद या ताज़ा मलाई

इन सभी वस्तुओं को अच्छी तरह मिलाकर चिकना पेस्ट बना लें, फिर इसे चेहरे पर थपथपाकर लगाएं और 15-20 मिनट तक लगा रहने दें, फिर ठंडे पानी से धो दें।

अस्ट्रिंजंट

● पहला उपाय

50 ग्राम विच हैजल।

3 चाय के चम्मच शहद।

डेढ़ कप गुलाबजल।

डेढ़ खाने वाले चम्मच सेब का सिरका।

डेढ़ बूंद कपूर (बी.पी.) का सत्त।

1 चुटकी-भर फिटकरी का चूरा।

इन सभी वस्तुओं को अच्छी तरह मिलाकर कांच की लंबी बोतल में सुरक्षित रखें। तैलीय त्वचा के लिए ही इसका इस्तेमाल करें। शेविंग के बाद आफ्टर शेव लोशन की तरह मर्द भी इसका इस्तेमाल कर सकते हैं।

क्यूटिकल को नरम बनाने वाला

● पहला उपाय

1 चम्मच पपीता या अनानास का रस।

1/4 अंडे की जर्दी।

1 चाय का चम्मच सेब का सिरका।

इन सभी वस्तुओं को अच्छी तरह मिलाएं और कांच की बोतल में भर दें। याद रखें इसका हमेशा ऑरेंज स्टिक से ही इस्तेमाल करें।

दंत मंजन

● पहला उपाय

150 ग्राम नमक।

150 ग्राम पकी फिटकरी का पॉउडर।

एक नीबू का रस।

1/2 लीटर डिस्टिल वाटर।

सभी वस्तुओं को मिलाकर एक साथ उबालें। तरल पदार्थ को फेंक दें और शेष अवशेष को सुखाकर बोतल में भरकर रखें और दंत मंजन की तरह इस्तेमाल करें।

दर्द करते कॉर्न के लिए

● **पहला उपाय**

2 औंस आइवी (लबलब, मारवल्ली) के ताजे पत्ते।

ढक्कन वाले बर्तन या मर्तबान में सिरका डालकर पत्तों को भिगोएं। सिरका पत्तों को ढक लें। बर्तन या मर्तबान को ढककर दो हफ्ते तक छोड़ दें। मर्तबान/बर्तन में सिरका डालती रहें, चाहे पत्ते सिरके को सोख लें, फिर भी सिरके की कमी न रहे। दो सप्ताह के बाद ये पत्ते इस्तेमाल करने के लिए तैयार हो जाते हैं। एक पत्ते को कॉर्न पर बांध दें। पत्ते को दिन में दो बार बदलें, जब तक कि कॉर्न इतना मुलायम न हो जाए कि उसे बाहर निकाल दिया जाए।

पैर के लिए पाउडर

● **पहला उपाय**

1 कप मक्का का आटा।

1 कप एल्कोहल।

1 चाय का चम्मच धनिया का सत्त।

1 कप टेलकम पाउडर।

3/4 चाय का चम्मच बोरिक एसिड।

इन सभी वस्तुओं को अच्छी तरह मिलाकर वायुरुद्ध बर्तन में जमा करें।

शिकाकाई शैंपू

● **पहला उपाय**

100 ग्राम शिकाकाई के पत्ते।

100 ग्राम रीठा पाउडर।

100 ग्राम आंवला पाउडर।

इन तीनों वस्तुओं को कांच के कटोरे में एक साथ भिगोकर रात-भर के लिए छोड़ दें। अगली सुबह उबालकर छान लें। लंबी बोतल में सुरक्षित रूप से रख दें।

बालों की दुर्गन्ध दूर करने के लिए तेल

कुछ महिलाओं की शिकायत रहती है कि बालों से दुर्गन्ध आती है। दुर्गन्ध निम्न प्रकार से दूर की जा सकती है——

1. 1 लीटर सरसों का तेल लीजिए। उसमें 1 तोला हल्का गंधक का तेजाब डालिए। बाद में 8 तोला पानी मिलाने से हल्का गंधक का तेजाब बन जाता है। इसको खूब हिलाइए। सरसों के तेल की सारी गंध नष्ट हो जाएगी और वह सफेद हो जाएगा। अब इसमें थोड़ा 'सोडियम कोर्बोनेट सोल्यूशन' डाल दीजिए, जिससे तेजाब का असर जाता रहे।

2. तिल का 1 लीटर तेल लेकर 1 छटांक कास्टिक सोडा डालकर गर्म कीजिए तो वह पतला और निर्गंध हो जाएगा। इसके बाद उसे पानी में 8-10 बार धोकर शुद्ध कर लेना चाहिए।

3. नारियल का 1 लीटर तेल लेकर 2 तोला नखी (यह दवा पंसारी से मिलेगी) खूब बारीक पीसकर प्रथम 1 छटांक तेल के साथ कलछी में खूब पकाकर तेल में डाल दीजिए, फिर उस बर्तन का मुख बंद करके 4 दिन तक रखिए। प्रतिदिन 2-3 बार हिलाइए। 14 दिन बाद छानिए। तेल शुद्ध-पतला और निर्गंध हो जाएगा।

इस प्रकार तेलों को शुद्ध करके अब उन्हें नीचे लिखी रीति से जैसा पसन्द हो तैयार कर लीजिए——

भांगरे का रस 1 लीटर, शुद्ध तिल का तेल 250 ग्राम, मजीठ एक या सवा तोला, लौंग डेढ़ ग्राम, चंदन सफेद, खरेटी हल्दी, गेरू, दारू हल्दी, मेहंदी, मुलहठी, नागकेशर प्रत्येक 1-1 तोला सबको बकरी के दूध में भांग की तरह पीसकर लुगदी बना लें।

इसके बाद तेल, भांगरे का रस और 250 ग्राम बकरी का दूध सबको मिलाकर मन्दी आंच पर पकाएं। जब देखिए कि पानी का अंश जल गया है, तब थोड़ी लुगदी लेकर अंगुली से बत्ती बनाएं। जब बत्ती बनने लगे, तब उतारकर वैसा ही रख दीजिए। 13 दिन बाद छानकर काम में लाइए। आवश्यक हो तो ब्लाटिंग पेपर से छानना चाहिए। यह तेल बाल काले करता है और मस्तिष्क की तरावट के लिए उपयुक्त है। यह तेल सिरदर्द की भी कारगर औषधि है।

4. तिल का शुद्ध तेल 1 लीटर, आंवले का गूदा 1 किलो, हरे आंवले का रस 4 लीटर इन सबको मिलाकर पकाइए। रस जल जाने पर उतारकर छान लीजिए। यह आंवले का असली तेल है। इससे दृष्टि, केश और मस्तिष्क दृढ़ होते हैं।

सौंदर्य वृद्धि के लिए हर्बल नुस्खे

शताब्दियों से भारतीय महिलाएं अपना सौंदर्य बढ़ाने के लिए आयुर्वेद का सहारा लेती रही हैं और जड़ी-बूटियों के उबटन मलकर अपने रंग-रूप को निखारती रही हैं। यहां हम एक उबटन के एक ऐसे नुस्खे का उल्लेख कर रहे हैं, जो सौंदर्य वृद्धि के लिए रामबाण है और नारी के सौंदर्य वृद्धि में अद्वितीय है। नुस्खा इस प्रकार है—

उबटन

लोध, चन्दन का बुरादा, केसर, अगर, खस और सुगन्ध वाला कोई पदार्थ। इन्हें प्रयोग करने के एक घंटा पूर्व पानी में भिगो दें तथा बाद में सिलबट्टे पर महीन पीस लें। उबटन तैयार है। इस उबटन का शरीर पर लेप करने के आधा घंटा बाद स्नान कर लें। इसके प्रयोग से शरीर की त्वचा उजली, सुगन्धित और कान्तिमय हो जाती है। यह उपाय किसी भी टेल्कम पाउडर से अधिक श्रेष्ठ है।

बाल काला करने के नुस्खे

मेहंदी, कुटज, कंवजिका, पहाड़ी चमेली और भाषापर्णी की जड़ के चूर्ण को बालों पर मलकर स्नान करने से बाल पुनः पहले की भांति काले हो जाते हैं।

मेहंदी, कुटज, कंवजिका, पहाड़ी चमेली, भाषापर्णी—ये पांचों बूटियां ऐसी हैं, जो अलग-अलग भी विधि के साथ उपयोग में लाई जाएं तो भी बाल काले हो जाते हैं। चमेली का रस निकालकर उसकी जड़ को पीस लें और उन दोनों को तिल के तेल में पकाएं। इस तेल के नित्य प्रयोग से असमय सफेद हुए बाल काले हो जाते हैं। आम की गुठली का तेल, कान्त पाषाण का चूर्ण, काकादनी के फूलों का चूर्ण, लौह चूर्ण, अंकोल का तेल, इन सब चीजों को मिलाकर किसी मिट्टी के बर्तन में एयरटाइट कर धान के ढेर में तीस दिन तक दबा दें। बाद में निकालकर बराबर तीन दिन लगाएं तो 6 महीने के लिए बाल काले हो जाते हैं। गुंजबीज, कुष्ठ, एला, देवदारू को बराबर-बराबर लेकर पीस लें और एक दिन भांगरे के रस में भावित करें। चूर्ण की जितनी मात्रा हो, उससे चार गुना अधिक तेल मिलाकर पकाएं। ठंडा होने पर प्रयोग में लाएं। इसके लगाने से बाल भंवरों के समान काले हो जाते हैं।

420

हाथी दांत की भस्म और भांगरे का रस बकरी के दूध में पीसकर लेप तैयार करें। इसके प्रयोग से बाल काले होते हैं।

मोश, सरसों, उसीर, हरीतकी और अमल (आंवला) का काढ़ा तैयार करें। इस काढ़े को बालों की जड़ों पर मलने से बाल मेघ के समान काले हो जाते हैं।

नील की जड़, सेंधा नमक और छोटी पीपल को बारीक-बारीक पीसकर शुद्ध घी में मिला कर पेस्ट तैयार करें। इसके इस्तेमाल से दूध की तरह सफेद बाल भी काले हो जाते हैं। गाय का घी, भांगरे का रस और मोरशिखा को लेकर धीमी आग पर सिद्ध कर लें। बाद में नित्य सेवन से बाल काले हो जाते हैं।

काकमाची के बीज, काले तिल समान मात्रा में लें। उनमें गुड़हल के फूलों का रस में एक कर्छी शहद मिला लें। सात दिन तक नित्य लगाने से बाल काले होते हैं।

त्रिफला, लौहचूर्ण, नीली और जड़ सहित भृंगी के चूर्ण को एक दिन तक बकरी के मूत्र की भावना दें। बाद में प्रयोग में लाने पर यह बालों को काला बना देता है।

त्रिफला, लौहचूर्ण समभाग लेकर दोनों के वजन के बराबर तिल या सरसों का तेल मिलाएं। बाद में इन सबके वज़न के बराबर भांगरे का रस डालकर मंदी आग में पकाएं। जब रस जल जाए और केवल तेल शेष बचे तो उतार लें और किसी चिकने मिट्टी के बर्तन में भरकर जमीन में गाड़ दें। एक महीने बाद उस बर्तन को बाहर निकालें। फिर इस तेल की मालिश सिर पर करें। बाद में सिर को त्रिफला के पानी से धोएं। सात दिन तक ऐसा करने से बाल काले हो जाते हैं।

अमावस के दिन गोरखमुंडी का पौधा जड़ सहित उखाड़ें। पौधे को भली-भांति धूल-मिट्टी रहित कर छाया में सूखने के लिए रख दें। सात दिन तक सूखने दें। सूखने पर कूट-पीस लें। सायंकाल 10 ग्राम गोरखमुंडी का चूर्ण थोड़े से पानी में भिगो दें। सुबह सिर पर लगाएं। यह बालों के लिए टॉनिक का काम करता है। इसके चूर्ण को पानी में मिलाकर सिर धोने से बाल काले और सुरक्षित रहते हैं।

मुख और शरीर दुर्गन्धनाशक नुस्खे

1. कूट और ताल-मखाना का चूर्ण बनाकर रख लें। शहद और घी के साथ मिलाकर खाने से मुखदुर्गन्ध दूर हो जाती है। शहद और घी का अनुपात बराबर न रखें। शहद 2 और घी 1 का अनुपात रहे।

2. इलायची, कूट, मुलहटी, धनिया और नागरमोथ की बराबर-बराबर मात्रा लेकर इन्हें पीसकर चूर्ण बना लें। एक चुटकी मुंह में डालकर चबाने से ही मुंह की दुर्गन्ध दूर हो जाती है।

3. बेलपत्र, आंवला, हरड़ तीनों को एक साथ पीसकर लेप तैयार करें। इस लेप को शरीर के किसी भी.भाग पर लगाने से उस भाग की दुर्गन्ध मिट जाती है। प्रायः इसका उपयोग बगल जैसे ढंके अंगों की दुर्गन्धनाश के लिए किया जाता है।

4. सफेद चन्दन, कश्मीरी केसर के फूल, पुष्कर की जड़, छोटा लोध, तगर, बालछड़, खस सफेद, काली मिर्च इन सबको समभाग लेकर बारीक पीस लें। इनमें तेल और बेसन मिलाकर उबटन बना लें। इस उबटन को स्नान से पूर्व मलें

फिर स्नान करें। इससे शरीर की बुरी-से-बुरी दुर्गन्ध भी दूर हो जाती है।

5. लोध की छाल, खस, शिरीष, कमल के गट्टे को महीन पीस लें। इनमें बेसन और तेल मिलाकर मालिश करने से पसीने आदि की बदबू नहीं रहती।

6. अर्जुन के फूल, जामुन के पत्ते और लोध बराबर-बराबर लेकर अत्यन्त बारीक पीस लें। इस उबटन को लगाने से पसीने की दुर्गन्ध नहीं रहती है।

7. हरड़, लोध, रीठे के पत्ते, अनार के छिलकों का चूर्ण, इनका उबटन बनाएं और शरीर पर लगाएं। ऐसा करने से शरीर की दुर्गन्ध नष्ट हो जाएगी।

8. हरड़, सफेद चन्दन, नागरमोथ, खस, लोध, हल्दी से बना उबटन लगाने से पसीने की बदबू लुप्त हो जाती है।

9. सफेद चन्दन, खस, बेलपत्र, बेर तथा बहेड़े की गिरी, अगर, नागकेशर का लेप तैयार करें। इसका लेप करने से पुरानी-से-पुरानी दुर्गन्ध भी नष्ट होती है।

10. इलायची, कपूर, तेजपात, चन्दन, मोश, हरड़, कचूर, कूठ का लेप दुर्गन्धनाशक होता है।

11. कस्तूरी, केसर, नागरमोथ, भद्रमोथा, कपूर, खस इन सबको बराबर-बराबर लेकर पीस लें। इनके लेपन से शरीर सुवासित होता है।

12. खस, काला गुरु, सफेद चन्दन को बराबर मात्रा में पानी के साथ पीसकर शरीर पर लेप लगाने से शरीर से चन्दन के समान सुगन्ध आती है।

13. जावित्री, काकड़ासिंगी, लाल चन्दन, नागरमोथा, सफेद चन्दन, शिलारस, कस्तूरी, नागकेशर, सोनजुही, कपूर को अच्छी तरह कूटकर महीन चूर्ण बना लें। पान या मारूआ (तुलसी के समान एक पौधा) के रस के साथ पीस लें। बाद में इस घोल/लेप को शरीर पर लगाने से अंग-अंग महकने लगता है।

14. बेल फल, हरड़, आंवला इन तीनों को समान मात्रा में पीसकर इसका लेप कांख में लगाने से वहां की दुर्गन्ध दूर होती है।

15. अनार सहित अनार की छाल, महुए की छाल, लोध, कमलगट्टे के बराबर की मात्रा में नीम के पत्ते पीसकर देह पर मलने से पसीने की दुर्गन्ध दूर होती है।

16. नाग केसर, खस, सिरस, लोध को पीसकर कपड़छन कर लें। इस चूर्ण (पाउडर) को शरीर पर लगाने से ग्रीष्म ऋतु में पसीना नहीं आता और अंग-प्रत्यंग सुवासित रहता है।

17. बिजो नीबू के फल का छिलका यदि मुख में डाल लिया जाए तो वह तुरन्त दुर्गन्ध नष्ट कर देता है।

18. कूठ (कूष्ट), ऐलेय, एला (इलायची), मुलहठी, नागरमोथ, धनिया को चबाने से मुख की दुर्गन्ध दूर होती है।

19. जायफल, जावित्री, दोना मरूआ, केसर या हींग, कूठ, गन्ध तुलसी, वन तुलसी को पीसकर गोली बनाकर रख लें। इसकी एक गोली मुंह में डाल लेने से मुख दुर्गंध विहीन हो जाता है।

20. दालचीनी, इलायची, जावित्री, स्वर्णमालती को कूट, पीस तथा छानकर छोटी-छोटी गोलियां बना लें। पान के साथ खाने से दिन या रात दोनों ही समय मुख श्वास सुगंधित रहती है।

21. तालमखाने के बीज और कूठ का चूर्ण, शहद और घी के साथ सेवन करने से मुख से केवड़े जैसी सुगन्ध आती है।

22. आम और जामुन की गुठली का सार, कर्कट और शहद को से मुख सदा ही सुगन्धित रहता है।

स्तनों को सुडौल बनाने के लिए

अपामार्ग, अश्वगन्धा, कटेरी के फल, कुष्ठ, तगर, पिप्पल, सफेद सरसों, काली मिर्च बराबर-बराबर लेकर बकरी के दूध में पीसकर क्रीम तैयार करें और उसका लेपन वक्षों पर करें, इससे स्तन कड़े और समुचित आकार के हो जाते हैं।

सफेद कनेर की जड़, अपामार्ग की जड़, असगंध की जड़, कलिहारी की जड़,

कटेरी (स्वर्ण क्षीरी) के साफ किए बीज बराबर मात्रा में लेकर बहुत बारीक पीस लें और प्राप्त चूर्ण को शुद्ध जल में घोलकर लेप करने से उरोज (स्तन) उन्नत हो जाते हैं।

असगंध, वचा, कुष्ठ, सफेद सरसों को समान मात्रा में लेकर बकरी के दूध में पीस कर लेप तैयार कर लें और इस लेप को स्तनों पर लगाएं तो लटके हुए स्तन भी आकार ग्रहण करने लगते हैं।

तेजपात, तालीशपत्रा, प्रियंगु, जंगली चम्पा, हरद्वारी घास, असगंध को समान मात्रा में लेकर कूटकर बारीक पॉउडर बना लें। फिर शहद और तिल के तेल में मिलाकर धान (चावल की मूंजी) में गाड़ दें। चालीस दिन गड़ा रहने के बाद निकालें। इस औषधि के नियमित लेपन से स्तन मनवांछित आकार तक बढ़ सकते हैं।

शुद्ध सरसों के तेल में सरसों के चूर्ण (पॉउडर) समान मात्रा में मिलाकर स्तनों पर लेप लगाने से स्तन बढ़ जाते हैं।

अरण्ड के बीज का छिलका उतारकर गिरी निकालें और असगंध, वचा, लोध को समान मात्रा में लेकर बड़ी कटेरी के फल के पानी के साथ पीसकर पतली पिट्ठी (ग्रेवी) बना लें और उनका लेपन स्तनों पर करें तो स्तन कड़े और आकार में बड़े हो जाते हैं।

मुख कान्तिवर्द्धक

1. तगर, कष्ठ (कूठ) और तालीशपत्रा को बराबर-बराबर मात्रा में लेकर जल में पीस लें और शरीर पर इसका लेपन करें। लेप स्नान से पूर्व करें और सूखने से पहले उतार दें। इसका लेपन मुख और शरीर की कान्ति बढ़ाता है।

2. जौ का छना हुआ साफ आटा, मुलहठी, सफेद सरसों और लोध इन सबको समान मात्रा में लेकर बहुत महीन पीस लें और पानी मिलाकर लेप तैयार करें। इसके नियमित लेपन से मुख सोने-सा दमकने लगता है।

3. बड़ के पके हुए पत्ते, कुचत्तर, महुआ, प्रियंगु, कमल, सहदेई (सहजना), हरिचन्दन, लाख, केशर और पठानी लोध, इनको समभाग लेकर पानी में पीसकर लेपन करने से मुख चांदी की भांति चमकने लगता है।

ऋतुओं के अनुरूप लेप तैयार करना

1. हेमन्त ऋतु में बेर की गुठली की गिरी, बंसे की जड़ का छिलका, शाबरलोध, पीली सरसों इन सबका समभाग का चूर्ण लेकर पानी मिलाकर लेप तैयार करें। इससे चेहरे की सुन्दरता दमकने लगती है।

2. शिशिर ऋतु में कटेरी की जड़, काले तिल, दारूलहल्दी का छिलका और वितुष का समभाग लेकर पानी में घोटकर लेप करें। इससे त्वचा शुष्क नहीं होती और चमकीली बनी रहती है।

3. बसन्त ऋतु में कुशा की जड़, सफेद चन्दन, खस, शिरीष की छाल, सौंफ, सांठी के चावल समान मात्रा में लेकर पीसकर लेप तैयार कर लगाने से कान्ति बनी रहती है।

4. ग्रीष्म ऋतु में कुमुद, कमल, कहलार, दूब (घास), मुहलठी, सफेद चन्दन को समान मात्रा में पीस लें। पानी मिलाकर लेप तैयार करें। इसका लेपन करने से कान्ति बढ़ती है।

5. वर्षा ऋतु में अगर, तिल, खस, बालछड़, तगर, पद्मकाष्ठ को समभाग में लेकर लेप तैयार करें और लेप लगाएं। सूखने से पहले उतार दें। इससे मुख की कान्ति बनी रहती है।

6. शरद ऋतु में तालीसपत्र, गुन्द्रपटेर, पुण्डरीक, मुलहठी, कांस, तगर और अगर को बराबर-बराबर लेकर पानी में घोलकर लेप करें और सूखने से पहले उतार दें। इससे शरीर तथा मुख की कान्ति बढ़ जाती है।

7. रक्तचन्दन, मजीठा, लोध, कुष्ठ, प्रियंगु, वट के अंकुर और मसूर को बराबर भाग में लेकर पीसकर लेप तैयार करें। इसका नियमित लेपन कान्तिवर्द्धक होता है।

8. बिलौरे नीबू की जड़, मैनशिल, घी, गोबर के रस का लेप मुख की कान्ति को बढ़ाता है।

9. तगर, तालीसपत्र और तमालपत्र को समभाग में लेकर लेप तैयार करें। इस लेप से मुखकान्ति बढ़ती है।

रंग उजला करने के लिए

1. गोरखमुंडी का चूर्ण और जौ का आटा मट्ठे में सानकर रोटी बनाएं। गाय के घी के साथ उक्त रोटी खाने से शरीर पुष्ट होता है और रंग उजला हो जाता है।

2. काली मिर्च के साथ गोरोचन पीस कर लगाने से मुंहासे दूर हो जाते हैं।

3. मसूर की दाल की दूध के साथ पिट्ठी बनाएं। उसमें कपूर मिलाकर लगाने से मुंहासे दूर हो जाते हैं।

4. मसूर की दाल को दूध में पीसें। उसमें थोड़ा-सा शहद मिलाकर लेप बनाएं और रात के समय चेहरे पर मल लें। सुबह उठकर ठंडे पानी से साफ करें। इसके नियमित प्रयोग से चेहरे की कांति बढ़ जाती है।

सौंदर्यवर्द्धक उबटन

1. तिल, सफेद सरसों, दोनों प्रकार की हल्दी और कुष्ठ (कूठ) को कूट पीसकर तिल/सरसों के तेल में मिलाकर उबटन तैयार करें। इस उबटन की स्नान से पहले मालिश करने से शरीर कुन्दन की भांति दमकने लगता है।

2. नीम, अमलतास, अनपर, लोध हल्दी, नगरमोथा को कूट पीसकर सरसों के तेल में मिलाकर उबटन लगाने से महिलाओं का शरीर कान्तिमय हो जाता है। चने का आटा मिलाने से उबटन और भी अधिक प्रभावकारी हो जाती है।

3. सूखे कमल के फूल, उत्पल और नाग केसर के चूर्ण को शहद और घी के साथ नियमित रूप से चाटने से सौंदर्य बढ़ जाता है।

मुंहासे-दाग-झाईं

1. लोध, धनिया और वच इन तीनों वस्तुओं को बराबर लेकर जल में पीसकर मुख पर लेप करने से मुंहासें, दाग तथा झाईं समाप्त हो जाते हैं।

2. काली मिर्च और गोरोचन समभाग लेकर लेप बनाएं और उसका लेप करें। मुंहासे, दाग और झाईं दूर हो जाते हैं।

3. बड़ के पीले पत्ते, चमेली, रक्त चन्दन, कुष्ठ (कूठ), दारुल हल्दी का लेप करने से मुंहासे दूर हो जाते हैं। ये सभी सममात्रा में लेने होते हैं।

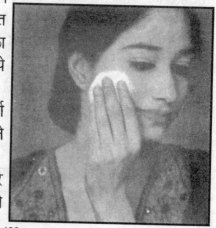

4. अर्जुन वृक्ष की छाल का चूर्ण मक्खन में मिलाकर चेहरे पर लेप करने से मुख के दाग दूर होते हैं।

5. शहद और मंजीठा लेप तैयार कर चेहरे पर मलने से दाग दूर हो जाते हैं।

6. सफेद घोड़े के खुर की राख को मक्खन में मिलाकर लेप करने से चेहरे के दाग नष्ट होते हैं।

7. आक (मदार) के दूध में हल्दी को मिलाकर लेप तैयार करें। इसके लेपन से चेहरे पर पड़ी काली झाइयां दूर हो जाती हैं।

8. काले तिल, काला जीरा, सफेद सरसों इन सबका समभाग पीसकर लेप करने से मुख के धब्बे और झाइयां दूर होती हैं।

जूंओं और लीखों से मुक्ति

1. लम्बे, घने और बड़े बालों में जरा-सी लापरवाही से सिर में जूएं, लीख और फ्यास (रूसी) उत्पन्न हो जाती है। इससे जहां सिर में खाज हो जाती है, वहीं बालों की स्वाभाविक चमक भी नष्ट हो जाती है। इनसे छुटकारा पाने के उपाय यहां बताए जा रहे हैं।

2. वायविडंग, गन्धक, उत्पल को बारीक पीसकर गौमूत्र में मिलाएं और फिर सरसों के तेल में खौलाकर ठंडा करें। इस तेल को सिर में लगाने से जूएं, लीखें और रूसी नष्ट हो जाती है।

3. अनन्तमूल का चूर्ण गौमूत्र में मिलाकर लेप तैयार करें। इस लेप को सिर पर लगाने से जुएं और लीखें खत्म हो जाती हैं।

4. हल्दी और दारुलहल्दी का बारीक चूर्ण मक्खन में मिलाकर सिर पर रगड़ने से जीवाणु नष्ट हो जाते हैं और सिर की खाज मिट जाती है।

5. नील कमल, तिल, मुलहठी, सरसों, नागकेशर को समान मात्रा में आंवले के साथ पीस कर लगाने से जूएं नष्ट हो जाती हैं।

6. हल्दी, गन्धक, गौमूत्र, वायविडिंग, सरसों का तेल, पारे के साथ पीस कर लेप करने से लीखें मिटती हैं।

7. शोधित लाख, भिलावा, नागरमोथा, कूट (कुष्ट), गूगल, सरसों, वायविडिंग को समान मात्रा में पीस लें फिर आवश्यकतानुसार पानी मिलाकर लेप तैयार करें। इस लेप के प्रयोग से जूएं नष्ट होती हैं।

ये सभी जड़ी-बूटियां आयुर्वेदिक/यूनानी दवाखानों में आसानी से मिल जाती हैं।

घरेलू उपचार से सौंदर्यवृद्धि

सौंदर्य प्रसाधन आज इतने महंगे हैं कि उन्हें खरीदना हर किसी के बस की बात नहीं। ऐसी स्थिति में प्राकृतिक सौंदर्य प्रसाधनों का सहारा लेना आवश्यक हो गया है। प्राचीनकाल से प्रयोग किए जाने वाले इन प्रसाधनों की खास बात यह है कि ये कोई कुप्रभाव डाले बिना चमत्कारिक परिणाम देते हैं।

शाक-सब्जियों, फलों, रसोई में काम आने वाली विभिन्न वस्तुओं का प्रयोग करके भी सौंदर्य को निखारा जा सकता है। आइए कुछ ऐसे सरल प्रयोगों के बारे में जानें—

- एक चम्मच सौंफ को पानी में उबालकर काढ़ा बना लें। ठंडा होने पर उसमें शहद मिला दें। इस लेप को चेहरे पर फेस पैक की तरह लगाकर पन्द्रह मिनट बाद धो डालें। इसका नियमित प्रयोग करने से झुर्रियां दूर होती हैं।
- त्वचा से मैल साफ करने के लिए कच्चे दूध में नीबू का रस व नमक मिलाकर रुई की सहायता से धीरे-धीरे मैल उतारें। यह क्लींजिंग मिल्क का काम करेगा।
- चने की दाल को रात में दूध में भिगो दें। सुबह सिल पर बारीक पीसकर थोड़ी-सी हल्दी, एक चम्मच दूध की मलाई और कुछ बूंदें गुलाबजल की मिला दें। यह उबटन सांवली त्वचा को निखारने के लिए कारगर उपचार है।
- रंगत निखारने के लिए संतरों के छिलकों को छाया में सुखाकर बारीक चूर्ण बना लें। इस चूर्ण में से एक चम्मच लेकर उसमें एक चम्मच बेसन, थोड़ी-सी हल्दी, एक चम्मच दूध व कुछ बूंदें नीबू के रस की मिला दें। चेहरे व गले आदि पर यह उबटन लगाएं। त्वचा निखर उठेगी।
- नाखूनों की चमक व पुष्टता के लिए उन पर नियमित जैतून का तेल मलें।
- गर्दन के सौंदर्य को निखारने के लिए स्नान से दस मिनट पूर्व पपीते का गूदा मलें।
- बालों में खुश्की होने पर नीबू का रस मलने से कुछ ही दिनों में समस्या दूर हो जाती है।

- खीरे के टुकड़े को जैतून के तेल में मसलकर चेहरे पर मलने से त्वचा निखरती है।

- मक्खन में केसर मिलाकर होंठों पर मलने से लालिमा आती है।

- प्रदूषित वातावरण कई विकृतियों को जन्म दे रहा है। बालों को गिरना, रूसी होना, बालों का असमय सफेद होना, मुंह पर झाइयां, मुहांसे तथा आंखों के नीचे काले गड्ढे पड़ना, अब आम समस्याएं हो चली हैं। मुल्तानी मिट्टी व रीठे से बालों की सुंदरता तो बढ़ती ही है साथ ही उन्हें पौष्टिक तत्व भी मिलते हैं।

स्वस्थ रहने के लिए घरेलू नुस्खे

- 200 ग्राम पका केला खाकर ऊपर से 200 ग्राम दूध पीने से शरीर धीरे-धीरे मोटा होने लगता है।
- घी और शक्कर मिलाकर खाने से मोटापा बढ़ता है तथा दुबलापन दूर होता है।
- हर मौसम में मटर खाने से रक्त और मांस बढ़कर शरीर मोटा होता है।
- मोटापा बढ़ाने के लिए नित्य दूध में शहद मिला कर पिएं।
- सुबह के भोजन में चावल व मक्का की चपातियां खाने से भी शरीर मोटा होता है।
- नारियल की गिरी को मिश्री के साथ चबाने से दुबलापन दूर होता है।
- अनार का रस रक्त को लाल करता है, शरीर का वजन और मोटापा बढ़ाता है।
- छुआरा शरीर में नव रक्त का निर्माण करता है, ताकत प्रदान करता है तथा शरीर का दुबलापन भी दूर करता है।
- सुबह के भोजन में छिलके सहित काले उड़द की दाल खाने से शरीर के मांस में गजब की वृद्धि होती है।
- ताजा जल 20 मिनट धूप में रखें, फिर स्नान करने से शरीर का दुबलापन धीरे-धीरे दूर होने लगता है।
- मौसम के मुताबिक फलों के सेवन से भी मोटापा बढ़ता है।
- प्रतिदिन भोर में खुली हवा में टहलने से शरीर मजबूत तथा भारी होता है।
- किसी भी तरह के तनाव को भूलकर भी न पालें, क्योंकि तनाव दुबले शरीर को मोटा होने में बाधा पहुंचाता है।
- सर्दियों में मक्के की चपातियां खाने से पतला शरीर धीरे-धीरे मोटा होने लगता है।
- खाना खाने के उपरांत 40 मिनट तक विश्राम करने से शरीर के वजन में वृद्धि होती है।

- नित्य दो सेब चबा-चबाकर खाने से भूख खुलकर लगती है तथा खाना खाने की क्षमता बढ़ती है। इससे भी शरीर का दुबलापन दूर होने लगता है।

- सुबह-शाम भैंस के दूध में छुआरा मिलाकर पीने से भी पतली काया खूबसूरत बनकर संवरने लगती है।

- सुबह व्यायाम करने से भी पतली काया में चुस्ती आने लगती है तथा कुछ ही महीनों में पतलापन भी दूर हो जाता है।

सौंदर्य में शहद का उपयोग

शहद अनेक प्रकार के पौधों के फूलों से तैयार होता है, अतः इसके रंग, गंध एवं स्वाद में अन्तर आ जाता है। साथ ही पतलापन और गाढ़ापन भी ऋतुओं के फूलों पर निर्भर करता है। सरसों, सेब आदि का शहद गाढ़ा और अपेक्षाकृत सफेदी लिए होता है। नीम का शहद पतला होता है और इसी प्रकार वनपुष्पों का शहद भी पतला, किन्तु गहरे रंग का होता है। कहीं-कहीं काले और सफेद रंग की भी किस्में पाई जाती हैं। इंग्लैंड में बिल्कुल सफेद और मरमरी रंग का शहद भी मिलता है। एक किलोग्राम शहद बनाने में 60,000 फूलों के रस का प्रयोग होता है और मधु मक्खियों को लगभग 70,000 किलोमीटर का चक्कर लगाना पड़ता है।

अमरीका के डॉक्टर जे.एन. कैलोंग के अनुसार जिन शिशुओं को प्रतिदिन शहद दिया गया, वे अन्य शिशुओं की अपेक्षा अधिक हृष्ट-पुष्ट और बलवान बने। फ्रांस के चिकित्सक बच्चों, स्त्रियों और पुरुषों को शक्ति के लिए शहद क्रीम और शहद मक्खन खाने की राय देते हैं। शिशुओं को प्रथम नौ महीनें तक मधु दिया जाए तो उनको छाती के रोग नहीं होते। इसकी मात्रा शिशुओं के लिए 5 से 15 बूंद, बालकों के लिए आधा चम्मच और युवकों के लिए दो छोटे चम्मच नियत हैं। शिशुओं को यह प्रातः माता के दूध में मिलाकर दिया जाता है या चटा दिया जाता है।

हृदय रोगी भी शहद का उपयोग करें। डॉक्टर आर्नल्ड लारेंड के अनुसार हृदय की धमनी के लिए शहद महान शक्तिवर्द्धक है। उनका परामर्श है कि प्रत्येक हृदय रोगी को सोते समय शहद और नीबू का रस मिलाकर एक गिलास पानी अवश्य पीना चाहिए। थोड़ी मात्रा में शराब हृदय को बढ़ावा तो देती है, पर वह शक्ति बनावटी होती है, क्योंकि जैसे ही शराब का असर उतरता है, हृदय और भी थकान-सी महसूस करने लगता है। शहद का असर कृत्रिम नहीं होता और वह हृदय को शक्ति प्रदान करता है।

शहद कीटाणुनाशक होता है और शल्य चिकित्सा में भी शहद की उपयोगिता स्वीकार की जाती है। शहद व्रण (फोड़े) और त्वचा की जलन आदि के घाव के चिन्ह और दर्द को दूर करता है।

बीवाडिन के डॉक्टर स्कॉच ने अल्सर के कई रोगियों को मधु के उपयोग द्वारा

ठीक करने में सफलता प्राप्त की। पेट के छोटे-मोटे घाव अथवा आरम्भिक अल्सर मधु द्वारा ठीक हो जाते हैं। ऐसी दशाओं में मधु को दूध अथवा चाय के साथ समुचित अनुपात में लेना लाभदायक है।

शहद का उपयोग सौंदर्य वृद्धि में भी किया जाता है।

- चेहरे को पानी की भाप से साफ कर लें। इसके बाद शहद में नीबू का रस मिलाकर लेप करें। 15-20 मिनट बाद इसे पानी से धो लें। ऐसा कुछ दिनों तक नियमित करने से मुंहासों से छुटकारा मिल जाता है।

- नहाने से पहले दूध की मलाई और शहद समान मात्रा में मिलाकर चेहरे पर लेप करें और फिर कुछ समय बाद धो डालें। ऐसा कुछ दिनों तक नियमित करने से चेहरे पर असमय से उभर आने वाली झाइयां दूर हो जाती हैं।

- संतरे के छिलके को छाया में सुखाने के बाद पीसकर चूर्ण (पाउडर) बना लें। दो चम्मद शहद में थोड़ा-सा संतरे के छिलको द्वारा बनाया गया पाउडर मिलाकर उबटन बनाएं और उसका चेहरे पर लेप करें। ऐसा कुछ दिनों तक करने से त्वचा निखर जाती है।

- टमाटर के रस में शहद मिलाकर हाथ और पैर पर लगाने से त्वचा कोमल होती हैं तथा निखर जाती है।

शहद की शुद्धता की पहचान कैसे करें

जैसे-जैसे शहद की मांग बढ़ती जा रही है, उसमें मिलावट की प्रवृत्ति भी बढ़ती जा रही है। शुद्ध मधु की पहचान निम्न प्रकार की जानी चाहिए।

- शहद को शीशे के बर्तन में डालकर मिथीलेटेड स्प्रिट में मिलाकर अच्छी तरह हिलाना चाहिए। यदि शहद नीचे बैठ जाए तो शुद्ध और यदि रंग दूध जैसा हो जाए तो अशुद्ध समझना चाहिए।

- पानी से भरे कांच के गिलास में शहद की बूंदें छोड़ने पर यदि वह तल तक ज्यों की त्यों पहुंचे तो शहद शुद्ध है और यदि तल तक पहुंचने से पहले ही फैलकर पानी में मिल जाएं तो यह बनावटी है।

- कपड़े की बत्ती शहद में भिगो लें, फिर दियासलाई से जलाएं। यदि जल जाता है तो शहद शुद्ध है।

दही से सौंदर्य निखारें

दही सिर्फ स्वास्थ्य की दृष्टि से ही नहीं, बल्कि सौंदर्य की दृष्टि से भी अत्यंत उपयोगी है। यह एक बढ़िया सौंदर्य प्रसाधन है। दही में वसा, प्रोटीन, लैक्टिक अम्ल, जल, दुग्ध-शर्करा, भस्म, कैल्शियम, फॉस्फोरस, लोहा, विटामिन 'ए', विटामिन 'बी-1', विटामिन 'बी-2', विटामिन 'बी-5', और विटामिन 'सी' जैसे पोषक तत्व पाए जाते हैं। एक साथ इतने सारे पोषक तत्वों को प्राप्त करने का सबसे सस्ता, सहज व सुलभ माध्यम है दही। दही से हम अपना सौंदर्य किस प्रकार निखार सकते हैं, इसकी जानकारी हम यहां प्रस्तुत कर रहे हैं।

- चेहरे पर दाने या मुंहासे हों तो खट्टे दही का लेप चेहरे पर लगाइए। सूखने पर धो डालिए। दो तीन दिनों में ही दाने-मुंहासे दूर हो जाएंगे और चेहरा चमक उठेगा।

- दही बालों के लिए बहुत उपयोगी है। सप्ताह में एक दिन खट्टे दही से बालों की मालिश कीजिए। एक घंटे बाद ठंडे पानी से बाल धो लीजिए। इससे बालों की रूसी दूर होगी।

- दही त्वचा के लिए एक वरदान है। दही लगाकर पन्द्रह मिनट बाद ठंडे पानी से धो लें। इससे चेहरे पर चमक आएगी और रंग भी साफ होगा।

- मेहंदी में दही के साथ थोड़ा सिरका तथा चाय की पत्ती का पानी मिलाकर बालों में लगाएं। एक घंटे बाद धो लें। यह बालों की सेहत के लिए प्राकृतिक कंडीशनर है।

- त्वचा तैलीय हो तो दही, बेसन व शहद मिलाकर लेप बनाएं और चेहरे तथा गर्दन पर लगाएं। सूखने पर रगड़ते हुए छुड़ा लें व चेहरा ठंडे पानी से धो लें। इसके नियमित प्रयोग से त्वचा की अतिरिक्त चिकनाई दूर हो जाएगी।

- अनिद्राग्रस्त व्यक्ति को चाय-कॉफी की जगह दूध, दही और छाछ का सेवन करना चाहिए। ये नींद लाने में सहायक होते हैं।

- गर्दन के पिछले भाग (गुद्दी) पर प्रायः कालिमा-सी छा जाती है। इसे हटाने के लिए प्रतिदिन नहाते समय खट्टे दही से मालिश कीजिए। कुछ ही दिनों में समस्या दूर हो जाएगी।

- आटे के चोकर में दही और चुटकी-भर पिसी कच्ची हल्दी मिलाकर उबटन बनाकर चेहरे पर ऊपर से नीचे की ओर गोलाई में मालिश करते हुए लगाएं। होंठों के आसपास, नाक और आंखों के आसपास अधिक ध्यान दें। बीस मिनट बाद चेहरा ठंडे पानी से साफ कर लें। सनबर्न की समस्या से ग्रस्त त्वचा की रंगत इससे एकसार होती है और रंग निखरता है।
- एक कप मेहंदी, दो बड़े चम्मच दही, एक चम्मच कॉफी पाउडर, एक बड़ा चम्मच सूखे आंवले का चूर्ण, एक छोटा चम्मच कत्था पॉउडर इन सबको मिलाकर थोड़े-से पानी में भिगोकर एक घंटा रखें, फिर बालों की जड़ों और बालों में लगाएं। एक घंटे बाद ठंडे पानी से बाल साफ़ कर लें। सप्ताह में एक बार प्रयोग करें, फिर बालों की सुंदरता देखें।

- आधा कप चोकर, चार चम्मच दही, आधा चम्मच शहद मिलाकर पेस्ट बना लें। इस पेस्ट को चेहरे, गर्दन और बांहों पर पंद्रह मिनट तक लगाए रखें। इससे त्वचा चिकनी होगी तथा रंग भी साफ होगा।
- रूखी-सूखी त्वचा और असमय झुर्रियों से बचाव के लिए दही, शहद और अण्डे की सफेदी समान मात्रा में मिलाकर चेहरे पर फेस मास्क की तरह लगाएं। पंद्रह मिनट बाद ठंडे पानी से चेहरा धो लें। दस मिनट तक जैतून के तेल से चेहरे की धीमी मालिश करें। सप्ताह में दो बार इस नुस्खे का प्रयोग करें। लगभग दो माह में ही फर्क महसूस होने लगेगा।
- दही में बेसन तथा चुटकी-भर पिसी कच्ची हल्दी मिलाकर उबटन करने से त्वचा की शुष्कता दूर होती है। कमनीयता बढ़ती है तथा त्वचा में निखार आता है।
- बालों की खूबसूरती के लिए आठ चम्मच मुल्तानी मिट्टी में चार चम्मच दही और चार चम्मच नीबू का रस मिलाकर अच्छी तरह से बालों में लगाएं। आधे घंटे बाद बाल धो लें। सप्ताह में एक बार यह प्रयोग करें। इससे बाल काले, घने, रेशमी और मुलायम होंगे। आप अपने बालों के अनुसार उपयुक्त मात्रा में मिश्रण तैयार करें।
- दही में बेसन घोलकर बालों की जड़ों में लगाएं। एक घंटें में सिर धो लें। इससे रूसी दूर होती है तथा बालों में चमक बढ़ती है।
- दो चम्मच मुल्तानी मिट्टी में एक चम्मच दही मिलाकर पेस्ट बना लें, फिर इसे चेहरे पर बीस मिनट तक लगाएं रखें, फिर ठंडे पानी से चेहरा धो लें। त्वचा को साफ करने के लिए इसे प्रतिदिन लगाएं।
- दही में काली मिर्च का चूर्ण मिलाकर सिर धोने से रूसी दूर होती है। साथ ही बाल साफ़, मुलायम काले एवं घने होते हैं।
- यदि त्वचा की रंगत में धूप के प्रभाव के कारण अंतर आया हो तो इसके लिए जई का आटा या मसूर की दाल के पाउडर को खट्टे-मट्ठे में मिलाकर लेप बनाएं, फिर इसे चेहरे, गर्दन, हाथ-पैरों पर लगाकर बीस मिनट बाद धो लें। इस लेप के नियमित प्रयोग से त्वचा की रंगत निखर उठेगी।
- अरहर की दाल (पिसी हुई) व दही एक-एक चम्मच लेकर मिलाएं और चेहरे पर लगाएं। सूखने पर धो डालें। इससे मुंहासे और दाग-धब्बे दूर होंगे, त्वचा कोमल व दागरहित होगी।

- थोड़े से दही में एक नीबू का रस मिलाकर चेहरे, बालों तथा शरीर पर लगाएं, फिर एक घंटे बाद स्नान कर लें। बालों की रूसी दूर होगी, बाल साफ और चमकीले होंगे तथा त्वचा साफ़ व मुलायम बनेगी।
- दो चम्मच मुल्तानी मिट्टी में दो लौंग का चूर्ण, दही व नीबू का रस मिलाकर लेप बना लें, फिर इसे चेहरे तथा गर्दन पर अच्छी तरह लगाएं व सूखने दें। फिर ठंडे पानी से चेहरा साफ कर लें। प्रतिदिन यह उपाय आजमाने से तैलीय त्वचा में मुंहासों (एक्ने) की शिकायत दूर होगी।
- नहाने से एक घंटा पूर्व दही में सेंधा नमक मिलाकर बालों की जड़ों में व बालों में लगाएं। बालों को लपेटकर पॉलीपैक के अदंर कर लें, फिर एक घंटे बाद ठंडे पानी से सिर धो लें। यह रूसी दूर करने का और बालों को मुलायम व चमकदार बनाने का सबसे सरल और कारगर उपाय है।
- एक कटोरी खट्टा दही लेकर उसमें चार चम्मच मुल्तानी मिट्टी का पाउडर, चार चम्मच त्रिफला चूर्ण, चार चम्मच शिकाकाई पॉउडर और आधे नीबू का रस मिलाकर रात भर के लिए रख दें। सुबह इसे बालों की जड़ों में लगाकर एक घंटे के लिए लगा रहने दें। फिर ठंडे पानी से बालों को साफ कर लें। प्रति सप्ताह ऐसा करने से बालों का झड़ना रुक जाएगा और बाल स्वस्थ व सुंदर रहेंगे।

नीम—एक सौंदर्य वरदान

नीम के पेड़ का इतिहास जितना पुराना है, उतने ही उसके साथ कई प्रकार के किस्से जुड़े हुए हैं। आज के इस आधुनिक युग में जहां दवाइयों-रसायनों आदि का प्रयोग दिन-प्रतिदिन बढ़ता जा रहा है, वहीं नीम का वृक्ष आधुनिक युग में भी हमारे लिए एक वरदान से कम नहीं है। इस नीम के वृक्ष के अनेक गुण हैं, जिन्हें नकारा नहीं जा सकता। हर तबके की महिलाओं की आम समस्या यही है कि वे अपने शरीर को स्वस्थ, सुडौल और आकर्षक कैसे बनाए रखें। इस लिए वे ब्यूटी पार्लर या रसायनयुक्त प्रसाधनों का सहारा लेती हैं, लेकिन दोनों ही रास्ते भरोसेमंद नहीं होते। रसायनयुक्त आधुनिक प्रसाधन फायदा पहुंचाने के बजाय नुकसान ही पहुंचाते हैं। महिलाओं का रहा-सहा प्राकृतिक सौंदर्य भी जाता रहता है, मगर नीम का सहारा लेने से महिलाएं जहां धन और समय की बचत करेंगी, वहीं अपने शरीर को भी प्राकृतिक रूप से स्वस्थ रख पाएंगी।

- नीम की पत्तियों को तेल में भूनकर गुनगुना होने पर फोड़े, फुंसी व चोट लगे स्थान पर लगाएं, तुरंत आराम मिलेगा।
- मौसम के बदलने पर नीम की पत्तियों को कूटकर उसका पानी निकालकर सेवन किया जाए तो खून साफ होता है व अनेक रोग दूर होते हैं।
- यदि मुंह पर कील-मुहांसे हैं और रंग भी सांवला है तो उसमें निखार लाने के लिए नीम की पत्तियों को सुखाकर उन्हें बारीक कूट लें। मुल्तानी मिट्टी, नीम की पत्तियों का पाउडर, तीन-चार बूंद गुलाबजल डालकर पानी में घोल लें। अब इस पैक को प्रतिदिन स्नान से पूर्व चेहरे पर लगाएं तो कील-मुहांसे तो हटते ही हैं, साथ ही रंग भी साफ हो जाता है और चेहरे पर चमक भी आती है।
- बालों का झड़ना, उनका सफेद होना, बालों में रूसी होना महिलाओं की आम समस्या है। यदि नाक में दो बूंद नीम का तेल डाला जाए तो बालों के झड़ने तथा उनके सफेद होने को रोका जा सकता है। रूसी से छुटकारा पाने हेतु रात में नीम के तेल की मालिश सिर में करनी चाहिए। सुबह बालों को नीम के पानी से धो दें। यह नुस्खा हफ्ते में दो बार तीन माह

तक करना चाहिए। नीम के साथ अन्य चीजें मिलाकर शैंपू भी बनाया जा सकता है। सौम्य प्रकृति का यह शैम्पू सिर और बालों के लिए जहां हानिरहित साबित होता है, वहीं बालों को रूसीमुक्त और मुलायम बनाए रखता है। ऐसा शैम्पू हफ्ते में एक बार एक महीने तक इस्तेमाल करना चाहिए। नीम के तेल का इस्तेमाल साबुन बनाने हेतु भरपूर होता है, अतः नीमयुक्त साबुन ही इस्तेमाल करना चाहिए।

- नीम से बना फेस पैक भी बहुत उपयोगी साबित होता है। पुराने समय में नीम के पत्ते तथा दही या बेसन चेहरे पर लगाया जाता था। इससे जहां चेहरे का रंग खिल उठता है, वहीं चेहरे के दाग, मुंहासे भी नष्ट होते हैं। नीम की पत्तियों वाले पानी से नहाया जाए और वही पत्तियां शरीर पर रगड़ी जाएं तो त्वचा की खुजली, फोड़े-फुंसियां नष्ट हो जाती हैं। त्वचा की कांति उभरती है तथा दुर्गन्ध नष्ट होती है। त्वचा दाग रहित होती है।

- संतति पर रोक लगाने हेतु आज जो आधुनिक उपाय अपनाए जाते हैं, उन पर संदेह की उंगलियां हमेशा उठती रही हैं। नीम को अगर संततिनिरोधक के रूप में अपनाया जाए तो इससे सभी समस्याओं का हल हो जाएगा। इस हेतु नीम तेल में डुबोई गई रुई समागम से पन्द्रह मिनट पहले स्त्री अपनी योनि में रखें तो यह असरदार तथा हानिरहित संततिनिरोधक उपाय होगा। छोटी आकार की रुई की बाती नीम के तेल में भिगोकर योनि में रखी जाए तो योनि के रोग दूर हो जाते हैं। पांच भाग वैसलिन के साथ एक भाग सूखे नीम की पत्ती से बना पॉउडर मिलाकर उपयोगी मलहम घर में ही बनाया जा सकता है।

- यौन रोग सिफलीस (उपदंश) में भी नीम बड़ा गुणकारी साबित होता है। नीम तेल या नीम से बनी क्रीम प्रभावित जगह पर लगानी चाहिए। फिस्टुला से परेशान रोगी को नीम के तेल में भिगोई बाती फिस्टुला में डालनी चाहिए। इससे जख्म भरता जाएगा और मरीज को ऑपरेशन कराने की जरूरत नहीं होगी। बवासीर के रोगी को नीम के फल से बना मलहम प्रभावित जगह पर लगाना चाहिए। नीम रक्तस्रावरोधक तथा रोगाणुनाशक होता है। योनि या गुदाद्वार में खुजली होना, उस हिस्से का लाल हो जाना या सूज जाना, पेशाब में जलन, पेशाब में रुकावट—ऐसे रोगों में भी नीम बहुत ही प्रभावशाली औषधि साबित होता है। इस हेतु नीम के पत्तों के रस में निबोली को घिसना चाहिए और इसे योनि में रखना चाहिए।

- बच्चों को रोग हो जाए तो स्त्रियों की जिम्मेदारियां और बढ़ जाती हैं। इस मामले में भी नीम स्त्रियों की सहायता करता है। चेचक, छोटी माता, खसरे, खुजली की स्थिति में नीम उपयोगी सिद्ध होता है। नीम के बीजों का तेल प्रभावित हिस्से पर लगाया जाना चाहिए। नीम के पत्तों से बनी पेस्ट भी लगानी चाहिए। नीम साबुन से नहाना चाहिए। रोगी के तकिया के नीचे नीम के पत्ते रखने चाहिए। नीम जहां जख्म भरता है, वहीं यह बतौर कीटाणुनाशक भी काम करता है।

- सिरदर्द की स्थिति में नीम के बीजों का पाउडर अगर माथे पर हल्के से रगड़ा जाए तो सिरदर्द गायब हो जाता है। ल्युकोरिया (योनि से सफेद स्राव होना, श्वेत प्रदर) तथा डिसमेनोरिया (मासिक धर्म में तकलीफ, पेट दर्द, अनियमित तथा विरल मासिक धर्म) के समय दस ग्राम नीम के पत्ते के रस में एक बड़ा चम्मच भर शक्कर मिलाकर हर रोज सुबह सवेरे पीना

चाहिए। डायरिया, दस्त, कब्जियत में भी नीम सहायक होता है। डायरिया तथा दस्त की स्थिति में एक छोटा चम्मच नीम के पत्तों का रस शक्कर के साथ दिन में तीन बार पीना चाहिए। इससे पेट भी साफ हो जाता है। कब्जियत होने पर दो-तीन ग्राम नीम पाउडर तथा 2 से 4 काली मिर्च दिन में तीन बार लेनी चाहिए।

- पेट में कीड़े हो जाएं, नतीजतन गुदाद्वार में खुजली हो, भूख बहुत लगे या न लगे, वजन कम हो जाए, पेट में दर्द हो, टट्टी में कीड़े दिखाई दें तो एक ग्राम नीम के पत्तों का पाउडर गुड़ के साथ लें। कीड़ों से मुक्ति मिलेगी। यह नुस्खा पन्द्रह रोज आजमाएं।

- नीम टी.बी., फायलेरिया, मधुमेह, रक्तचाप, कैंसर महारोग, त्वचा रोग, सफेद दाग, एलर्जी में भी बड़ा लाभप्रद सिद्ध होता है। मधुमेह के रोगी को एक बड़ा चम्मच नीम के पत्तों का रस खाली पेट सुबह सवेरे तीन माह तक लेना चाहिए। नीम के दस पत्तों को चबाने से या पाउडर सेवन करने से भी फायदा होता है। इस समय खानपान के नियमों का पालन करना जरूरी है। उच्च रक्तपाच से पीड़ित व्यक्ति को हर रोज दो बार एक बड़ा चम्मच भर नीमरस ग्रहण करना चाहिए। कैंसर के रोगी को दस-बारह नीम के पत्ते गर्म पानी के साथ सुबह सवेरे चबाने चाहिए।

दूध : सौंदर्य निखार में उपयोगी

दूध शक्तिवर्धक होने के साथ-साथ सौंदर्यवर्धक भी होता है। यूं तो बकरी, गाय, भैंस के दूध की अपनी-अपनी महत्ता है, किंतु इनमें भैंस का दूध ज्यादा उत्तम माना गया है। जिस प्रकार दूध का प्रतिदिन सेवन करने से शरीर स्वस्थ बनता है, उसी प्रकार दूध से सौंदर्य में भी निखार लाया जा सकता है। यहां दूध से सौंदर्य निखारने के कुछ टिप्स दिए गए हैं—

- दूध को शरीर पर मलने से त्वचा का रूखापन दूर हो जाता है व त्वचा में निखार आता है।
- दूध व नीबू का रस मिलाकर चेहरे पर मलने से त्वचा चमक उठती है।
- चिरौंजी को दूध के साथ पीसकर चेहरे पर लगाएं। चेहरा निखर उठेगा।
- मुंहासों के दाग-धब्बे दूर करने के लिए काले तिल व पीली सरसों आधा-आधा चम्मच लेकर पीस लें, फिर दूध में मिलाकर दाग-धब्बों पर लगाएं। कुछ ही दिनों में दाग दूर हो जाएंगे।
- बादाम और बेसन दूध के साथ मिलाकर चेहरे पर उबटन बनाकर लगाएं। सूखने पर चेहरा धो लें। चेहरे में अद्भुत निखार आएगा।
- दूध में चने या मसूर की दाल डालकर रात-भर भिगोएं। अच्छी तरह पीसकर दूध में मिलाकर चेहरे, हाथ व पैरों में लगाएं। त्वचा चिकनी व कोमल होगी।
- कच्चा दूध रोजाना शरीर पर लगाने से सांवला रंग निखर उठता है।
- दूध में केसर मिलाकर होंठों पर मलने से होंठ सुंदर बनते हैं।
- नाखूनों की सुंदरता और मजबूती बढ़ाने के लिए प्रतिदिन अपने नाखूनों को दूध में भिगोएं।
- बर्तन धोने के बाद नीबू के रस में दूध मिलाकर हाथों पर लगाने से हाथ सुंदर व आकर्षक बनते हैं।
- दूध में शहद मिलाकर हाथ, पैर व चेहरे पर लगाने से त्वचा मुलायम होती है।

- ताजे दूध में नीबू का रस मिलाकर हाथ, पैर, गर्दन व चेहरे पर मलें। आधे घंटे बाद गुनगुने पानी से धो लें। त्वचा की सुंदरता बढ़ जाएगी।
- आंखों के नीचे का कालापन दूर करने के लिए दूध में रुई के फाहे को भिगोकर आंखों के नीचे रखें।
- झाइयां दूर करने के लिए दूध व तुलसी के पत्तों का रस सम मात्रा में मिलाकर लगाएं।
- जायफल को दूध में घिसकर मुंहासों पर लगाने से मुंहासे दूर होते हैं और चेहरे पर निखार आता है।

टमाटर से सौंदर्य निखारें

टमाटर में त्वचा संबंधी नाना प्रकार के विटामिन, साइट्रिक एसिड, खनिज, क्षार आदि विद्यमान होने के कारण टमाटर एक प्रकार का सौंदर्यवर्धक है जिसे अग्रलिखित तरीकों से प्रयोग करके सौंदर्य में निखार लाया जा सकता है।

टमाटर के सूप में काली मिर्च डालकर नियमित पीने से कब्जियत दूर होती है, जिससे चेहरे पर चमक और शरीर में चुस्ती बरकरार रहती है।

टमाटर दूषित रक्त का शोधन करते हैं तथा चेहरे की त्वचा को गुलाबी आभा प्रदान करते हैं।

टमाटर का जूस पीने से बाल चमकदार होते हैं। बड़े टमाटर की मोटी-मोटी फांकें काट कर गालों और आंखों के नीचे रखने से झाइयां और आंखों के काले घेरे हमेशा के लिए मिट जाते हैं।

टमाटर गुणकारी होने के बावजूद अत्यधिक मात्रा में सेवन करने से शरीर को हानि पहुंचाते हैं। टमाटर ही क्या प्रत्येक चीज की अति खराब होती है। पथरी के रोगियों को टमाटर का सेवन नहीं करना चाहिए। अगर आप टमाटर के लाभ उठाना ही चाहते हैं तो आपको इसका सेवन उचित मात्रा में नियमित करना होगा।

छिलकों से सौंदर्य निखारें

फल-सब्जियों के छिलकों को हम बेकार समझकर फैंक देते हैं, जबकि ये छिलके भी स्वास्थ्य और सौंदर्य संबंधी अनेक समस्याओं को दूर कर सकते हैं। आयुर्वेद में सौंदर्यवर्द्धन हेतु छिलकों के प्रयोग की पुरानी परंपरा रही है। इनमें से कुछ सरल और सफल प्रयोगों का विवरण यहां प्रस्तुत किया जा रहा है।

झाइयां

संतरे और नीबू के छिलकों को सुखाकर महीन पीस लें। इस चूर्ण में गाय का कच्चा दूध और थोड़ा गुलाबजल मिलाकर चेहरे पर उबटन की भांति लगाएं। सूख जाने पर ताजे पानी से चेहरे को धो लें। इस प्रयोग से चेहरे पर पड़ी झाइयां मिट जाती हैं।

मुहांसे

अनार और संतरे के छिलकों को हल्दी के साथ पीस लें। इसमें थोड़ा-सा नीबू का रस मिलाकर चेहरे पर नियमित लगाने से मुंहासों में काफी लाभ मिलता है।

त्वचा की कालिमा

रस निकालने के बाद नीबू के छिलकों को फेंकें नहीं। कोहनी, घुटनों, उंगलियों के पोर और तलवों पर इन्हें रगड़ें। इससे इन स्थानों पर जमी मैल आसानी से साफ हो जाती है और यहां की त्वचा भी कोमल हो जाती है।

जलने के निशान

इन निशानों पर पपीते के छिलकों को रगड़ने से ये धीरे-धीरे मिट जाएंगे।

स्वस्थ बालों के लिए

संतरे एवं नीबू के छिलकों का चूर्ण आंवले डाले हुए पानी में मिलाकर बालों को धोने से, बालों की रूसी खत्म हो जाती है और बाल लंबे व घने बनते हैं।

नाखून

नीबू के छिलकों को नाखूनों पर रगड़ने से ये दागरहित, स्वच्छ और चमकीले हो जाते हैं।

दांत की चमक

इसी तरह दांतों को चमकाने के लिए नीबू के छिलकों को सप्ताह में एक-दो बार दांतों पर रगड़ें। साथ ही इसके छिलके को सुखा एवं पीसकर इसमें थोड़ा-सा पिसा हुआ नमक मिलाकर इसे मंजन की भांति भी इस्तेमाल कर सकती हैं। इससे दांत के कीड़े भी दूर होते हैं। ध्यान रहे कि नीबू यों भी दांतों और मसूड़ों के स्वास्थ्य के लिए उत्तम माना गया है, खासकर विटामिन 'सी' की वजह से।

VaLCanow